D0496929

LE BON PÈRE FRÉDÉRIC

Romain Légaré, O.F.M.
Constantin Baillargeon, O.F.M.

Éditions Paulines & Médiaspaul

Composition et mise en page: *Les Éditions Paulines*

Maquette de la couverture: *Antoine Pépin*

ISBN 2-89039-181-7

Dépôt légal — 2ᵉ trimestre 1988
Bibliothèque nationale du Québec
Bibliothèque nationale du Canada

© 1988 Les Éditions Paulines
   3965, boul. Henri-Bourassa Est
   Montréal, QC, H1H 1L1

   Médiaspaul
   8, rue Madame
   75006 Paris

Préface

Après un long temps d'efforts et d'espérance, la cause de béatification du Père Frédéric Janssoone parvient à un heureux dénouement: l'Église propose ce religieux franciscain comme un intercesseur et un modèle aux fidèles de notre temps. Le seul nom du Père Frédéric évoque bien des souvenirs dans nos milieux. Quelques octogénaires se rappellent l'avoir rencontré au cours de ses missions populaires. Beaucoup d'autres personnes en ont entendu parler dans leur famille. Toutefois, rares sont ceux qui connaissent l'ampleur et la diversité de l'apostolat qu'il a exercé tant au Canada qu'en France et en Palestine. Sa renommée de thaumaturge a pu aussi voiler le fait qu'il était avant tout épris de sainteté pour lui-même et désireux de conduire les autres à la perfection de l'amour du Seigneur et de sa mère.

Les personnes qui ont eu le privilège de vivre proches de lui ont été vivement impressionnées par la qualité de sa vie spirituelle. L'abbé Luc Désilets, curé à Cap-de-la-Madeleine, affirme: «C'est là un homme de Dieu, un saint, et un savant. Plus on voit cet homme de près, plus on le vénère, et on l'admire[1].» Il dit encore: «Mon Père, vous nous avez envoyé ici un saint; un saint et un religieux d'une puissance extraordinaire[2].» Quant à l'abbé Léon Provancher, qui est à l'origine de la venue du Père Frédéric au Canada, il confie à un intime: «J'attends après-demain

---

1. Lettre à Mgr Laflèche, le 18 novembre 1881.
2. Lettre au P. Raphaël Delarbre, O.F.M., Définiteur général à Rome, le 3 janvier 1882.

le Père Frédéric qui doit passer plus d'un mois ici. C'est là l'homme de Dieu, le saint, pour qui tout le monde n'est rien pourvu que par son humilité et son dévouement il puisse faire honorer Dieu. Que je me plais en sa compagnie! Il fait bon, quand on est froid, de se frotter un peu avec ceux qui brûlent d'amour de Dieu[3].»

Pour faire connaître les vertus et les œuvres du Père Frédéric, une biographie bien documentée est indispensable. Le Père Romain Légaré y avait pourvu il y a plusieurs années. Mais comme ses écrits ne se trouvent plus en librairie et avaient, d'ailleurs, besoin d'être complétés, le Père Constantin Baillargeon, en bon fils de saint François, a pris la relève. Tout en conservant les acquis dus aux recherches du Père Légaré, il nous offre maintenant une biographie renouvelée du Père Frédéric.

Le Père Baillargeon a droit à nos vives félicitations et remerciements pour son patient travail. Il faut souhaiter que la présente biographie aide à comprendre quel évangélisateur infatigable a été le Père Frédéric et quel témoin entraînant il peut devenir pour les chrétiens et chrétiennes d'aujourd'hui.

Le 29 mars 1988.

+ Laurent Noël

Évêque de Trois-Rivières.

---

3. Lettre à l'abbé Huard, le 27 février 1882.

Avant-propos

Le 15 mai 1987, en annonçant à mon Provincial que la Consulte médicale romaine avait approuvé le miracle présenté pour la béatification du Bon Père Frédéric, le postulateur romain de la cause rappelait à son homologue canadien de voir à la préparation d'une nouvelle vie du serviteur de Dieu ou à la présentation rajeunie d'une biographie déjà existante.

Une biographie de bonne qualité avait déjà été publiée en 1952 par les soins du P. Romain Légaré, religieux de la province franciscaine Saint-Joseph du Canada. Elle avait pour titre: *Un apôtre des deux mondes, le Père Frédéric Janssoone*. Même si elle avait 35 ans, elle restait valide dans ses données essentielles. Car son auteur, en l'écrivant, avait fait bien attention de ne s'appuyer que sur des documents sûrs. Mais il y avait lieu de rectifier certains passages, que la survenance de faits nouveaux avait rendus périmés. Il y avait aussi lieu de rafraîchir le style, car les langues modernes changent vite et on n'écrit plus aujourd'hui comme on le faisait il y a sept lustres. On me demanda donc de reviser l'ouvrage du P. Romain Légaré, décédé le 15 mai 1979.

À l'origine, on aurait voulu que je le récrive entièrement, de façon à le transformer en un livre de poche léger et peu coûteux. Je rêvais moi-même d'aboutir à quelque chose comme le *Thérèse de Lisieux* que Jean-François Six a composé pour la collection du Centurion. Mais j'ai vite compris que je n'étais pas assez imprégné de la vie de mon héros pour réussir une chose pareille. Sait-on en effet qu'avant d'écrire son élégante plaquette de 95 pages, Jean-François Six avait consacré quinze années à rédiger deux gros volumes sur sainte Thérèse de l'Enfant Jésus?

J'ai donc réduit mes ambitions et me suis contenté de mettre à jour et de rajeunir la biographie du Père Légaré. C'est la raison pour laquelle, repoussant les suggestions qu'on m'a faites à ce sujet, j'ai refusé de signer seul un ouvrage qui était beaucoup plus de mon confrère que de moi.

Si quelqu'un tenait à mesurer exactement la part qui est de moi dans ce volume, le plus simple pour lui serait de comparer la présente édition à l'ouvrage original du Père Légaré paru en 1952. Il constaterait premièrement que j'ai abrégé considérablement les sept premiers chapitres. Et, deuxièmement, que j'ai essayé de rendre plus clairs les treize autres, dont certains me paraissaient par trop broussailleux. Dans ce but, j'ai élagué et réordonné ici ou là. J'ai surtout introduit partout des sous-titres, qui ont pour but d'orienter le lecteur et de l'aider à suivre le fil parfois un peu lâche des développements. Il y a un chapitre, un seul, que je puis revendiquer comme un peu mien: c'est le vingtième, où j'ai ajouté davantage au texte du Père Légaré. Comme je l'explique dans la note inaugurale, le portrait du Père Frédéric qui en résulte doit beaucoup au dossier que la Congrégation des causes des saints a publié en 1978.

Le Père Romain Légaré n'avait pas suivi rigoureusement, dans son livre, le déroulement chronologique des faits. Dans la troisième partie, en particulier, il a recouru à un exposé en éventail, afin de pouvoir expliciter à sa guise les différents aspects de l'œuvre du Père Frédéric. C'est un procédé qui expose aux redites et qui peut agacer un lecteur féru de chronologie. Mais c'est le seul qui permettait de rendre justice à la personnalité curieusement complexe du Père Frédéric et à la variété de ses travaux. Le Père Légaré l'avait sûrement adopté de propos délibéré, car il avait en mains toutes les données voulues pour écrire un récit strictement chronologique. J'ai respecté là-dessus sa manière de faire. Mais, pour accommoder ceux qui aiment, dans une biographie, à connaître l'ordre historique des faits, j'ai préparé une synopsis chronologique de la vie de notre héros, que l'on trouvera après la page 336 de ce volume.

Restait le style du Père Légaré. Il était assez typiquement ecclésiastique. Je veux dire par là qu'il conservait quelque chose du style des vies de saints très édifiantes qu'on lisait au second nocturne du *Bréviaire.* On connait le genre: «Dès sa plus tendre enfance, le jeune X donna les signes de toutes les qualités de l'esprit et du cœur qu'il devait manifester un jour.» Il portait, en plus, la marque de son temps, surtout dans les morceaux de bravoure, où l'on sentait que l'auteur s'était plus appliqué à «composer». Il lui arrivait alors de tomber dans une certaine afféterie vieillotte, qui fait sourire aujourd'hui. J'ai éliminé autant que possible ces rides; mais, comme je n'ai pas récrit le texte en entier, il en reste ici ou là. Elles ne me paraissent pas déparer le livre, auquel elles laissent une petite touche rétro, qui a son charme *sui generis.*

Le mérite propre de cette vie solidement documentée écrite par le P. Légaré, c'est de bien faire voir ce qu'ont été les travaux et les réalisations du Père Frédéric. Elle donne du même coup une première image de l'homme de Dieu, très valable en elle-même, mais que les recherches des prochaines années viendront inévitablement compléter et préciser. L'histoire d'une Thérèse de l'Enfant Jésus, morte en 1897, montre en effet qu'il faut plusieurs décennies avant que puissent être mises en pleine lumière les caractéristiques humaines et surnaturelles d'un saint.

Dans le cas du Père Frédéric, ce qu'il faudra étudier au plus tôt, si l'on veut faire progresser encore son culte, c'est l'histoire de son aventure spirituelle, de sa découverte progressive de Dieu et de son immersion en lui. Cet «itinéraire de l'âme à Dieu», pour parler comme saint Bonaventure, est la partie d'une vie qui est toujours la plus difficile à retracer, parce que c'est toujours la plus secrète, celle que souvent l'intéressé ne voit pas trop bien lui-même. Mais c'est toujours aussi la plus passionnante. Car, en tout chrétien qui se mêle de vivre à fond sa dimension de baptisé, se reproduit infailliblement le gigantesque duel pascal qui a été au cœur de l'existence humaine du Christ. Et ce mystère, ce n'est jamais rien de pantouflard ni de banal, mais c'est quelque chose d'exaltant comme l'Évangile lui-même. C'est une recherche de ce genre que le Père Éloi Leclerc a effectuée sur saint François dans son petit livre *Sagesse d'un pauvre*. On sait comment cet ouvrage est vite devenu une sorte de classique franciscain. Je rêverais de pouvoir faire quelque chose de semblable en ce qui concerne le Père Frédéric (le lecteur attentif devinera peut-être la présence de cette aspiration dans certains passages du chapitre vingtième où j'ai étudié de plus près certains traits de caractère qui ont conditionné jusqu'à un certain point la vie du serviteur de Dieu).

Si jamais le Seigneur m'accordait santé et loisir pour m'attaquer à une pareille tâche, j'aimerais m'en acquitter avec une honnêteté semblable à celle que l'abbé Guy Gaucher a manifestée dans son étude sur Thérèse de Lisieux intitulée *Histoire d'une vie*. C'est un livre que j'ai beaucoup aimé parce qu'il m'a semblé que ce qui a préoccupé avant tout l'auteur, c'était de faire vrai (j'y ai lu pour la première fois le récit de l'affaire Diana Vaughn, qui jette une lumière nouvelle si intéressante sur les épreuves de foi de Thérèse Martin). Son éditeur a pu écrire de lui: «Il s'est refusé à romancer ou à commenter pour rester fidèle à celle qui déclarait: 'Je ne puis me nourrir que de vérité.'»

Ce souci de vérité et d'objectivité, le P. Légaré l'avait clairement manifesté dans son œuvre d'hagiographe. Il avait compris que le Père Frédéric lui aussi avait une personnalité humaine et théologique assez riche pour qu'on pût, sans le desservir, dire toute la vérité à son sujet. C'est ce que j'ai tâché de faire à mon tour dans les quelques corrections que j'ai apportées à l'œuvre de mon devancier. Puisse notre sympathique confrère, qui sera béatifié bientôt, jeter un coup d'œil indulgent sur ce fruit de notre effort commun et lui assurer, s'il n'a pas perdu au ciel son charisme de publiciste, la plus large diffusion.

Constantin Baillargeon

PREMIÈRE PARTIE

LE PAYS NATAL
(1838-1876)

Chapitre premier

Ghyvelde, ou l'enfance d'un petit prince

Le 4 août 1916, dans une cellule d'infirmerie du couvent franciscain de la rue Dorchester, à Montréal, s'éteignait celui que la plupart des Québécois appellent maintenant le Bon Père Frédéric. La communauté locale avait été convoquée par la cloche du cloître. Le T.R.P. Jean-Joseph Deguire, provincial, récitait des prières et des invocations, auxquelles répondaient les religieux. Le vieil ami du Père Frédéric, le Père Augustin Bouynot, aspergeait le lit d'eau bénite. Lorsqu'il vit arriver la fin, il s'approcha de son vénéré compagnon pour lui donner une dernière absolution. Puis, répondant au désir du mourant, il ne cessa jusqu'au bout de lui répéter à l'oreille l'émouvant appel de l'Apôtre: «Veni, Domine Jesu... Veni, Domine Jesu!» Le Père Frédéric Janssoone, de Ghyvelde, quittait ce monde aux accents du *Marana tha* des premiers chrétiens. Il avait 77 ans et 8 mois.

Une toute petite commune de la Flandre française

Le Seigneur était venu chercher son serviteur bien loin de son pays natal. Ghyvelde, c'est en effet une petite commune de la Flandre française située à la fine pointe nord de l'Hexagone. Le patelin est si modeste que les dictionnaires français usuels ne le recensent même pas. Ils mentionnent tout au plus Bray-Dunes, localité voisine où se trouve le poste de douane franco-belge. La ville importante la plus proche est Dunkerque, patrie de Jean Bart.

C'est le port de mer par où l'armée franco-anglaise, coincée dans le secteur par sa défaite de 1940, réussit à s'échapper en Angleterre grâce à une opération de rembarquement aussi spectaculaire qu'inespérée.

Les quelque huit milles (13 km) de côte qui s'étendent entre Dunkerque et la frontière belge sont hérissés de dunes, qui forment un barrage contre la mer. À l'abri de cette digue naturelle, de larges sections de terrain ont été gagnées sur la mer, comme en Hollande. C'est dans ce pays bas de polders (on dit là-bas: de *moères*) qu'est situé Ghyvelde. La terre y est très fertile et l'agriculture y est prospère.

Encore aujourd'hui Ghyvelde est habité par des flamands. Comme leurs congénères d'outre frontière, les flamands français sont de taille moyenne, de carrure robuste et de teint rubicond. L'inoubliable curé de Torcy, créé par Bernanos, disait d'eux qu'ils avaient «un gros sang rouge, bien épais, avec une pointe de sang bleu espagnol, juste assez pour le faire flamber». Des gens patients, endurants, mais qui peuvent vous piquer une grosse colère subite si vous les agacez trop. À tout bout de champ, on voit évoluer parmi eux un personnage qu'on dirait sorti tout droit d'une peinture de Rubens ou de Jordaens, matrone bien en chair, costaud râblé et musclé, jeune fille aux joues rebondies. Avec ses yeux bleus et son teint rose, le Père Frédéric était bien de cette race, comme l'atteste son nom de famille (*Janssoone,* c'est l'équivalent flamand de l'anglais *Johnson*). Mais lui, c'est moins la violence du sang qu'il incarne que la tournure mystique de la race, exprimée elle aussi par des peintres nationaux comme Memling et Van Eyck. Sa courtoisie et sa gentillesse feront que nos Québécois verront volontiers en lui un autre François d'Assise, non le grand passionné de l'histoire, mais le petit saint légèrement douceâtre que les âmes pies du XIXe siècle ont confectionné de concert avec les artistes et les poètes à la Boutet de Monvel et à la Francis Jammes.

Le milieu familial du Bon Père Frédéric

Le Père Frédéric est né à Ghyvelde le 19 novembre 1838, sous le règne de Louis-Philippe Ier, roi de France. Le mariage dont il est issu était, pour son père comme pour sa mère, un second mariage. Pierre-Antoine Janssoone, cultivateur, avait en effet épousé en premières noces Jeanne-Rose Sybrandt, veuve de Guillaume-François Boo, qui avait eu trois enfants de son premier mari. Elle en eut de lui trois autres, qui moururent en bas âge. De son côté, Marie-Isabelle Bollengier avait été mariée une première fois à un nommé Jean-Baptiste Dumont, médecin et officier de santé. Elle avait eu de lui cinq enfants: Jean-Baptiste, Mélanie, Victoire, Sophie et Rosalie. Mélanie étant morte en bas âge, Marie-Isabelle Bollengier amena à son nouveau foyer les quatre enfants restants. Elle devait donner à son deuxième époux huit enfants, dont quatre survécurent: Pierre, Annette, Henri et le cadet Frédéric, notre futur père Frédéric. Le héros de cette histoire était donc le onzième enfant de Pierre-Antoine Janssoone, le treizième de Marie-Isabelle Bollengier, et le huitième et dernier rejeton du couple Janssoone-Bollengier. Il reçut au baptême les noms de Frédéric et Cornil.

Dans la maisonnée remuante, où les enfants Janssoone s'ajoutaient peu à peu aux enfants Dumont, le père et la mère ne manquaient certes pas de relief. Mais nous connaissons moins bien le mari que l'épouse. Pierre-Antoine Janssoone, nous l'avons vu, était cultivateur (sa ferme était située à un quart d'heure de marche de l'église du village). Il avait réussi à apporter à sa famille un peu d'aisance. Ce n'est pas un mince mérite si l'on considère le nombre respectable d'enfants dont il eut à un moment ou à l'autre la responsabilité (il y en avait eu 6 du côté de sa première femme et il y en eut 12 du côté de la seconde). Il avait un bon jugement, l'amour de l'ordre et du travail, l'esprit de famille, des goûts simples et dignes. Il avait surtout un grand sens de l'honnêteté chrétienne et un robuste esprit de foi. Il fut un jour élu marguillier et le resta jusqu'à sa mort. Or les marguilliers étaient choisis parmi les paroissiens les plus notables et les plus estimés. En somme, un très brave homme, peut-être un peu effacé, mais représentant un faisceau de valeurs sûres, dont la stabilité.

Une femme forte et une éducatrice exceptionnelle

Le Père Frédéric a parlé moins souvent de son père que de sa mère. Il avait voué à celle-ci un culte d'admiration et de reconnaissance que d'aucuns ont pris à tort pour de la vanité. Qu'elle ait été une personnalité attrayante, on le devine par la façon dont elle fut demandée en mariage par son premier mari, le docteur Jean-Baptiste Dumont. Le médecin avait soigné avec succès Monsieur Bollengier, gros cultivateur de Warhem. Entré en convalescence, le patient reconnaissant dit à son docteur: Demandez-moi ce que vous voudrez — Alors donnez-moi la main de votre fille! lui répondit le praticien souriant. Et le mariage eut lieu.

Marie-Isabelle Bollengier était douée d'une très grande force de caractère. Mais la volonté, chez elle, était tempérée par une exquise sensibilité féminine, encore affinée par une éducation distinguée. On sait à quel point ces traits psychologiques sont difficiles à concilier! La tendresse, chez Marie-Isabelle, se coula dans une simplicité pleine de noblesse et un charme pacifiant. Elle fut une épouse attentionnée et une mère aimante. Quant à son énergie, agrémentée chez elle de compétences multiples, elle explique ses performances exceptionnelles de maîtresse de maison. Levée avant l'aube, elle se dépensait tout le jour pour sa maisonnée, traitant avec une admirable égalité d'humeur et une parfaite équité les enfants de ses deux familles. Comme une vraie flamande, elle tenait à la scrupuleuse propreté de son foyer. Aux travaux quotidiens du ménage, du jardinage et de la basse-cour, elle joignait les travaux plus spéciaux du filage et du tissage. Une bonne part de ce qui se portait chez les Janssoone était du fait maison. Chaque maison flamande possédait au moins un métier, plusieurs même deux ou trois. Dans la massive armoire aux formes chantournées, sise au fond de la salle commune, la maîtresse de maison rangeait soigneusement les habits de la famille et dressait ses hautes piles de beau linge de Flandre, parfumé de lavande et de serpolet.

Tout comme son mari était tenu pour un fidèle exemplaire, Madame Janssoone était regardée dans la paroisse comme un modèle de piété. Elle aimait fréquenter l'église paroissiale. L'assistance à la messe était sa pratique préférée: c'était une habitude qu'elle avait gardée du temps de son premier mariage, alors qu'elle résidait presque en face de l'église. Le dimanche, elle assistait aussi aux vêpres. Le jeudi et en quelques circonstances particulières, elle se rendait encore à l'église pour la messe en compagnie de ses enfants; quand ses infirmités lui eurent rendu la marche plus pénible, elle faisait le trajet à dos d'âne. En une époque travaillée par le jansénisme, où les personnes religieuses ne recevaient leur Créateur qu'à Pâques, Madame Janssoone communiait plusieurs fois l'an. Sur la fin de sa vie, sa grande estime de la messe la traînera pour ainsi dire à l'église, au point qu'elle devra, pour s'y rendre, se reposer sur le seuil des portes de maisons. Il ne s'agissait pas chez elle de piété formaliste: car sa générosité était encore plus grande que sa fidélité. Elle avait offert à la Sainte Vierge, dès leur naissance, les treize enfants nés de ses deux mariages et aurait voulu les voir tous consacrés au service de Dieu. Et elle s'était offerte elle-même en victime et avait souffert pendant vingt-huit ans pour avoir la grâce d'avoir des prêtres dans sa famille.

D'aussi fortes convictions religieuses devaient l'inciter à veiller avec un soin particulier à l'éducation des siens. De fait elle ne perdait pas une occasion, si minime soit-elle, de les initier à la pratique des bienséances et des vertus.

Les bases humaines de la formation qu'elle s'efforçait d'inculquer portent la marque de sa personnalité. Elle voulait que ses enfants eussent le respect de la vérité et la maîtrise de soi. À ses yeux, quiconque mentait était digne de mépris. Toute parole prononcée valait un acte notarié. Seul le droit chemin devait être suivi. Ce sens de l'honneur avait son pendant dans une autre vertu cornélienne, la force morale. C'est une vertu qui fait cruellement défaut à notre temps. Mais, forte chrétienne elle-même, Madame Janssoone tenait à ce que ses enfants eussent un caractère bien trempé. Cela comportait tout d'abord la maîtrise de soi, le contrôle de ses penchants. Celui qui ne savait pas se taire quand il le fallait ne méritait plus l'estime ni la confiance des hommes. Cela incluait, par voie de conséquence, le sens de l'ascèse, l'habitude de la tempérance dans le boire et le manger. La mortification sera l'un des traits caractéristiques de la vie religieuse du Père Frédéric: toute sa vie il mangera aussi peu que le Curé d'Ars, tout en faisant comme lui un ministère très exigeant. Lui-même faisait remonter l'origine de cette pratique à sa bonne et sainte mère, comme il l'appelait. C'est elle qui servait les enfants aux repas. Connaissant la santé et la constitution physique de chacun, elle lui donnait la quantité nécessaire d'aliments pour maintenir ses forces jusqu'au repas suivant. Tous devaient se contenter de cette portion servie avec équité. De cette façon, mon estomac, dira le Père Frédéric, ne s'est pas dilaté sous la pression d'un trop gros volume d'aliments, et voilà pourquoi aujourd'hui il me faut peu de nourriture pour me satisfaire et entretenir mes forces. Je ne fais que continuer ce que ma mère m'a enseigné. Cet ingénieux commentaire visait à sauvegarder son humilité! Mais sonnerait-il si mal aux oreilles des diététiciens modernes, qui rattachent volontiers l'obésité à de mauvaises habitudes alimentaires contractées durant l'enfance?

L'atmosphère de foi et de paix d'un foyer chrétien

Son zèle d'éducatrice chrétienne, qui poussait Madame Janssoone à faire des siens des droits et des forts, devait l'inciter encore plus fortement à transmettre sa foi et son sens chrétien à ses enfants. La tâche lui fut facilitée, ici, par le contexte religieux de la paroisse et du foyer. Il ne faut pas oublier qu'à Ghyvelde, il y a un siècle et demi, tout le monde était chrétien et pratiquant, comme au Québec il y a cinquante ans. Dans la salle commune de l'habitation flamande, l'objet qui occupait la place d'honneur était un tableau noir piqué d'un bouquet de fleurs, au milieu desquelles s'étalait en lettres flamboyantes l'inscription *Geloofd zij Jesus Christus in een wigheid! Amen!,* Loué soit à jamais Jésus-Christ! Amen! Tout le monde allait à la messe les dimanches et fêtes et communiait à Pâques. Pareil milieu facilite la transmission des valeurs religieuses et de la foi. C'est encore plus vrai quand il y existe, en plus, des coutumes familiales qui sont comme un relais domestique de la liturgie paroissiale ou qui fortifient la vision chrétienne des fidèles. C'était le cas à Ghyvelde, où la prière et la lecture chrétienne en famille étaient à l'honneur.

Chez les Janssoone, le souper fini et la vaisselle replacée au dressoir, toute la famille s'agenouillait pour la prière devant le crucifix, planté dans un socle à gradins reposant sur la tablette de la cheminée. La mère récitait les formules, auxquelles tous répondaient à l'unisson. Souvent, d'après la coutume flamande, c'était le plus jeune enfant qui récitait la prière. C'est une fonction qui a dû revenir de temps en temps au jeune Frédéric. On disait le chapelet comme l'avait enseigné le bienheureux Alain de la Roche, dominicain du XVe siècle. La méthode consistait à accompagner chaque avé de pensées pieuses ou de brèves méditations évangéliques.

Puis, dans cette maison où l'autorité passait pour une sorte de sacerdoce, la bénédiction des parents terminait l'exercice du soir. Avant le coucher, les enfants se présentaient, les mains jointes, devant le père et la mère et leur demandaient la bénédiction. Les parents traçaient un signe de croix sur la tête de chacun d'eux. Le Père Frédéric gardait un souvenir ému de ce geste qui couronnait chaque soir les complies familiales.

Les familles flamandes du temps avaient aussi l'usage de la lecture spirituelle au foyer. Pendant le carême, par exemple, on lisait en famille, tous les jours, un livre appelé *Vaastenboekje, Le Manuel du Carême.* Chez les Janssoone on lisait aussi d'autres ouvrages. C'étaient notamment *La légende dorée,* récits de la vie des saints au charme naïf et enveloppant, et *La vie des Pères du désert.* Ce qu'il y avait d'original, dans ce foyer, c'est que la maîtresse de maison, personne cultivée, commentait elle-même ces lectures, les transformant ainsi en véritables conférences spirituelles. Elle devait être persuasive si l'on en croit le fait suivant rapporté par le Père Frédéric lui-même.

Notre très pieuse mère nous faisait des conférences spirituelles. Un matin, après la conférence sur la *Vie des Pères du désert,* Pierre, l'aîné des quatre enfants vivants du deuxième lit, dit à sa petite sœur Annette, âgée de 6 ans: Viens; nous aussi, nous ferons les ermites ! Il avait, lui, 8 ans. Annette prit par la main son petit frère Henri, de 2 ans et demi. Celui-ci donna la main à son tout petit frère Frédéric — celui qui écrit ces notes — qui avait un an et demi. Et tous les quatre, nous restâmes, debout, immobiles, les mains jointes, derrière la grange, autour d'une meule de foin, chacun dans son ermitage, et ce jusqu'à l'heure du dîner, où, après bien des recherches, on nous trouva en *contemplation dans notre désert*. C'est dans ces sentiments que se passa notre enfance[1].

Un autre petit fait révèle l'influence qu'exerçait sur les enfants Janssoone l'intense atmosphère religieuse qui existait dans la paroisse et leur famille. Il s'agit des prédications que le jeune Frédéric improvisait devant ses frères et sœurs. Juché sur une meule de foin ou une autre tribune d'occasion, le prédicateur en herbe présentait à sa manière les sermons de Monsieur le curé et les leçons de sa mère. Il terminait son prêche de façon classique par la bénédiction solennelle donnée au nom du Père et du Fils et du Saint-Esprit. Amen.

Jeux d'enfants évidemment. N'empêche qu'il y a déjà à l'œuvre une semence qui portera plus tard une plénitude de fruits. Et pas seulement chez le jeune Frédéric, qui devint père franciscain. Car les autres enfants du ménage Janssoone-Bollengier qui atteignirent l'âge adulte s'orientèrent tous les trois vers le service de Dieu dans les ordres ou le cloître. Pierre, né en 1832, fut prêtre des Missions étrangères et missionnaire aux Indes, où on l'appelait *le Saint*. Anne, née en 1833, entra chez les Augustines d'Arras, où elle mourut en 1872. Henri, né en 1837, se noya accidentellement alors qu'il était séminariste à Cambrai; il avait demandé et obtenu son entrée chez les Franciscains. Comme la famille Martin-Guérin de Lisieux, la famille Janssoone-Bollengier de Ghyvelde a donné à Dieu tous ses enfants qui ne moururent pas en bas âge.

Les pédagogues modernes fronceront les sourcils devant ces pages: «N'y avait-il pas là un endoctrinement quelque peu excessif pour de jeunes enfants? le danger de créer chez eux un surmoi religieux exagéré?» Il est sûr que tout enseignement spirituel intense risque de créer une certaine surchauffe sur des esprits imparfaitement mûris. Qu'on pense, par exemple, à la crampe ascétique qui saisit souvent les jeunes religieux à l'occasion de leur noviciat! Il ne me paraît donc pas exclu que les tendances

---

1. *Nécrologie de M. Janssoone*, dans *Compte rendu de la Société des Missions étrangères de Paris,* 1912, p. 438.

à l'anxiété et au scrupule qui se sont manifestées ici ou là dans la vie du Père Frédéric et, plus encore, dans celle du Père Pierre, aient trouvé dans l'enseignement ferme de leur mère leurs racines lointaines. Mais toute proposition efficace de valeurs comporte le même inconvénient si elle tombe dans des âmes un peu trop impressionnables. Les sujets concernés n'en subissent pas de dommages psychologiques sérieux s'ils ont l'avantage de grandir par ailleurs dans un milieu sain et épanouissant. C'était le cas, on va le voir, du Père Frédéric et de ses frères et sœurs.

En effet, non seulement la paix et l'harmonie régnaient dans le ménage Janssoone-Bollengier, mais l'atmosphère du foyer était loin d'y être morose et triste. C'était un foyer peuplé, avons-nous vu, et l'on sait que le flamand, être éminemment sociable, est à son meilleur quand il est en nombreuse compagnie. Peut en témoigner celui qui a assisté une fois à une fête de famille en Flandre. Le repas, par exemple, peut y durer plusieurs heures, car on aime à rire et à chanter tout autant qu'à boire et à manger. Au fur et à mesure que le temps passe, les inhibitions se défont, le ton des voix monte, les chansons jaillissent, les histoires et les jeux de mots se multiplient, et les visages hilares attestent que personne ne s'ennuie. On est au pays des kermesses, où la gaîté franche et robuste, parfois un peu grosse, des hommes et des femmes chasse les humeurs atrabilaires et exerce sans empêchements ses bienheureux effets cathartiques. Cette intensité de vie sociale surprend toujours un peu le français, plus individualiste. Sur la fin de sa vie, le Père Frédéric pleurera de bonheur en se rappelant ces belles réunions de sa famille. Nulle part il n'avait trouvé de joies plus saines, plus profondes et plus sincères.

En somme, le jeune Frédéric, qui avait commencé à aller à l'école de son village et qui en revenait à la fin de l'année chargé de premiers prix, était un petit garçon heureux, très heureux. Petit Prince aux yeux bleus d'une planète enchantée, il grandissait paisible dans la verte tranquillité de la campagne flamande, entouré de la chaude affection d'une famille nombreuse et aimante. Ce bonheur de ses premières années marquera son tempérament, lui donnant un cachet amène qui durera toute sa vie. Pour être capable de donner un jour beaucoup d'amour, il n'y a rien comme d'en avoir beaucoup reçu dans son enfance!

Chapitre deuxième

Le démantèlement progressif d'un foyer heureux

La mort de Monsieur Janssoone

Le premier coup de tonnerre qui vint troubler l'univers sans nuages du petit Frédéric fut la mort de son père. Elle survint le 13 janvier 1848, c'est-à-dire à une date où l'enfant n'avait pas tout à fait dix ans. Pierre-Antoine Janssoone, atteint d'un cancer d'estomac, dut d'abord abandonner les travaux de la ferme. Les soins affectueux de sa famille n'ayant pas réussi à enrayer le cours de la maladie, le malade se prépara au grand passage de l'éternité en recevant avec ferveur les sacrements de pénitence, d'eucharistie et d'extrême-onction. Puis à sa famille réunie à son chevet il recommanda la fidélité à servir Dieu et la crainte de lui déplaire. Et, une dernière fois avant l'ultime sommeil, il bénit ses enfants comme il le faisait tous les soirs, leur laissant en guise d'adieu ces simples mots : «Que le bon Dieu vous garde ! Au revoir au ciel !» Monsieur Janssoone mourait, comme il avait vécu, dans une simplicité pleine de grandeur.

Un malheur, dit-on, vient rarement seul. Un peu plus d'un mois après la mort de Monsieur Janssoone, soit le 24 février 1848, une révolution renversa le trône de Louis-Philippe, roi de France. La tempête politique s'accompagna d'une disette, dont le Père Frédéric lui-même nous a décrit les pénibles effets sur le petit peuple :

Une grande disette, écrira-t-il, s'était abattue sur notre chère patrie, déjà si profondément bouleversée par la révolution. Des faméliques, venant par bandes de plusieurs centaines d'un pays voisin [la Belgique], envahissaient nos provinces du Nord. D'autres nécessiteux, appelés les *Pauvres honteux,* couverts d'un masque, assaillaient, dans les ténèbres de la nuit, les demeures des paisibles habitants de nos campagnes et demandaient avec menaces les choses nécessaires à leur subsistance. Le sang coulait aux portes des boulangeries, où l'on se disputait le prix du pain. La troupe régulière ne suffisait plus à maintenir l'ordre, ni à garantir la sécurité dans les grands centres. Les pères de famille étaient appelés sous les armes et organisés en *Garde Nationale.* L'incertitude et l'effroi planaient d'un air sinistre sur toute la France[1]!

Durant cette période de misère, Madame Janssoone visitait les pauvres et consolait les affligés. Chez les miséreux elle laissait des vêtements, des victuailles, des médicaments. La famille Janssoone n'était pas regardée comme riche. Cependant les pauvres connaissaient bien la ferme Janssoone: ils étaient sûrs d'y avoir le manger et le boire, et aussi le couvert pour la nuit. Il arriva même qu'un matin, comme à l'étable de Bethléem, il y eut un nouveau-né. Frédéric accompagnait parfois sa mère dans ses courses charitables, et le souvenir en restera fortement gravé dans son âme. C'est tout ému qu'il racontera les exemples de charité de sa mère, ses pieuses industries pour lui inculquer son sens des autres. Ses efforts ne restèrent pas vains, puisque son fils à son tour aimera jusqu'à la passion les pauvres et les affligés. Il accomplira en leur faveur des guérisons réputées miraculeuses.

Première communion

Quand Frédéric eut treize ans, le moment vint pour lui de faire sa première communion. Sa mère le prépara avec sollicitude à ce grand acte de la vie chrétienne. Il y avait longtemps qu'elle s'était faite la catéchiste de ses enfants! À l'église, Monsieur le Curé donnait aux futurs communiants un cours de religion plus

---

1. *Annales du Très Saint Rosaire,* publiées au Cap-de-la-Madeleine, 3 (1894), 8.

élaboré. Le *Catéchisme de Cambrai* lui fournissait, pour illustrer la doctrine, les exemples concrets de l'histoire sainte, de l'Évangile, de l'histoire de l'Église.

La première communion du jeune Frédéric eut lieu le dimanche de la Passion, 28 mars 1852. C'était grande fête ce jour-là dans toute la paroisse. La veille, Frédéric s'était rendu à l'église pour se confesser. De retour à la maison, il s'était jeté à genoux aux pieds de sa mère, selon la coutume flamande de jadis, pour lui demander pardon de toutes les offenses commises envers elle et réclamer sa bénédiction.

Frédéric aux études secondaires

Le jeune garçon, qui achevait ses treize ans, terminait l'été suivant ses études primaires à l'école du village de Ghyvelde. Il sollicita de sa mère la faveur d'aller au collège. La raison en était que ses goûts, son amour «des choses de Dieu et du service des saints autels», le portaient vers le sacerdoce. Madame Janssoone fut ravie. Elle venait, cette année-là, d'avoir la joie de voir son aîné, Pierre, commencer sa philosophie au Séminaire de Cambrai. Elle n'hésita pas un instant à s'imposer de nouveaux sacrifices pour procurer à son benjamin l'éducation supérieure qui lui permettrait d'accéder un jour au sacerdoce. Elle envoya Frédéric au collège communal d'Hazebrouck. C'était un collège d'État placé sous le contrôle de l'université de Douai. Mais le principal en était un prêtre, l'abbé Jacques Dehaene, dont la forte personnalité marqua de son empreinte plusieurs institutions du Département du Nord. Le climat chrétien qui régnait dans la maison en faisait le rendez-vous naturel des vocations ecclésiastiques pour la région de Dunkerque.

Le jeune Frédéric arriva au collège d'Hazebrouck le 6 octobre 1852. Il était en classe de huitième. Ses premiers résultats furent excellents. À la fin de l'année, il gagna les premiers prix de grammaire latine, d'arithmétique et de mémoire, sans compter les accessits d'écriture, d'orthographe et d'analyse. En raison de ces succès il est autorisé, à la rentrée de 1853, à sauter une classe et à passer directement de la huitième à la sixième. Il n'en décrocha pas moins, en 1854, un rang encore meilleur que l'année précédente. Il obtint les premiers prix de thème latin et de mémoire, le deuxième prix de grammaire grecque, le premier accessit de version latine et le deuxième accessit d'excellence. En orthographe, en analyse et en arithmétique, il remportait d'autres accessits, qui témoignaient que rien n'était négligé. En plus de ces palmes académiques, le jeune Frédéric s'assurait l'estime de ses condisciples par sa conduite exemplaire. Le chanoine Deman, son confrère de classe, disait plus tard de lui: «Il se fit toujours remarquer pour la discipline scolaire, voulant être le meilleur de tous les élèves, sans chercher pourtant à le paraître.» C'est un témoignage confirmé par le palmarès de l'école, qui nous a été conservé pour cette année-là: à la suite d'un vote des élèves, approuvé ensuite par les professeurs, notre Frédéric décrochait le prix de discipline et de bonne conduite pour sa classe, ainsi que pour les classes de cinquième et de quatrième, plus avancées. Autant dire qu'il était reconnu par tous comme un élève exemplaire.

À l'automne de 1854, il changeait de collège, entrant à l'Institut Notre-Dame-des-Dunes à Dunkerque. C'était une maison fondée quatre ans plus tôt par l'abbé Dehaene, que nous avons connu plus haut comme principal du collège d'Hazebrouck. L'adolescent commençait cette fois sa cinquième. Plus près de chez lui, il était demi-pensionnaire. Ses succès dépassèrent encore ceux qu'il avait eus à Hazebrouck. À la distribution solennelle des prix, qui eut lieu le 10 août 1855, il remportait les premiers prix d'excellence, de version latine, de thème latin, de version grecque, de français, d'arithmétique, de travail quotidien, les deuxièmes prix de mémoire et d'instruction religieuse, le deuxième accessit d'histoire et de géographie. De plus, il se voyait décerner, par les suffrages des maîtres et des élèves, le prix de bonne conduite. Les choses marchaient bien sur toute la ligne.

C'est à dessein que nous soulignons ces réussites scolaires du jeune Frédéric. Elles nous montrent que notre homme faisait de solides humanités. On s'explique mieux où il a puisé cette large culture et cette aisance dans la phrase française qu'il manifestera plus tard dans ses sermons et dans ses écrits. Quant à l'estime dont il jouissait auprès de ses camarades, elle montre que l'éducation distinguée qu'il avait reçue à la maison portait ses fruits: cette courtoisie le suivra aussi jusqu'à la fin de ses jours et demeurera l'une de ses caractéristiques, au dire de ceux qui l'ont connu.

Des humanités interrompues par un krach familial

Le 8 octobre 1855, c'était la rentrée des classes. Le jeune homme entame cette fois la quatrième, ce qu'on appelait aussi la méthode, avec une ardeur renouvelée. Il a la certitude morale que Dieu l'appelle au sacerdoce. Il veut être un prêtre et un saint prêtre, un collaborateur intime de Dieu, un sauveur d'âmes par la prédication et l'administration des sacrements. Mais, au moment où il s'y attendait le moins, une catastrophe financière subie par sa mère l'oblige à quitter le collège et à interrompre ses études.

Après la mort du père, la famille Janssoone avait vu diminuer peu à peu ses moyens de subsistance. Handicapée par ses infirmités, Madame Janssoone n'avait pu s'occuper activement de la ferme et avait dû vendre ses propriétés. Elle fit des placements malheureux dans une compagnie de transport appelée *Guillaume-Luxembourg*. La firme manqua de capitaux. «Ce n'est qu'une crise, pensa-t-on d'abord. Les actions reprendront bientôt leur ancienne valeur.» Il n'en fut rien et, pour Madame Janssoone, ce fut la débâcle. Elle se vit soudainement réduite à un état de pénurie voisin de l'indigence. Sa fille Annette, religieuse chez les Augustines d'Arras, eut la permission de l'héberger jusqu'en 1860, date où Jean-Baptiste Dumont, un des fils de son premier mariage, l'emmena chez lui à Dunkerque.

Si la détresse financière de Madame Janssoone n'avait pas été si totale, l'abbé Dehaene, qui aidait à tant de vocations ecclésiastiques, aurait peut-être pu acquitter de ses propres deniers les frais de scolarité de Frédéric. Mais la catastrophe était trop profonde: le jeune homme devait travailler pour subvenir aux nécessités de sa mère et des siens. Cela s'imposait d'autant plus que le grand frère Pierre, séminariste à Cambrai, connut à ce moment-là une telle crise de scrupules qu'il dut retourner dans le monde. Une sorte de dépression nerveuse lui enleva pour quelque temps tout courage; toute responsabilité lui pesait.

Ce ne fut pas sans inquiétude que Madame Janssoone vit ses deux fils rentrer dans le monde. Sans dissimuler ses appréhensions, elle pleura en leur présence à la pensée des risques qu'ils allaient courir dans un milieu nouveau où leur foi serait plus exposée. Elle donnait à ses enfants des conseils, formait leur conscience, leur faisait de petits sermons sur les dangers du monde, sur les présomptions si naturelles de la jeunesse. Ces exhortations étaient conformes au christianisme du temps et à l'esprit de l'*Imitation de Jésus-Christ*. C'est pourquoi il ne semble pas que ses destinataires les aient jamais trouvées excessives. «Notre mère, dira le Père Frédéric, nous a élevés dans la crainte du Seigneur.» Il faut préciser, pour comprendre cette réaction, que Madame Janssoone était la première à donner l'exemple de la foi en Dieu et de l'abandon à sa Providence. Elle aimait à répéter à la suite du saint homme Job: «Dieu nous avait tout donné; Dieu nous a tout enlevé. Que son saint nom soit béni! Allez, mes chers enfants, que Dieu vous protège de tout malheur et vous garde dans son saint amour!»

L'épreuve fut quand même dure, très dure pour le jeune Frédéric. Tout en admirant les sentiments de sa mère, il ne put cacher entièrement la peine que lui causèrent son départ du collège, ses études interrompues, son avenir apparemment compromis. La tristesse se peignait sur son visage. Mais, accoutumé aux pensées religieuses, il accepta lui aussi la volonté de Dieu. La forte éducation familiale qu'il avait reçue se chargea du reste: il fit vaillamment face à la situation. Il alla rejoindre son frère Pierre, qui avait réussi à lui trouver un modeste emploi à Estaires, petite ville de l'arrondissement d'Hazebrouck. C'était vers 1856. Les deux frères reprirent tant bien que mal leur vie de famille jusqu'à ce que Pierre s'éloigne d'Estaires en 1860.

L'emploi déniché pour Frédéric chez M. Domarle Quintrelle, industriel en textile, était loin d'être la poule aux œufs d'or. Il en fut de même du poste qu'il occupa ensuite à la maison Albert Ledieu. Le jeune homme gagna d'abord tout juste ce qu'il fallait pour vivre. Mais ici ses parts montèrent rapidement. De simple garçon de courses, il devint bientôt commis voyageur et, dans ce métier, l'homme d'affaires qu'il portait en lui se révéla sans tarder. Ses qualités d'initiative et d'entregent lui furent on ne peut plus précieuses. Il y avait en lui une certaine timidité naturelle, mais, dès qu'il établissait le contact, son amabilité faisait des merveilles. Avec un fonds d'histoires intéressantes et une verve intarissable, il avait le talent de la persuasion. Mais une certaine matoiserie flamande le préservait en même temps des faux pas qu'aurait pu lui inspirer la précipitation. Rapide à saisir les avantages d'une affaire, il ne se hâtait pas de la bâcler. Il atteignait son but sans avoir éveillé l'attention plus qu'il ne le fallait. Cette diplomatie toute en finesse restera l'un des traits marquants de sa personnalité.

Pour favoriser ses ventes, il soignait sa mise extérieure. C'était un beau jeune homme roux, aux yeux bleus, aux cheveux frisés, à la barbe bien taillée. Il portait costume impeccable, souliers bien cirés, chapeau haut de forme, et maniait la canne. Bref, il était chic.

Sur la fin de sa vie, il rira de ses petites vanités de commis voyageur, se reprochant d'avoir été un vaniteux, se traitant de freluquet, de muscadin, qui portait la raie au milieu de la chevelure et tenait à la main la badine. Il indiquera ainsi quels furent ses gros péchés de jeunesse et, tout en aimant à s'humilier de ces fautes commises dans le monde, il s'exercera à pratiquer les vertus opposées à la vanité.

Ces regrets de vieillard font sourire l'historien et jubiler le théologien, qui a envie de reprendre ici l'exclamation bien connue de saint Augustin: «Felix Culpa!» Car ces «péchés de jeunesse» du Père Frédéric sont le signe que sa personnalité n'avait

28

pas été étouffée par l'éducation austère et quelque peu négative de sa mère. À force de s'entendre prêcher la méfiance du monde, le renoncement et le sacrifice, il aurait pu esquinter sa belle vitalité naturelle. Il n'en fut rien. Sans tomber dans les frasques de jeunesse de François Bernardone, qu'il devait suivre un jour, il resta un jeune homme épanoui, entreprenant, qui exerçait son métier avec une belle élégance et non des airs de moine manqué. Les quelques années qu'il passa dans cette profession de vendeur, qui lui seyait si bien — en fait, toute sa vie il resta quelque peu commis voyageur dans l'âme — peuvent être considérées comme une des expériences les plus bénéfiques de sa jeunesse. Elles l'aidèrent à corriger sa timidité naturelle et lui donnèrent de l'aisance dans les contacts. Ses relations avec les Ledieu, qui avaient un caractère vif et emporté, lui apprirent à contrôler son propre tempérament, qui ne manquait pas de vivacité. Bref, la pratique du commerce le fit maturer et lui permit d'acquérir, outre la débrouillardise, une patience exemplaire, une douceur remarquable, qui devaient l'aider immensément plus tard dans ses organisations diverses, en particulier les pèlerinages.

Dans l'immédiat, sa compétence grandissante lui valut une promotion sociale rapide. Remarquant dans leur employé des dispositions exceptionnelles pour le commerce, ses patrons, qui connaissaient par ailleurs sa probité, lui témoignèrent leur confiance par des avancements successifs accélérés. Son patron songea-t-il à se l'associer, non seulement en lui cédant la direction de l'entreprise, devenue florissante, mais aussi en se l'attachant par des liens de famille? Favorisa-t-il, en d'autres termes, son union avec Esther, l'aînée des enfants Ledieu? Quelques-uns l'ont cru, non sans probabilité. Quoi qu'il en soit, l'avenir étalait devant Frédéric des perspectives d'aisance et de considération. Sa carrière lui semblait assurée, son chemin dans le monde tout tracé. Pourquoi aurait-il regardé dans une autre direction?

La mort de Madame Janssoone

Le Ciel vint lui répondre par la voix des événements. Le 5 mai 1861, sa mère mourait à l'âge de soixante-quatre ans, à Dunkerque, chez son fils Jean-Baptiste Dumont. «Je n'étais présent ni à sa mort ni à sa sépulture, déclarera plus tard le Père Frédéric. Pierre m'écrivit une lettre admirable que j'ai le grand regret de n'avoir point conservée.» Il résumait la vie de cette sainte femme: «Notre mère est morte en odeur de sainteté.»

Chapitre troisième

L'heureux aboutissement
d'une vocation contrariée

À la mort de Madame Janssoone, Frédéric a 23 ans. La douloureuse épreuve qu'il vient de subir l'a délié du devoir d'assister financièrement sa mère. Il peut dorénavant s'orienter comme il veut dans la vie. Or, il est significatif que cette liberté nouvelle non seulement n'éteint pas en lui les idées de vocation qu'il avait affirmées à son entrée au collège, mais en suscite enfin l'éclosion longtemps différée. Ses deux frères, Pierre et Henri, ayant eux aussi opté pour la carrière ecclésiastique vers le même temps, le jeune Frédéric eut le pressentiment qu'il y avait un lien entre la mort de sa mère et leur vocation à tous trois. « Voyez les desseins de la Providence, écrira-t-il, en 1865, à sa nièce Léonie. Avant la mort de maman, dont la belle âme est au ciel — nous ne saurions en douter — personne ne songeait à la vie ecclésiastique, à la vie religieuse. Et voilà que tout à coup et presque en même temps Pierre, Henri et moi, nous prenons la même détermination. N'y a-t-il pas là quelque chose de frappant? »

Son frère Pierre partageait là-dessus les intuitions de Frédéric. Entré au Séminaire des Missions étrangères de Paris, il écrivait, en 1865, à sa sœur Victoire et à son frère Henri:

> Croyez-vous que, lorsqu'on a au ciel une sainte qui intercède pour la famille, croyez-vous qu'il ne s'opère pas des merveilles dans l'ordre de la grâce? Vous voyez bien que c'est depuis la mort de

notre sainte et vénérée mère que toutes ces opérations de la grâce ont eu lieu. Et certes tout ici est extraordinaire. Un vieil universitaire qui quitte tous ses diplômes pour la carrière apostolique; un ancien commerçant qui prend le froc et la corde de saint François; une vieille moustache qui se met sur les bancs de l'enfance.

Les convictions des deux frères devaient recevoir une confirmation à la fin de l'été 1865. C'est à ce moment-là que Frédéric apprit de sa sœur Marie-des-Anges, l'augustine, le secret maternel de leur vocation commune. Madame Janssoone, comme nous l'avons mentionné plus haut, s'était offerte en victime et avait souffert vingt-huit ans pour obtenir la grâce d'avoir des prêtres parmi ses enfants. Il y a des certitudes spirituelles qu'on ne saurait prouver par A plus B, mais qui n'en engendrent pas moins les convictions les plus fortes. L'idée que Frédéric et son frère se faisaient de l'origine de leur vocation ecclésiastique est de celles-là. Pour eux, non seulement leur mère était une sainte, mais elle était aussi, croyaient-ils, la vraie mère de leur sacerdoce.

Seigneur, que voulez-vous que je fasse?

La découverte de sa voie ne fut toutefois pas instantanée chez le jeune Frédéric. Comme François d'Assise, vendeur comme lui, il connut une période d'incertitude et de tâtonnements qui dura assez longtemps. Il était de plus en plus songeur au milieu de ses succès temporels. Il se demandait parfois si les idées bien étrangères à son métier, qui le poursuivaient depuis quelque temps, étaient vraiment des inspirations du ciel ou les jeux d'une imagination trop enthousiaste.

Pour s'éclairer, il fit ce que tant d'autres convertis avaient fait avant lui: il consulta. Ses personnes-ressources furent le vicaire de sa paroisse, l'abbé Charles Buzin, et son curé, le chanoine Ducroquet. Recruteur de nombreuses vocations sacerdotales et religieuses, promoteur de la communion fréquente, voire quotidienne, l'abbé Buzin était un prêtre zélé, qui se tenait au confessionnal dès cinq heures et demie du matin. Frédéric le rencontrait non seulement au confessionnal, mais aussi à la réunion dominicale du cercle paroissial, la *Société Saint-Joseph*. Le cercle Saint-Joseph était une sorte de patronage dirigé par le vicaire de la paroisse. Axé sur la promotion des vertus morales, il réunissait chaque dimanche les hommes et les jeunes gens du peuple et de la bourgeoisie. Il leur offrait des divertissements convenables, des récréations honnêtes, car il comportait, outre différents jeux de société, une section dramatique. Il faisait beaucoup de bien au point de vue social, parce qu'il fusionnait toutes les classes.

Quid hoc ad œternitatem? À quoi sert, pour l'éternité, ce que je fais actuellement? Cette pensée que lui avait développée son directeur spirituel, ne laissait plus Frédéric. Il examinait vraiment sa vie *sub specie œternitatis,* dans la lumière crue de la destinée éternelle. À la fin, directeur et dirigé tombèrent d'accord. Tous deux admirent que la vocation religieuse était certaine. Pratiquement, il ne restait plus qu'à choisir une communauté. Mais laquelle? Frédéric résolut d'aller chercher dans la retraite et la prière le supplément de lumière dont il avait besoin pour résoudre son problème.

Une vocation de trappiste éphémère

Un sien beau-frère, Jean Warlop-Dumont, ancien trappiste, lui conseilla d'aller faire un séjour à la Trappe du Mont des Cats. C'était une abbaye cistercienne située sur une colline solitaire, peu élevée, mais offrant de tous les côtés une vue panoramique sur la vaste plaine flamande. À cause de son atmosphère propice à la contemplation, le Mont des Cats s'est vu appeler par des férus de Barrès *la Colline inspirée des Flandres.* Sur ce haut lieu, Frédéric put vaquer à son aise aux exercices de sa retraite, étudier la règle de saint Benoit, comprendre le genre de vie des Trappistes, qui unissent le travail manuel à l'oraison et mêlent l'âpre saveur de la pénitence à la force irradiante de la prière liturgique. Il se crut appelé à partager cette vie de prière et d'austérité, dont il avait ressenti l'attrait jadis, quand il était encore tout petit. Ce n'était pas en vain qu'il avait entendu lire et commenter par sa mère les récits enchantés de la *Vie des Pères du Désert*

33

dans la chaude atmosphère du foyer familial. Une autre raison l'incitait à pencher vers la Trappe: ses études secondaires incomplètes. N'était-ce pas là le signe que Dieu l'appelait à sauver les âmes plus par la prière et la pénitence que par la prédication?

À la fin de sa retraite, il s'ouvrit de son dessein au Père Abbé. L'entrevue fut courte. Dom Dominique Lacaes, qui gouvernait le monastère depuis une quinzaine d'années, avait une figure d'ascète et une âme de saint. Intelligence ferme, volonté inébranlable, caractère de fer, il appartenait à la plus dure école ascétique: c'était l'homme de la Règle. Il ne sembla pas prendre au sérieux la démarche de Frédéric. Il crut avoir affaire à un touriste qui interroge par vaine curiosité, sans but bien déterminé. Ce petit jeune homme avait l'air trop délicat pour affronter les rigueurs de la règle cistercienne. La mise du voyageur de commerce avait peut-être contribué à donner au Père Abbé une impression défavorable: arrivé au monastère tout pimpant, canne en main, vêtu comme un jeune dandy, Frédéric n'affichait pas la mine d'un amant de la pénitence. D'après ses dires, en tout cas, il fut bel et bien éconduit de la manière la plus polie. Dans sa vieillesse, il parlera, souriant discrètement dans sa barbe blanche, de ce qu'il appellera «sa vocation de trappiste». Il conservera toujours cependant pour cet Ordre la reconnaissance la mieux sentie et une estime qu'il se plaira à manifester en maintes circonstances. Il rêvera d'aider, par exemple, à la fondation du monastère des Trappistines de Saint-Romuald, près Québec, en quêtant pour les moniales.

Frédéric retourna à Estaires. Il n'était pas abattu par son échec de la Trappe et croyait encore à sa vocation religieuse. Tout attentif aux voix intérieures, il attendait que l'Esprit lui manifeste plus explicitement ses desseins sur lui.

Amené à Saint François par le Tiers-Ordre

La lumière lui vint par l'intermédiaire d'un incident apparemment bien ordinaire. Il logeait chez un peintre-vitrier, François-Charles Van Méris, célibataire qui tenait maison avec sa sœur, également célibataire. Un jour, celle-ci rentra chez elle portant sous son manteau un grand habit de tertiaire franciscaine. Le costume, seyant dans son austère simplicité, fit l'admiration des pensionnaires, et la conversation roula sur le Tiers-Ordre de Saint-François, son origine, son excellence et ses avantages. Tout édifié, Frédéric chercha à se renseigner davantage sur le fondateur de l'Ordre de la Pénitence. Dans une de ses courses de commis voyageur, il poussa une pointe à Hazebrouck pour y consulter son frère Pierre, mais surtout l'abbé Dehaene, insigne protecteur des vocations ecclésiastiques. Le principal du collège d'Hazebrouck était tertiaire franciscain; il devait, en 1865, placer son institution sous le patronage de François d'Assise. Il encouragea son ancien protégé à céder à l'attrait du Poverello. Déchargé maintenant de ses devoirs envers sa mère, refusé à la Trappe, pourquoi Frédéric ne suivrait-il pas le jeune François d'Assise, qui avait quitté pour Dieu le florissant commerce de son père, négociant d'étoffes comme il l'était lui-même à Estaires? L'abbé Dehaene lui prêta une vie du Séraphique Père et un exemplaire des *Fioretti,* ces célèbres fleurettes de poésie franciscaine.

La personnalité de François d'Assise, son idéal de vie évangélique, son apostolat plurent au jeune commerçant. Il s'intéressa de plus en plus à ses fils et se disposa à joindre leurs rangs. La chose était plus aisément réalisable maintenant que leur Ordre était rétabli en France. La restauration franciscaine en France avait été le fait du P. Joseph Aréso, religieux de la branche espagnole des Observants, qui, de l'autre côté de la frontière, avaient été fort influencés par la réforme des Déchaussés ou Alcantarins. Le 20 octobre 1860, les couvents que le P. Aréso avait fondés en France avaient été formellement érigés en province canonique sous le titre de Province de Saint-Louis-d'Anjou (saint Louis d'Anjou était un franciscain qui avait été évêque de Toulouse). Pour se préparer à son entrée en communauté, Frédéric revint sur les bancs du collège d'Hazebrouck, tout probablement en 1862. Il allait y compléter ses humanités tronquées. Il y retrouvait son frère Pierre, qui était alors professeur de belles-lettres, mais qui devait, l'année suivante, quitter le collège pour entrer aux Missions étrangères. Le jeune Frédéric passait ses vacances non loin de Ghyvelde, à Leffrinckoucke, chez son beau-frère Pierre-Emmanuel Deswarte. Sous ce toit il retrouvait l'hospitalité et le charme de la maison paternelle et, dans sa demi-sœur aînée Victoire, si bonne et si charitable, il revoyait le sourire, le dévouement et la piété de sa mère, qui ainsi n'était plus totalement disparue. Cette demi-sœur, si aimée des siens, était leur nouveau trait d'union. Les fêtes et les deuils réunissaient chez elle la famille dispersée.

C'est là, au cours d'un banquet à la flamande qui dura tout un après-midi, que Frédéric fit ses adieux au monde. C'était en juin 1864, et il avait vingt-cinq ans. Léonie Deswarte nous a laissé du départ de son oncle un court récit, émouvant dans sa simplicité:

Mon oncle Frédéric était joyeux et recueilli comme celui qui vient d'obtenir une insigne faveur du ciel. Comme il s'en allait à pied prendre le train à Dunkerque, je suis allée le reconduire jusqu'au coin de la route. Là, sous les grands peupliers, il me dit avec émotion: «Je renonce au monde. Nous nous reverrons au ciel.» Ces paroles avaient le même sens que le *Suis-moi* que Notre-Seigneur adressa à Pierre et à André; car mon oncle Frédéric croyait que moi aussi j'étais appelée à la vie religieuse. Un peu plus loin, il se retourna et secoua légèrement son mouchoir pour me saluer une dernière fois. L'adieu était éternel. Nous ne devions plus nous revoir sur la terre.

Chapitre quatrième

Comment se fabriquait, au siècle dernier, un père franciscain de la Stricte Observance

Le noviciat où le jeune Frédéric allait faire ses premiers pas dans la vie franciscaine se trouvait à Amiens, ville sise à mi-chemin entre Dunkerque et Paris. Il y avait là une communauté en pleine ferveur, animée du plus strict esprit de pauvreté, de pénitence et de rigoureuse observance. La mollesse humaine y était combattue sans pitié par une vie régulière rigide et la pratique des austères vertus franciscaines importées d'Espagne par le P. Joseph Aréso. En implantant ce style de vie exigeant, l'énergique restaurateur n'avait pas été mu par le simple désir d'en faire à sa tête: il avait aussi répondu à la volonté formelle du Ministre Général des Franciscains, le P. Venance de Celano. Lors de la fondation du couvent d'Amiens, celui-ci lui avait en effet écrit: «L'Ordre séraphique doit renaître en France dans sa pureté primitive, ou bien qu'il n'en soit nullement question. Telle est notre volonté, qui est la volonté même de Dieu; telle est la nécessité des peuples; tel est enfin le but de votre mission.» Le Père Aréso avait fidèlement suivi ces directives, qui, du reste, correspondaient tout à fait à ses aspirations viscérales et à sa formation religieuse à lui.

Un austère noviciat sous les combles

Quand le nouveau venu se présenta au monastère, le Père Maître le conduisit au dernier étage de la maison, réservé aux novices. Les cellules mansardées étaient exiguës à l'extrême: elles mesuraient sept pieds de long sur quatre et demi de large. Rapetissées encore par les combles, elles avaient sept pieds de hauteur à l'entrée et quatre seulement au fond. Un crucifix et une gravure de la Vierge Immaculée composaient toute la parure de ces minuscules réduits. Sous la table de travail le novice glissait, pour gagner de la place, l'unique escabeau; pour quelques-uns, le pied du lit servait de chaise. Par crainte encore que le novice ne s'attachât indûment à sa misérable piaule, on le faisait déménager, sans crier gare, au moins une fois par mois. La *Règle* de saint François ne dit-elle pas que les frères «doivent être des pèlerins et des étrangers en ce monde»!

Après une retraite de huit jours, Frédéric recevait la bure franciscaine le 26 mai 1864, des mains du P. Léonard Loizemant, gardien du couvent d'Amiens. La cérémonie de vêture eut lieu dans une humble chapelle. Parmi les assistants, l'on remarquait les parents du nouveau novice et l'abbé Ducroquet, curé d'Estaires, accompagné d'un cousin des Lediey. La formation ultérieure du nouveau religieux allait incomber désormais au P. Léon de Clary (Léon Vieu), maître des novices.

Le P. Léon de Clary avait été prêtre séculier et avait fait du ministère paroissial avant d'entrer dans l'Ordre. Il allait être élu, en 1869, ministre provincial de sa province de Saint-Louis-d'Anjou. C'était un homme de caractère. Il avait une grande réputation d'austérité; c'était sur ce point surtout, prétendait-on, qu'il s'appliquait à imiter les saints et les bienheureux dont il avait écrit la vie. Tous ses moments libres étaient consacrés à la compositon de son *Auréole séraphique,* espèce de *Who's who* franciscain destiné à mieux faire connaître saint François ainsi que les saints et les bienheureux issus des trois ordres fondés par lui. L'*Auréole séraphique* devait jouer un rôle important dans la formation de moultes générations franciscaines. C'était une sorte de classique dont on conseillait la pratique aux novices, qu'on lisait publiquement au réfectoire et qu'on utilisait largement dans la prédication franciscaine. Quant au P. Léon de Clary, son objectif formel était de faire de ses novices «des saints, *non des saints ordinaires, mais des saints à faire des miracles, à convertir les plus grands pécheurs*».

L'âme généreuse du Frère Frédéric sut profiter à plein de la direction d'un maître aussi versé dans la spiritualité franciscaine. Le jeune homme se laissa docilement initier à la *Règle* de saint François dans toute son austérité, à la connaissance des vertus du Poverello, à une méthode pratique de faire oraison. Il se laissa graduellement transformer par l'ambiance de ferveur et la pratique de rigoureuses mortifications qui caractérisaient le couvent d'Amiens.

Sous le toit d'ardoise du noviciat, l'été embrasait les cellules mansardées et l'hiver les transformait en igloos. «Jamais je n'ai tant souffert du froid qu'à Amiens, avouera un jour le Père Frédéric à l'abbé Duguay, curé du Cap-de-la-Madeleine. Le couvent n'était pas chauffé. Quand nous nous levions le matin pour la récitation de l'office, il nous fallait casser la glace dans nos bassins pour pouvoir nous laver.»

Entraîné dès le foyer paternel et sous l'instigation de sa mère à la sobriété et à la frugalité, le Frère Frédéric eut moins de peine à s'adapter aux rigoureuses mortifications de la table en usage au couvent d'Amiens. Les Franciscains d'Amiens ne se contentaient point des jeûnes de l'Église et des jeûnes de la *Règle*. À l'exemple de leur fondateur, qui faisait de chaque année un jeûne presque continuel, ils en ajoutaient bien d'autres de surérogation et ils les faisaient très rigoureux. Durant les carêmes, même les dimanches c'était abstinence totale de viande. Le matin des jours de jeûne, on ne prenait rien jusqu'à midi; si quelqu'un était fatigué, on ne lui donnait, touchant ce dernier point, la moindre dispense qu'après avis du Conseil de la maison. En tout temps, la nourriture était de qualité extrêmement simple et presque sans assaisonnement. Et combien de fois même le nécessaire, comme le pain, faisait défaut!

Un tout petit incident d'une saveur moyenâgeuse, consigné

aux archives de cette province franciscaine, illustre parfaitement la rigidité des coutumes du temps. C'était en 1860, quatre ans avant la venue du Père Frédéric à Amiens. Un innovateur voulut étendre indistinctement à tous pour le petit déjeuner l'usage du café, qui était réservé aux seuls malades. Mal lui en prit. Le Frère Marie — tel était son prénom — fut tout de suite tancé sévèrement et averti sans détours d'aller chercher son bonheur dans le monde ou dans une communauté moins sévère. «Qu'est-ce que cela si ce n'est du relâchement? Vous êtes venu ici pour faire pénitence et vous ne voulez pas vous y soumettre.» Le repentir du frère fut sans réticence. Tout quinaud, il écrivit une rétractation détaillée et édifiante, qui fut lue dans tous les couvents. Elle se terminait par ces mots: «J'espère que vous ne refuserez pas le pardon à un enfant qui se reconnaît coupable et qui du fond du cœur reconnaît sa faute.» L'humble délinquant reçut son pardon de l'autorité, qui ordonna à tous, pères et frères, de ne plus parler de l'affaire.

Les peurs d'un novice fervent

Le noviciat du Frère Frédéric ne connut pas de ces incartades. L'aspirant se fit remarquer par sa régularité, sa ferveur, son obéissance. Nous savons qu'il garda profondément gravée en lui l'empreinte de ce temps de ferveur qui avait caractérisé sa première formation religieuse et franciscaine. Il aurait aimé prolonger cette période de probation pour rétrécir davantage la marge qu'il constatait entre son idéal et la réalité. Ces réactions perfectionnistes, que plus d'un novice connaît, n'ont en soi rien d'alarmant. Mais la grande délicatesse de conscience du Frère Frédéric fit qu'elles occasionnèrent chez lui de fortes tentations de découragement. «Hélas! écrivait-il, je n'en fais pas assez au service du bon Dieu; je ne correspond pas suffisamment à la grâce divine. Vraiment, je ne suis pas à la hauteur de ma vocation... Que la cime de la sainteté est élevée! Jamais je ne pourrai l'atteindre!... Comme il faut être un saint, un grand saint, pour être un véritable fils de saint François d'Assise. J'en serai toujours un fils trop indigne. Ne ferais-je pas mieux de retourner au siècle?... Et voilà que s'approche le jour de ma profession simple et perpétuelle.»

Pour combattre cette tentation, le novice pria, réfléchit et surtout s'ouvrit en toute simplicité au maître des novices. Il en reçut cette directive: «Vous êtes à votre place dans votre vie franciscaine. Sachez attendre. Dieu achèvera son œuvre. Plusieurs saints auraient peut-être perdu leur âme, s'ils avaient supporté avec moins de constance les mystérieux délais de la Providence.»

Rassuré sinon rasséréné par cette réponse de son accompagnateur spirituel, le Frère Frédéric continua à cultiver de son mieux les vertus qu'on lui enseignait, surtout celles d'humilité, d'obéissance et de mortification. Mais, si l'on en juge par une lettre qu'il écrivit à son frère Jean-Baptiste et à sa sœur Victoire le 3 juillet 1865, la bataille intérieure semble avoir duré jusqu'à la fin de sa probation:

> *Après une lutte et des hésitations sans fin,* écrit-il, je suis arrivé à la veille de dire un adieu au monde, à ses richesses, à ses plaisirs, à ses honneurs, et cela en contractant des liens sacrés, des liens indissolubles. Je vais, en un mot, devenir par l'émission de vœux simples et perpétuels, l'enfant, l'humble enfant de saint François d'Assise, homme extraordinaire que Dieu suscita, à la fin du douzième siècle, pour flétrir les scandales du siècle par le feu brûlant de sa parole et pour ranimer la foi dans les cœurs par la sainteté de sa vie.

Comme on le voit, l'option finale, pour avoir été laborieusement arrachée, n'en était pas moins nette et résolue: le Frère Frédéric était pleinement conscient que les vœux qu'il allait prononcer l'engageaient sans retour. Sa profession religieuse eut lieu le 18 juillet 1865.

Études philosophiques et théologiques

Le lendemain de celle-ci, les supérieurs envoyèrent le Frère Frédéric à Limoges pour y faire les études philosophiques et scientifiques prérequises à sa théologie. Peu après son arrivée en cette ville, il était heureux de retrouver celui qui l'avait si bien guidé durant son noviciat: le chapitre provincial venait de nommer le P. Léon de Clary comme nouveau gardien du couvent de Limoges.

Son stage d'études terminé à Limoges, le Frère Frédéric se rendit à Bourges pour y faire ses quatre années de théologie. Le couvent local, de fondation récente, répondait aux exigences de Dame Pauvreté et à l'idéal séraphique du Père Aréso: les locaux, quoique très complets, étaient modestes et simples; les cellules, percées de petites fenêtres, ne comportaient que le strict nécessaire. C'est dans cette maison que le jeune profès devait prononcer ses vœux solennels le 26 décembre 1868.

Le Frère Frédéric avait été un novice fervent. Il fut, durant son scolasticat, un étudiant appliqué, consciencieux, méthodique et pieux.

Dès son arrivée au couvent de Limoges, il se fit un règlement détaillé de l'emploi de son temps. Cette méthode venait de son maître des novices, le P. Léon de Clary. L'habitude ainsi acquise au début de sa formation religieuse de mettre de l'ordre dans sa vie, de régler son temps, fut l'un des secrets de la réussite apostolique du Père Frédéric. La persévérance dans une direction bien définie et réglementée lui a permis d'entreprendre et de réaliser des œuvres de toutes sortes qui étonnent par leur nombre, leur grandeur et leur durée.

Un amasseur de notes

En marge de ses études obligatoires, le Frère Frédéric s'impose une somme considérable de travail. Les notes de cette époque sont nombreuses. Elles forment une véritable encyclopédie à son usage personnel, où il accumule textes et matériaux nécessaires pour l'avenir: études sur la philosophie, la théologie et le droit canonique; notes sur l'histoire, la géographie et l'astronomie; résumés de botanique, de peinture, d'éloquence sacrée, d'ascétisme et de mystique. On y trouve aussi des renseignements sur l'architecture, l'archéologie et la paléographie, etc. Il amasse sur la planche quantité de pain. Dans les mille et un imprévus du ministère de la prédication il saura puiser abondamment dans ces réserves.

Ces notes sont méthodiquement classées en quatorze petits

cahiers. Ce sont des manuscrits remarquables en soi. L'expert en bibliothéconomie que fut le P. Hugolin Lemay les a appréciées en ces termes: «Le caractère sérieux, l'application au travail, la maturité de jugement du jeune religieux, comme sa piété et le souci de son futur apostolat, s'y avèrent sans défaillance du premier au dernier feuillet. Et aussi une bonne dose de curiosité pour toutes les sciences; tandis que la netteté et la régularité de l'écriture attestent un esprit clair et ordonné[1].» Ces remarques apportent un éclairage intéressant sur la psychologie de celui que les foules ont surnommé le Bon Père Frédéric. Nous avons vu plus haut qu'au collège il avait été non seulement un élève exemplaire mais aussi un premier de classe. L'intérêt que nous lui voyons manifester ici pour les sciences les plus diverses, sa curiosité inattendue pour des disciplines telles que l'astronomie, la botanique, la paléographie et la peinture, nous montrent que ses succès scolaires de jadis n'étaient pas le simple fait d'un élève ordinaire travaillant plus fort que les autres, mais qu'ils émanaient d'un être magnifiquement doué et pas du tout rassotté. Le Père Frédéric était un être fort intelligent, un humaniste authentique ouvert à toutes les données du savoir et de la culture. Il y a quelque chose en lui qui évoque saint Antoine de Padoue, cet autre intellectuel racé, qui devait devenir, on se demande pourquoi, un saint populaire. Nous retrouverons plusieurs fois au cours de sa vie les preuves de ses remarquables dispositions intellectuelles, que sa simplicité et sa modestie ont constamment occultées.

En tête du premier de ces cahiers, le Frère Frédéric a mis une image très significative. Elle est jusqu'à un certain point prophétique. Une âme menacée des attaques du démon se réfugie au pied de la croix et de la Sainte Vierge. En reine toute puissante, Marie écrase la tête du Serpent et la perce d'une lance aiguë. Puis, en mère toute bonne, elle protège cette âme effrayée et la reçoit avec bienveillance sous son manteau. Il y a là comme un raccourci d'événements importants de sa vie ultérieure.

---

1. R.P. Hugolin Lemay, O.F.M., *Les manuscrits du R. P. Frédéric Janssoone, O.F.M. — Description et analyse. Pro manuscripto,* Firenze-Quaracchi 1935, p. XI.

Un presbytérat précédé de crainte et de tremblement

Pour le moment, son existence s'écoule sans incidents notables pendant plusieurs années. Il aide le P. Léon de Clary à préparer son *Auréole séraphique*. Il entreprend aussi son premier ouvrage personnel: une *Vie de la bienheureuse Jeanne-Marie de Maillé* qui ne sera publiée qu'après son ordination sacerdotale.

Celle-ci approchait maintenant à grand pas. L'étape du sous-diaconat, qui l'attendait à Bourges, constituait un point de non-retour. Comme dans les autres moments importants de sa vie, l'âme timorée du Frère Frédéric se mit à tergiverser, à frémir devant les responsabilités du sacerdoce, du ministère des âmes, surtout devant les conditions de dignité nécessaires pour devenir prêtre. Le T.R.P. Provincial crut bon d'intervenir: «Dieu, qui vous a donné la grâce jusqu'ici, ne vous la refusera pas non plus à l'avenir.» Fortifié par cette directive de l'autorité, l'aspirant au sacerdoce déposa aux pieds du Seigneur ses inquiétudes et alla de l'avant.

Il reçut le sous-diaconat le 22 mai 1869. Le 7 novembre de la même année, il était ordonné diacre par Mgr de la Tour d'Auvergne, archevêque de Bourges. Le même archevêque lui conféra le sacerdoce dans la chapelle de l'archevêché, le 17 août 1870. Le lendemain de l'ordination, le Père Frédéric célébra sa première messe dans l'église des Franciscains de Bourges. Le Père Augustin Bouynot, qui restera l'ami de toute sa vie, y exerça pour la première fois son ordre de sous-diacre, reçu la veille; d'après son témoignage, d'abondantes larmes révélèrent aux assistants la piété profonde et la vive reconnaissance du nouveau prêtre.

Chapitre cinquième

Premières armes sacerdotales

Un imprévu avait hâté l'ordination du Père Frédéric: l'éclatement de la guerre franco-allemande. Le gouvernement de Napoléon III, habilement provoqué par Bismarck et rendu trop confiant par les assurances du maréchal Lebœuf, avait inconsidérément déclaré la guerre à la Prusse le 17 juillet 1870. La France répondit avec enthousiasme à l'appel aux armes. Mais les besoins spirituels et matériels d'une armée de quelque deux cent cinquante mille soldats réclamaient des aumôniers et des infirmiers militaires. C'est pour répondre à ces exigences que les supérieurs jugèrent bon de devancer un peu l'ordination du Frère Frédéric.

Aumônier militaire

Nommé aumônier militaire, le jeune prêtre fut appelé à desservir l'hôpital improvisé établi au pensionnat des Dames du Sacré-Cœur de Bourges, non loin du couvent des Franciscains. Le 22 septembre 1870, le premier étage du pensionnat se transformait en ambulance. Cinquante-deux infirmiers en prenaient possession, remplacés, deux jours plus tard, par des séminaristes aidés de Filles de la Charité. Comme les défaites françaises se succédaient en cascades, les blessés et les malades ne tardèrent pas à arriver. Voici ce qu'en dit la chronique de l'ambulance:

> Un message officiel nous annonça tout à coup que la maison serait occupée le soir même. Le 27 septembre [1870], nos nouveaux

hôtes arrivèrent au nombre de cent. Ils étaient atteints de toutes les maladies les plus contagieuses: petite vérole, dysenterie et typhus. Quelques jours après, nous devions préparer cinquante lits de plus... Un jour, on nous annonçait cinq cents malades, le lendemain mille... La mortalité était si grande qu'un jour on eut à enregistrer douze décès. La chambre où on déposait les morts en contint jusqu'à seize à la fois et plusieurs y restèrent du samedi jusqu'au jeudi, sans que nous puissions parvenir à les faire enterrer.

C'était dans ce milieu de souffrance et de deuil qu'évoluait maintenant le Père Frédéric, frôlant tous les jours la contagion. Parmi les soldats hospitalisés il y en avait de tous les calibres: des enfants prodigues, des sectaires et des fanfarons, mais aussi de bons et même d'excellents chrétiens. La vieille histoire de l'ivraie et du bon grain! Le jeune prêtre se fit tout à tous. *Notre bon petit aumônier,* telle était l'expression qui courait à son sujet chez les officiers, les médecins, les infirmiers et les malades. Au témoignage du P. Augustin Bouynot, son dévouement produisit des fruits spirituels abondants. C'est d'ailleurs ce que laisse aussi entendre la chronique de l'ambulance militaire de Bourges plus haut citée:

Nous pourrions raconter un grand nombre de faveurs dans l'ordre spirituel opérées parmi les malades de l'ambulance, l'empressement des soldats à recevoir des médailles et des scapulaires. Il y eut bien des retours à Dieu, des premières communions faites dans les salles, le baptême d'un musulman sur le point d'expirer. La guérison et la conversion de M. Fernand X [furent] particulièrement remarquables.

Ces réussites pastorales furent achetées au prix de fatigues et de sacrifices multiples, voire de mortifications héroïques. L'hiver de 1870-1871 fut des plus rigoureux en France. Néanmoins le Père Frédéric voulait observer de son mieux la nudité des pieds prescrite par la *Règle* de saint François. Il devait se rendre souvent au chevet de soldats pour leur assurer une mort chrétienne. Ensuite il les conduisait à leur dernière demeure. Chaussé de ses simples sandales de franciscains, il accompagnait, par des chemins remplis de neige, chaque cortège jusqu'au cimetière commun situé à plus de deux milles de la ville. Il arrivait la plupart du temps les pieds ensanglantés au bord de la fosse. Il bénissait celle-ci et récitait les dernières prières au nom de la famille du défunt, absente. Le froid excessif ne parvenait pas à étouffer sa joyeuse ardeur. Cette performance des pieds nus dans la neige, il la répétera plus tard au Canada, au grand étonnement des fidèles du pays, depuis longtemps désaccoutumés à pareil spectacle.

Sous-maître des novices à Branday

À la fin de janvier 1871, l'armistice fut signé. Le Père Frédéric, libéré du service militaire, put rentrer dans son couvent. La Congrégation intérimaire de la province Saint-Louis-d'Anjou, tenue à Bourges le 13 mai 1871, le nomma sous-maître des novices et bibliothécaire à Branday, non loin de Bordeaux.

Branday n'était ni une ville ni un bourg, mais une agréable solitude située presque en face du château de Michel de Montaigne, le célèbre humaniste de la Renaissance. Le vicomte de Dumas y avait mis une villa à la disposition des Frères Mineurs. Cette installation rappelait Rivo-Torto et par son milieu de poésie et par sa pauvreté. Elle n'était ni belle ni confortable; elle avait besoin de réparations et manquait de cellules salubres. Les collines, les bosquets, les ruisseaux et les coquettes chaumières qui avoisinaient le vieux château lui formaient pourtant un cadre d'une aimable fantaisie. C'est le pays du Saint-Émilion, dont les riches vignobles produisent un célèbre bordeaux. Dans cette campagne luxuriante, le minable noviciat se dressait comme un monument élevé à la gloire de la pauvreté et de l'esprit de sacrifice.

C'était effectivement un véritable *ritiro,* digne des austères couvents de récollection fondés en Italie par saint Bernardin de Sienne et saint Léonard de Port-Maurice. À Branday, comme à Amiens, on se serait cru transporté dans les temps héroïques de l'Ordre franciscain. Le silence était rigoureusement observé. Aux repas, on n'était jamais dispensé de la lecture. On ne parlait qu'à la récréation de midi. Les religieux faisaient oraison deux heures par jour. À minuit, le son de la cloche conventuelle réveillait les échos du voisinage et convoquait les moines au chœur pour les matines. Les jeûnes y étaient plus rigoureux qu'ailleurs: on suivait l'ancienne discipline de l'Église, qui défendait durant le carême l'usage des œufs et des laitages. On y ajoutait le carême conseillé par la *Règle* de saint François à ses frères du premier Ordre: c'est le carême de la *Benedicta,* qui, commençant à l'Épiphanie, dure quarante jours.

Dans cette atmosphère de ferveur, le Père Frédéric se montrait comme une règle vivante, un modèle accompli de vie religieuse. Il partageait ses journées entre l'étude, surtout celle des Livres saints, le travail manuel et la prière. Quand sonnait l'appel de l'office divin, avec foi il quittait tout pour aller chanter avec ses frères les louanges du Seigneur. Son maintien et sa prononciation témoignaient alors d'un tel respect de la présence divine que sa vue inspirait la piété. Sa régularité au chœur, son assiduité à l'oraison et son énergie indéfectible dans l'accomplissement de tout son devoir d'état édifiaient les jeunes aussi bien que les anciens.

La fonction de sous-maître des novices qu'on lui avait confiée consistait à collaborer en tout avec le Père Maître, à le remplacer lors de ses absences, à confesser les novices, à prendre parfois la récréation avec eux, à les initier à la liturgie, aux règles de l'office divin. Toutes les semaines, il enseignait aux jeunes religieux non seulement la liturgie, mais aussi les règles de la politesse et des bienséances. C'était en effet l'une des plus sympathiques originalités du T.R.P. Aréso, l'austère restaurateur, que d'avoir compris la très haute importance des bonnes manières chez le prêtre. «On pourra avoir, disait-il, les meilleures qualités; on pourra être savant, vertueux, même saint; si l'on commet des grossièretés et des impolitesses devant les gens du monde, on sera méprisé et on perdra une grande partie de son mérite. Pour éviter ce mal, nous prescrivons qu'on fasse, une fois par semaine, une classe de *Praxis disciplinæ* d'une heure et demie à deux. Le second maître des novices la fera à Amiens et à Branday.» On devine que l'éducation très distinguée que le Père Frédéric avait reçue dans son milieu familial dut lui être d'un grand secours pour ces conférences hebdomadaires sur les bienséances religieuses et ecclésiastiques.

On aimerait en savoir davantage sur la façon dont il s'acquittait de sa tâche de sous-maître. Comment se présentait-il à ses jeunes auditeurs? Quelle était sa doctrine spirituelle? Quelle image leur donnait-il de ce que doit être un bon religieux franciscain? De ces questions, ce sont la première et la troisième qui sont les plus importantes. Car la psychologie moderne a mis en lumière le rôle prépondérant que jouent, dans toute formation, ces individus qu'on appelle les modèles. Les documents d'époque ne nous fournissent pas, hélas! de réponse à ces interrogations. Un texte plus tardif pourrait peut-être jusqu'à un certain point combler cette lacune. Il s'agit des souvenirs du P. Mathieu Daunais, franciscain canadien, qui a bénéficié des conférences spirituelles du Père Frédéric au cours de son noviciat, c'est-à-dire en 1898. Rédigé un peu à la manière des *Mémorables* de Xénophon, le témoignage du Père Daunais est extrêmement précieux. Car, non seulement il nous donne une sorte d'instantané de ce qu'était le Père Frédéric comme communicateur spirituel, mais il nous dévoile aussi ce que le Socrate franciscain prêchait à ses jeunes confrères. Il leur enseignait sans ambages la nécessité du renoncement et de la mortification, mais insistait avec fermeté sur la mesure qu'ils devaient garder dans leur ascèse. «Si vous faites des mortifications inconsidérées, leur disait-il, le démon se rira de vous plus tard.» Saint François avait jadis fait des interventions semblables auprès de religieux trop austères.

Il serait toutefois un peu risqué de conclure que les propos tenus par le Père Frédéric aux novices de 1871 étaient identiques à ceux qu'il tenait à ses jeunes confrères de 1898. Un homme fait du chemin en trente ans! En 1898, le Père Frédéric, qui avait soixante ans, était au sommet de sa maturité spirituelle. Le jeune sous-maître de Branday, au contraire, commençait sa carrière et manquait beaucoup d'expérience. Il ne pouvait donc pas avoir la même qualité d'équilibre que le vieux routier rodé par trente ans de ministère en trois pays différents. On peut quand même présumer que déjà quelque chose de son style de communication et de ses valeurs spirituelles commençait à poindre dans ses conférences de jeune prêtre. Ses novices, en tout cas, ne semblent pas avoir trop pâti de leur commerce avec lui. L'un d'eux, le Père Simon de Bussières, devait, par sa ferveur, devenir l'une des gloires de la province franciscaine d'Aquitaine. Sa cause a été introduite à Rome tout comme celle de son jeune sous-maître de Branday.

Pour ce qui est du texte du P. Mathieu Daunais, nous le retrouverons *in extenso* au chapitre 19, dans lequel nous essayerons de tracer un portrait complet de la personnalité du Père Frédéric.

Chapitre sixième

Co-fondateur et supérieur à Bordeaux

Un dimanche soir de septembre 1871, le T.R.P. Léon de Clary, provincial, rentrait à la villa de Branday. À la récréation du lendemain midi, il apportait à ses religieux une heureuse nouvelle:

— Hier, je suis allé présider à Bordeaux la réunion du Tiers-Ordre. Le bon curé de Sainte-Eulalie, M. l'abbé Parenteau, m'avait prié de passer, après la cérémonie, à son presbytère. Il avait, disait-il, une proposition intéressante à me faire. Il offre aux Franciscains la chapelle de secours qu'il a fait bâtir pour l'usage du quartier de Ségur, à l'extrémité de la rue de Pessac.

— La proposition est intéressante, Très Révérend Père, répliqua avec vivacité le P. Raphaël Delarbre. Il ne faut pas laisser passer cette occasion de nous établir à Bordeaux!

Depuis longtemps, les Franciscains désiraient prendre pied dans la vieille capitale de l'Aquitaine, où ils exerçaient déjà un ministère très actif. Branday, perdu dans les abondants vignobles du Saint-Émilion, n'offrait aucune facilité de communication. Par contre, Bordeaux était une ville importante de 200 000 habitants; avec son réseau ferroviaire et son port de mer, il pourrait devenir un centre de rayonnement pour les prédications diocésaines et un pied-à-terre pour les missionnaires partant pour l'étranger.

La fondation de Bordeaux

Le 19 octobre 1871, les Pères Raphaël et Frédéric ainsi qu'un frère convers allaient préparer l'installation du local qui leur était destiné. Deux jours plus tard, le cardinal Donnet, archevêque de Bordeaux, accordait l'autorisation nécessaire, demandée par le curé Parenteau. Et, le 16 novembre, cinq religieux de Branday inauguraient la nouvelle communauté. Le Père Frédéric était du nombre, avec les Pères Raphaël Delarbre et Alphonse-Marie Usse. Le Père Raphaël, premier président de la petite communauté, s'occupait du matériel, c'est-à-dire de la nourriture, du vêtement, de la construction et de l'ameublement; il était en outre directeur de la *Revue franciscaine,* organe d'animation du Tiers-Ordre franciscain. Le Père Frédéric, lui, se consacrait spécialement au ministère.

Le couvent, placé sous la protection de Notre-Dame-des-Anges et de saint Joseph, était situé dans un quartier populeux et sympathique aux religieux. À cause de l'éloignement de l'église paroissiale, la population était devenue un peu tiède dans la pratique de ses devoirs religieux. Mais, naturellement bonne, elle revit avec joie ces successeurs des Cordeliers, que Bordeaux avait hébergés depuis cinq siècles (de 1247 à 1790). Tous les dimanches, l'église Notre-Dame-des-Anges devenait trop petite tant les fidèles affluaient à la messe et aux vêpres.

Le Père Frédéric se faisait un plaisir d'instruire ces gens avides de la parole de Dieu. Plutôt causeur qu'orateur à l'emporte-pièce, il tonnait rarement contre les vices et les horreurs du siècle. Il expliquait tout simplement l'esprit religieux, l'esprit évangélique, séparant bien clairement les vertus chrétiennes des vertus humaines.

Il se faisait aussi écrivain pour alimenter la vie spirituelle de ses frères et sœurs dans le Tiers-Ordre. Dès son scolasticat, nous l'avons vu préparer les matériaux pour une biographie de la bienheureuse Jeanne-Marie de Maillé, baronne de Silly. C'était une tertiaire de la région de Tours, que Pie IX allait béatifier le 27 avril 1871. Dans une série d'articles parus dans la *Revue franciscaine* de Bordeaux entre février et novembre 1871, le Père Frédéric l'avait présentée au public français. À la fin de 1871, il réunissait en brochure ces articles quelque peu modifiés sous le titre de *Vie de la bienheureuse Jeanne-Marie de Maillé*. L'ouvrage fut envoyé gratuitement à tous les abonnés de la revue. Quelques mois plus tard, la *Revue franciscaine* invitait toutes les fraternités de France à célébrer, à la fin d'avril 1872, un triduum solennel en l'honneur de la nouvelle bienheureuse. L'événement eut lieu à Tours, pays d'origine de Jeanne-Marie Maillé. Il y eut aussi un triduum plus modeste à Bordeaux, en l'église franciscaine de Notre-Dame-des-Anges, les 25, 26 et 27 avril 1872. Le Père Frédéric en fut l'animateur.

Le Père Frédéric supérieur

Au mois de décembre 1872, le Ministre Général de l'Ordre des Frères Mineurs, le Révérendissime Père Bernardin de Portogruaro, venait en France. Homme d'une rare valeur, il devait gouverner l'Ordre pendant vingt ans. Après avoir fait la visite canonique de la Province de Saint-Louis, il présida lui-même le chapitre provincial, qui fut célébré à Bourges, le 6 février 1873. Le président de la résidence de Bordeaux, le Père Raphaël Delarbre, fut élu provincial; il n'avait pas trente ans. L'homme tout désigné pour le remplacer à la tête du couvent de Bordeaux fut le Père Frédéric; il était dans sa troisième année de prêtrise. Il accepta ce poste de supérieur, mais par pure obéissance. On lui donna pour vicaire un «saint»: le P. Simon de Bussières, qui avait été auditeur de ses conférences au noviciat. Reconnaissant ses aptitudes pour la prédication, le chapitre le nommait en même temps prédicateur et confesseur à la disposition du Provincial.

La charge de supérieur à Bordeaux était d'autant moins une sinécure qu'on venait, en 1873, de lui ajouter une responsabilité supplémentaire, celle du Collège Séraphique de la Province. Cette institution, qui avait modestement débuté à Branday, en 1872, était transférée, l'année suivante, dans un local contigu au nouveau couvent. Elle recrutait pour l'Ordre séraphique des jeunes gens qui donnaient des marques sérieuses de vocation religieuse et franciscaine. Une fois prêtres, ces recrues devaient fournir des missionnaires pour la France et les pays étrangers, particulièrement la Terre Sainte.

L'ex-commis voyageur qu'était le Père Frédéric fit vite voir à quel point il était resté avisé en affaires. Comme la France avait le mandat séculaire de protéger les missionnaires de Palestine, il suggéra à son provincial, le T.R.P. Raphaël Delarbre, de demander au gouvernement français un subside en faveur de ces enfants français qui devaient devenir plus tard des ambassadeurs de la patrie en même temps que des apôtres de la foi. Le gouvernement félicita les Franciscains et encouragea l'œuvre nouvelle. Par l'intermédiaire du ministre des Affaires étrangères, le duc de Broglie, il manifesta sa bienveillance en octroyant à l'œuvre naissante une première allocation de trois mille francs. Les vocations, par ailleurs, se présentaient nombreuses. L'avenir du petit collège s'annonçait bien.

Comme supérieur franciscain, le Père Frédéric s'appliqua à propager de son mieux l'esprit de saint François parmi ses nouveaux concitoyens. L'un des instruments les plus efficaces dont il disposait était le Tiers-Ordre. Il en usa avec zèle. La chronique conventuelle du 6 février 1874 l'atteste en ces termes: «Le Père Frédéric, nommé ce jour même président du couvent de Bordeaux, veut bien se charger du Tiers-Ordre et il s'en occupe avec le dévouement sans borne qu'il sait si bien mettre à tout ce dont il est chargé.»

Cependant, son grand moyen d'apostolat à Bordeaux, surtout pendant son supériorat, ce fut la multiplicité, la magnificence des cérémonies religieuses. Les chroniqueurs de la *Revue franciscaine* de Bordeaux ne parlent de concours de peuple à l'église de la rue de Pessac que durant le supériorat du Père Frédéric. C'est que ce moine flamand avait le sens du peuple. Il excellait dans les manifestations religieuses qui agissent fortement sur les foules et laissent dans les esprits et les cœurs de profondes impressions. Des assemblées nombreuses et recueillies, priant et chantant dans l'harmonie, c'était son fait. En somme, il était comme prédestiné à devenir animateur de pèlerinages, comme on le vit en Terre Sainte et, plus tard, au Cap-de-la-Madeleine. Mais pour le moment il se faisait la main et avec quel succès!

La Portioncule: une première que beaucoup d'autres suivront

Le 2 août 1873, c'était la fête de la Portioncule, fête patronale de l'église franciscaine de Bordeaux. L'invitation à gagner l'indulgence de la Portioncule fut, pour le jeune supérieur, une occasion idéale pour déployer ses talents de vendeur spirituel. L'événement attira un concours de peuple évalué au chiffre prodigieux de vingt-cinq mille visiteurs. «Dès la veille, a dit un témoin oculaire, la foule ne cessa d'inonder le saint temple comme les vagues de la marée montante.» Le jour de la fête, «dès quatre heures du matin, les messes se succédaient jusqu'à midi. La table sainte était assiégée, littéralement encombrée. Deux religieux, pendant et après le saint sacrifice, étaient insuffisants à rassasier les foules du Pain des forts; plus de quatre mille hosties furent distribuées en ces deux jours[1]».

Au cours de la journée, d'instant en instant, se remplaçaient les communautés et les pensions, soit religieuses soit laïques. On compta jusqu'à vingt-sept communautés qui vinrent en corps ou en députation gagner les indulgences de la Portioncule. Jamais, de mémoire d'homme, Bordeaux n'avait vu un spectacle semblable.

Le vicaire du Père Frédéric, le Père Simon de Bussières, s'inspirant du cérémonial de Lourdes à l'arrivée des pèlerinages, allait au-devant des communautés qui débouchaient en procession dans la rue de Pessac. À toutes les heures, alternant avec le Père Simon, le Père Frédéric paraissait en chaire; par ses paroles et ses prières, il stimulait la piété, centrait les cœurs sur Dieu, apprenait à chacun à expier pour ses fautes, à supporter sa croix quotidienne, à prier pour les âmes du purgatoire.

À la suite de cette journée mémorable du 2 août 1873, le chroniqueur de la *Revue franciscaine* verse dans le lyrisme: «Ce fut un jour, un jour qu'on n'oubliera jamais et dans lequel on n'éprouva qu'un regret, celui de le voir finir. On reprocha au soleil couchant d'emporter avec lui pour un an l'insigne faveur de la Portioncule et, comme pour se venger, on prolongea les prières jusqu'à la nuit, tant on se séparait avec peine de Notre-

---

1. *Revue Franciscaine* de Bordeaux, 3 (1873), 297 ss.

Dame-des-Anges.» En fait l'on continua à «se venger» bien après la minuit, puisque le lendemain et quelques jours plus tard, soit les 15, 26, 29 août et 8 septembre, les pèlerinages continuèrent au sanctuaire de Notre-Dame-des-Anges. Le supérieur du couvent de Bordeaux encourageait et stimulait ces manifestations de piété: ce qu'il voulait c'étaient des foules priantes. Il organisait donc sans arrêt, faisant un peu flèche de tout bois: il n'est pas donné à tout le monde d'avoir le charisme de l'apostolat populaire.

Les départs de missionnaires

Les cérémonies de départs de missionnaires franciscains furent pour lui un autre moyen d'attirer et de faire prier les gens. Parce qu'il était situé dans une ville qui était un grand port de mer, le couvent de Bordeaux en avait vu plusieurs depuis sa récente fondation: 27 départs le 1er octobre 1872, un autre dans le même mois, puis quatre autres au mois d'avril 1873. Le 29 août 1873, enfin, 18 missionnaires franciscains français, autrichiens et italiens partaient à leur tour pour l'Amérique du sud.

La cérémonie de leur départ, organisée par le Père Frédéric, supérieur, fut si solennelle, si émouvante, elle laissa une telle impression sur les Bordelais que la *Revue franciscaine* y revint en trois articles différents au cours de l'année 1873. Tout Bordeaux, cette ville du Midi aussi prodigue de fleurs que de vins, y alla de ses gerbes fleuries: l'église des Franciscains en fut décorée à profusion. Quelques jours auparavant, des avis imprimés avaient annoncé la cérémonie à la cité pour trois heures de l'après-midi; mais, dès une heure, l'église était déjà comble de personnes de tout rang et de toute condition. On rapporta que certaines personnes avaient marché cinq ou six milles pour assister à cette cérémonie; que d'aucuns, qui d'ordinaire ne mettaient pas les pieds à l'église, s'y étaient rendus et avaient été vivement touchés.

Ces démonstrations religieuses accomplies à Bordeaux s'inscrivaient dans le renouveau spirituel qui souleva la France après la guerre de 1870. C'est en cette période que prennent leur essor les pèlerinages de La Salette, de Lourdes et de Rome, qu'a lieu la consécration de la France au Sacré-Cœur, prononcée à Paray-le-Monial au printemps de 1873, et que jaillit le vœu national d'où naîtrait un jour la basilique de Montmartre. Par son ascétisme et sa pauvreté, par sa courtoisie toute simple et par son savoir-faire apostolique, qui lui permettait de créer de splendides cérémonies religieuses, le Père Frédéric devenait à Bordeaux l'un des plus efficaces instruments de la Providence et l'un des plus populaires artisans du réveil de la foi.

Une allergie au supériorat

Pourtant il ne demeura pas longtemps supérieur à Bordeaux. C'est qu'il ne parvenait pas à dominer sa peur des responsabilités. Il avait beau être un incomparable meneur de foules, il ressentait une angoisse incoercible à gouverner ses frères. À plusieurs reprises il voulut abdiquer la charge du supériorat. Ses interventions auprès de ses frères lui paraissaient malencontreuses. «Deux fois, confiait-il plus tard au P. Mathieu-M. Daunais, O.F.M., j'ai repris en public et dans la suite j'ai reconnu que j'aurais mieux fait de me taire.»

Deux documents, trouvés à la curie généralice des Franciscains à Rome, nous montrent que ce n'était pas pour rien que le Père Frédéric se plaignait de son peu d'aptitude à l'exercice de l'autorité. L'un est daté du 24 mai 1873; il vient du P. Paul du Sacré-Cœur, maître des scolastiques à Bourges. «À Bordeaux, écrit le témoin, le Père Frédéric se tourmente la conscience pour des choses qu'on ne met pas sur lui.» Le second document est plus concluant encore, car il émane du provincial du Père Frédéric, le T.R.P. Raphaël Delarbre, qui écrit en ces termes au général de l'Ordre, le Révérendissime Père Bernardin de Portogruaro:

> Je suis obligé de recourir aujourd'hui encore à votre Paternité Révérendissime pour plusieurs affaires de la Province. D'abord, mon plus grand embarras actuel est le président de Bordeaux. Le Bon Père Frédéric m'a déjà offert trois ou quatre fois sa démission,

que j'ai toujours refusée jusqu'ici. Mais il insiste et, malgré toutes les réflexions que j'ai pu lui faire, je vois bien qu'il ne peut pas se faire à la supériorité. Sa conscience timorée et trop étroite le fait beaucoup souffrir, gêne aussi les autres religieux de la communauté et rend la position difficile pour tous. Il en est venu au point de me dire que, si je n'acceptais pas sa démission, il allait quitter l'Ordre et se retirer chez les Chartreux[2].

Le diagnostic porté par le Père Delarbre est incisif: «Le Père Frédéric ne peut se faire à la supériorité. Sa conscience timorée et trop étroite le fait beaucoup souffrir.» Nous avions déjà, à l'occasion de la profession et du sacerdoce, constaté les symptômes de cette fragilité spéciale du Père Frédéric. Il y a lieu d'y voir les conséquences de l'éducation excellente, mais par trop rigoriste, reçue au foyer. Les psychologues freudiens diraient ici que le Père Frédéric était affligé d'un surmoi excessif.

Quoi qu'il en soit, la congrégation capitulaire de juillet 1874 vint mettre un terme à cette situation inconfortable pour notre homme. Elle désigna le T.R.P. Léon de Clary, ex-provincial et custode, comme nouveau président du couvent de Bordeaux. Le Père Frédéric était nommé bibliothécaire du même couvent et directeur de la *Revue franciscaine*.

Apprenti-prédicateur de missions

Ces deux nouvelles fonctions semblaient vouer le Père Frédéric à un travail casanier. Il n'en fut rien. Bientôt remplacé par un autre père à la direction de la *Revue franciscaine,* il fut, en 1875, associé à un certain père Bernard d'Orléans, qui prêchait des retraites paroissiales dans le diocèse de Bordeaux et les diocèses circonvoisins. C'était un travail nouveau pour lui, mais où il ne tarderait pas à passer maître. Son initiateur, ici, était un missionnaire zélé, très préoccupé du salut des âmes et assidu au confessionnal. Il suivait la méthode de prédication que le Père Aréso avait enseignée dans son *Manuel du missionnaire* et qui

---

2. Paris, 27 juillet 1873.

avait été jadis celle de saint Alphonse de Liguori et de saint Léonard de Port-Maurice. Le Père Frédéric révéla un jour que le Père Bernard l'avait, une fois, mis à genoux dans le sanctuaire tout le temps du sermon pour demander à Dieu la conversion de certains pécheurs plus rebelles aux grâces de la retraite. C'était un procédé spectaculaire. La manière de prêcher du Père Bernard, parfaitement accordée aux goûts et au tempérament du Père Frédéric, était dans la même ligne émotionnelle. Elle était populaire, pleine de cette action qui avait illustré son homonyme Bernard de Clairvaux, dit le Melliflue. Doué d'une grande verve naturelle, il était aussi plein de pathos et avait le don de dramatiser en chaire. Ses paroles enflammées touchaient alors les plus réfractaires. La mission qu'il prêcha en 1856, avec le P. Jean-Baptiste de Beauvais, à Bolbec, petite ville de Normandie, est demeurée célèbre: l'impression en fut si profonde et les conversions qu'elle opéra furent si nombreuses qu'un vicaire de cette ville voulut en perpétuer le souvenir dans un livre. Le Père Frédéric avait de qui bien apprendre son métier de missionnaire populaire.

Sa rencontre avec le P. Bernard d'Orléans devait toutefois avoir un autre effet, tout aussi déterminant, sur son avenir. Car, avant de venir terminer sa carrière en France, ce confrère prédicateur avait passé de longues années en Terre Sainte. En 1859, il avait été le premier religieux français depuis la Révolution à partir pour la mission de Palestine. Il avait été le directeur-fondateur du collège d'Alep. Il est tout naturel qu'il ait eu de fréquents entretiens sur le pays de Jésus avec son compagnon de prédication, si avide de choses spirituelles. C'est ainsi que dut se fortifier, dans l'âme du Père Frédéric, un vieux rêve dont l'accomplissement devait occuper une douzaine d'années de sa vie.

Chapitre septième

L'itinéraire Paris-Jérusalem (1876)

Aux tout derniers jours d'avril 1876, le Ministre Général des Franciscains recevait une lettre ainsi conçue:

Révérendissime Père Général,

J'ai toujours le plus vif désir de visiter les Saints Lieux et je regarderai comme une grande faveur de pouvoir y rester durant *six ans,* aux conditions ordinaires. Le Révérend Père Martin va partir dans quelques jours; vous mettriez le comble à mes vœux, Révérendissime Père, si vous daigniez m'envoyer mon obédience pour partir avec lui. On pense peut-être à faire de moi un supérieur quelconque en France; Révérendissime Père, vous me connaissez bien, et je puis tout vous dire: la seule pensée de la Supériorité me rend presque fou de frayeur. Oh! daigne Votre paternité Révérendissime m'épargner la réalisation de cette crainte et lever tout doute en m'envoyant en Terre Sainte, où le Révérendissime Père Custode pourra faire de moi tout ce qu'il voudra.

J'ose donc attendre, avec une confiance absolue, mon obédience pour la Terre Sainte, avec la Bénédiction Séraphique, et me dire toujours, Révérendissime Père, de votre Paternité Révérendissime le plus humble et le plus soumis de vos enfants en J.M.J.F.

Quand il écrivit cette lettre (26 avril 1876), le Père Frédéric résidait au couvent de Paris, 83, rue des Fourneaux. Depuis le 25 septembre 1875, il y remplissait la fonction de bibliothécaire et travaillait au commissariat de Terre Sainte, qu'il avait même administré quelque temps, vers la mi-novembre, par suite de la mort du commissaire, le Père Fulgence Rignon. En outre, depuis trois mois, avec deux autres Pères, il aidait le Père Marcellin de Civezza dans la compilation de son *Histoire des missions franciscaines,* commencée vingt ans auparavant. Avec une insatiable avidité de chercheur, il s'adonnait, à la Bibliothèque Nationale, à de fructueuses recherches historiques concernant surtout les missions du Canada: c'était une préparation éloignée et providentielle pour celui qui devait devenir un jour le premier commissaire de Terre Sainte au Canada. Mis en présence, par les documents historiques, des travaux et des efforts déployés par les Récollets français du XVIIe siècle pour implanter la foi au Canada, le Père Frédéric conçut à l'égard de ce pays une vive sympathie.

Le Père Martin Andrieu, dont parlait la lettre plus haut citée, était le vicaire du couvent de Paris et un ancien missionnaire de Palestine. Ce fut sans doute lui qui conseilla au Père Frédéric de faire sa demande officielle: il savait qu'il répondait par là à un vœu profond de l'intéressé, conforme par ailleurs aux désirs des autorités religieuses et laïques.

Nous ne pouvons déterminer avec exactitude la genèse de la vocation palestinienne du Père Frédéric. Elle paraît remonter à son enfance. Il est certain que les marques d'encouragement et les appels réitérés de ses supérieurs majeurs en faveur des missions et de la Palestine en particulier, les articles et les nouvelles fréquentes des revues franciscaines du temps, les contacts personnels avec le commissariat de Terre Sainte, avec les Pères Bernard, Martin et Marcellin, avaient entretenu et avivé, dans l'âme du Père Frédéric, un amour pour les choses de la Terre Sainte.

Une intervention séculière inattendue survint à point nommé, cette année-là, pour favoriser l'aboutissement de la vocation palestinienne de notre homme. En septembre 1875, le Gouvernement français, alerté par le consul de France à Jérusalem, avait fait tenir à la Propagande, au Ministre Général des Frères Mineurs et aux deux provinciaux franciscains de France, une note officielle demandant que la représentation française soit maintenue dans deux postes importants de la Custodie de Terre Sainte qui seraient à pourvoir bientôt. Il s'agissait des fonctions de vicaire custodial et de conseiller. Se faisant plus pressant, le duc Decazes, ministre des Affaires étrangères à Paris, avait écrit, le 4 février 1876, au T.R.P. Raphaël Delarbre, provincial de France, pour lui rappeler les besoins de la Terre Sainte et lui demander au moins deux religieux prêts à partir dans les plus brefs délais. Le P. Martin Andrieu avait été désigné pour remplir, lorsqu'il s'ouvrirait, le poste de vicaire custodial. Mais le second religieux réclamé demeurait diplomatiquement introuvable. C'est dans ce contexte que, le 26 avril 1876, le Père Frédéric fit sa demande pour passer en Palestine. Sa requête arriva donc comme marée en carême. Comme le Custode de Terre Sainte avait absolument besoin d'un père français pour le collège d'Alep, le supérieur général des Franciscains ne tint aucun compte des instances faites par le T.R.P. Raphaël pour retenir par devers soi le Père Frédéric, dont il comptait faire son secrétaire provincial. Même si l'élu avait, aux dires de son supérieur immédiat, «beaucoup d'aptitude pour cette charge», le Ministre général trancha catégoriquement la question: «Il est nécessaire que le Père Frédéric parte pour Jérusalem.» Et, le 29 du même mois d'avril, il envoyait à celui-ci l'obédience requise.

Le Père Frédéric la reçut au matin du 4 mai 1876. Il fit sans tarder ses adieux à la communauté de la rue des Fourneaux, de Paris, ainsi qu'au Père Marcellin et à ses deux collaborateurs. Le départ du Père Frédéric peina vivement le Père Marcellin, qui perdait en lui un compagnon de recherches intelligent et affectueux. Connaissant les inclinations culturelles du Père Frédéric, il lui remit, pour lui et son compagnon, une lettre de recommandation adressée à un ami italien, le publiciste Cesare Guasti, directeur des Archives nationales de Florence et sommité scientifique de l'époque. Le libellé fort élogieux de ce petit mot montre en quelle estime le savant religieux tenait le Père Frédéric.

Très cher Césarino,

Je vous présente deux franciscains de la Province observantine de Saint-Louis de France: le futur Vicaire de Terre Sainte, Père Martin, et le Père Frédéric de Dunkerque, qui l'accompagne. Ils désirent vous connaître et vous saluer. Le Père Frédéric a été mon bras droit dans mes travaux de l'Histoire des Missions à Paris et son départ me laisse dans la désolation. J'avais avec moi un véritable ange du ciel. Je suis certain qu'en l'accompagnant amoureusement vous en recevrez de spéciales bénédictions de Dieu et de saint François. Le Père Frédéric a une bonté en tout point angélique et des manières d'ange, accompagnées d'une grande intelligence. Il voudrait savoir par votre entremise quelque chose de Florence. Toute gentillesse dont vous userez à son égard, vous l'aurez faite à moi-même. Adieu, cher César. Saluez pour moi votre bonne et sainte famille et ne m'oubliez pas dans vos prières, comme moi je vous ai toujours présent.

Votre aff. Père Marcellin.

Paris, le 8 mai 1876.

Muni de ce précieux sésame, le Père Frédéric quittait Paris le 9 mai 1876. Il a raconté son itinéraire de Paris à Jérusalem dans une longue et intéressante relation adressée au T.R.P. Raphaël Delarbre, son provincial, et reproduite par après dans la *Revue franciscaine* de Bordeaux (numéros de mai 1877 à septembre 1882).

Marseille et Notre-Dame-de-la-Garde

La première étape de son voyage fut Narbonne, où il rejoignit son compagnon de voyage, le P. Martin Andrieu. De Narbonne, les deux religieux se rendent à Marseille, «pays de générosité, de cœur et de poésie d'âme». Ils reçoivent une cordiale hospitalité chez les Pères Capucins de la ville.

Pour le Père Frédéric le grand port de mer évoquait, entre autres, le souvenir de son frère Pierre, qui, dix ans plus tôt, soit le 17 juillet 1866, s'embarquait lui aussi de Marseille pour aller missionner dans le Maïssour, aux Indes. À son exemple et à celui de tous les missionnaires partant pour l'Orient, il va se mettre sous la protection de Notre-Dame-de-la-Garde, la «Bonne Mère» des Marseillais. À quatre heures et demie du matin, le 16 mai, il monte à pied la rampe raide et escarpée de la colline pierreuse où se dressent le célèbre sanctuaire néo-byzantin et la colossale statue de la tour carrée de Notre-Dame-de-la-Garde. Il dit sa messe au maître-autel de l'église de la Bonne Mère, puis, avec la famille amie qui l'accompagne, visite et admire à loisir le sanctuaire et ses trésors. Avant de redescendre de ce superbe belvédère, il contemple longuement Marseille et ses alentours, les collines, les îles et la mer. L'exubérante cité s'étale devant lui, encerclant le Vieux Port et escaladant allègrement les collines avoisinantes. En ce radieux matin de mai, elle s'éveille joyeusement au mouvement et au bruit et joint l'enthousiasme des villes méridionales à l'animation des grandes cités maritimes et commerçantes. Le soleil illumine généreusement la houle des toits rouges, le gris crayeux des collines et, à travers un fouillis de navires, de mâts, de vergues et de cordages, le gris des trois îles du golfe. Puis, par-delà l'îlot du Planier dominé par la blanche tour du phare, c'est la pleine mer, avec son bleu si extraordinairement intense.

Enthousiasmé par le site de Notre-Dame-de-la-Garde, qui, «debout, majestueuse et douce sur son roc, domine et la cité et les flots», le Père Frédéric se plaît à souhaiter, pour les côtes de sa Flandre natale, une suzeraineté mariale semblable. Il jette sur son carnet de notes cette observation: «Quand donc les Dunkerquois (c'est le pays des missionnaires) verront-ils aussi la Vierge dominer et la ville et la mer, et montrer à l'Angleterre une figure autrement gracieuse et terrible que le sable et la botte de Jean Bart?»

Ces mots étaient avant tout l'expression de sa ferveur mariale. Mais le souvenir attendri de son frère Pierre, passé par le même endroit dix ans plus tôt, y était également tout emmêlé. Car cet aîné si admiré n'avait-il pas lui aussi écrit aux siens à bord du bateau qui l'emmenait loin de Marseille: «Quand donc nos Dunkerquois verront-ils aussi la Vierge dominer et leur ville et leur mer?» Au moment de quitter à son tour la France, le Père Frédéric communie avec l'absent dans l'élan de sa prière à Marie. Comme elle avait protégé son grand frère, la Bonne Mère saurait le protéger à son tour, lui, le petit dernier, «autre pauvre enfant d'un village ignoré d'un coin de la France». Il y a beaucoup de jolies choses dans ces retrouvailles affectives des deux frères aux pieds de Notre-Dame-de-la-Garde. Et il y a peut-être pas mal de prophétique aussi!

Nice, la Côte d'Azur et la Riviera

Par faveur spéciale, le Père Frédéric avait eu la permission de se rendre en Terre Sainte en passant par l'Italie. De Marseille, lui et son compagnon roulèrent en train jusqu'à Nice, la Côte d'Azur et Gênes, «un des pays les plus délicieux de la terre, note-t-il: d'un côté la mer azurée, qui, avec une brise légère, nous envoie une agréable fraîcheur; de l'autre des jardins ravissants, dont les mille fleurs fraîches écloses embaument littéralement l'air d'un parfum suave. C'est un vrai paradis terrestre».

En cours de route, notre homme sait observer; il signale la poésie et l'originalité des sites; il visite les principaux monuments civils et religieux, surtout les sanctuaires célèbres, dont il fait souvent la description et note les particularités hagiographiques; il jette au passage en quelques mots, comme ferait un guide à des touristes étrangers, l'histoire de telle ville, le récit de tel événement arrivé à tel endroit; il mêle des souvenirs classiques, des considérations pieuses, des élévations surnaturelles à des réflexions plaisantes et savoureuses.

Le train international qui va de Nice à Milan pénètre en Italie par la Riviera, suite somptueuse de la Côte d'Azur française. À une vingtaine de milles après la frontière, il atteint la ville côtière d'Imperia, site touristique important du golfe de Gênes et patrie du grand prédicateur franciscain saint Léonard de Port-Maurice. Nos deux missionnaires saluèrent de loin saint Léonard et, comme écrit le Père Frédéric, firent «une rude prière au grand Convertisseur du siècle dernier».

Les mésaventures d'un humaniste à Florence

Le 19 mai, ils étaient à Florence, «Cité des fleurs», «patrie des Médicis», ville remarquable par son site pittoresque, ses monuments magnifiques et, surtout, la richesse de ses musées.

La solide formation humaniste que le Père Frédéric avait reçue dans les collèges d'Hazebrouck et de Dunkerque l'avait préparé à goûter en connaisseur les merveilles de l'aristocratique ville, où devait le guider le savant ami du Père Marcellin de Civezza, le publiciste Cesare Guasti. Hélas! deux imprévus fâcheux conjuguèrent leurs effets pour gâcher à peu près complètement le plaisir qu'il avait escompté. Le premier, ce fut la pluie, qui tomba toute la journée de son passage à la «Cité des fleurs». Le second, ce fut un incident imbécile qui survint à la douane à propos d'un pot de tabac à priser emporté par le P. Martin Andrieu, son compagnon.

Laissons notre amateur d'art nous raconter la mésaventure en question. Nous allons découvrir là un Père Frédéric que nous ne reverrons plus beaucoup dans ce livre: un conteur plein d'humour et d'enjouement et pétillant de verve, qui n'a pourtant pas oublié les leçons de détachement qu'il avait apprises dans la vie de Saint François. C'est le Père Frédéric «de base», qu'une certaine ascèse finira presque par occulter, mais que certains intimes franciscains comme le P. Colomban-M. Dreyer sauront toujours reconnaître.

Assise dans une plaine, a dit un écrivain (à la fois touriste et pèlerin), environnée de montagnes couvertes jusqu'à mi-côte d'une riante végétation, Florence ressemble à une perle dans le calice d'une fleur, dont les pétales, frais à la base, seraient flétris au sommet. Mais, dussé-je encourir l'anathème de tous les Florentins ensemble, je dois dire que l'illustre fleur ne nous a montré à nous que le sommet de ses pétales: pour parler sans figure, la journée de Florence a été la plus piteuse de tout notre voyage. Pour jouir, il faut être libre!... On nous brisa notre liberté aux barrières de la ville.

Qu'est-il donc arrivé? Madame de Sévigné vous l'eût donné en dix, en cent, en mille, à la condition de jeter votre langue aux chiens; moi, je vous donne la chose, mon très révérend Père, dans toute sa prosaïque simplicité. Il s'agit tout simplement d'un pauvre petit pot de tabac à priser, don d'une bienfaitrice de Paris au révérend Père M[artin Andrieu], pour son usage personnel durant ce voyage. Loyalement exhibé par nous à la frontière, il avait été laissé avec courtoisie entre les mains de son consommateur. En sortant de la gare, un gendarme faisant le service de l'octroi met sa main dans nos valises et rencontre le malencontreux pot; il était là, à découvert, signe manifeste que nous ne voulions pas frauder le fisc. Notre gendarme-douanier s'en empare néanmoins, et malgré les plus vives protestations du Père. Pour moi, ignorant la langue, je dus forcément rester dans une attitude passive. Le tabac est porté au bureau de l'octroi, flairé, palpé, mesuré, pesé; puis commence un va-et-vient qui n'en finit plus. Nous avions grand désir, cependant, d'en finir au plus vite. J'étais sur pied depuis six heures du matin de la veille, avec une nuit en chemin de fer des plus désagréables; il est maintenant huit heures et demie: nous voulons dire la sainte messe et arriver au plus tôt chez un ami du révérend Père Marcellino de Civezza qui doit nous recevoir en Frères. Nous partons enfin; savez-vous comment? Escortés de notre gendarme, comme deux malfaiteurs; nous allons ainsi traverser toute la Cité des fleurs! Comme mon compagnon, ancien officier de Crimée, doit sentir son vieux sang militaire bouillonner dans ses veines! Mais il porte un froc maintenant, il faut filer doux! Nous arrivons au bureau central; nouvelle station d'une grande heure! Réflexion faite, le Révérend Père reste seul et me renvoie *via Dei preti,* n° 6. J'arrive, personne. Les deux Pères collaborateurs du révérend Père Marcellino [les Pères Pedro del Belmonte et Raphaël] sont partis pour la bibliothèque, et le Frère est allé faire la provision des légumes; il arrive pourtant, ce bon Frère, et me conduit à la paroisse, où je dis la sainte messe: il est onze heures. À mon retour, je trouve mon compagnon de voyage. Procès-verbal est dressé, me dit-il: 60 à 70 francs d'amende, la perte du tabac et peut-être... Nous voulons porter plainte à notre consul. Comment, deux voyageurs inoffensifs, deux citoyens français, munis de passeports diplomatiques s'il vous plaît, traités ainsi par une nation qui se dit alliée de la France! C'est une humiliation dont il faut demander justice, à notre avis, à l'avis de tous, oui de tous, excepté du bon Père saint François, pourtant, qui a déjà réglé, lui, que nous porterions notre humiliation sans nous plaindre, comme de vrais fils de la sainte humilité; car voici que, d'après les indications charitables d'un bon chanoine, nous nous mettons à arpenter, en pleine pluie, de longues et interminables rues pour arriver au consulat. M. le consul, nous dit-on, est dans sa nouvelle résidence, et elle est loin d'ici. Le Révérend Père Martin Andrieu, exténué de fatigue, renonce à s'y rendre; c'était renoncer à tous nos droits, et partant accepter humblement la disgrâce. Pour en finir, nous fûmes au ministère, en passant, demander avis à un haut personnage dont nous avions l'adresse. Mes Pères, nous dit ce grand fonctionnaire avec une certaine bienveillance, le procès-verbal, étant dressé, aura suite nécessairement; vous aurez à paraître devant le tribunal pour y plaider votre cause. Voulez-vous éviter tous ces désagréments? *Quittez la ville au plus vite!* Quand vous serez cités en justice, on répondra: *Absents,* et tout sera dit.

On opta pour ce dernier mode, à la fois le plus humble et le plus sûr... Adieu, beaux monuments, superbes galeries, qui récelez dans vos flancs tant de chefs-d'œuvre, merveilles de la cité des arts! vous n'aurez pas notre visite... Adieu, toi aussi, infortuné petit pot, auteur inconscient de toute cette disgrâce, et pour cela moins digne de nos reproches que de notre profonde commisération; car, pauvre petit, te voilà exposé, en sortant du bureau central, à tomber entre les mains de quelque profane obscur.

Le Père Frédéric a philosophé avec humour et bonne grâce. Toutefois l'humaniste en lui n'a pas encore lâché prise, et il ajoute:

Il faut bien voir quelque chose pourtant des beautés de Florence, de la magnificence de ses vingt-sept églises, de ses dix-neuf palais, privés et publics; parcourir au moins quelques-unes de ses douze splendides galeries, ne fût-ce que pour pouvoir dire: Moi aussi, je les ai vues! Admirer quelques-uns de ses cent-soixante-dix groupes et statues publics, qui se dressent comme autant de chefs-d'œuvre sur ses dix-sept places et ailleurs; monter au moins l'escalier de la fameuse bibliothèque Laurentienne, ne fût-ce que pour y voir un *Virgile* du quatrième siècle, deux manuscrits de Tacite[1]!

Mais la journée est à peu près terminée. Bravant la pluie, qui tombe sans désemparer, le Père Frédéric, guidé par le P. Pedro del Belmonte, autre ami du P. Marcellin de Civezza, a juste le temps de visiter le Dôme, c'est-à-dire la cathédrale Santa Maria del Fiore, et deux autres sanctuaires fameux. À la sauvette aussi, il va, en cours de route, saluer Cesare Guasti, directeur des Archives nationales, à qui il présente la lettre de recommandation du Père Marcellin, devenue inutile maintenant. Et c'est tout. La visite de Florence a été un four monumental. Une déception digne de l'épisode de la joie parfaite raconté dans les *Fioretti.* C'est avec bonne humeur que le Père Frédéric a raconté sa déconvenue dans

1. *Notes d'un pèlerin,* dans *Revue franciscaine* de Bordeaux, 7 (1877).

la *Revue franciscaine* de Bordeaux de 1877. L'aventure, explique-t-il, lui avait donné, à lui et à son compagnon, une petite ressemblance avec saint François, qui, dans le temps, avait connu lui aussi une mésaventure à Florence.

L'Alverne, Assise, Rome et Naples

De Florence, le Père Frédéric se rend aux sanctuaires de l'Alverne et d'Assise. Le futur et populaire historien de saint François d'Assise examine «tout en détail et avec avidité». Il accumule les notes qui lui serviront dans ses futurs articles de la *Revue franciscaine*. Mais il s'en faut qu'il reste impassible devant ce qu'il voit!

À la vue du mont Alverne, son cœur de fils de saint François bondit; son âme est toute soulevée, transportée, exaltée par le souvenir de son Séraphique Père et des grandes merveilles dont fut témoin cette montagne privilégiée. Comme autrefois le disciple bien-aimé courant avant saint Pierre au sépulcre du Maître, voilà que le grave Père Frédéric court en avant de son compagnon. Lui, si réticent quand il s'agit des sentiments intimes de son âme, il ne sait plus contenir sa joie et sa reconnaissance.

> Il y a treize ans, au noviciat, écrit-il, je me disais: Oh! si le bon Dieu me donnait de voir un jour cette sainte montagne! Et je la gravis cette montagne, maintenant, à cette heure même; j'aperçois déjà là-haut ces rochers et cette cime, couronnée de grands arbres comme d'une immense chevelure!... et je cours en avant de mon compagnon, comme un insensé, et je chante ces mots de la sainte Église: *Crucis Christi mons Alvernæ recenset mysteria...* Et je cours encore, et je chante encore... je suis fou de joie! Vous me pardonnerez, mon très révérend Père, de ne pas dire toutes nos autres émotions en arrivant au sommet du mont. On sent ces choses, on ne les dit pas: elles sont ineffables[2].

Le Père Frédéric courant de joie et d'excitation, c'est un spectacle que peu d'hommes ont dû voir à part le Père Andrieu. Il

---

2. *Ibidem,* 7 (1897), 348 ss.

aurait stupéfait bien des prêtres canadiens qui ont fréquenté l'homme de Dieu plus tard! Il trahit sa sensibilité profonde, qui, si bien contrôlée soit-elle, n'arrive plus à se maîtriser devant cette montagne particulièrement chère à tout cœur vraiment franciscain.

Après la Toscane et l'Ombrie, c'est le Latium. Le Père Frédéric, accompagné du Père Martin, arrivait à Rome, en la fête de l'Ascension, le 25 mai. Durant les quelques jours passés au cœur de la chrétienté, il visita le Colisée, les Catacombes, les principales églises: Saint-Pierre, Saint-Philippe Neri, Sainte-Marie-Majeure, Sainte-Praxède, Saint-Jean de Latran, la Scala Santa, et d'autres.

Il eut une entrevue avec le Père Bernardin de Portogruaro, Ministre Général, et une audience auprès de S.S. Pie IX: il fut admis au baisement des pieds du pape en compagnie d'une dizaine de franciscains.

L'embarquement pour l'Orient devant se faire à Naples, le Père Frédéric se rendit en cette ville après son séjour à Rome. Il profita de son passage à Naples pour aller visiter les ruines de Pompéi. Il en éprouva, nous confie-t-il, «une impression singulièrement pénible». Puis, le 3 juin 1876, il prend place à bord du *Scamandre,* qui fait route vers le Proche-Orient.

Alexandrie et l'Égypte

Après une traversée orageuse, le bateau entrait, au matin du 8 juin, dans le port d'Alexandrie, tout hérissé des grandes antennes des barques égyptiennes.

Durant les deux jours d'escale, le Père Frédéric visita, entre autres monuments, la colonne de Pompée et les deux obélisques de granit rose appelés «Aiguilles de Cléopâtre». Il reprit le même bateau en destination de Port-Saïd, où il débarqua, le matin du 11 juin, pour une nouvelle escale. C'était un dimanche et jour de confirmation. En présence de Mgr Louis Ciurcia, O.F.M., délégué apostolique de l'Égypte, il improvisa un sermon. C'est par la notation de cette prédication qu'il commence un petit cahier de poche, sorte de journal de toutes ses prédications faites dans la Custodie de Terre Sainte: «Port Saïd. Juin 1876, à la confirmation: nombreux auditoire, allocution un peu véhémente contre les transgresseurs de la loi du dimanche, de l'abstinence et du devoir pascal.»

Enfin la Terre Sainte!

Le 12 juin, bien avant l'aurore, le Père Frédéric est sur le pont du navire. D'un regard scrutateur, il interroge l'horizon; il est avide de contempler cette Terre Sainte, but de son voyage, terre promise à ses rêves apostoliques. Elle se montre enfin, cette terre de Judée, droit en face de lui. La Terre Sainte! Jaffa, Jaffa la belle, l'ancienne Joppé de la Sainte Écriture! Son front s'incline, son cœur bat plus vite, ses yeux s'humectent. Il est plus facile de deviner que de décrire l'émotion du Père Frédéric, voyant de ses propres yeux la patrie du Messie. «Il y a quelque chose de religieux et de solennel, dit-il, dans la première apparition de la Terre Sainte. Je fus saisi d'une émotion inexprimable lorsque le matin on dit: la Terre Sainte! J'arrivais donc enfin à cette terre si longtemps désirée, à cette terre de merveilles.»

Au temps du Père Frédéric, la ville de Jaffa n'avait évidemment rien de la métropole qu'elle est devenue par le surgissement, sur son flanc nord, de l'agglomération géante de Tel-Aviv. Son port était inhospitalier, tristement célèbre par le nombre de ses naufrages. Une chaîne de récifs le rendait inabordable aux gros navires et le débarquement se faisait par chaloupes. Tout mauvais qu'il était, c'était cependant déjà le port le plus important de la Palestine.

Après une nuit splendide, vers six heures du matin, le *Scamandre* jette l'ancre, à un mille environ du rivage. La mer est très calme. Bientôt toute une flottille de barques entoure le navire. Dans un beau charivari, les bateliers arabes se disputent les passagers. Enfin, le Père Frédéric peut descendre dans une barque, que font avancer des bras vigoureux et habiles; il franchit sans encombre la ligne des brisants et touche à la rive, où se presse toujours une foule de curieux, d'oisifs et d'exploiteurs. C'est alors le moment pour les bateliers d'adresser aux passagers leur plus tendre sourire pour solliciter un *bakchiche.*

Le Père Frédéric eût sûrement préféré un contexte moins bruyant et moins mercantile pour savourer ce moment privilégié, vers lequel le portaient depuis des mois ses désirs et sa prière. Car ce rivage nouveau où il venait enfin de prendre pied, c'était la Terre Sainte, cette terre que l'Homme-Dieu avait comme consacrée par sa naissance et par sa mort et remplie de ses miracles et de l'écho émouvant de sa parole. C'était aussi son nouveau champ d'action, l'aire apostolique qu'il avait élue avec une prédilection particulière. Mais, si l'on peut jusqu'à un certain point déterminer les orientations de sa vocation, l'on ne choisit pas toujours les ambiances qui en accompagnent les moments décisifs!

Se détournant au plus vite de ces premières impressions prosaïques, le Père Frédéric s'en fut à l'église des Franciscains, sise à deux pas du quai, pour y remercier Dieu et la Vierge Marie, *Étoile de la mer,* de l'avoir protégé durant son voyage. Par la récitation d'un *Pater* et d'un *Ave,* il s'assurait la première indulgence plénière accordée à tout pèlerin qui arrivait en Terre Sainte. Le jour de son débarquement, il commença à parcourir la ville et voir ses fameux jardins. «Nulle part, écrit-il, je n'ai vu de plus beaux arbres.» Le lendemain, il visitait la forteresse turque, la maison de Simon le Corroyeur et d'autres monuments.

La montée vers Jérusalem

Le 17 juin 1876, sur les quatre heures de l'après-midi, il quittait Jaffa pour Jérusalem. À cette époque, ce n'était pas une mince affaire d'effectuer un pareil voyage. Car les routes étaient cahoteuses et les voitures horribles. En saison, pour éviter les chaleurs de l'été, on voyageait autant que possible la nuit. Quand on arrivait enfin à Jérusalem, on était tout courbaturé et moulu de fatigue.

À l'heure indiquée ci-dessus, le Père Frédéric s'installa donc avec le Père Martin Andrieu et trois autres religieux de son ordre dans l'omnibus, ironiquement décoré du titre de «carrosse prussien». C'était un lourd chariot tiré par deux chevaux et conduit par un cocher qui parlait sabir. Ce char à trois bancs suspendus et découverts, dépourvu de ressorts mais adapté aux cahots de la route, représentait, en 1876, le maximum du confort que pouvait offrir la région. Ses craquements perpétuels donnaient à chaque instant l'impression que tout allait casser. Une méditation prolongée sur les souvenirs bibliques du pays qu'on traversait était le meilleur moyen, pour les pèlerins, d'en exorciser les soubresauts et d'occuper saintement la longueur interminable du chemin.

En quittant Jaffa, le char-à-bancs traversa les merveilleux jardins arabes plus haut décrits. Puis il pénétra dans la fameuse plaine de Saron, dont la douceur et la fécondité ont été vantées par l'Écriture. Après trois heures de trajet, nos voyageurs aperçurent la petite ville de Ramleh, l'ancienne Arimathie, patrie de Joseph, qui eut l'honneur, après la mort de Jésus, d'obtenir et d'ensevelir son corps. Le Père Martin et le Père Frédéric y prirent leur repas du soir au couvent de leur Ordre et y laissèrent deux compagnons franciscains. Le troisième, celui qui continua la route avec eux, était un jeune religieux.

C'est à la lueur des étoiles que les chevaux reprirent le chemin, au trot, sans fanaux au «carrosse». Les voyageurs bondissaient sans cesse sur leurs sièges. Au cours de la nuit, les étoiles disparurent derrière les nuages, l'obscurité s'épaissit et la pluie tomba. Dans la région des montagnes, la route était «affreuse». Le Père Frédéric cependant s'efforçait de tenir son esprit occupé de «saintes pensées». Il ne rompait sa méditation intime que pour la reprendre verbalement avec son compagnon, s'entretenant avec lui des merveilles bibliques accomplies dans la contrée qu'ils traversaient.

Le jour était levé quand l'équipage s'engagea dans l'étroite et profonde vallée du Térébinthe, théâtre de la lutte victorieuse de David contre le géant Goliath. Au bout d'une heure, le Père Frédéric apercevait le dôme du Saint Sépulcre, la ligne des murs crénelés de Jérusalem. Un de ses plus beaux rêves devenait réalité. Il abandonnait son cœur et son imagination à l'emprise profonde qu'exerce sur le voyageur cette cité unique, objet à la fois de tant de bénédictions et de tant de vicissitudes. C'est vers six heures du matin, le dimanche 18 juin 1876, qu'il fit son humble et émouvante entrée dans la Ville Sainte. Plus de dix ans après son arrivée, il en éprouvait encore «cette impression de mélancolie et de je ne sais quelle mystérieuse tristesse, mais tristesse salutaire qui porte au recueillement et à la prière».

DEUXIÈME PARTIE

LE PAYS DE JÉSUS
(1876-1888)

Chapitre huitième

La probation d'un missionnaire de Terre Sainte (1876-1878)

L'obédience que le Père Frédéric remit, dès son arrivée à Jérusalem, au Rme P. Gaudence de Matélica, Custode de Terre Sainte, le destinait au collège d'Alep, dans le nord de la Syrie. À ce collège et aux autres écoles de la Terre Sainte il apportait, de la part du commissaire de Terre Sainte à Paris, la somme encourageante de trente mille francs.

Déjà, depuis plus d'un mois, une lettre courte mais très élogieuse du Rme P. Général avait présenté le nouveau missionnaire au Custode de Terre Sainte:

> Afin de pourvoir aux nécessités du collège d'Alep, j'ai envoyé une obédience au Père Frédéric de Ghyvelde, prêtre profès de la province de France, prédicateur, jeune religieux de bon caractère et de mœurs excellentes. Il était le socius [compagnon] du feu Révérend Père Fulgence [Rignon, commissaire général de Terre Sainte à Paris, décédé le 3 novembre 1875]. Il arrivera en Terre Sainte en même temps que le Père Martin de l'Ascension.

L'arrivée du Père Frédéric à la fin de l'année scolaire fut cause sans doute qu'il ne prit pas tout de suite charge de son poste. Mais les événements, comme il arrive souvent, changèrent son orientation: un autre père fut, dans l'intervalle, nommé au collège d'Alep.

Il profita de sa liberté pour visiter, pendant un mois, quelques sanctuaires de Jérusalem et des environs, et souvent y célébrer la sainte messe. Sa première visite fut, tout naturellement, pour la basilique du Saint-Sépulcre, où il avait le profond bonheur de dire la messe, le matin de son arrivée, à l'autel même du Calvaire.

Une tournée de retraites en Égypte

On se rappelle qu'à son passage à Port-Saïd, le Père Frédéric avait accédé à l'invitation de Mgr Louis Ciurcia, O.F.M., de prêcher lors d'une cérémonie de confirmation. L'auditoire était nombreux, recueilli, mais pas des plus fervents. Ces gens, attirés à Port-Saïd par le négoce, s'intéressaient plus volontiers aux dividendes palpables de Mammon qu'aux biens invisibles et lointains du ciel. Le Père Frédéric en avait profité pour tonner contre la transgression de la loi du dimanche, de l'abstinence et du devoir pascal. Dans une de ses notes, lui si calme d'ordinaire, il ose écrire: *Allocution un peu véhémente*. Au cours de cette brève rencontre, Mgr Ciurcia avait fort apprécié la prédication du pèlerin de Terre Sainte et admiré son zèle et sa piété. Aussi le nouveau missionnaire était à peine arrivé à Jérusalem que l'archevêque d'Alexandrie le demandait pour prêcher une série de retraites. «Le Vicaire Apostolique d'Égypte et le Supérieur des Frères d'Alexandrie, écrivait le Rme P. Custode au Rme P. Général, m'ont prié de leur envoyer le Père Frédéric de Ghyvelde pour donner les exercices spirituels aux Frères et aux Sœurs du Vicariat. J'ai cru convenable de condescendre à leurs prières. Le Père Frédéric s'y est rendu avec plaisir.»

Le premier de cette série d'exercices eut lieu, le 8 août 1876, dans la grande communauté des Frères des Écoles Chrétiennes d'Alexandrie. Conscient des écueils de «l'ingrate carrière de l'enseignement», surtout au milieu des complexités de l'Égypte, le Père Frédéric prêcha à ses auditeurs «la perfection dans un degré non médiocre». Ce compte rendu significatif laisse deviner une prédication exigeante au chapitre du surnaturel. D'Alexandrie, le prédicateur se rendit au Caire, d'abord au collège de Saint-Joseph de Khoronfish, que dirigeaient les Frères des Écoles Chrétiennes, puis à l'hôpital desservi par les Sœurs de Saint-Joseph de l'Apparition.

Dans ces trois premières retraites de huit jours chacune, prêchées d'affilée en pleine période d'acclimatation orientale, il déploya un zèle de néophyte. Son don de soi était tel que Mgr Ciurcia dut lui imposer quatre jours de repos, en lui rappelant paternellement les risques auxquels il s'exposait en se surmenant sous un tel climat: «Mon cher enfant, lui dit-il, souvenez-vous que vous n'êtes plus en France et que l'on doit exercer ici le ministère apostolique avec plus de modération si l'on ne veut pas s'exposer à des accidents dont les suites peuvent être très funestes.»

Il profita de ce loisir pour visiter les souvenirs de la Sainte Famille en Égypte: à Matarieh, près de l'ancienne Héliopolis, l'arbre de la Vierge, qui abrita, dit-on, la Sainte Famille, lors de sa fuite, puis, au Vieux-Caire, la grotte de la Sainte Famille. Il fit également l'ascension de la citadelle, visita la mosquée de Méhémet Ali et le curieux puits de Joseph.

Il reprit le cours de ses prédications chez les Sœurs du Bon Pasteur, à Choubra, banlieue du Grand Caire: retraite aux religieuses, à raison de quatre grandes instructions par jour; retraite aux Madeleines. Les élèves de toutes les classes, qu'il voulut faire participer aux bienfaits des saints exercices, lui apportèrent par leur attitude une joie pastorale de haute qualité.

«Nous voulons comme les bonnes mères, réclamèrent-elles, faire notre grande retraite; nous demandons huit jours pleins, en silence, sans récréation, comme nos maîtresses.» Et elles tinrent rigoureusement parole. La plus grande consolation du prédicateur lui vint ici des élèves de confession orthodoxe, qui demandèrent comme une grande faveur la permission de suivre les exercices spirituels et, pendant huit jours, ne voulurent rien omettre: prières, chemin de croix, elles suivirent tout avec la plus admirable piété. À la fin de la retraite chacune était renouvelée dans sa foi.

Afin d'arriver à Jaffa à la date convenue avec le Père Custode, le Père Frédéric se crut assez fort pour mener de front deux retraites, prêchant six fois par jour, employant le reste du temps à entendre les confessions dans une église brûlante comme une fournaise, où il faisait de 86 à 95 degrés Fahrenheit. On l'avertit très charitablement de son imprudence. La fête de Notre-Dame du Très Saint Rosaire marqua la clôture simultanée des trois retraites. Le zélé prédicateur était rayonnant et paraissait plus robuste que jamais. C'était une profonde illusion: le lendemain, il tombait gravement malade, atteint de congestion biliaire et de congestion cérébrale. L'aumônier le veilla toute la nuit. Le malade demanda avec instance les derniers sacrements.

> J'étais comme fou de joie, dit-il, en pensant que mon exil allait finir; j'avais la douce confiance que le bon Dieu ne me rejetterait pas de devant sa face, après une préparation de six semaines et un désir persévérant de quinze années; j'avais encore compté sans la vertu d'obéissance: mon confesseur m'ordonna de laisser faire la communauté, qui tout entière se mit en prière pour ma guérison, et le bon Père ne me donna pas les sacrements. Je me croyais, dans ma simplicité, aux portes du paradis; il fallut rebrousser chemin et me résigner à porter encore le fardeau de la vie: *heu mihi quia incolatus meus prolongatus est!*

Il se remit, grâce aux prières de la communauté. La convalescence dura quatre semaines.

Un jour qu'il se promenait dans le jardin de la communauté de Choubra, à l'ombre des dattiers et des palmiers, il vit une petite fille seule à l'entrée de l'église: elle était toute sérieuse, toute recueillie, immobile, les yeux baissés, les lèvres remuantes.

— Quelle est cette enfant, demanda-t-il à une religieuse, et que fait-elle là, séparée ainsi de ses compagnes?

— Mon Père c'est la petite fille qui, avant la retraite, a dû quitter la maison pour cause de maladie; elle vient de rentrer mieux portante, et force nous a été de lui laisser faire toute seule sa grande retraite de huit jours.

Ce trait charmant remua le cœur sensible du Père Frédéric.

Pour nous, il constitue un indice de l'impact profond que sa prédication avait eu sur les religieuses et les élèves de la communauté du Bon Pasteur de Choubra.

Quelques jours après l'incident, le Père Frédéric faisait sa première instruction dans la petite communauté du Bon Pasteur, à l'hôpital français de Suez. Puis, à Port-Saïd, il présidait, encore pour des religieuses du Bon Pasteur, une double retraite, où il devait parler jusqu'à cinq fois par jour.

En arrivant à Jaffa, il apprit la mort inopinée du Père Ange de Molières, son ancien professeur de théologie à Bourges, qui devait y prêcher la retraite annuelle des Sœurs de Saint-Joseph. Bien que sortant à peine de convalescence, il se fit un devoir de le remplacer.

Dans cette tournée de dix retraites successives, le Père Frédéric avait fait preuve d'un zèle intense, d'une étonnante mortification, d'une direction spirituelle éclairée, et était apparu comme la piété personnifiée. Déjà on commençait à dire de lui: «C'est un saint!» De son côté, cette première expérience apostolique lui avait fait éprouver comme prêtre «de grandes et très grandes consolations». Le motif qu'il donnait de sa joie était tout simple. «J'ai rencontré là, disait-il, des âmes simples, dociles, qui aiment sincèrement le bon Dieu et qui cherchent le secret de l'aimer davantage[1].»

Stagiaire au couvent du Saint-Sépulcre

Le 13 janvier 1877, le Père Frédéric commença son service religieux au Saint-Sépulcre, pour le terminer le 4 avril de la même année. Chaque nouveau missionnaire de Terre Sainte accomplit normalement en ce lieu un stage d'initiation, qui ne se prolonge pas d'ordinaire au-delà de quatre mois. Une douzaine de religieux franciscains, sentinelles avancées de l'Église catholique romaine, vivent constamment dans les dépendances du sanctuaire.

---

1. Père Frédéric, *Mission d'Égypte,* dans *Revue franciscaine* de Bordeaux 7 (1877) 278.

Les locaux où ils logent, aujourd'hui modernisés, gardent cependant une certaine austérité bien en accord avec la mission de confiance qui incombe à leurs occupants. Ceux-ci montent en effet la garde autour du saint Édicule, monument qui, isolé au centre de la vaste rotonde basilicale, renferme le tombeau où reposa jadis le corps du Sauveur. Tout le temps de leur semi-réclusion, ils s'occupent à faire les offices et les processions dans les sanctuaires intérieurs et à entretenir les secteurs dont ils ont la responsabilité reconnue. Ils reçoivent aussi les pèlerins et entendent les confessions. Chaque soir l'un d'eux fait la ronde et parcourt les différentes chapelles pour vérifier si tout est en ordre.

Au temps du Père Frédéric, les conditions de logement des stagiaires étaient extrêmement dures. Il n'y avait que des cellules exiguës, froides, humides et obscures. Depuis les générosités de l'empereur François-Joseph, les religieux peuvent se distraire et respirer l'air sur une petite terrasse entourée de hautes murailles. Lors de sa visite en 1869, l'empereur d'Autriche avait été tellement frappé de l'excès de pauvreté du couvent du Saint-Sépulcre qu'il s'était écrié, tout ému: «Mais mes prisonniers condamnés au *carcere duro* sont mieux logés que les Franciscains!» Il obtint du gouvernement turc la permission de substituer une terrasse à une écurie musulmane installée juste au-dessus de la chapelle franciscaine. Les chevaux, en frappant du pied le plancher toujours prêt à s'écrouler, non seulement troublaient les religieux dans l'office divin, mais mettaient en péril leur sécurité.

Les conditions d'accès à la basilique et à ses dépendances avaient aussi leur caractère mortifiant. Depuis la conquête de Saladin, deux familles musulmanes se transmettaient de génération en génération le droit exclusif de garder comme un fief le Saint-Sépulcre, et, par une chinoiserie juridique dont on ne trouve la pareille qu'en Orient, une des familles possédait la clef, mais le droit de s'en servir appartenait à l'autre. Et les trois communautés intéressées, les Franciscains, les Grecs et les Arméniens, étaient obligées de payer une taxe aux portiers musulmans à chaque ouverture de la porte, ouverture extraordinaire ou bien ouverture quotidienne du matin et du midi. Enfin, lorsque la basilique restait fermée, les religieux recevaient, à la manière des captifs, leur nourriture par un grand guichet pratiqué dans l'unique portail; c'est aussi par là qu'ils pouvaient sortir la nuit en cas d'urgence.

Bien qu'il faille toujours recourir aux mêmes deux familles musulmanes pour l'usage de l'unique clef, les conditions d'entrée et de sortie décrites se sont simplifiées et humanisées. Ce qui n'est pas prêt de disparaître toutefois, ce sont les tensions qui s'exercent entre chrétiens autour du Saint-Sépulcre. Parce que cette église abrite le lieu où a reposé le corps de Jésus, elle est un objet de vénération pour tous les disciples du Christ, à quelque confession qu'ils appartiennent. Mais un objet de revendication aussi, malheureusement! Pour leur part, depuis le quatorzième siècle, les Franciscains, à titre de délégués officiels du Saint-Siège, y représentent la catholicité tout entière. Mais les vicissitudes de l'histoire ont fait que les chrétiens grecs, arméniens, coptes ou abyssins, se sont peu à peu infiltrés dans l'héritage des catholiques romains, créant partout des servitudes compliquées, dont nous aurons l'occasion de reparler. En somme, cette occupation de l'antique église par plusieurs confessions chrétiennes antagonistes est comme un symbole permanent du partage des vêtements du Christ au pied de la croix!

Le Père Frédéric essayait de se tirer le moins mal possible de ce micmac religieux et des tracasseries juridiques ou diplomatiques qui souvent en résultaient. Il alimentait sa foi en méditant longuement sur les événements humano-divins survenus en ce coin de terre et rappelés si vivement, jour et nuit, sous ses yeux. Tout le temps qu'il restera en Terre Sainte, il appréciera souverainement les longues et solennelles cérémonies, qu'il présidera souvent lui-même quand il sera Vicaire Custodial: «Je me trouve à l'aise dans ces belles cérémonies, dira-t-il. C'est pour moi déjà comme le paradis sur terre.»

Son esprit de mortification trouvait également son compte dans le régime de la maison. Se rappelant que «le disciple n'est pas au-dessus du maître», il supportait de bon cœur les inconvénients d'un couvent exigu et malsain et les fatigues d'un règlement de vie très dur.

Alors que son stage au Saint-Sépulcre tirait sur sa fin, notre homme reçut une nouvelle nomination. Sur proposition de Mgr Ciurcia, le Custode lui demanda, dans l'intérêt de la délégation apostolique d'Égypte, d'être directeur et aumônier des Frères des Écoles Chrétiennes au Caire. Le Père Frédéric accepta, mais, comme Pâques (premier avril 1877) était tout proche, il sollicita la faveur de passer au Saint-Sépulcre cette fête, qui est, à Jérusalem, la plus grande de l'année. Le Père Custode écrivit donc à Mgr Ciurcia: «On peut concéder à sa piété et à sa dévotion cette consolation... Il mérite cette faveur et Votre Excellence ne sera pas offusquée que je la lui aie accordée.» Le supérieur diagnostiquait avec perspicacité les sentiments de son sujet. Le Père Frédéric fut habité toute sa vie par le souvenir du Saint-Sépulcre et, après de longues années de vie active au Canada, il l'associait encore à ses rêves de vie recluse.

> Pensez-vous, Révérendissime Père, écrira-t-il, que je puisse, un jour, revoir encore la Terre Sainte? Aurai-je travaillé assez pour elle pour obtenir que j'aille finir mes jours à Jérusalem? C'est au Très Saint-Sépulcre que je voudrais être, afin de faire encore un peu pénitence et d'y avoir la vie solitaire sans charge ni ministère extérieur quelconque. Ce serait là mon désir, si le bon Dieu m'accorde vie.

Le 6 avril 1877, le Père Custode prévenait Mgr Ciurcia: «Avec le vapeur autrichien, arrivera à Alexandrie le Père Frédéric de Ghyvelde, destiné au Caire comme chapelain et directeur des Frères. Il est disposé non seulement à remplir sa charge, mais encore à faire n'importe quel travail dans l'intérêt de la mission. J'en suis très content et, dès maintenant, je permets à Votre Excellence d'en disposer comme elle l'entendra chaque fois qu'elle le jugera utile et nécessaire.»

Les Frères des Écoles Chrétiennes étaient venus s'établir au Mousky en 1854, à la demande des Pères de Terre Sainte. Ils avaient débuté très pauvrement. Leur valeur d'éducateurs avait été vite reconnue. Le nombre de leurs élèves s'était accru au-delà de toute espérance, au point que le vice-roi d'Égypte, Saïd Pacha, dûment informé, leur avait concédé, pour développer leurs locaux, un grand terrain dans le quartier de Khoronfish, voisin de celui du Mousky. Les constructions avaient commencé en février 1859; elles avaient été menées si bon train que, le 14 juillet suivant, le rez-de-chaussée avait pu être occupé. Le collège était fondé; on l'appelait «la grande école du Caire».

Les établissements de Khoronfish comprenaient deux sections: le pensionnat ou collège, qui recevait des externes et des demi-pensionnaires, et l'école gratuite, qui n'acceptait que des externes. En 1876, ils réunissaient plus de vingt frères enseignants et deux cent vingt-cinq élèves, dont cent vingt-cinq appartenaient à l'école gratuite.

Dans ces maisons où abondaient des élèves de groupes hétérogènes (chrétiens de nuances diverses, musulmans, israélites), le Père Frédéric exerçait maintenant son zèle. Il répondait parfaitement à l'attente des frères.

Son prédécesseur, trop accaparé par les fonctions de la paroisse franciscaine du voisinage, n'avait pu se donner suffisamment à son ministère d'aumônier. Le directeur de l'école avait lancé à l'autorité religieuse ce cri de détresse: «De grâce, veuillez bien nous faire donner un aumônier qui, dans la chapelle, dise quelques mots à ces jeunes et intéressants auditeurs, et puisse leur donner une petite retraite dans l'année et les confesser sans trop calculer son temps, comme doit le faire celui que nous avons... Encore une fois, veuillez... nous procurer un aumônier qui puisse se donner à nos enfants et à nous.»

Le Père Frédéric faisait doublement figure d'aumônier idéal: d'abord en remédiant aux déficiences de la situation antérieure, puis en fournissant aux frères et aux élèves un excellent service religieux: instructions, catéchisme, confessions fréquentes. En 1877 et en 1878, il prêcha aux élèves le mois de Marie et organisa un triduum préparatoire à la première communion. En août 1877, c'est lui tout probablement qui prêcha la retraite annuelle des frères.

Il se fit surtout, auprès des enfants, l'apôtre de la confession et de la communion fréquentes, pratiques alors fort négligées. Il revient souvent sur ce sujet dans ses sermons. Quelle chaleur il devait y mettre, c'est ce que l'on peut deviner quand on lit les articles qu'il écrivit pour la *Revue franciscaine* de Bordeaux de 1878 à 1880. Quand il parle de la communion, son style se fait plus véhément, son rythme s'accélère et on dirait que le ton lui-même s'élève comme dans une envolée oratoire.

> Oh! la communion, s'écrie-t-il, la sainte communion, fréquente, oui, oui, fréquente et sainte, comme nous le dit notre mère la sainte Église, *sancte frequenterque*. Prêchons, prêchons la sainte communion, la sainte communion fréquente! Soyons fous d'amour pour Notre-Seigneur dans le sacrement de son amour. Saint François aimait éperdument Jésus-Eucharistie, tous les saints, ses enfants, l'ont aimé de même: ils prêchaient cet amour aux peuples, et Dieu les bénissait et les peuples se convertissaient.

Avec plus d'un quart de siècle d'avance, notre missionnaire rencontrait la doctrine et les exhortations ardentes de saint Pie X; il rejoignait également l'un de ses illustres contemporains, saint Jean Bosco, qui, en 1883, prêchait lui aussi non seulement la communion fréquente et quotidienne, mais encore la communion précoce. Les âmes des saints ont des antennes, qui leur permettent de capter bien avant les autres les pulsions mystérieuses que l'Esprit Saint imprime au peuple de Dieu.

Le zèle du Père Frédéric lui permettait, sans nuire à sa fonction d'aumônier, d'entreprendre d'autres tâches occasionnelles. Ainsi il prêtait souvent son concours aux pères franciscains qui desservaient, au Mousky, l'église paroissiale de Notre-Dame de l'Assomption. Il établissait, en 1877-1878, la prédication en français de l'avent et du carême pour la nombreuse colonie française du Grand Caire, qui le désirait depuis si longtemps; et, en la fête de l'Ascension 1878, il faisait l'ouverture d'une nouvelle chapelle franciscaine provisoire, dédiée à saint Joseph, dans le quartier aristocratique d'Ismaïlia, nouveau centre de ressourcement chrétien destiné à devenir la plus belle paroisse du Grand Caire. Il prêchait occasionnellement et confessait aussi chez les Sœurs du Bon Pasteur à Choubra et à l'hôpital dirigé par les Sœurs de Saint-

Joseph. Et, selon les besoins, il se faisait le directeur spirituel aussi bien des fidèles vivant dans le monde que des personnes engagées dans la vie religieuse.

En juin 1878, il quittait le Caire pour Jérusalem. Mais sa vie de missionnaire, il la poursuivra durant tout son séjour en Terre Sainte. Pour «sa très grande consolation» — ce sont ses propres termes — il la joindra à la vie de Vicaire Custodial. Cette fonction aurait pourtant eu de quoi l'occuper amplement. Elle l'appellera à présider, au grand couvent de Saint-Sauveur, les cérémonies religieuses, qui sont longues et nombreuses, et à prendre une part considérable à l'administration de la Custodie. Et dans son cas, pour ne mentionner que deux items plus significatifs, elle comportera les à-côté d'aumônier des Frères des Écoles Chrétiennes à Jérusalem et de confesseur extraordinaire des Religieuses de Sion à Saint-Jean-in-Montana. Mais qu'à cela ne tienne. La liste des prédications dont il s'acquittera en marge de ses activités régulières est longue et variée: grandes retraites annuelles, récollections mensuelles, sermons détachés innombrables. Et ses allocutions lui feront atteindre les auditoires les plus bigarrés: pères, frères, sœurs, séminaristes, pèlerins catholiques et non-catholiques. En fait, le charisme de la parole lui avait été donné comme à saint Paul. Il l'avait déjà découvert en France et il l'exercera de façon quasi miraculeuse au Canada; mais c'est en Terre Sainte qu'il le développa et le mit au point de façon définitive.

Chapitre neuvième

Le Vicaire Custodial (1878-1888)

La Custodie de Terre Sainte, province franciscaine internationale, œuvre «catholique» au sens le plus complet du mot, a une double raison d'être et poursuit un double but. Elle est d'abord là pour garder et acquérir les sanctuaires élevés sur les lieux consacrés par le souvenir des faits évangéliques. Mais elle est en même temps un organisme missionnaire véritable, dont l'activité apostolique se concrétise en quatre groupes d'œuvres principales: l'annonce de la parole aux infidèles et aux hétérodoxes, le ministère paroissial auprès des chrétientés déjà formées, l'enseignement de la jeunesse des deux sexes et, enfin, la charge et le soin des orphelins et des veuves.

La Custodie est gouvernée par un supérieur appelé *Custode*[1], aidé de son conseil qu'on nomme *discrétoire*. Ce supérieur porte le titre de Paternité Révérendissime, de Gardien du Mont Sion et du Saint-Sépulcre; c'est toujours un italien. Dans les offices liturgiques, il a le privilège des insignes épiscopaux. La sorte d'état-major qui l'assiste se compose d'un Vicaire Custodial, qui est toujours un français, d'un Procureur Général ou économe, toujours un espagnol, et de cinq discrets ou conseillers représentant les principales langues: un italien, un français,

---

1. *Custode* vient d'un mot latin *custos,* qui signifie *gardien.*

un espagnol, un allemand et un anglais. Comme celui de leur chef, le mandat des conseillers dure six ans.

Selon les recommandations du gouvernement français auprès de la Sacrée Congrégation de la Propagande et celles du ministre des Affaires étrangères de Paris auprès du consul de France à Jérusalem, le Père Frédéric était destiné, en quittant la France pour la Palestine, en 1876, à être discret français de Terre Sainte, pendant que le Père Martin Andrieu, lui, devait être promu Vicaire Custodial. Malgré cette pression du gouvernement français, qui, à vrai dire, ne plaisait guère à la Custodie, le Père Frédéric, deux ou trois semaines après son arrivée à Jérusalem, fut écarté, nonobstant sa capacité juridique, de la charge de discret français: on alléguait sa toute récente arrivée, son ignorance de la langue italienne, des lieux et des personnes de Terre Sainte et son inexpérience dans les affaires de la Custodie. À sa place fut donc élu le Père Marie-Léon Patrem, de Limoges.

Le 7 novembre 1877, le Père Martin Andrieu résignait les fonctions de Vicaire Custodial, lassé, semble-t-il, de réclamer le maintien des prérogatives françaises au sein de la Custodie. Il ne faut pas s'étonner de constater parfois une certaine jalousie nationale chez des hommes de différents pays servant côte à côte une cause religieuse de premier plan: l'importance capitale de la cause les rend chatouilleux sur leurs privilèges nationaux. C'est le rôle de l'esprit de justice et de la charité chrétienne d'équilibrer le nationalisme en assurant avant tout la primauté du spirituel.

Le poste de Vicaire Custodial resta donc vacant quelques mois. Le 3 avril 1878, le Rme Père Gaudence de Matélica réunissait son conseil dans la chambre du T.R.P. Procureur. Après les affaires de routine et les formalités qui sont d'usage un jour d'élection, on proposa, selon la teneur de la bulle *In Supremo Militantis Ecclesiæ,* qui gouverne la Custodie, trois noms de candidats aptes au poste de Vicaire Custodial. La discussion aboutit à un choix unanime: on ne trouvait pas de sujet plus digne d'occuper cette charge que le Père Frédéric de Ghyvelde, aumônier des Frères des Écoles Chrétiennes au Caire. Son intelligence et ses vertus l'imposaient comme malgré lui.

Quelques jours après, il recevait sa patente. Il avait trente-neuf ans. Ce ne fut pas sans hésitation qu'il accepta la nouvelle dignité: il ne se croyait pas à la hauteur de cette fonction. Le Père Custode connaissait bien, sur ce point, les allergies très fortes du nouvel élu. N'était-ce pas pour échapper au supériorat en France que celui-ci avait sollicité la faveur de devenir missionnaire de Terre Sainte? Aussi le Rme Père Gaudence, qui craignait un refus, demanda-t-il à Mgr Louis Ciurcia de le seconder dans la récente nomination: «Je dois vous avertir, écrivait-il le 5 avril 1878, que le Père Frédéric, directeur actuel et chapelain des Frères, a été élu Vicaire Custodial... Je prie Votre Excellence Révérendissime de ne pas s'opposer à ce changement, mais de le favoriser dans la mesure du possible, d'autant plus surtout qu'il peut arriver que le Père Frédéric ne se sente pas le courage d'accepter la nouvelle charge.»

Cependant, le Père Frédéric qui n'avait pas brigué cette charge, s'y soumit en toute simplicité, comptant sur le secours du ciel pour s'en acquitter dignement. Il s'efforça de faire taire ses répugnances personnelles pour n'entendre que l'ordre des supérieurs, représentants de Dieu.

Le 8 juin 1878, il quittait l'Égypte. Son supérieur, le Père Herménégilde de Ferventino, témoignait qu'il avait trouvé en lui un auxiliaire «très travailleur et d'un bon caractère», suffisamment pacifique et habile «pour ne pas mettre le feu à Jérusalem». Le 13 juin, en la fête de saint Antoine de Padoue, il prenait possession de sa charge.

La fonction de Vicaire Custodial faisait du Père Frédéric un personnage considéré quant aux honneurs et à la préséance: il devenait le premier assistant du Custode, le second dignitaire de la Custodie de Terre Sainte, qui comptait trois cent cinquante religieux. Ce poste était alors plus important que de nos jours: son prestige particulier tenait aux liens spéciaux qui le rattachaient à la *nation protectrice* des Saints Lieux, la France, qu'il représentait. Le Vicaire Custodial de cette époque était chargé de la correspondance avec sa nation, de certaines négociations diplomatiques auprès du consul de France, ainsi que de la direction des travaux de construction, églises, couvents, hospices. Lui revenaient de droit plusieurs tâches pastorales: il était péniten-cier apostolique, il confessait les communautés religieuses fran-çaises et leur donnait des sermons détachés ou des retraites.

Nous avons vu que, chez le Père Frédéric, la peur des res-ponsabilités morales gênait facilement l'exercice de l'autorité: il était trop timoré pour faire un bon supérieur. Mais, au poste de second, il n'en était plus de même: dégagées de leurs inhibitions, ses qualités naturelles donnaient tout leur rendement. Cette tour-nure psychologique fit de lui un excellent Vicaire Custodial. Il appuyait activement le Custode et faisait remonter vers lui l'hon-neur et le mérite des œuvres, favorisant ainsi l'harmonie qui doit régner normalement entre un supérieur et son subordonné. Quant aux obligations de sa charge, il les exerçait avec tant de tact et de douceur qu'il réduisait au minimum, chez ses sujets, les ten-tations de rébellion. Étranger à toute ambition personnelle, nul-lement tenté de s'ingérer dans la fonction des autres, il ne s'ab-sorbait que dans son devoir. Cela lui valut de conserver pendant dix ans la charge de Vicaire Custodial: il l'exerça durant près de deux termes, de 1878 à 1888, date où il fut nommé officiellement commissaire de Terre Sainte au Canada, avec résidence à Trois-Rivières.

Des querelles de cérémonial envenimées par les passions nationales

Qu'il ait été maintenu dix ans dans sa charge ne veut pour-tant pas dire qu'il l'ait exercée sans contrariétés. Dans un milieu cosmopolite comme le couvent Saint-Sauveur, il était inévitable que les susceptibilités nationales viennent de temps en temps com-pliquer la marche harmonieuse de l'administration. Cela arriva donc sous le vicariat du Père Frédéric. Et, comme il fallait s'y attendre dans un milieu imprégné de formalisme, elle s'articula autour de questions de cérémonial et de priorités nationales. Les usages, sanctionnés par des bulles pontificales, déterminaient qui devait officier aux principales fêtes de l'année dans les sanctuai-res de la Terre Sainte. Mais les points en litige étaient ceux-ci: quand un des dignitaires de la Custodie, c'est-à-dire le Custode, le Vicaire Custodial ou le Procureur, était empêché de présider un office, qui devait le remplacer et avec quel cérémonial? En particulier, convenait-il au Père Vicaire, officiant en lieu et place du Père Custode, d'user du même cérémonial que lui? En elles-mêmes, ces questions n'étaient pas la mer à boire. Mais ce qui les compliquait, c'étaient les considérations de prestige national. Sacrifier ou négliger les droits que le Vicaire Custodial devait représenter à titre de *français,* c'était s'attirer les critiques des compatriotes et des accusations diplomatiques. Les uns, c'est-à-dire des pères français de son entourage, les PP. Marie-Léon Patrem et Marcel de Neuillac, accusaient le Père Vicaire Custodial de n'être pas assez exigeant; les autres, des italiens, des espagnols, trouvaient qu'il l'était trop. Tiraillé entre les deux parties, le Père Frédéric pâtissait. Le 19 janvier 1881, c'est-à-dire en plein milieu de son sexennat, il écrivait au Ministre Général de l'Ordre la lettre suivante:

> Actuellement, en l'absence du Père Custode, qui sera assez longue, je fais un terrible purgatoire, obligé que je suis d'être supérieur de Saint-Sauveur et du Très Saint Sépulcre et je soupire ardemment après la fin de mon sexennat, si on veut absolument que je le termine, pour rester dans les douces voies de l'obéissance comme inférieur, désirant être le dernier de tous, pour pouvoir ainsi mieux me préparer à la mort, qui s'avance à grands pas et après laquelle je soupire, avec l'aide de Dieu, depuis tantôt vingt ans!

La question du cérémonial à suivre en cas d'absence du Custode ne fut réglée que le 7 mars 1885, c'est-à-dire quatre ans après la lettre désolée du Père Frédéric. La solution concernant le Vicaire Custodial était celle-ci: il convient que le P. Vicaire Custodial, officiant en lieu et place du P. Custode, le fasse avec un cérémonial distinct de ses fonctions ordinaires, mais toujours d'une solennité inférieure à celle du P. Custode. Il aurait le droit au prêtre assistant et au bougeoir, mais à la messe solennelle seulement, non en d'autres circonstances.

Une réélection orageuse et âprement contestée

Entre temps, le Père Frédéric avait encaissé un terrible coup à l'occasion de l'expiration de son sexennat, le 3 avril 1884. Non seulement il ne fut pas débarrassé de sa charge, comme il l'avait tant souhaité, mais il y fut reconduit dans un climat de contestation et de chicane, qui dut peiner considérablement son âme sensible et amie de la paix. Voici comment les choses se passèrent.

À la réunion de son conseil, le 3 avril 1884, le P. Guy de Cortone, qui appréciait grandement le dévouement de son bras droit, proposa, en suivant les normes de la constitution *In supremo,* la confirmation du Père Frédéric dans sa charge de Vicaire Custodial. À sa surprise, deux conseillers, l'espagnol Grégoire Campos et le français Marcel de Neuillac, soulevèrent une vive discussion. Ils mettaient en doute le pouvoir du Père Custode de faire une telle proposition, déclarant ne pas vouloir donner leur vote tant que le point de droit ne serait pas élucidé. Pour le bien de la paix, le Custode consentit à ajourner l'affaire, proposant que l'actuel vicaire reste en charge par intérim jusqu'à une nouvelle et explicite décision.

Après un échange de lettres avec le ministre Général de l'Ordre, le P. Guy de Cortone réunit à nouveau son conseil le 20 mai 1884, dans le but de vider la question. Après avoir lu à voix haute et intelligible une lettre du Ministre Général datée du 21 avril précédent, il ajoute: «Puisque le Révérendissime Père Général nous propose d'urgence d'arriver à la confirmation du P. Vicaire Custodial ou d'accepter la décision du Définitoire Général, je vous demande quelle est votre opinion et pour quel choix est la majorité?» C'est tout de suite l'explosion. «Mes paroles que je croyais justes et inoffensives, écrit le Custode au Ministre Général, furent comme un éclair dans un coup de tonnerre.» Les Pères Grégoire et Marcel s'emportent contre le Custode «comme deux énergumènes». On procède quand même au vote pour trancher l'alternative énoncée par le Custode: réélection immédiate du P. Vicaire Custodial ou sursis jusqu'à la décision du Définitoire général. Le premier projet obtient quatre votes favorables et deux contraires. Le Custode propose alors la réélection du Père Frédéric comme Vicaire Custodial; quatre membres du discrétoire donnent des votes favorables et deux s'abstiennent de voter: ce sont les Pères Grégoire et Marcel.

Les deux discrets rétifs écrivirent à la Sacrée Congrégation de la Propagande une lettre de protestation contre la réélection du Père Frédéric. Le Supérieur général de l'Ordre franciscain démontra sans peine au Cardinal Préfet que le recours était dénué de fondement. Mais les deux conseillers rebelles ne désarmèrent pas pour autant. Après la réélection du Père Frédéric comme Vicaire Custodial, ils constestèrent la réélection du Procureur, agréée à la majorité des voix le 27 février 1885, et firent la vie si dure au Custode que celui-ci songea à démissionner. Le Ministre Général, alerté par le Père Frédéric, conseilla au Custode de garder son poste, puisqu'il avait en sa faveur quatre discrets sur six: «Quand on ne peut gouverner avec l'unanimité, lui disait-il sagement, on gouverne avec la majorité.» Le Définitoire Général devait d'ailleurs, le 27 février 1885, mettre un point final à toutes ces contestations en proclamant la parfaite légitimité des démarches antérieures du Custode: *c'est au seul Custode,* spécifiait-il, qu'appartient le droit de proposer la réélection de l'un des composants du Discrétoire, c'est-à-dire le Vicaire Custodial, le Procureur ou l'un des discrets.

Un profane aurait pu penser que ce verdict solennel du suprême tribunal de l'Ordre réglerait une fois pour toutes le peu gracieux conflit en cours. Mais les guerres saintes ont la vie dure. En 1886, avait lieu la visite canonique de la Custodie de Terre Sainte. En soi, la visite canonique est une institution intéressante, qui permet à chacun des religieux de l'Ordre de dire ce qu'il pense sur la façon dont les choses fonctionnent autour de lui et d'exprimer, s'il en a envie, ses griefs contre les supérieurs. C'est un instrument éminemment démocratique. En l'espèce, ce fut l'arme qui permit aux sentinelles des droits et privilèges nationaux de tenter un suprême assaut contre le Père Frédéric, réélu Vicaire Custodial dans les circonstances que l'on a vues. Cette année-là, le Visiteur général fut le P. Eusèbe Fermendzin, Définiteur général de l'Ordre, qui fit, comme le voulaient les Constitutions, le tour de tous les couvents franciscains de Terre Sainte. Voulant aller au fond des choses, il se rendit aussi voir le consul Ledoulx, représentant de la République française à Jérusalem. Parmi les griefs qu'il prétendait avoir, le consul, animé d'un zèle ardent pour la France et monté par le P. Léon Patrem, ex-définiteur, ne demanda rien de moins que la destitution du Père Frédéric, Vicaire Custodial. Quelles raisons apportait-il? «Le Père Frédéric est bien un saint homme, concédait-il, mais son obéissance à ses supérieurs dépasse les limites de sa charge. Il ne défend pas suffisamment les droits de la France.» En réalité, comme le prouvent les lettres officielles, le Père soutenait convenablement les droits attachés à la fonction de vicaire custodial. Il avait même acquis un droit nouveau, celui de prêcher en français le chemin de croix du vendredi saint dans les rues de Jérusalem. Mais on aurait sans doute aimé qu'il fût plus agressif et moins soucieux de l'approbation de Rome dans ses prises de position. Quoi qu'il en soit, dans le rapport qu'il transmit au Ministre Général, le Visiteur général trancha le litige à la façon d'Alexandre coupant le nœud gordien: «Qu'on procède suivant les lois établies. Le Père Vicaire est un excellent religieux, qui fait honneur à la France et sert bien la Terre Sainte [2].» Le P. Marcel de Neuillac envoya bien un rapport au P. Eusèbe Fermendzin quand celui-ci fut rentré de sa visite en Terre Sainte. Mais le document semble avoir coulé à pic dans quelque filière. Il ne réussit pas, en tout cas, à rallumer le conflit et le Père Frédéric ne fut plus inquiété dans sa charge jusqu'à son départ définitif pour le Canada en 1888.

Le bilan d'un vicariat mouvementé

Veut-on connaître quels furent les traits marquants de cette administration contre laquelle les passions nationalistes et politiques se sont tellement acharnées? On peut les récapituler comme ceci: le Père Frédéric fut un diplomate souple et adroit, un habile constructeur d'églises et un codificateur de lois patient et précis, tout en restant un missionnaire zélé et un religieux d'oraison et de régularité exemplaire. Voyons tout de suite ce qui concerne le diplomate, le bâtisseur et le codificateur, et réservons pour des chapitres ultérieurs les choses importantes qu'il restera à dire sur

---

2. «Procedatur juxta leges. Pater Vicarius est religiosus optimus, qui est honori Galliæ et utilitati Terræ Sanctæ» (Cf. Archives de la Curie généralice des Frères Mineurs, Rome: Terra Sancta V, 1885-1889, dossier *Reliquiæ Visitationis generalis Terræ Sanctæ factæ per P. Eusebium Fermendzin, Def. gen., ann. 1886*).

le guide spirituel des pèlerinages et l'organisateur des quêtes annuelles pour les Lieux Saints effectuées en pays étrangers. Entre autres avantages, le procédé nous permettra de mettre en lumière le providentiel enchaînement de faits qui a conduit en sa troisième patrie, le Canada, le héros de cette histoire.

Un diplomate souple et adroit

La sauvegarde des droits de la Terre Sainte nécessitait, de la part du Vicaire Custodial, des lettres et bien des démarches diplomatiques auprès de hauts dignitaires de la Palestine: le consul de France en tout premier lieu, mais aussi les consuls d'Autriche, de Russie, d'Espagne, le Patriarche latin de Jérusalem, le Patriarche grec, le Pacha de Constantinople. Le Père Frédéric savait se ménager un accueil bienveillant auprès de tout ce monde grâce à sa délicate courtoisie, à son maintien à la fois digne et humble, à sa sincérité et à son intégrité. Très vite son esprit reconnu de justice et de conciliation le rendait *persona grata* auprès de la gent diplomatique. Il avait non seulement la considération particulière des consuls de France à Jérusalem, comme en fait foi sa correspondance avec ceux-ci, mais aussi l'estime des Arméniens, des Grecs et des Musulmans, qui reconnaissaient sa droiture, son dévouement et sa sainteté. Auprès des uns et des autres, il se révéla diplomate avisé, sachant s'éclipser dès que, selon une de ses expressions favorites, on avait «trouvé la formule» de l'entente nécessaire.

Un bâtisseur d'églises

Le Père Frédéric dirigea la construction de plusieurs édifices religieux de la Custodie; mais le plus bel exemple de ses succès diplomatiques et de sa sollicitude fut l'activité qu'il déploya pour la construction de l'église paroissiale de Bethléem, desservie par les Franciscains. L'ancienne église, dédiée de temps immémorial à sainte Catherine d'Alexandrie, était devenue trop étroite pour les besoins de la population, qui s'accroissait chaque année. Sur le même emplacement on décida de bâtir, en style roman, une nouvelle église, accolée au transept de la grande basilique de la Nativité.

Lors de son pèlerinage en Terre Sainte, en 1869, l'empereur d'Autriche François-Joseph, avait offert spontanément 60 000 francs-or pour l'agrandissement de l'église de Bethléem et 60 000 autres francs pour la reconstruction de l'église de Saint-Sauveur, à Jérusalem, deux œuvres jugées nécessaires. Mais voilà que, dans ce pays de tensions, où les conflits surgissent pour des riens et où il faut la patience des Pères de Terre Sainte pour en triompher, il advint que le don du pieux souverain se transforma en brandon de discorde. À cause de sa riche offrande, l'empereur aurait voulu se prévaloir de la direction de l'entreprise; le consul de France protesta, craignant qu'une nation étrangère ne s'immisçât dans ses propres affaires et ne réclamât plus tard des droits et des privilèges; il y voyait aussi un danger pour l'indépendance des Pères de Terre Sainte. Bref, tous les projets restèrent en suspens durant dix années, puisque ce ne fut qu'en 1879 que les négociations officielles reprirent. Le Père Frédéric y joua un rôle de premier plan: au printemps de 1879, il pria le consul de France, M. Patrimonio, de reprendre les négociations et d'adresser un rapport au Ministère des Affaires étrangères de Paris. Il tint ensuite plusieurs conférences avec le patriarche latin de Jérusalem, et, pour prévenir tout malentendu, fit, en 1880, avec l'autorisation du Custode, quelques visites privées à l'évêque et au patriarche grecs de Bethléem.

Enfin, après différentes négociations, le capitaine Guillemot, si célèbre par ses découvertes archéologiques en Palestine, fut désigné comme architecte, le Père Vicaire Custodial chargé de la haute surveillance des travaux, le Père Vicaire du couvent de Bethléem son suppléant en son absence, et le Fr. Jean directeur des travaux. Les premiers travaux commencèrent en février 1880.

Accusé, un jour, d'avoir fait un acte imprudent en priant le consul de France de reprendre les négociations, le Vicaire Custodial déclara qu'en cela il n'avait «cherché autre chose que la gloire de Dieu et le salut des âmes», toujours ses suprêmes motifs!

Toute cette affaire de la reconstruction de l'église de Bethléem fut soumise à bien des entraves, à bien des ennuis, tout particulièrement de la part des Grecs, dont les menées partisanes n'avaient d'autre dessein que de faire cesser les travaux. Le Père Frédéric a raconté longuement dans un rapport les tracasseries des Grecs. Il les a signalées dans une courte note des *Annales du T.S. Rosaire,* où il dit ce qui suit:

> Durant mon séjour en Terre Sainte, chargé des constructions de la nouvelle église paroissiale de Bethléem, je fis travailler en plein jour, dans ce petit jardin [de la Nativité], aux fondations de la nouvelle bâtisse: tous les moines du couvent grec schismatique montèrent sur la terrasse de l'abside de la Basilique, et ils nous voyaient travailler à leurs pieds. Cela ne les empêcha pas de télégraphier au Pacha de Jérusalem pour nous accuser de creuser *secrètement* (*sic*) un passage pour aller de là à la sainte Grotte! et l'on en fit une question très grave[3].

Ces difficultés ont été également racontées en détail par Madame Sodar de Vaulx, dans son beau livre *Les splendeurs de la Terre Sainte* (pp. 110s.). La distinguée tertiaire de saint François met en pleine lumière le rôle éminent joué par le Père Frédéric:

> La cause des Franciscains, dit-elle, semblait fort compromise ou, pour mieux dire, perdue. Le Vicaire Custodial, le Père Frédéric de Ghyvelde, car c'était lui qui était à la tête de l'entreprise, prévoyant avec raison que les négociations officielles n'aboutiraient pas, prit le parti de traiter à l'amiable avec l'ennemi. À force de bons procédés et de raisonnements, il obtint de l'architecte grec qu'il vînt contrôler et inspecter les travaux, lui offrant libre entrée aux jours et aux heures qui lui plaisaient. Cette combinaison fut des plus heureuses, car elle calma les fureurs des schismatiques et permit de reprendre l'œuvre interrompue.

> Cependant on arrivait au point le plus délicat: l'ancienne église étant appuyée à la Basilique, les nouvelles constructions exigeaient une emprise dans le mur pour asseoir une nef latérale, ce qui ne pouvait plus se faire qu'avec l'autorisation des Grecs. Ils la donnèrent et tout l'honneur en revient encore au Père Frédéric, dont l'habileté pleine de douceur sut triompher de leur mauvais vouloir.

---

3. *Annales du T.S. Rosaire,* 4 (1895) 191.

Pour pouvoir terminer la nouvelle église de Bethléem, le Père Frédéric devra bientôt aller quêter en France, puis au Canada. Parachevée grâce aux aumônes des Canadiens, la construction sera ouverte au culte en 1882.

Un patient codificateur de règlements

Des œuvres de pierre ont surgi grâce au zèle et à l'activité du Père Frédéric. D'autres monuments plus modestes et beaucoup moins connus proclament cependant devant la postérité, avec non moins de force, son zèle pour le culte divin et pour les droits imprescriptibles de l'Église catholique romaine en Terre Sainte: ce sont les règlements de Bethléem et du Saint-Sépulcre. Ces règlements ont encore de nos jours force de loi et les manuscrits qui les renferment sont conservés comme de précieuses reliques.

Notre missionnaire de Terre Sainte a rédigé lui-même, en français, le règlement du sanctuaire de Bethléem, comme l'attestent l'écriture caractéristique de l'original — calligraphie très soignée à l'italique moulée — et la note finale, ainsi libellée: «Ce présent Règlement a été rédigé par le T.R.P. Vicaire Custodial d'après le désir et avec l'approbation expresse du Rme Père Custode.» Commencé en janvier 1887, il était terminé le 29 août de la même année. Le Père Frédéric ajoutait, l'année suivante, un autre fascicule: *Épiphanie des Latins, année 1888. Modifications à faire au Règlement de Bethléem.*

Personne avant lui n'avait osé entreprendre une pareille besogne, ingrate mais extrêmement importante: compiler et codifier les usages établis du sanctuaire de Bethléem, chez les Latins et chez les rites dissidents, c'est-à-dire les Grecs et les Arméniens.

La basilique de la Nativité appartenait jadis aux Latins et fut authentiquement concédée, en 1347, aux fils de saint François, reconnus officiellement gardiens de la Crèche de Jésus et représentants du Saint-Siège et de la religion catholique. Elle leur a été enlevée, aux XVIIIe et XIXe siècles, par les Grecs et les Arméniens à force d'intrigues et de violence allant jusqu'au sang. Les Grecs et les Arméniens s'en disputent entre eux la possession; mais ils s'entendent comme larrons en foire et se prêtent main forte pour exclure les Latins, qui n'ont pu conserver dans l'église supérieure qu'un droit de passage.

Pour éviter les conflits entre les trois rites, qui se coudoient journellement soit dans les offices liturgiques soit dans l'entretien de la basilique, mais surtout pour maintenir fermement les droits de l'Église catholique romaine, le *Règlement du sanctuaire de Bethléem* remplit une fonction de première importance. Il établit les droits respectifs de chaque rite, les droits stricts de chacun de balayer et d'épousseter tel et tel endroit bien spécifié, bien circonscrit; les droits de chaque rite relatifs à l'ameublement, au service liturgique de la sainte Grotte, à l'ouverture et à la fermeture de la basilique, aux cérémonies particulières durant l'année.

Bien des points qui paraissent insignifiants ou inimaginables aux Occidentaux sont le fondement du droit en Orient. Voici deux brefs exemples, tirés au hasard du *Règlement de Bethléem*: ils peuvent donner une idée du genre oriental.

> *Dans l'épaisseur du mur* où s'ouvre la Porte de Joinville, les Latins seuls ont le droit de balayer et d'épousseter; et si, de temps en temps, les Arméniens tentaient à le faire, notre sacristain devrait s'y opposer. *Du petit palier demi-circulaire au bas des cinq gradins,* le balayage appartient exclusivement aux Latins. — *Nota.* Les Arméniens tentent, de temps à autre, de ravir ce droit aux Latins, notre sacristain ne doit jamais faire de concession à cet égard.

Car, abandonner ce droit de balayer même au bas des cinq gradins, c'est perdre le droit de passage qui conduit à la sainte Grotte!

Il faut savoir que le droit, en Orient, est fondé avant tout sur l'usage: établir ou délaisser un usage équivaut à acquérir ou perdre un droit. Dans un pays où le simple fait d'occuper crée un titre de possession, la vigilance s'impose nuit et jour. Les Franciscains, gardiens du sanctuaire de Bethléem, doivent donc surveiller étroitement jour et nuit les allées et venues des chrétiens dissidents, prévenir et contrecarrer énergiquement tout empiètement quelconque, ouvert ou camouflé. Ils doivent se nantir de patience, de dévouement et de fermeté en face des continuelles tracasseries des Grecs ou des Arméniens.

À partir du 5 octobre 1887, le Père Frédéric rédigea le *Règlement du Saint-Sépulcre*. Tout comme celle de Bethléem, cette codification est une œuvre étonnante de patience et de diplomatie; c'est une inestimable compilation des précisions les plus minutieuses concernant les droits et les usages, tant anciens que contemporains, avec leurs exceptions particulières, des différentes confessions chrétiennes qui cohabitent dans la basilique du Saint-Sépulcre.

Colliger les droits séculaires vraiment authentiques des différents rites qui se partagent la célèbre basilique; parvenir à les bien connaître en dépit des obstacles du fanatisme religieux oriental et des supercheries des Grecs, qui cachent même leurs droits, pour que les Latins ne puissent les exploiter contre eux; faire de patientes recherches historiques pour établir le moindre droit, le moindre privilège; explorer attentivement tout le saint Sépulcre avec le fameux Frère Liévin, en vue de fixer certains droits des Latins; prendre soi-même l'initiative de plusieurs visites chez les Grecs, les Arméniens, les Coptes et les Abyssins du Saint-Sépulcre pour vérifier la nature, l'étendue des lieux de la basilique; épier patiemment, pendant de longs stages de plusieurs années, les coutumes des rites schismatiques; interroger les plus anciens franciscains du Saint-Sépulcre, particulièrement les frères sacristains; consulter les archives de Saint-Sauveur, l'histoire locale du Saint-Sépulcre, l'histoire de la Palestine, surtout l'histoire diplomatique; mettre enfin un ordre clair dans la codification d'une matière touffue et compliquée: voilà autant d'actes qui révèlent le grand mérite personnel et la valeur objective du travail du Père Frédéric. On comprend dès lors la force de loi que lui donne le décret du Rme Père Custode Aurèle Buja, signé le 25 février 1900 et placé en tête de la traduction italienne:

> En vertu des présentes, est-il écrit, nous enjoignons au premier sacristain de garder près de lui ce Règlement ordonné par le Père Custode et rédigé par les soins du Très Révérend Père Frédéric de Ghyvelde. Nous ordonnons de n'y faire aucun changement, ni addition. Si les circonstances exigent des modifications, que le frère

sacristain ne les fasse pas sans l'approbation explicite et légitime du Révérendissime Père Custode.

Un religieux soucieux du bien spirituel de sa communauté

Au règlement du célèbre sanctuaire, le Père Frédéric ajouta, en 1888, le *Règlement pour la communauté du T.S. Sépulcre*, rédaction qui témoigne de son vif souci de la régularité religieuse.

Ce héros de la fidélité aux petites comme aux grandes choses ne se contenta pas de faire établir un régime de plus grande régularité pour la communauté du Saint-Sépulcre. Il voulut en obtenir un aussi pour celle de Saint-Sauveur. Il supplia le Père Custode Guy de Cortone d'établir l'*horaire* de la journée au couvent de Saint-Sauveur, rien d'autre que cela. Cependant, aucun des custodes antérieurs ne l'avait osé. On réunit tous les religieux et ils acceptèrent à l'unanimité (décembre 1880).

Dans son zèle pour le progrès spirituel de la Terre Sainte, le Père Vicaire Custodial voulait que la régularité religieuse se stabilisât dans chaque maison de la Custodie. Quant à lui, il donnait l'exemple de la régularité en assistant au chœur même après une prédication absorbante.

S'il n'était pas aveugle sur certaines lacunes de la Custodie, son esprit de justice et de charité proclamait avec joie le bien spirituel et les bonnes œuvres qui s'y accomplissaient. Ainsi, dans sa précieuse *Notice historique sur l'œuvre de Terre Sainte* (Québec 1881, pp. 68-72), il lavait ses confrères du couvent de Saint-Sauveur du reproche de paresse en reconstituant le climat de générosité religieuse et d'ardeur au travail qui régnait dans la maison.

Ces qualités qu'il soulignait chez ses confrères du Saint-Sépulcre, c'est encore en lui qu'elles brillaient du plus vif éclat. Pour ce qui est de l'ardeur au travail, par exemple, c'est un fait qui saute aux yeux dès qu'on fait la somme des mille et une activités auxquelles il s'adonna durant son mandat: collaboration de premier ordre à l'administration générale de la Custodie et participation aux nombreuses et longues cérémonies liturgiques;

responsabilités pastorales importantes et prédications fréquentes; rédaction de maints articles pour la *Revue franciscaine* de Bordeaux et, pendant quatre ans, d'une chronique sur les choses de Terre Sainte pour le *Pilgrim of Palestine* de New York; et, pour finir, construction d'églises et mise au point des règlements de Terre Sainte, ainsi que nous venons de le raconter. Il resterait à décrire tout le travail que notre homme a consacré à l'organisation et à l'animation des pèlerinages, tâche si importante que nous lui consacrerons tout le prochain chapitre. Le Père Frédéric se montrait le digne fils du rude tâcheron qu'avait été son père, le vaillant fermier flamand. Les intentions surnaturelles qu'il mettait dans son labeur attestaient de leur côté l'esprit de foi et le sens religieux qu'il avait hérités de sa mère. Dans sa *Lettre de Jérusalem,* que publiait en 1879 la *Revue franciscaine* de Bordeaux, il terminait un rapide exposé de ses «pauvres petits travaux de missionnaire en Terre Sainte» par ces mots: «le tout pour la plus grande gloire de Dieu et le salut des âmes». Saint François, qui voulait que ses frères «travaillent avec fidélité et dévotion», pouvait être content de l'esprit surnaturel de son fils.

Chapitre dixième

L'apôtre et le guide spirituel des pèlerinages de Terre Sainte

Avide de suivre pas à pas le Christ, comme son Séraphique Père, le P. Frédéric a toujours entretenu une dilection particulière pour les sanctuaires de Terre Sainte, mémoriaux du passage du Sauveur parmi les hommes. Il les visita tous et se renseigna soigneusement sur chacun d'eux. Il fut d'abord pèlerin pour lui-même, par dévotion personnelle. Puis, un jour, les pèlerins étrangers, qui visitaient comme lui les célèbres sanctuaires, trouvèrent en lui un guide compétent et édifiant. En même temps qu'il leur expliquait les itinéraires terrestres du Fils de Dieu, sa propre vertu et sa prédication suscitaient en eux la nostalgie d'un autre pèlerinage qui les conduirait à la Jérusalem d'en haut!

Un connaisseur de la Terre Sainte extrêmement bien documenté

Le Père Frédéric a beaucoup écrit sur les sanctuaires palestiniens. Sur chacun, comme sur la Terre Sainte en général, il s'est amassé une documentation vraiment extraordinaire: c'était la réserve secrète où il puisait la matière de ses volumes et de ses nombreux articles de revues.

Il édifia un pareil arsenal par souci de compétence professionnelle, par amour fervent de la Terre Sainte et par désir apostolique de la faire connaître et aimer partout. Il ne se documenta donc pas simplement en vue d'enrichir ses séjours au Canada, qui du reste étaient humainement imprévisibles. Cependant, dès son premier voyage au Canada, en 1881, il pouvait, de New York, annoncer fièrement à son hôte une prometteuse compagnie: celle d'une abondante documentation. «Je possède de nombreux documents sur les principaux sanctuaires de notre Ordre, pour intéresser nos excellents Tertiaires, et des documents (la plupart inédits ou fort éparpillés dans de volumineux ouvrages) sur les Saints Lieux, pour intéresser tout le monde.»

À parcourir ses manuscrits, à lire maints articles de revue, maints volumes, on voit l'orientation de son esprit: faire bénéficier les âmes de sa découverte, montrer dans les sanctuaires de Terre Sainte des sources de vie spirituelle, des foyers de lumière et de chaleur, une sorte de constellation terrestre capable d'illuminer la grisaille de l'existence quotidienne.

Il révélera, tout spécialement aux populations canadiennes, ces différents sanctuaires; il se plaira à les décrire, souvent avec la minutie d'un guide, soit dans des revues, *Annales du T.S. Rosaire, The Pilgrim of Palestine,* soit dans les deux brochures illustrées de l'*Album de Terre Sainte* ou dans des volumes tels que *Saint Joseph, sa vie, son culte,* la *Vie de la Très Sainte Vierge, La bonne sainte Anne, sa vie, ses miracles, ses sanctuaires.* Dans sa brochure *Notice historique sur l'œuvre de Terre Sainte,* il fera faire en esprit aux Canadiens, avant que plusieurs puissent se le permettre un jour en réalité, un pèlerinage aux principaux sanctuaires des Lieux Saints, il les intéressera, par un chaleureux plaidoyer, à soutenir de leurs aumônes les établissements et les œuvres de la Custodie franciscaine, dont il donnera en même temps un tableau complet. Il joindra l'action à l'écrit en faisant reproduire, au Canada, les images des sanctuaires les plus vénérés de la Terre Sainte.

Dans son rôle auprès des visiteurs, le P. Frédéric avait comme bras droit le célèbre Frère Liévin, qu'on avait surnommé «la Providence des pèlerins». Pendant plus d'un quart de siècle, à partir de 1859, le Fr. Liévin guida constamment les pèlerins venus de toutes les parties du monde; il parcourut avec eux la Terre Sainte dans tous les sens; «il connaissait le pays comme on connaît sa poche», selon l'expression de Mgr Landrieux. Sa renommée était universelle, et, sans le vouloir, il l'a lui-même consacrée par un ouvrage sur la Palestine qui fut longtemps classique: *Guide indicateur des sanctuaires et lieux historiques de la Terre Sainte.* Le Père Frédéric exploita abondamment dans ses récits le *Guide indicateur,* qu'il résumait, selon son aveu, «presque toujours textuellement, à cause de sa très grande exactitude».

Le guide spirituel des pèlerinages

Après avoir parlé du Fr. Liévin, Mme Sodar de Vaulx écrivait dans *Les splendeurs de la Terre Sainte*: «Les Pèlerins ont aussi leur guide spirituel, et je suis persuadée qu'aucun Français, de ces dernières années, n'aura oublié le Père Frédéric de Ghyvelde, type du Missionnaire. C'est lui qui les confesse, qui leur donne la retraite, leur explique la sainteté des lieux, et les conduit dans les étapes de la Voie douloureuse.»

Par sa fonction de Vicaire Custodial, le Père Frédéric était chargé d'accueillir les pèlerins, au moins ceux de langue française. Combien de fois n'alla-t-il pas à la rencontre des diverses caravanes de France, telles que la caravane française ordinaire ou la caravane populaire de Pénitence, les caravanes de Belgique et même du Canada! Il se rendait au-devant d'elles, sur la route de Jaffa, jusqu'à la vallée du Térébinthe. Dès que les pèlerins avaient traversé le champ de bataille où David avait terrassé Goliath, le P. Vicaire Custodial leur adressait quelques mots de bienvenue et de cordialité, leur offrait l'hospitalité de la Casa-Nova et les introduisait dans la Ville Sainte.

Là, les pèlerins se rendaient directement à la Casa-Nova, la grande hôtellerie des Franciscains, pour déposer leurs bagages, prendre possession de leur chambre et se reposer quelque peu des fatigues du voyage. Ils partaient ensuite en procession pour le Saint-Sépulcre, priant et chantant dans les rues de Jérusalem.

C'était à la basilique du Saint-Sépulcre, d'ordinaire devant le tombeau de Notre-Seigneur, que le P. Vicaire Custodial recevait solennellement les pèlerins, au nom de la Custodie et de l'Église tout entière.

Quand les pèlerins étaient peu nombreux, il leur adressait la parole sur le Calvaire. Il était simple et touchant dans ses allocutions. Généralement, il commentait avec larmes la belle strophe du temps de la Passion, *O crux ave, spes unica* (Salut, ô croix, unique espérance).

Aux groupes plus nombreux il souhaitait la bienvenue sur le parvis de la basilique: l'endroit était plus large et mieux éclairé.

Les «Pèlerinages de Pénitence»

Plus que tout autre groupement, semble-t-il, les caravanes de pénitence, toutes organisées par les Pères Augustins de l'Assomption, ont bénéficié de la sollicitude du Père Frédéric aussi bien dans le domaine *temporel* que dans le domaine *spirituel*.

Ces «Pèlerinages de Pénitence», ainsi qu'on les appelait, étaient de véritables événements en France comme en Palestine. Le célèbre Père Vincent de Paul Bailly, A.A., fondateur du journal *La Croix* et de la maison de la Bonne Presse, à Paris, vingt-huit fois directeur des pèlerinages de Jérusalem de 1883 à 1910, intéressait toute la France à la préparation de ses croisades spirituelles. Par la parole et l'action et avec une plume originale, le «Moine» à l'âme de feu faisait éclater sa fougue d'apôtre, de soldat, d'ancien zouave pontifical, menant une vigoureuse propagande de recrutement, surtout par l'intermédiaire de l'alerte journal *Le Pèlerin*.

Malgré un programme austère, le premier Pèlerinage de Pénitence aux Lieux Saints eut un succès extraordinaire. Il s'accomplit en 1882. On avait réclamé cinq cents pèlerins: un millier s'enrôlèrent, venus de toutes les classes de la société. Quatre cent quatre-vingts étaient prêtres, la plupart d'entre eux, dépourvus des biens de ce monde, ayant bénéficié des souscriptions en faveur des pèlerins pauvres. Il fallut trouver deux navires pour transporter la pieuse expédition: *La Picardie* et *La Guadeloupe*.

L'impression produite en Orient par les «Croisés de la Pénitence» fut immense et inoubliable. Une caravane de cinq cents pèlerins traversa à cheval la Samarie. De mémoire d'homme, jamais pareille invasion pieuse n'avait été vue en Palestine. Le défilé, avec la longue caravane de chameaux portant tentes et bagages, couvrait une distance de dix à douze kilomètres. Les Bédouins accouraient de loin pour contempler cette interminable procession.

Depuis la reprise de Jérusalem en 1187, on n'avait jamais contemplé semblable procession de Latins chantant librement leurs cantiques à travers la Ville Sainte.

Par des prodiges d'entassement, les mille pèlerins purent être casés vaille que vaille dans les différents hospices et institutions religieuses de Jérusalem.

La première de ces pieuses croisades l'emporta sur toutes les autres par l'intensité de l'émotion, l'imprévu des aventures, l'excès des fatigues; elle fit la trouée des pèlerinages populaires de Terre Sainte. L'œuvre était désormais fondée. D'autres pays, voisins de la France, suivront le vigoureux courant.

Le Père Frédéric fut un grand ami des Assomptionnistes et de leur œuvre, les Pèlerinages de Pénitence à Jérusalem. Il ne put recevoir le premier de ces pèlerinages, celui de 1882, puisqu'il était alors au Canada, ni davantage ceux de 1883 et de 1884, puisqu'il était gravement malade à Jérusalem. Mais ce fut avec une surnaturelle joie qu'il accueillit solennellement les quatrième, cinquième et sixième pèlerinages en 1885, 1886 et 1887.

La première fois qu'il reçut officiellement, à Jérusalem, un Pèlerinage de Pénitence — le quatrième, en 1885 — il en pleura de joie, comme l'a raconté le Père Vincent de Paul Bailly: «Le R.P. Vicaire de Terre Sainte nous rassemble tous au Saint-Sépulcre et pleure au spectacle magnifique de ce pèlerinage enfin fondé et assuré.»

Le Père Frédéric a raconté assez longuement aux lecteurs du *Pilgrim of Palestine* deux de ces édifiants pèlerinages, le cinquième et le sixième.

Une hôtellerie pour héberger les «Pèlerins de la Pénitence»

Ces grands pèlerinages français venaient en Palestine pour un mois ou une quarantaine de jours. Le premier de tous y avait amené mille croisés, le deuxième quatre cents, le cinquième trois cent soixante, dont cent soixante prêtres. L'inauguration de ces saintes expéditions avait créé, à Jérusalem, un problème de logement. La Casa-Nova, le grand hospice franciscain, n'avait pu assurer que douze places à toute la caravane de 1882, venue, il est vrai, en une saison de particulière affluence, le temps de Pâques. Malgré les prodiges de la charité franciscaine, qui se multipliaient en toutes occasions, la Casa-Nova vit clairement que son local, ouvert en tout temps aux pèlerins des divers pays, ne pouvait suffire à la pieuse armée conduite chaque année par les Pères Assomptionnistes. Dès lors s'imposa une hôtellerie particulière pouvant rassembler tous les Croisés de la Pénitence, tous les pèlerins français, qui étaient contraints de se disperser dans différents hospices.

— Si vous voulez continuer vos pèlerinages, dit le Père Frédéric aux Assomptionnistes, pourquoi ne bâtissez-vous pas un hospice pour les pèlerins?

En 1884, les pèlerins de la Pénitence eux-mêmes votaient l'achat d'un terrain à Jérusalem. L'année suivante, on commençait à creuser les fondations de cet édifice. En 1886, Mgr Poyet, du Patriarcat latin de Jérusalem, proposait de baptiser l'hôtellerie *Notre-Dame de France*. Et, en 1888, les pèlerins pouvaient y loger.

Une lettre du Père Frédéric, le récit du Père Vincent de Paul Bailly et d'autres témoignages nous permettent d'affirmer que le Père Frédéric fut l'inspirateur réel, quoique discret, de la belle et grande œuvre qu'est Notre-Dame de France. Hélas! les bombardements de la guerre judéo-arabe de 1948-1949 devaient sérieusement l'endommager.

Le Père Frédéric écrivait, en 1894, au Père Bailly:

Je n'oublierai jamais notre premier entretien à Jérusalem, notre conversation sur la terrasse de Saint-Sauveur, en regardant le futur terrain où s'élève maintenant Notre-Dame de France, notre réunion à trois, le comte de Piellat, Votre Paternité Révérende et votre humble et petit serviteur, pour savoir comment il fallait appeler les chambres des pèlerins et il fut décidé à l'unanimité des trois voix qu'on les appellerait cellules.

Ces *cellules* furent placées sous le vocable d'un saint; les petites cellules étaient souscrites à sept cents francs chacune et les cellules doubles à quatorze cents francs.

Lorsque le comité des Pèlerinages de Pénitence se réunit après cette conversation, sous le vieux térébinthe de la cour de l'hôpital français Saint-Louis, le Père Frédéric prit la parole et traça sur une grande feuille de papier le plan de l'actuel bâtiment à deux ailes.

Dans la revue *Échos de Notre-Dame de France,* le Père Vincent de Paul Bailly a mis en vedette le rôle du Père Frédéric. «Sur le bateau, dit-il au retour [du troisième Pèlerinage de Pénitence], dans un élan d'enthousiasme, cédant d'ailleurs aux conseils désintéressés d'un saint religieux franciscain, le pèlerinage vota 80 000 francs pour l'achat du terrain de Notre-Dame de France»... Le Père Bailly ajoutait un peu plus loin:

Le P. Vicaire Custodial, le R.P. Frédéric, qui a laissé une juste réputation de sainteté en Orient, sanctifia beaucoup ce voyage: il prêcha, facilita toutes choses, et accrut de toute façon l'hospitalité offerte là-bas par saint François.

C'est lui qui avait compris, en 1884, qu'il fallait aux Pèlerinages de Pénitence une maison de réunion et de prière, au lieu de la dispersion des pèlerins, onéreuse aux diverses communautés, fatigante aux pèlerins, nuisible à la piété, et qui enrayait la direction.

Se plaçant uniquement au point de vue des âmes, il ne craignit pas de nous jeter en cette voie, et l'événement prouva combien il avait raison. Nous lui exprimons ici toute notre gratitude.

Ces citations prouvent avec quel dévouement surnaturel et quel désintéressement digne d'un saint le bon Père Frédéric a encouragé l'œuvre des Pèlerinages français de Pénitence.

L'action spirituelle du Père Frédéric lors des pèlerinages s'est manifestée sous trois formes principales: prédication de petites retraites, réception dans le Tiers-Ordre de saint François d'Assise et surtout prédication de la Voie douloureuse.

Des retraites spéciales à certains groupes

Les prédications spéciales, données à des groupes de pèlerins, semblent s'être restreintes aux Croisés de la Pénitence. Si le Père Frédéric n'a pas inauguré ces retraites, il a eu le mérite de s'être mis dans le mouvement à la première occasion. Depuis leur première expédition (1882), les Pèlerinages de la Pénitence se couronnaient à Jérusalem par une retraite de trois jours, où, à l'exemple des Apôtres au Cénacle, les Croisés préparaient dans le recueillement la fête de la Pentecôte. Ils répondaient ainsi au désir du Pape Léon XIII, qui disait: «Je ne puis comprendre un vrai pèlerinage à Jérusalem, sans y passer quelques jours de récollection.»

Le triduum était précédé par une nuit passée à Bethléem, nuit du samedi au dimanche de l'octave de l'Ascension, puis par la visite aux augustes sanctuaires de Jérusalem et des environs.

À Bethléem, le Père passait avec les pèlerins une nuit de prière, «une vraie nuit du paradis», selon son expression. En 1886 et en 1887, alors qu'il expliquait aux Croisés de la Pénitence les merveilles accomplies au lieu de naissance du Sauveur, il fut tellement pris par son sujet qu'il en perdit, avec les pèlerins, la notion de l'heure. Les prêtres pensant à leurs messes, durent le rappeler à la réalité du temps et l'interrompre en disant: «Père, il est près de minuit! C'est le temps de nous préparer pour la sainte messe!»

L'admission au Tiers-Ordre de saint François

Il avait l'habitude d'admettre à la vêture ou à la profession du Tiers-Ordre de saint François des laïques, des prêtres séculiers de Belgique ou de France, «à l'ombre de la croix», sur le

Calvaire même. Il croyait que l'idéal évangélique de pénitence et de pauvreté, si intensément vécu par le Poverello et propagé par ses fils du premier et du troisième Ordres, ne pouvait mieux se perpétuer qu'en renaissant au berceau même du salut du monde. Il était aussi persuadé que la diffusion du Tiers-Ordre répondait pleinement à la claire pensée des papes et que cet Ordre pour les séculiers se montrait l'un des plus efficaces moyens de nourrir les populations fidèles de l'esprit chrétien. Voilà pourquoi il propageait le Tiers-Ordre de saint François d'Assise parmi les pèlerins de Terre Sainte, surtout parmi les prêtres, même s'ils venaient des contrées les plus éloignées. Un jour, il donnait l'habit du Tiers-Ordre à un missionnaire irlandais de l'île Maurice; un autre jour, il le conférait à son propre frère Pierre, missionnaire aux Indes. Le 19 janvier 1881, il demandait au Rme P. Général les pouvoirs de directeurs du Tiers-Ordre pour trois missionnaires de l'Inde et de la Chine, qu'il avait reçus, l'année précédente, au saint habit de l'Ordre de la Pénitence.

Le chemin de croix prêché dans les rues de Jérusalem

Dès sa première année de Vicaire Custodial, semble-t-il, il a rétabli à Jérusalem l'exercice solennel du chemin de la croix du Vendredi Saint, fondant le droit de le prêcher en français. Il pourra dire de lui-même aux pèlerins du Cap-de-la-Madeleine: «Nous avons eu le bonheur de prêcher ainsi chaque année durant *dix ans,* le Vendredi Saint, le chemin de la croix le long de la Voie Douloureuse: les pèlerins y assistaient tous sans exception.»

Il serait facile de rapporter, année par année, de beaux témoignages émis sur le Père Frédéric prédicateur du chemin de la croix à Jérusalem. C'était un prédicateur exceptionnel, caractérisé non certes par cette éloquence à grandes périodes qu'il est d'usage d'appeler classique, mais par une éloquence du cœur, une éloquence attendrissante et familière, que les pèlerins du temps considéraient comme *séraphique.*

Voici quelques témoignages particulièrement convaincants. Ils magnifient la prédication émouvante aux Pèlerins de la Pénitence. D'abord celui de Mme Sodar de Vaulx:

Le chemin de la croix fait par les Croisés de la Pénitence est un spectacle qui attire toute la ville de Jérusalem... Le Père Frédéric fait une allocution à chaque station, et il est impossible de parler avec plus d'émotion et d'attendrissement du calvaire et de la rédemption. Ce n'est pas une suite d'arguments plus ou moins habiles, c'est l'élan d'une âme passionnée pour Dieu et qui sait communiquer sa flamme à ceux qui l'écoutent; aussi l'assistance est-elle toujours émue et bien des yeux se mouillent!

Sa personne elle-même est une prédication. À voir ce moine austère, juché sur une pierre, la tête découverte sous le soleil brûlant, le visage pâle, coloré seulement sous l'effort de la pensée, le corps affaibli ne semblant pas appartenir à la terre, tandis que l'œil fiévreux et extatique brille déjà de la lumière d'une autre vie, on sent que le surnaturel est son élément et que sa vie est le Christ, comme pour saint Paul et pour l'incomparable Patriarche d'Assise!

Un témoignage semblable fut porté par le Père Vincent de Paul Bailly, A.A. Le directeur du *Pèlerin* a raconté à ses lecteurs le *chemin royal de la croix* accompli par le quatrième Pèlerinage de Pénitence le vendredi de l'Ascension, 15 mai 1885, et prêché par le Père Frédéric.

Ce vendredi, rapporte le P. Bailly, a eu lieu le chemin de croix que je vais vous dire... Le soir, quel triomphe! On avait apporté à Jérusalem la grande croix du bateau... Vingt hommes la portent sur leurs épaules, et, avec ce précieux fardeau, nous arrivâmes au pied de la caserne turque (lieu de la première station) où le Père Vicaire de Terre Sainte, qui ressemble à saint François d'Assise et qui a dû recevoir de ce patriarche des leçons de prédication, commença à nous parler longuement et avec cœur.

Ces chemins de croix pathétiques prêchés dans les rues mêmes de Jérusalem et exploitant à fond la fibre émotionnelle des auditeurs sont caractéristiques du génie apostolique du P. Frédéric. Comme il l'avait démontré lors de son supériorat à Bordeaux, l'ancien commis voyageur a toujours eu un sens très vif de ce qui se vendait bien au point de vue spirituel. Son zèle des âmes, sa piété profonde et son sens de la publicité se conjuguaient pour lui faire trouver d'instinct les manifestations de foi qui accrocheraient le plus fortement les foules. Il y avait du saint Paul

dans ce charisme, et l'on se prend à rêver de ce que son posses-
seur aurait fait avec les médias modernes.

Les pèlerinages en dehors de Jérusalem

Ce qui précède évoque l'activité déployée par le P. Frédéric
en faveur des pèlerinages de Jérusalem. Mais son zèle inlassable
s'intéressait aussi à des pèlerinages hors de Jérusalem. Au témoignage de Mgr Aurèle Briante, ancien Custode de Terre Sainte,
c'est le Père Frédéric qui, durant une dizaine d'années, a accompagné les différents pèlerinages liturgiques que la communauté
de Saint-Sauveur fait chaque année à travers la Palestine. On en
compte au moins trente.

Signalons en particulier ceux que le Vicaire Custodial a racon-
tés dans des revues ou des volumes: les deux pèlerinages annuels
de la communauté de Saint-Sauveur à Béthanie et au sanctuaire
de Bethphagé, ainsi que le pèlerinage annuel de la paroisse latine
de Bethléem au Jourdain, à Jéricho et au mont de la Quarantaine.

Ce dernier était sans conteste le plus pittoresque et aussi le
plus pénible. Il durait quatre jours. Il ne se composait jamais
de moins de trois à quatre cents personnes, hommes, femmes et
enfants, ce qui constituait un *grand pèlerinage* en Orient, vu les
grandes fatigues qu'il comportait. Les hommes, chargés des provisions, allaient à pied et ouvraient la marche; les femmes et les
enfants, en groupes de trois par monture, voyageaient à dos de
chameau dans de grands paniers d'osier, dont le balancement donnait les sensations d'une traversée en mer. Durant le trajet, des
hommes chantaient, dans leur langue maternelle, des psaumes
et des cantiques, tandis que les femmes récitaient le très saint
rosaire. On faisait une halte nocturne à la célèbre laure de Saint-
Sabas, dont la grande austérité frappait notre ascète franciscain.

On s'en voudrait de ne pas mentionner, ne fût-ce qu'en passant, l'encouragement que donna le Vicaire Custodial aux premiers
pèlerinages canadiens, dont le premier s'accomplit en 1884. De
telles entreprises étaient considérées alors au Canada comme
extraordinaires.

Comment aussi ne pas signaler la copieuse propagande palestinienne du Père Frédéric auprès des lecteurs américains? Il collabora dès le premier numéro (juillet 1884) au journal mensuel *The Pilgrim of Palestine,* puis au journal hebdomadaire qui lui fit suite le premier janvier 1888, *The Pilgrim of Palestine and Messenger of St. Francis.* Tous les articles qu'il leur envoyait assez régulièrement, de 1884 à 1888, n'avaient pour but que de faire connaître et aimer la Terre Sainte, de lui venir en aide, de susciter chez les Américains le désir de «faire un bon et pieux pèlerinage aux Saints Lieux». Il racontait notamment quelques conversions, les bonnes actions et les exemples édifiants de pèlerins, les œuvres diverses et les beaux pèlerinages de Terre Sainte, les impressionnantes cérémonies des différents sanctuaires.

Quelques figures de pèlerins

La liste serait longue des personnages, pieux pèlerins, savants visiteurs ou résidents de Palestine, que le Père Frédéric a particulièrement connus et avec qui il eut des liens d'amitié ou de confiance. Mentionnons: le célèbre converti miraculeux de Rome, fondateur du sanctuaire expiatoire et du grand couvent de l'Ecce-Homo, à Jérusalem, le Père Marie-Alphonse Ratisbonne, qu'il a «connu intimement»; Mgr Lavigerie, fondateur de la Société des Pères Blancs d'Afrique et plus tard cardinal, avec qui il fit le voyage du canal de Suez à Jaffa, en juin 1878, alors qu'il allait prendre possession de sa nouvelle charge de Vicaire Custodial; Victor Guérin, célèbre palestinologue, «ami et bienfaiteur de nos Pères du commissariat de Terre Sainte en France», qui lui donna l'hospitalité dans sa pieuse famille, à Paris, en 1882; madame Sodar de Vaulx, écrivain belge et tertiaire franciscaine, qui passa près de trois ans en Palestine (1886-1889) et à qui il a fourni tous les documents du beau volume *Les splendeurs de la Terre Sainte.* Insistons sur deux pèlerins en particulier: un prêtre canadien et un missionnaire des Indes.

L'abbé Léon Provancher

Pour faire son premier voyage en Europe et son premier pèlerinage en Terre Sainte, l'abbé Léon Provancher, le grand naturaliste canadien, se joignit, en 1881, à une caravane organisée à Paris et composée de trente-huit membres, dont neuf ecclésiastiques. Il a raconté son voyage dans un volume in-octavo de 724 pages, *De Québec à Jérusalem,* «l'un des quelques gros blocs de la littérature canadienne», nous dit son biographe, le chanoine Huard.

À Jérusalem, la caravane française fit sa visite officielle au Rme P. Custode: le T.R.P. Vicaire Custodial servit d'introducteur. «J'étais bien éloigné de penser alors, remarque l'abbé Provancher dans son volume, que j'aurais, quelques mois plus tard, le plaisir de rencontrer ce même Père au Canada et, bien plus, l'honneur de l'héberger dans mon humble demeure[1].» Cette première rencontre au couvent de Saint-Sauveur n'avait pas l'air d'avoir créé de lien spécial entre les deux hommes. Qui aurait cru qu'elle était le point de départ d'une relation intense qui modifierait profondément un jour la destinée de l'un et de l'autre!

L'abbé Pierre Janssoone, P.M.E., missionnaire aux Indes

Vers la fin de janvier 1884, le Père Frédéric fut frappé d'une grave maladie, recrudescence d'un mal contracté au Canada deux ans auparavant. Il sentit de grandes douleurs aux entrailles, puis une forte fièvre des plus pernicieuses, avec attaque au cervelet et à l'épine dorsale. L'accès fut si violent qu'il mit ses jours en danger et le contraignit à l'inactivité complète durant toute l'année 1884.

Le malade était donc alité à la grande infirmerie du couvent de Saint-Sauveur, quand on lui annonça l'arrivée d'un pèlerin des Indes, un prêtre missionnaire qui lui était recommandé d'une façon toute particulière. Il s'agissait de son frère, le P. Pierre Janssoone.

---

1. *De Québec à Jérusalem,* Québec 1884, p. 24.

Il m'a trouvé à l'infirmerie, presque mourant, racontera-t-il beaucoup plus tard. J'ai pu cependant me lever pour traverser le corridor et le recevoir du Tiers-Ordre de la Pénitence[2]... Je le reçus dans notre petite chapelle de l'infirmerie, étant incapable de l'accompagner au Calvaire, où tous nos pèlerins se décident généralement à prendre, à l'ombre de la croix, le saint habit du Pauvre d'Assise[3].

Avant de quitter les Lieux Saints, le Père Pierre Janssoone tenait à recevoir ce saint habit, afin d'être capable, disait-il, de faire plus de bien dans sa belle mission des Indes. De son côté, le Père Frédéric tenait à rapprocher davantage de lui son frère en ajoutant aux liens du sang une seconde et forte fraternité, celle de l'habit et de l'esprit de S. François d'Assise.

Cette visite, survenue après vingt ans de séparation, suscita chez les deux frères une profonde, une inimaginable admiration réciproque. Les personnes qui venaient visiter le Père Frédéric, pèlerins et autres, lui disaient unanimement:

Votre frère est un saint! Il emploie tout son temps à prier dans les sanctuaires, sans se préoccuper le moins du monde de visiter les alentours par pure curiosité naturelle... Avant son départ, je lui avais procuré, par faveur, 2 000 chapelets en noyaux d'olive du jardin de Gethsémani. De retour à Bangalore, il m'écrivit que son arrivée avait ressemblé à un véritable triomphe. Le gouvernement avait envoyé à sa rencontre sa voiture de gala, attelée de deux chevaux blancs. Et il ajouta que, rentré dans son presbytère, il ne lui restait plus un seul chapelet, tant ses chers paroissiens s'étaient empressés pour avoir un souvenir de Terre Sainte[4].

L'admiration mutuelle des deux frères, fondée sur leur mutuelle édification, loin de s'éteindre avec l'éloignement, s'accrut avec les années. Cette visite révéla au Père Frédéric l'âme missionnaire de son frère, la profondeur et l'étendue de son zèle

---

2. *Nécrologie de Pierre Janssoone*, dans *Compte rendu de la Société des Missions étrangères de Paris 1912*, p. 444.

3. *A Tertiary Priest in the East Indies* (*Hindoustan*) dans *The Pilgrim of Palestine and Messenger of St. Francis* 1 (10 et 17 juin 1888), n⁰ˢ 24 et 25.

4. *Compte rendu de la Société des Missions étrangères de Paris 1912*, p. 445.

apostolique: il en resta émerveillé. D'autres nouvelles, arrivées par la suite, le jetèrent dans le ravissement. Quatre ans plus tard, il ne pouvait s'empêcher de raconter aux lecteurs du *Pilgrim* (1888), avec un attachement visible, le pèlerinage, l'entrée au Tiers-Ordre et surtout les multiples œuvres de ce missionnaire zélé et polyglotte des Indes anglaises, qu'il ne nomme pas mais que reconnaît facilement quiconque est tant soit peu au courant de la famille Janssoone et de la vie de son frère Pierre. Si le récit du Père Frédéric blessait la modestie de celui-ci, Dieu, par contre, en était glorifié et le prochain édifié: il n'en fallait pas plus au Père Frédéric pour rompre le silence.

De son côté, le Père Pierre, revenu dans sa mission des Indes, était resté marqué par la vision palestinienne de son frère cadet. Cette vision était pour lui un puissant stimulant dans la recherche de la perfection évangélique et le travail auprès des âmes. Quelques mois, peut-être même quelques années après ce retour (car la lettre n'est pas datée), il ne pouvait s'empêcher de communiquer de Bangalore son tenace émerveillement à sa demi-sœur Victoire, Mme Pierre-Emmanuel Deswarte:

> Vous voilà donc installée rentière dans le plus beau pays du monde, *in Roozendael,* la vallée des roses. Puissiez-vous encore refleurir comme les roses de Rosendael, non seulement fleurir, mais porter des fruits, des fruits abondants de salut. Qu'avons-nous de mieux à faire en ce monde que cela? C'est là notre unique affaire, le reste n'est rien, absolument rien. Je suis de plus en plus convaincu de cette vérité depuis que j'ai été aux Saints Lieux, où j'ai vu non seulement le Calvaire, le tombeau de Notre-Seigneur, le lieu de sa conception et de sa naissance, mais *mon très cher frère Frédéric, qui est un vrai saint, un grand et aimable saint, un saint tel que ceux dont on lit la vie avec admiration, un saint à faire des miracles.* Sa vue m'a tellement frappé que son souvenir et ses traits sont continuellement présents à ma mémoire.

L'idéal de l'ancien maître des novices d'Amiens, le Père Léon de Clary, «former des saints à faire des miracles», était-il en train de se réaliser?

Dans une courte notice nécrologique que publia la *Revue franciscaine* de Montréal (juin 1912, p. 306), le Père Frédéric a résumé, toujours sous l'emprise de la même admiration, la carrière apostolique de son bien-aimé frère:

C'est dans la grande ville de Bangalore que le R. Père Pierre exerça le plus fructueux apostolat. Avant de partir pour l'Extrême-Orient, il avait obtenu à l'Université de France son grade de licencié ès-lettres, ce qui lui valut, de la part du gouvernement anglais, la chaire de rhétorique au Collège Aristocratique, collège qui comptait huit à neuf cents étudiants, avec une rémunération de près de deux mille francs, qu'il distribuait à ses chers pauvres. Avec cela, il était chapelain militaire de la garnison de Bangalore, assistant chapelain dans deux hôpitaux, trouvait encore le temps de prêcher des retraites dans les communautés religieuses et d'administrer une paroisse de quatre mille communiants avec un seul vicaire, ce qu'il fit durant l'espace de vingt ans.

Son frère lui ayant demandé, un jour, lors de son pèlerinage en Terre Sainte, comment il pouvait faire tant de choses à la fois, il répondit avec beaucoup de simplicité: «Père Frédéric, la journée est de vingt-quatre heures.» En soignant les pestiférés, il avait contracté lui-même la terrible maladie, qui a dû le conduire insensiblement au tombeau.

La fin de cette carrière fut marquée par le bon exemple, une piété charmante, une grande patience dans la maladie et par les saillies originales d'un caractère gai et primesautier, retrouvé après l'épreuve temporaire des scrupules d'autrefois. Dès qu'il eut reçu les derniers sacrements des mains de son évêque, le Père Janssoone le remercia, le sourire aux lèvres et ajouta: «J'ai mon billet de logement, je n'ai plus qu'à prendre le train qui s'en va au ciel.»

Il mourut à Bangalore, le 18 mars 1912, après quarante-quatre ans d'un laborieux apostolat, à l'âge de quatre-vingts ans.

Chapitre onzième

Le mendiant des Lieux Saints (1881)

Les trois chapitres précédents ont essayé de récapituler l'activité du serviteur de Dieu au pays de Jésus. Le chapitre que voici aura pour tâche de décrire le mandat spécial que le Père Frédéric eut à remplir en 1881. Ce mandat prépara les voies pour le long séjour qu'il aurait à faire plus tard au pays de Maria Chapdelaine, le Canada.

* * *

Durant le carême de 1881, la caisse de la Custodie se trouva vide. Ce malheur avait deux causes principales: la diminution graduelle des aumônes occasionnée par les persécutions religieuses qui affligeaient certains pays d'Europe et l'inaccomplissement d'une promesse de l'empereur d'Autriche, François-Joseph. Celui-ci, en visitant la Terre Sainte en 1869, avait promis 120 000 francs-or pour la reconstruction des églises paroissiales de Bethléem et de Jérusalem.

Après divers atermoiements, dus à des manœuvres diplomatiques, le projet de reconstruction relatif à l'église de Bethléem avait enfin pris corps en 1879, grâce aux démarches du Père Frédéric. Les premiers travaux avaient commencé en février 1880 au su du consul d'Autriche à Jérusalem. Escomptant toujours le don royal en faveur de l'église de Bethléem, l'administration de la Custodie avait jugé bon d'avancer 50 000 francs environ pour hâter les travaux. Or voilà que, en mars 1881, à sa grande surprise et à son vif désappointement, le Custode reçoit la nouvelle officielle que l'empereur d'Autriche ne versera, au lieu du montant global, que 20 000 francs par an, jusqu'à concurrence de la somme promise pour les deux églises de Bethléem et de Jérusalem: le cadeau, au lieu d'arriver tout de suite, allait s'étaler sur six ans!

Le conseil de la Custodie se réunit. Il décide de suspendre les travaux de l'église de Bethléem et d'envoyer mendier dans leurs pays d'origine, c'est-à-dire en France et en Espagne, le Père Frédéric Janssoone, Vicaire Custodial, et le Père Emmanuel Pascual, Procureur Général.

Deux quêteurs bénis par le Pape

Les deux quêteurs laissaient Jérusalem, le 27 avril 1881, et s'embarquaient, le lendemain, à Jaffa. Ils devaient passer par Rome pour recevoir les instructions opportunes. Le jour même du départ de la Ville Sainte, le Custode en prévint le Ministre Général, lui disant entre autres choses: «Par le P. Vicaire, *homme de conscience*[1], Votre Paternité saura comment se comportent les affaires de la Terre Sainte... J'ai cru bon de prévenir le Préfet de la Propagande de l'arrivée des Pères Vicaire et Procureur, de l'informer du but de leur voyage et de demander en même temps son appui.»

Le Custode présentait ainsi au Préfet de la Propagande ses deux ambassadeurs: «En face d'un présent qui m'afflige et d'un avenir non meilleur qui menace, je n'ai pas trouvé de moyen plus convenable que d'envoyer en France le Père Vicaire Custodial, *religieux d'une solide piété,* et en Espagne le Père Procureur Général de Terre Sainte. Le premier pourra faire un appel à la charité publique en faveur des Lieux Saints et de cette mission; le second fera le possible pour obtenir une subvention de la Pieuse Œuvre

---

1. C'est nous qui soulignons.

de Terre Sainte, à Madrid, conformément aux conditions prescrites par la S. Congrégation de la Propagande. »

Arrivés à Rome, le 11 mai, les deux délégués extraordinaires se présentèrent au Vatican. Le pape Léon XIII les accueillit avec tendresse et leur dit:

— Les temps sont bien mauvais; nous sommes à une époque d'épreuves, de troubles et de peine, où les ennemis de l'Église s'efforcent par tous moyens de détruire son action bienfaisante sur la société. Toutefois, à ce moment même où les autres missions endurent d'énormes privations, je me réjouis de ce que la Providence fournit largement aux nécessités de la vôtre, la première du monde.

— Pardon, Très Saint Père, répondit timidement le Vicaire Custodial, ce sont précisément les grands besoins de Terre Sainte qui nous amènent aux pieds de Votre Sainteté. Si la charité des fidèles ne vient promptement à notre aide, nous serons forcés d'abandonner nos missions extérieures pour nous renfermer uniquement dans la garde des sanctuaires. À notre départ de Jérusalem, nos ressources étaient absolument taries.

À cette parole, le Souverain Pontife fut visiblement ému; il se jeta en arrière sur son siège et, après un moment de silence, il reprit:

— Eh bien! mes enfants, allez avec la bénédiction de votre Père, allez implorer la pitié du monde en lui rappelant les devoirs de la fraternité chrétienne; renouvelez la croisade; faites entendre la voix de Jérusalem pauvre et délaissée; rallumez cette flamme généreuse qui couve toujours pour elle au fond de toute âme chrétienne.

Puis, étendant la main sur la tête des deux missionnaires, le Pape les bénit jusqu'à trois fois. Fortifiés par cette triple bénédiction, encouragés par les paroles de Léon XIII, ils se séparèrent courageusement pour s'élancer vers les contrées qui leur étaient assignées[2].

---

2. M. Sodar de Vaulx, *Les splendeurs de la Terre Sainte,* Paris [1889], p. 146s.

Succès en Espagne, échec en France

Le Père Emmanuel Pascual resta plus d'un an en Espagne. Durant son séjour à Madrid, il obtint une audience du roi et de la reine. Leurs majestés l'accueillirent avec une bienveillance marquée et lui firent une généreuse aumône.

Le Père Frédéric Janssoone devait avoir plus de succès encore. Mais au Canada, pas en France! Il arrive à Paris, au commencement de mai, et cause un peu d'étonnement chez le commissaire de Terre Sainte:

— Que veulent dire ces envoyés extraordinaires?

Le Père Marie-Léon Patrem, discret de Terre Sainte, vient d'arriver lui aussi en France: des affaires de famille l'ont réclamé.

Une lettre du Custode de Terre Sainte tranquillise le commissaire au sujet de cette double survenance.

Le Père Frédéric est alors dans la force de l'âge. Ses dons d'orateur et sa psychologie des foules, fortifiés par l'expérience, assurent à sa parole un maximum d'efficacité. Comme jadis en Terre Sainte, il se multiplie à Paris. Il prêche tour à tour à Saint-Louis-en-l'Isle, à Notre-Dame de Lorette, à Saint-Nicolas des Champs, à Notre-Dame de Chartres. À titre de chrétien, de français, de gardien des Saints Lieux, il lance un vibrant appel en faveur des sanctuaires de Palestine.

Hélas! en plein Paris, il devient une voix criant dans le désert. Sa tournée de charité s'accomplit dans une tourmente d'anticléricalisme. Le gouvernement français vient juste de décréter, le 29 mars 1880, l'expulsion de tous les religieux. L'exemption en faveur du commissaire de Terre Sainte n'a été accordée qu'après de fortes réclamations. Dans ce climat d'orage, poursuivre la quête pour la Terre Sainte devient peine perdue.

Un événement capital: la rencontre avec l'abbé Provancher

Pendant que la cause de la Custodie semble tourner au fiasco, la Providence entre visiblement dans le jeu. Un soir, l'abbé Vic-

tor Fernique vient veiller au commissariat de la rue des Fourneaux. Il est vicaire à la paroisse de Saint-Nicolas des Champs.
C'est par son entremise que le Père Frédéric a obtenu la permission de quêter dans cette église. Par ailleurs, l'abbé Fernique a
connu le Vicaire Custodial en Palestine, car il est un des organi-
sateurs du «pèlerinage des nobles» à Jérusalem. C'est un apôtre
de la Terre Sainte: il la fait connaître par des conférences fort
goûtées et par des projections, qui, à cette époque, font grande
nouveauté. Tout en devisant avec le Père Frédéric sur les moyens
les plus aptes à arracher la Custodie de Terre Sainte à l'impasse
financière, l'abbé Fernique en vient comme cela à parler d'un
prêtre canadien:

— J'ai rencontré hier, à Saint-Nicolas des Champs, M. l'abbé
Léon Provancher. C'est un prêtre canadien plein de zèle pour
les choses de la Terre Sainte; il est encore à Paris pour quelques
jours. Je vous engage, Très Révérend Père, à faire sa connaissance... Il pourrait vous être d'un grand secours...

— Justement, reprit le Père Frédéric, je viens de recevoir
une lettre d'un de mes confrères de Terre sainte, le Père Marie-
Léon, que vous connaissez sans doute: il me conseille la même
démarche. Votre suggestion me confirme; je vous en suis très
reconnaissant.

Après la veillée, le serviteur de Dieu envoie ce billet à l'abbé
Provancher:

Je viens d'apprendre avec consolation que vous êtes à Paris;
j'étais désolé de n'avoir pu faire votre connaissance à Jérusalem
et de ne vous avoir pas rencontré à Rome, à votre passage. Je serais
si heureux de pouvoir personnellement et de vive voix vous exprimer toute notre plus profonde gratitude pour l'intérêt tout fraternel que vous portez à notre mission de Terre Sainte et pour tout
le bien que vous nous faites. Je désire absolument vous voir; si vous
veniez au commissariat, nous en serions très honorés, mais nous
craindrions d'être indiscrets; ayez donc, très cher Monsieur, le bonté
de m'accorder un petit moment, à votre hôtel, au jour et à l'heure
où vous serez plus libre[3].

_____

3. Lettre du 14 juin 1881.

La réponse ne se fait pas attendre. L'entrevue a lieu à l'Hôtel Saint-Sulpice. Le missionnaire de Terre Sainte se trouve en face d'un prêtre de soixante ans, d'une allure décidée, d'une activité débordante, à l'œil observateur, au caractère vif et franc, à la verve volontiers amusante.

— Vous êtes le bienvenu, mon Révérend Père, lui dit M. Provancher. Je suis heureux de revoir une ancienne connaissance.

— Une ancienne connaissance? dites-vous.

— Vous ne vous souvenez plus sans doute du prêtre canadien faisant partie de la caravane française que vous avez présentée vous-même au Révérendissime Père Custode, le dernier jour de mars dernier, à Jérusalem... J'ai assisté aussi à l'émouvant chemin de croix que vous avez prêché, le Vendredi Saint, dans les rues de la Ville Sainte.

— Vous faisiez partie de la caravane française?... Comme je suis mortifié de vous avoir écrit que je ne vous avais pas rencontré à Jérusalem!...

— Vous n'avez pas de reproche à vous faire. Un Vicaire Custodial qui reçoit des pèlerins de tous les coins du monde, souvent pour la première et dernière fois, est tout excusé de n'avoir pas remarqué un pauvre prêtre canadien, perdu dans une caravane française, et censé ne jamais plus vous rencontrer...

— Depuis lors, j'ai entendu de si grands éloges sur le zèle de ce «prêtre canadien» pour notre mission de la Terre Sainte que je remercie le bon Dieu de m'avoir remis sur votre route. C'est le Père Marie-Léon Patrem, discret français de Terre Sainte, qui m'a donné votre adresse. Je ne saurais trop vous exprimer ma reconnaissance pour l'intérêt fraternel que vous portez aux œuvres du pays de Jésus.

La Custodie manque absolument de ressources. C'est pour cela que je suis venu quêter chez mes compatriotes, sur la décision du discrétoire de la Custodie, avec l'approbation du Ministre Général et du Préfet de la Propagande et avec les encouragements de Sa Sainteté Léon XIII. Mais hélas! les résultats sont insuffisants: l'époque n'est pas favorable... Avant de retourner à Jérusalem, je voudrais tenter une dernière chance. Dois-je vous l'avouer en toute simplicité? Je songe depuis quelque temps à aller un jour ou l'autre faire un appel à la charité des catholiques du Canada. Puis-je vous demander ce que vous pensez de ce projet?

— Il a toute chance d'aboutir. Je suis un peu au courant de la question, puisque j'ai fait moi-même récemment des démarches auprès de votre Ministre Général.

— Oui? Oh! que cette nouvelle me réjouit!

Les Franciscains sont désirés au Canada, reprit l'abbé Provancher, préoccupé avant tout de l'avenir du Tiers-Ordre franciscain en son pays. Le 25 mai dernier, je suis allé voir le Ministre Général, à l'Aracœli. Je lui ai représenté que les tertiaires du Canada désirent grandement un père du premier Ordre pour visiter les fraternités et en ériger de nouvelles. Il y a actuellement de belles fraternités à Montréal, et à Trois-Rivières; la ville de Québec possède quelques tertiaires isolés, une centaine environ.

— Pour avoir fait une telle démarche auprès du Révérendissime Père, seriez-vous tertiaire, vous-même, Monsieur l'abbé?

— Oui, Révérend Père, et je me glorifie de mon titre de tertiaire franciscain. J'ai été admis à la vêture du Tiers-Ordre en 1864 et à la profession l'année suivante. À la fin de 1864, j'ai demandé au Révérendissime Père Général Raphaël de Ponticulo les pouvoirs d'admettre les fidèles à la vêture et à la profession du Tiers-Ordre et de diriger les fraternités franciscaines; ces pouvoirs me furent accordés. En 1865, j'ai organisé dans la paroisse de Portneuf, dont j'étais curé, une fraternité du Tiers-Ordre de Saint François, sans doute l'une des premières fraternités régulières du Canada après l'extinction des Récollets. L'année suivante, j'ai manifesté aux supérieurs du premier Ordre le désir de voir revenir les Frères Mineurs Observants au Canada; mais l'heure n'avait pas sonné.

— Je vois, Monsieur l'abbé, que vous êtes un véritable enfant de saint François.

— Véritable?... Je n'en sais rien. Mais je sais que j'aime beaucoup le Tiers-Ordre et l'Ordre des Frères Mineurs. J'aime aussi beaucoup la Terre Sainte. Lors de ma visite à l'Aracoeli, le Ministre Général m'a dit que plusieurs fois déjà les évêques du Canada se sont adressés à lui pour renouer la chaîne des traditions franciscaines, vu que les premiers missionnaires du Canada, ce furent, à deux reprises, les Récollets, vos frères en saint François.

— Oui, je sais. J'ai appris à connaître leur héroïque histoire par Le Clercq, Sagard, Hennepin et Crespel, quand je travaillais, il y a cinq ans, à la Bibliothèque Nationale, pour le compte du Père Marcellin de Civezza, historiographe des missions franciscaines. Cette histoire m'avait ému jusqu'aux larmes. Et, en vous entendant parler, le Canada m'attire davantage.

— Pour revenir à votre projet, mon Révérend Père, j'ai demandé au Ministre Général, en mai dernier, un père qui viendrait visiter les fraternités du Tiers-Ordre au Canada; ce père pourrait faire en même temps une quête extraordinaire en faveur des sanctuaires de la Terre Sainte. Le Ministre Général approuvait de tout cœur ce projet. Pour faire cette quête au Canada — puisque en principe vous deviez être occupé en France — il avait été question d'abord du Frère Liévin: il est bien connu, il aurait pu préparer le terrain pour un futur commissariat de Terre Sainte. J'ai conseillé au Révérendissime Père d'envoyer plutôt le Père Léon Patrem: un prêtre se concilierait un plus grand respect de la population et un prédicateur ferait plus de bien au Canada qu'un simple frère laïc. De plus, en sa qualité de discret de la Terre Sainte, le Père Léon s'imposerait avec une plus grande autorité. J'ai proposé le Père Léon parce que je le connaissais davantage: nous avions ébauché ensemble des projets à Jérusalem. Justement il vient de m'écrire de Peyrat-le-Château, et, tout en m'annonçant votre visite à mon hôtel, mon Révérend Père, il m'annonce la sienne dans deux ou trois jours.

— Tout ce que vous me dites, Monsieur l'abbé, est extrêmement intéressant. Vous êtes plus renseigné que moi sur les perspectives d'une installation au Canada. Le projet d'y établir, si c'est possible, un commissariat de Terre Sainte, m'enchante au plus haut point. Je vois que vos entrevues avec les autorités de l'Ordre ne sont pas infructueuses.

— J'aurais voulu même être chargé officiellement des intérêts de la Terre Sainte au Canada; mais il faut laisser mûrir le projet. Cependant je me propose, en rentrant au pays, de fonder un journal sur la Terre Sainte ou une petite revue mensuelle pour le Tiers-Ordre. Je rédige déjà une revue scientifique, *Le Naturaliste canadien,* car je suis amateur de botanique et d'entomologie; le *Journal de Terre Sainte* sera en quelque sorte mon violon d'Ingres: il faut envoûter les gens de chez nous de l'œuvre de la Terre Sainte, cette œuvre par excellence, la première de toutes. Le Père Léon m'a promis de la matière à copie.

— Vous aurez en lui un collaborateur qualifié, comme le prouve sa récente publication: *Tableau synoptique de l'histoire de tout l'Ordre séraphique, de 1208 à 1878.* Si mon humble concours peut vous être utile, il vous est pleinement assuré, pour la gloire de la Terre Sainte et le bien du Canada. Le Canada est une contrée qui m'est spécialement chère: j'ai appris en Terre Sainte combien les populations canadiennes aiment sincèrement le bon Dieu et je connais leurs sentiments de filiale affection pour leur mère patrie, ma chère France.

— Oh oui, la population canadienne est bonne. Le clergé appartient presque entièrement au troisième Ordre. Les évêques actuels sont sympathiques aux Frères Mineurs. La province de Québec, qui occupe l'est du pays, est en grande majorité française et catholique.

— De quel œil les évêques de la province de Québec verraient-ils une quête en faveur de la Terre Sainte?

— Je crois que ce serait d'un bon œil, pourvu que vous ayez la permission ou la recommandation expresse de la Propagande.

— Si on l'exige absolument, il sera facile de l'avoir. Mais Son Éminence le cardinal Préfet de la Propagande n'a pas eu à nous donner, à mon compagnon, le T.R.P. Procureur, et à moi, de lettres particulières de recommandation, pour la raison toute simple que les Souverains Pontifes n'ont cessé depuis tant de siècles de recommander directement par eux-mêmes et avec les plus pressantes exhortations l'œuvre de Terre Sainte à la charité des fidèles de l'Église catholique tout entière. Son Éminence, dans une longue et intime conférence, nous a donné à tous deux les plus paternels encouragements.

— Vous devrez quand même, mon Père, agir avec tact et diplomatie auprès des évêques de la province de Québec. J'ai appris, à Rome, par une lettre de l'évêque du diocèse de Québec, que le beau séminaire de Rimouski — un nouveau diocèse — a été entièrement consumé au commencement d'avril dernier. Les assurances paient les dettes moins 10 000$. Les évêques de la province veulent aider leur confrère à se relever. Malgré ce contre-temps, je crois qu'il sera possible d'organiser votre quête en faveur des Lieux Saints. Vous avez toute la sympathie de la population. Les Canadiens, ajoute l'abbé Provancher, ont gardé le plus vif souvenir de leurs premiers apôtres; leur foi est plus ardente que tout ce que vous pouvez imaginer. Vous serez admirablement reçu.

— Monsieur l'abbé, je ne saurais trop vous remercier de vos précieux renseignements et de vos encouragements si appréciés. Je suis entre les mains de mes supérieurs: c'est à eux de décider s'il faut aller au Canada et qui envoyer. Mais je ne manquerai pas de leur exposer vos nobles et hautes vues.

— Si vous venez au Canada, je vous recevrai avec grand plaisir à ma résidence de Cap-Rouge, près de la ville de Québec.

L'abbé Provancher et le Père Frédéric se quittèrent sur une chaude poignée de mains. Ce jour-là, le Vicaire Custodial retourna au commissariat de Terre Sainte la tête et le cœur remplis d'espoirs nouveaux.

Le Père Frédéric est délégué au Canada

Il mit aussitôt ses supérieurs au courant de son entrevue avec l'abbé Provancher. Les affaires allèrent rondement. Depuis que le Père Frédéric avait quitté Jérusalem, le Custode et le Ministre Général avaient échangé des lettres: le passage de l'abbé Provancher, «digne prêtre canadien affectionné à notre Ordre en général et plein d'enthousiasme pour la Terre Sainte en particulier[4]», les avait gagnés à l'idée d'établir un commissariat de Terre Sainte au Canada ou d'y préparer au moins le terrain.

De Rome, le mot décisif parvint sans tarder. L'obédience, rédigée en la fête de saint Bonaventure, le 14 juillet 1881, confiait au Père Frédéric deux missions, l'une concernant la Terre Sainte et l'autre le Tiers-Ordre:

> En vertu des présentes et avec le mérite de la sainte obéissance, nous mandons au T.R.P. Frédéric de Ghyvelde, Vicaire de notre Custodie de Terre Sainte, de se rendre au Canada pour s'entendre avec Nos Seigneurs les Évêques de ce pays au sujet de la création d'un commissariat de Terre Sainte et de l'établissement dans leurs diocèses respectifs de la quête prescrite par les Souverains Pontifes en faveur des Lieux Saints, confiés à la garde de nos religieux et dont les nécessités deviennent de plus en plus urgentes. Nous désignons en outre le même Père comme Commissaire-Visiteur du Tiers-Ordre, afin qu'il puisse visiter les congrégations des Tertiaires déjà établies sous notre obédience et en ériger de nouvelles, s'il y a lieu, du consentement des ordinaires. Dans ce but, nous accordons bien affectueusement la bénédiction séraphique au même Père Frédéric, et nous le recommandons instamment à la bienveillance des Évêques auxquels il se présentera.

Quand l'obédience arriva de Rome, l'abbé Provancher avait, depuis le 19 juin, quitté Paris pour l'Angleterre. Il était même arrivé à Québec dans la soirée du 3 juillet 1881.

Il était persuadé que c'était le Père Léon Patrem qui viendrait au Canada: il avait annoncé sa venue à l'un de ses amis. L'homme propose, mais Dieu dispose! À sa résidence de Cap-Rouge, l'abbé reçut de Paris une lettre que le Père Frédéric lui avait adressée le 19 juillet:

> Le Père Léon, qui se rappelle à votre si sympathique souvenir, pour des circonstances imprévues, ne peut se rendre au Canada; et c'est votre humble serviteur que le Révérendissime Père Général y envoie comme visiteur de toutes les Fraternités du Tiers-Ordre soumises à son obédience... Je partirai, samedi le 30 de ce présent

---

4. Lettre du Ministre Général au Custode, 19 mai 1881.

mois, non par Liverpool mais par le Hâvre, et de là à New York, où nous avons plusieurs couvents de l'Ordre, religieux italiens et allemands. Ayez donc la bonté de me répondre deux mots à New York, St. Francis Church, 31e rue, n° 135, et de me dire quand et comment je pourrai me rendre chez vous, où, Dieu aidant, nous tâcherons de combiner ce qui regarde l'affaire du Commissariat de Terre Sainte ainsi que la rédaction de la petite revue mensuelle pour le Tiers-Ordre; en même temps, je vous prierais de me dire à quelle époque je pourrais commencer ma visite des Fraternités...

New York et le Nouveau Monde

Embarqué au Hâvre, le 30 juillet, sur le bateau le *Saint-Laurent,* le Père Frédéric, après une traversée pénible, arrivait, le 10 août, au quai de New York, où l'attendait le Père Charles Vissani, O.F.M., commissaire de Terre Sainte aux États-Unis.

Dès la première journée, les communications s'établissent entre l'abbé Provancher et le Père Frédéric. Le Vicaire Custodial passe quelques jours à New York pour traiter avec le commissaire des graves intérêts de la Custodie franciscaine. Il peut ainsi observer à loisir «la foi sincère et active des catholiques d'Amérique». New York, avec sa soixantaine de paroisses catholiques, sans compter les églises et les chapelles de congrégations et de nombreux ordres religieux, le jette dans un étonnement profond. Après n'avoir connu que les usages séculaires de la vieille Europe et les habitudes immuables de l'Orient, il est tout à coup comme plongé en pleine jeunesse d'un peuple: la vitalité religieuse et l'esprit d'organisation des catholiques américains le font rêver. Un monde nouveau se découvre à lui.

TROISIÈME PARTIE

LE PAYS D'ADOPTION
(1881-1882 et 1888-1916)

Chapitre douzième

Premier voyage au Canada
(1881-1882)

La redécouverte de Québec

Le matin du 24 août 1881, un moine d'une quarantaine d'années, à bure grise, à barbe rousse et aux pieds nus dans des sandales, descendait à la gare de Lévis, ville située sur la rive sud du Saint-Laurent. Il ne remarquait pas l'étonnement respectueux que causait autour de lui son habit étrange.

Il se dirige vers le quai, qui est à deux pas. Son cœur s'émeut quand il aperçoit juste en face de lui, de l'autre côté du fleuve, la majestueuse cité escaladant le Cap Diamant: c'est Québec, la ville fondée par Champlain en 1608, Québec, berceau de la Nouvelle-France, porte d'entrée du «Royaume du Canada», Gibraltar de l'Amérique.

Vers neuf heures, debout sur le pont du vapeur qui passe les voyageurs d'une rive à l'autre, il admire comme tout étranger l'un des plus beaux fleuves du monde, qui, malgré un rétrécissement entre les deux villes, n'en mesure pas moins à cet endroit près d'un mille (1,6 km). En ce matin froid et pluvieux, à mesure qu'avance le bateau, la ville de Québec se dessine davantage à travers la brume. Là-haut, à plus de trois cents pieds (100 m) au-dessus du niveau du fleuve, sur un roc coupé à pic, courent les murs de la citadelle et les murs de soutènement de la terrasse

Dufferin. Sur la droite, ce sont l'archevêché, la cathédrale et l'université qui se dressent, tandis qu'au pied de la terrasse repose, comme dans un nid, la basse ville avec ses entrepôts et ses maisons d'affaires, et que le long des quais s'agglomèrent les vaisseaux de toute espèce. Mais le regard du moine ne cherche pas à détailler; voilé par l'émotion, il est plutôt tourné vers des visions intérieures. Son esprit remonte à plus de deux siècles et demi en arrière: le 2 juin 1615, le P. Dolbeau, franciscain récollet, qui avait laissé pour quelques jours ses confrères à Tadoussac avec le *Saint-Étienne,* arrivait lui aussi devant Québec, sur une barque à voile, en compagnie de Champlain. Il y trouvait un décor de nature sauvage. Maintenant c'est l'œuvre de la civilisation qui s'affirme. D'autres récollets, d'autres évangélisateurs ont suivi les missionnaires de 1615. «Renouer la chaîne des traditions franciscaines», avaient écrit les évêques du Canada au Ministre Général... Lui, il ne vient qu'en éclaireur. L'établissement stable viendra plus tard. Son esprit repasse les idées exprimées dans sa dernière lettre à l'abbé Provancher (19 août 1881):

> J'ai bien hâte, cher Monsieur, d'arriver sur cette terre où nos pères ont tant travaillé; je viens avec le désir d'y travailler aussi, non plus grâce à Dieu pour convertir, mais pour raffermir dans la vertu, *Qui justus est, justificetur adhuc*[1], et pour m'édifier au milieu des bons et fervents catholiques du Canada. J'ai grande espérance dans le succès de la mission que je viens remplir au milieu de vous. Après Dieu, c'est à vous, cher Monsieur, que je devrai le plus dans le succès. Aussi daigne le Seigneur vous le rendre au centuple dès cette vie, et un jour, au séjour des élus, *fiat! fiat!*

Le vapeur accostait. Les passagers descendent. Sur le quai, un homme aborde le missionnaire à la bure grise.

— Seriez-vous le Père Frédéric?

— Bien oui, mon bon Monsieur.

— Monsieur Provancher m'a envoyé vous chercher en voiture.

— Ce Monsieur Provancher est toujours plein de prévenances. Je suis à vous, Monsieur.

---

1. «Que le juste pratique encore la justice!» (Ap 22, 11).

— Donnez-moi vos valises à main. C'est tout ce que vous avez?

— Oui, Monsieur. Elles sont lourdes, vous savez. Elles pèsent bien trente kilos.

— Bah!... elles ne pèsent pas plus de soixante-dix livres! dit le *charretier* en apportant les deux valises dans la voiture.

— Le trajet est-il long jusqu'à Cap-Rouge?

— Nous avons bien trois bonnes lieues (15 km) à faire. Et les chemins sont mauvais! Il a beaucoup plu ces jours-ci.

Livres, lieues!... Le Père Frédéric allait avoir à s'initier peu à peu aux mesures anglaises, moins logiques et plus compliquées que le système métrique.

Après avoir traversé la ville, la voiture, qui conduisait le missionnaire de Terre Sainte, continuait à suivre le long du fleuve le chemin Saint-Louis jusqu'à Cap-Rouge, en amont de Québec.

Le domaine de l'abbé Provancher

Cap-Rouge est un gracieux village blotti dans un écrin de verdure, au pied d'un cap aux roches schisteuses rougeâtres, qui lui ont valu son nom. Son anse ouvre sur une vallée creusée par une petite rivière, dont le flot participe journellement à la respiration profonde du fleuve: la marée montante et descendante.

L'abbé Provancher s'était retiré à Cap-Rouge depuis quelques années. Il s'était démis, en 1869, de la cure de Portneuf, afin de se consacrer à ses travaux de sciences naturelles, qui devaient faire de lui l'une des gloires de la science canadienne. Après un séjour de trois ans à Québec, il s'était définitivement fixé à Cap-Rouge: là, à quelques arpents de l'église paroissiale, il avait acquis un emplacement assez considérable et une maison, qu'il aménagea.

Le naturaliste s'était créé un beau jardin. Les muguets, les balsamines et les verveines, opposaient leur grâce aux modestes carrés des oignons, des laitues et des potirons, sous la protection de maints arbres et arbustes. Un arbre greffé, qui faisait l'admiration des visiteurs, portait des fruits variés. Toute une bande d'oiseaux avait élu domicile dans le jardin. Des pétunias, des géraniums, des *cœurs-saignants,* des plantes exotiques, comme les cactus, ornaient les fenêtres en saillie de la maison. Tout dénotait la touche du botaniste, de l'horticulteur et de l'entomologiste. Les enfants du village de Cap-Rouge apportaient à l'abbé Provancher les insectes qu'ils avaient trouvés: papillons, lucioles, sauterelles, toutes sortes de *bibites.* Lui-même, son filet à la main, allait souvent dans le «domaine» faire la chasse aux insectes.

Très hospitalier, l'abbé Provancher recevait beaucoup dans sa belle retraite. Aussi, c'est avec une figure tout épanouie qu'il accueillit le Vicaire Custodial de la Terre Sainte. Vers onze heures, le Père Frédéric dit sa messe, sans doute la première en terre québécoise depuis celles du dernier prêtre récollet, le P. Louis Demers, supérieur à Montréal, mort le 2 septembre 1813, à l'âge de quatre-vingt-un ans et huit mois.

La ménagère du bon vieux temps, aussi pieuse que dévouée, s'appelait Mademoiselle Julie Julien. Bonne à tout faire, gérant sans se lasser son petit royaume du matin jusqu'au soir, elle bénissait le ciel d'avoir à héberger un missionnaire de Terre Sainte, et, après quelques jours d'édification, d'avoir à servir un pareil serviteur de Dieu. Un autre personnage de la maison, et non le moindre par le babil et l'esprit éveillé, était la jeune Mary Cormier, âgée de cinq ans. D'origine franco-américaine, elle était la petite-nièce de l'abbé Provancher et, depuis la mort de sa mère, était élevée par son grand-oncle. Elle ne tarda pas à affectioner le missionnaire de Terre Sainte: il avait de si belles images! Bientôt elle se plaindra même de ses absences, trop prolongées à son gré. Elle aura un mot charmant: «C'est bien comme si c'était pas à nous autres, ce Père-là!»

Rencontre avec Mgr Taschereau, archevêque de Québec

Le lendemain de son arrivée, le Père Frédéric était présenté par l'abbé Provancher à l'archevêque de Québec, Mgr Elzéar-

Alexandre Taschereau, métropolitain de la province ecclésiastique du Bas-Canada. Il lui exposa la triple mission dont on l'avait chargé: négocier avec les évêques du Canada la création d'un commissariat de Terre Sainte, organiser l'établissement, dans leurs diocèses respectifs, de la quête prescrite par les Souverains Pontifes en faveur des Lieux Saints, et, enfin, visiter les fraternités de tertiaires déjà établies sous l'obédience des Franciscains et, avec la permission des évêques, en ériger d'autres, s'il y avait lieu.

Malgré les respectueuses représentations du Père Frédéric, l'archevêque de Québec jugea à propos de surseoir aux deux demandes relatives à la Terre Sainte jusqu'à ce qu'il eût vérifié les intentions formelles du Saint-Siège là-dessus: pour des raisons personnelles, il exigeait une déclaration officielle de la Sacrée Congrégation de la Propagande. L'entrevue cependant se conclut par une parole bienveillante de l'archevêque: «Mon Père, quand j'aurai reçu les instructions de Rome, vous n'aurez plus à vous occuper personnellement de votre mission, je recommanderai moi-même l'œuvre de Terre Sainte dans toute notre province ecclésiastique[2].» Le Père Frédéric dut donc écrire à Rome pour demander la mise en vigueur de la bulle *Inter cœtera* de Pie VI, qui résumait toutes celles de ses prédécesseurs concernant la quête pour les Lieux Saints. Cette démarche lui permettait de prolonger son séjour au Canada.

Il reçut toutefois la faculté de prêcher et de confesser dans l'archidiocèse de Québec, sur demande des curés ou recteurs des églises.

Dès le début de son arrivée au Canada, il se fit journaliste. En plusieurs articles, il exposa le sens et les objets de sa mission: tantôt il plaidait pour la mission franciscaine de Terre Sainte; tantôt pour le Tiers-Ordre, l'archiconfrérie du Cordon de saint François, ou encore pour le chemin de la croix[3].

---

2. Père Frédéric, V.C., *Les fonctions du T.R.P.* [*Vicaire*] *Custodial à Jérusalem. L'œuvre de Terre Sainte,* dans *Le Canadien,* 26 septembre 1881.

3. Voici la liste de ces articles:
Mission franciscaine de Terre Sainte, dans *Le Courrier du Canada,* 31 août 1881;

Entre les lignes de certain article de journal, on entrevoit les souffrances intimes que lui causèrent des personnes qui s'obstinaient à méconnaître sa mission: il parle de leurs «sentiments d'antipathie, de répulsion et même de défiance, vis-à-vis d'un pauvre moine vêtu de sac et ceint d'une corde, qui ne [venait], après un voyage très long et très pénible, que pour apporter de Rome et de Jérusalem, la Ville Sainte, des bénédictions, des consolations et tout un trésor de richesses spirituelles[4]».

En décembre 1881, l'archevêque de Québec recevait de la Sacrée Congrégation de la Propagande une lettre autorisant et recommandant la quête du Vendredi Saint en faveur de la Terre Sainte, et, le 24 mars 1882, une lettre collective des évêques de la province ecclésiastique de Québec ordonnait cette quête annuelle. Depuis lors, la quête se fait tous les ans: *elle est due à l'intervention du bon Père Frédéric.*

Le serviteur de Dieu devait apprendre, un jour, que son voyage en France lui non plus n'avait pas été inutile. Le 4 janvier 1882, le Préfet de la Propagande avertissait le Père Général des Franciscains que la Congrégation recommandait de nouveau la quête du Vendredi Saint en France et priait les évêques de remettre les offrandes des fidèles au commissaire de Terre Sainte à Paris.

La célèbre retraite prêchée à l'église des Congréganistes de Saint-Roch (4-10 septembre 1881)

En attendant que se réalise le principal objectif de sa mission au Canada, le Père Frédéric déploya une activité surhumaine. Son séjour au Québec fut une véritable odyssée de gestes spiri-

---

Le Tiers-Ordre de saint François d'Assise, ibidem, 3 septembre 1881;
Les fonctions du T.R.P. [Vicaire] Custodial à Jérusalem. L'œuvre de Terre Sainte, dans *Le Canadien,* 26 septembre 1881;
Le chemin de la croix et les Franciscains. Le Cordon séraphique, ibid., 27 septembre 1881, et dans *Le Courrier du Canada,* 24 septembre 1881;
Le Tiers-Ordre de la pénitence. Esprit du Tiers-Ordre, dans *Le Courrier du Canada,* 27, 28 et 29 septembre 1881.
4. Père Frédéric, V.C., *Les fonctions du T.R.P. [Vicaire] Custodial,* loc. cit.

tuels, de faits extraordinaires et même miraculeux: pendant quatre mois, dans les diocèses de Québec, de Trois-Rivières et de Montréal, il prêcha presque sans arrêt, entrecoupant sa prédication d'articles de journaux et de publications de brochures.

Il racontera, quelques années après, dans des articles de revue[5], ce premier voyage au Canada; il se plaira à marquer sa grande admiration, son étonnement sans cesse renouvelé pour la foi du peuple canadien-français.

Il serait trop long de tout rapporter ici. Signalons quelques faits caractéristiques. La retraite la plus sensationnelle fut la première de toutes, celle qu'il prêcha toute une semaine, soit du 4 au 10 septembre 1881, aux membres du Tiers-Ordre de saint François, à l'église des Congréganistes de Saint-Roch, aujourd'hui église paroissiale Notre-Dame de Jacques-Cartier, ville de Québec. Les offices avaient lieu le matin à huit heures et le soir à sept heures.

Au sermon d'ouverture, le nouveau prédicateur trouva l'église pleine de monde; il eut, pour entendre un discours sur la perfection religieuse, trois mille auditeurs[6], lui qui n'en attendait qu'une centaine! Les jours suivants, l'assistance continua à être nombreuse: «la ville entière ressemblait à une communauté religieuse, et très fervente, se nourrissait avec une sainte avidité d'une doctrine qui n'était destinée qu'à des âmes religieuses». De jour en jour, la foule croissait, au point qu'à la fin de la mission,

5. Publiés d'abord, en 1885 et 1886, dans la *Revue franciscaine* de Bordeaux, puis dans *La Petite Revue du Tiers-Ordre,* de Montréal, ces articles ont été réunis, en 1946, par le R.P. Paul-Eugène Trudel, O.F.M, dans une brochure intitulée: Père Frédéric de Ghyvelde, O.F.M., *Mon premier voyage au Canada, 1881-1882* (Éditions B.P.F., n° 2), Trois-Rivières [1946], 51 pp. Ce récit constitue la principale source documentaire du présent chapitre.

6. Père Frédéric de Ghyvelde, O.F.M., *Mon premier voyage au Canada, 1881-1882,* pp. 14s, et *Revue du Tiers-Ordre et de la Terre Sainte* 12 (1896), p. 49. Le nombre de *trois mille* auditeurs est sûrement exagéré: c'est une évaluation à l'œil, qui veut donner une idée de l'empressement de la foule! M. le docteur Albert Jobin, qui a écrit l'*Histoire de la Congrégation et de la paroisse de Notre-Dame de Jacques-Cartier* [1940], a dit au P. Légaré que la chapelle de la Congrégation pouvait contenir, en 1881, tout au plus deux mille personnes, et encore à condition qu'on y soit tassé comme des sardines en boîte!

l'église pouvait à peine contenir le quart des fidèles qui venaient de toutes parts.

Toute la ville de Québec était sur pied pour aller entendre le missionnaire de Terre Sainte. Dans toutes les familles, il n'était question que de la retraite de Saint-Roch, on ne parlait que du Père Frédéric. Les gens étaient gagnés par l'attrait de la nouveauté et aussi, inconsciemment, par le mystère de la grâce. De leur vie, ils n'avaient vu de franciscain; ils étaient frappés par la nudité des pieds, que certains voulaient baiser; ils étaient gagnés par cette figure ascétique, par ce petit moine irradiant la sainteté. C'était si beau, si nouveau d'entendre parler de la Terre Sainte, du pays de Notre-Seigneur par quelqu'un qui l'avait vu! On recevait le Père Frédéric comme un envoyé du ciel, comme Notre-Seigneur lui-même venant de Terre Sainte. On l'écoutait comme un saint; on se disait: «Notre-Seigneur devait parler comme cela!» Le ton était celui d'une causerie; il était si religieux, si modeste qu'il faisait penser à une prière. Le prédicateur racontait des faits, évoquait avec onction les sanctuaires de la Terre Sainte. Ses discours étaient longs. Mais, comme l'avoue un témoin de l'époque[7], «il aurait pu parler des heures et des heures et les gens ne se fatiguaient pas de l'écouter». Sa parole touchait parfois les auditeurs jusqu'aux larmes. Il lui arriva de parler jusqu'à douze heures entières à une assemblée presque permanente de milliers de fidèles «poussés par le seul souffle de leur confiante foi».

Les journaux de la ville informaient leurs lecteurs de la retraite de Saint-Roch; ils rapportaient les guérisons miraculeuses qui y avaient été opérées. Ils étaient emballés, eux aussi, témoin leurs expressions: «église littéralement remplie», «l'éloquent Vicaire Custodial de Jérusalem», «l'infatigable missionnaire apostolique», etc... «Une foule innombrable, dit *Le Canadien* à la date du 8 septembre 1881, assiste aux exercices de la retraite du Tiers-Ordre. La chapelle de la Congrégation est tellement remplie que les personnes qui se tiennent dans les allées ne peuvent se mettre à genoux en temps voulu. Aussi l'illustre franciscain sait attirer

---

7. L'abbé Joseph Donaldson, de Québec, qui a fourni au P. Légaré des renseignements sur l'enthousiasme des Québécois pour la retraite du Père Frédéric à Saint-Roch.

les fidèles par ses conférences pleines d'onction. Il tient son auditoire suspendu à ses lèvres.» On dit que des mères empêchées de se rendre de bonne heure à l'église envoyaient des enfants retenir leurs places, qu'elles venaient occuper au dernier moment.

De cinq heures du matin à neuf heures du soir, le Père Frédéric n'avait pas un moment libre. C'étaient d'abord les confessions jusqu'à huit heures, puis la messe avec une communion quasi générale, un sermon d'une heure ou deux et les confessions jusqu'à midi. Le repas était sobre et court. Des foules de malades et de personnes affligées encombraient les abords et le salon du presbytère, au point que le bon curé, Mgr Gosselin, disait qu'il n'était plus maître dans sa maison. Selon son témoignage, deux cents personnes au moins accompagnaient le Père Frédéric du presbytère de Saint-Roch à l'église de la Congrégation: elles se pressaient sur les pas du missionnaire, le serraient de tous côtés pour le voir et lui parler. À six heures du soir, souper rapide, suivi généralement d'une visite de malades et d'infirmes réunis au salon, comme à midi. Après quoi, c'était le grand sermon du soir, dans une église toujours pleine.

Le Père Frédéric mena ce genre de vie, pour le bien des âmes, durant quatre mois, jusqu'au jour où il plut à Dieu de briser ses forces et de l'amener au bord de la tombe.

L'efficacité merveilleuse des reliques de Terre Sainte

Les gens allaient à lui avec une audacieuse confiance: «C'est un saint à faire des miracles», disaient-ils. Et ils lui en demandaient. Il avait apporté avec lui de précieuses reliques de Terre Sainte, enchâssées dans du bois des oliviers de Gethsémani. Dès le lundi 5 septembre, il annonça qu'il les ferait vénérer, chaque après-midi, par les quelques personnes de bonne volonté que leurs occupations n'empêcheraient point de se rendre à l'église. Le lendemain, à deux heures, une foule considérable avait déjà envahi le temple. Il était impossible de circuler dans les allées et même dans la sacristie, où s'étaient massés les derniers venus. La vénération des reliques dura quatre heures: on peut estimer à *huit mille*

143

les personnes qui se succédèrent. Deux guérisons miraculeuses furent attribuées à la vénération des saintes reliques. Un jeune homme, atteint de cécité, recouvra la vue. Et une dame Gourdeau, paralysée des jambes, se leva, après avoir vénéré les reliques, revint à la sacristie, où elle avait pris refuge, et alla, dans son émotion, trouver le missionnaire au sanctuaire, en présence de toute l'assistance émerveillée. Elle retourna chez elle sans l'aide de qui que ce soit.

Cette dame s'était recommandée à Notre-Dame des Sept Douleurs, suivant les prescriptions du Père Frédéric; elle donna au missionnaire, en témoignage de reconnaissance, une montre en or qui lui était extrêmement chère. De retour à Jérusalem, le Père Frédéric déposa la petite montre canadienne aux pieds de la Madone du Calvaire.

La guérison subite de la paralytique fit sensation dans la ville et, dès ce moment, les malades et les infirmes ne cessèrent d'affluer à l'église et au presbytère.

La nouvelle de cette guérison étonnante se répandit même jusqu'à la Malbaie et au Saguenay, comme l'atteste l'épisode suivant, survenu sans doute le vendredi 16 septembre 1881, à Cap-Rouge, chez l'abbé Provancher.

Ce vendredi-là, à neuf heures du soir, le bruit d'une voiture se fit entendre; elle s'arrêta devant la porte. On frappa.

— Qui peut nous arriver? dit le maître de la maison étonné. Mon Père, dois-je ouvrir?

— Ouvrez, répondit le Père Frédéric. Qui sait si le bon Dieu ne nous offre pas une bonne action à faire?

On ouvre et dans le salon de réception s'avance une dame d'une cinquantaine d'années, très simplement vêtue, tenant par la main un petit garçon qui paraît avoir de dix à douze ans. Elle est accompagnée d'une femme plus jeune.

— Le Père de Terre Sainte se trouve-t-il ici? demande-t-elle.

— Oui, répond le Père Frédéric, c'est votre humble serviteur même. Puis-je vous être de quelque utilité?

Mon Père, je viens du Saguenay, où j'ai appris la guérison de la dame paralysée. Moi aussi, je voudrais être guérie d'une grande infirmité que nous avons, moi et mon petit garçon que voici.

— Ma pauvre enfant, n'est-ce pas tenter le bon Dieu que d'agir comme vous le faites? À votre mise, vous ne semblez guère douée des biens de la fortune et, malgré cela, vous venez d'entreprendre, dans cette saison déjà avancée, un voyage de plus de cinquante lieues, pour chercher très au hasard un pauvre religieux, que vous étiez très exposée à ne rencontrer ni en ce lieu ni à cette heure.

— Pardonnez-moi, mon Père, je ne suis pas riche, mais je ne suis pas tout à fait pauvre non plus: j'ai pu satisfaire aux frais de mon voyage. Mais je suis mère d'une nombreuse famille. La loi du bon Dieu n'ordonne-t-elle pas, mon Père, à la mère d'élever elle-même ses enfants? Pour moi, je ne veux pas les confier à une étrangère. Or, pour les élever moi-même, il faut que je les voie et je suis condamnée par les médecins à devenir aveugle. Mon petit garçon se trouve dans une position encore plus alarmante que la mienne. Mon Père, j'ai confiance en Dieu, et, si vous le voulez, vous qui venez de Terre Sainte, vous pouvez nous guérir. Je viens donc pour vénérer les saintes reliques et il faut que vous nous guérissiez tous les deux, mon Père.

Tout cela est dit avec simplicité et un accent de foi qui émeut profondément les gens de la maison. Tous ensemble, ils font une courte prière à Notre-Dame des Sept Douleurs du Calvaire, dévotion que le Père Frédéric propage alors dans ses missions. «Le Père de Terre Sainte» fait toucher les saintes reliques aux yeux de l'enfant et de la mère, il indique la neuvaine à faire, et la voiture repart. Dans sa surprise et son émotion, il oublie de demander le nom et l'adresse de cette mère de famille, car tous espèrent qu'une foi si grande ne restera pas sans récompense. Heureusement le postillon de l'endroit a reconnu la jeune dame qui accompagnait la voyageuse et promet de chercher sa demeure dans la ville de Québec.

Huit jours s'écoulent. C'est de nouveau un vendredi, à neuf

heures du soir. On frappe à la porte. Le Père Frédéric ouvre lui-même et il reconnaît le postillon, qui, d'un air joyeux, lui dit:

— Une bonne nouvelle, mon Père.

— Veuillez entrer, cher Monsieur, pour nous la communiquer en présence de tous, si c'est possible.

— J'ai trouvé l'intéressante visiteuse de la semaine dernière chez la jeune dame, qui est sa nièce. À son retour en ville, elle se mit à faire avec son jeune fils la neuvaine à Notre-Dame du Calvaire, et abandonna toutes les prescriptions des médecins. Vous vous rappelez tous l'état vraiment pitoyable de la mère et du fils. Ils étaient tous deux menacés d'être aveugles pour toujours. Eh bien! leurs yeux sont parfaitement guéris: ils n'ont plus de suppurations. Les paupières tout à fait nettes abritent maintenant des yeux limpides... N'est-ce pas là, mon Révérend Père, un miracle et un très beau miracle?

Le Père Frédéric venait de voir se réaliser la parole que le Maître prononça un jour après avoir desséché un figuier stérile: «Toutes les choses que vous demanderez dans une prière pleine de foi, vous les obtiendrez.»

La retraite de Saint-Roch, commencée le dimanche, se clôtura l'après-midi du samedi suivant, le 10 septembre 1881, par une cérémonie de vêture et de profession: une centaine de personnes reçurent l'habit du Tiers-Ordre franciscain, après un triage d'une grande sévérité, et une centaine firent profession.

Les démonstrations de foi et de piété si spontanées, si merveilleuses, qui marquèrent cette retraite restèrent au fond de toutes les mémoires.

Une bénédiction d'objets de piété où l'on s'écrase
(12 septembre 1881)

Tout cela fut encore dépassé par une explosion de foi extraordinaire qui eut lieu le lundi suivant: tout l'après-midi de ce jour, l'église de la Congrégation de Saint-Roch fut envahie par une réunion d'hommes telle que, dans sa vie de missionnaire, le Père Frédéric n'en avait jamais encore vu de semblable. Pour satisfaire au désir de trente à quarante mille personnes qui voulaient un souvenir de Terre Sainte, le Père Frédéric proposa de faire toucher les saintes reliques de la Terre Sainte à tous les objets de piété qu'on aurait la confiance de lui présenter dans l'église et que l'on conserverait ensuite dans sa famille. Il désirait particulièrement que tous les hommes se procurassent une petite croix qui toucherait aux saintes reliques et qu'ils porteraient ensuite sur eux en souvenir de la mission. Certains prétendent que c'est à partir de ce temps-là que l'on commença à porter sur soi de petites croix de bois noir, surmontées d'un Christ et entourées d'une bande de cuivre jaune, croix qu'on appelait «les croix du Père Frédéric».

La cérémonie de bénédiction des objets de piété eut lieu lundi après-midi, le 12 septembre 1881. La veille, à tous les offices, on avait rappelé que cette cérémonie était une simple réunion privée: une seule personne, avait-on dit, pouvait apporter les objets à bénir de tout un quartier. Les hommes surtout n'y étaient point convoqués, puisque c'était jour ouvrable. Or, vers une heure de l'après-midi, le Père Frédéric se rendait tranquillement à l'église de la Congrégation, croyant y trouver un petit groupe de personnes libres, munies de leurs objets de piété, lorsqu'il vit venir à lui le sacristain tout effrayé de la multitude qui se pressait dans la chapelle:

— Mon Père, disait-il avec anxiété, il arrivera des malheurs: la chapelle est incapable de contenir la foule. Les hommes surtout se pressent et *se foulent*: ils montent sur la tête les uns des autres.

La foule, en effet, était si grande, et la quantité d'objets de piété si prodigieuse, que le Père Frédéric appliqua les reliques de Terre Sainte sur de véritables monceaux d'objets étalés sur toute la longueur de la table de communion. Il passe et repasse, bénissant, appliquant toujours, et cette cérémonie dura d'une manière ininterrompue l'espace d'environ *cinq heures*. On dit que les magasins de Québec et de Montréal n'avaient pu fournir toutes les croix pour les hommes et qu'on s'était adressé jusqu'aux États-

Unis pour se les procurer. On estima, et sans exagération, à plusieurs centaines de mille tous les objets de piété, croix, chapelets, médailles, images, médaillons, présentés ainsi successivement aux précieuses reliques de la Terre Sainte[8].

Ainsi qu'on a pu le constater, dès le début de son séjour au Canada, le Père Frédéric attira des foules massives. Comme le disait un de ses confrères, «au front de cet homme apparaissait comme une triple auréole, celle des anciens missionnaires du pays, celle des fils de saint François, celle des Pères de Terre Sainte. Il n'en fallait pas tant pour enthousiasmer un peuple toujours ouvert à tous les sentiments généreux[9]». Mais, pourrait-on ajouter, si cette triple auréole brillait d'un si vif éclat, c'est qu'elle était posée sur un front où rayonnait déjà la sainteté.

Quelques jours de «répit» passablement occupés

Après le succès prodigieux, resté célèbre, de la grande retraite de Saint-Roch et après quelques jours passés à Québec, le Père Frédéric retourna à Cap-Rouge. Après le tumulte des foules, c'était enfin la solitude, qui, une couple de fois au moins, fut agréablement rompue par le contact avec une charmante jeunesse.

Un soir, raconte-t-il, que je me trouvais dans ma délicieuse retraite du Cap-Rouge, me préparant à de nouvelles missions, je vis arriver à notre petite résidence un groupe de jeunes filles, au nombre de dix à douze; c'étaient de petites paysannes, modestes et simples, mais nullement timides, qui venaient de la paroisse voisine [sans doute Saint-Augustin] trouver le pauvre missionnaire de Terre Sainte. La première, celle qui semblait la directrice de la petite caravane, me salua en disant:

---

8. Père Frédéric, *Mon premier voyage au Canada,* p. 22; *Étude historique sur le Tiers-Ordre au Canada,* dans *Revue du Tiers-Ordre et de la Terre Sainte* 12 (1896), 50s.

9. T.R.P. Colomban Dreyer, O.F.M. dans *Revue du Tiers-Ordre et de la Terre Sainte* 24 (1908), 41, et 31 (1915), 288.

— Mon Père, nous venons, après les travaux de la journée, mes compagnes et moi, vous prier de nous faire une conférence spirituelle.

— Je suis édifié de votre si pieuse demande, mes chères enfants, mais il n'est pas d'usage, même au Canada, ce me semble, de prêcher dans les maisons particulières; c'est plutôt une causerie familière sur les Lieux Saints, ou une petite *lecture,* comme l'on dit ici, que vous désirez de moi.

— Comme il vous plaira, mon Père; mais nous espérions que vous nous feriez la charité d'une conférence spirituelle pour nous enseigner à aimer davantage le bon Dieu, mon Père.

Le Père Frédéric parla pendant près de deux heures des vertus fondamentales d'une bonne chrétienne. Les jeunes filles se retirèrent, visiblement contentes, promettant d'aimer davantage le bon Dieu.

«Cette piété franche, simple et solide, ajoute le Père Frédéric, je l'ai rencontrée partout ensuite au Canada, mais d'une manière spécialement charmante, quelques jours après, au beau couvent de Sillery.»

Près de Québec, aux abords du fleuve, dans un site enchanteur ombragé de grands arbres et agrémenté d'une végétation aussi luxuriante que variée, les religieuses de Jésus-Marie dirigent un collège de jeunes filles. En 1881, l'établissement n'était qu'un pensionnat. Sur l'invitation du chapelain, l'abbé Octave Audet, ami de l'Ordre franciscain, le Père Frédéric s'y rendit, en compagnie de l'abbé Provancher, le 17 septembre 1881, fête des Stigmates de saint François.

La visite dura une bonne partie de la journée: messe, «magnifique instruction» de deux heures, aux religieuses seules, «sur le grand bienfait de la vocation religieuse», vénération des reliques de Terre Sainte, puis, aux élèves, autre entretien de deux heures sur les Saints Lieux et sur des miracles vus personnellement, nouvelle vénération des saintes reliques. Après le dîner, la supérieure entraîna son hôte à la récréation des pensionnaires. Tout était nouveau pour un européen, et les instruments de jeux et la manière de s'y livrer. Aussi le missionnaire écrivait-il son étonnement: «Il y avait là du mouvement, un abandon, un épanchement de joie dont on ignore le secret dans nos grandes pensions d'Europe. Qu'on est donc heureux lorsqu'on aime le bon Dieu et qu'on le sert dans toute la simplicité du cœur. Et que le Dieu d'Israël est bon pour ceux qui ont le cœur droit!»

Toutes ces grandes demoiselles se pressèrent autour du missionnaire de Terre Sainte avec une simplicité juvénile et, l'une après l'autre, se mirent à lui demander qu'il prophétisât de leur avenir:

— Mon Père, s'il vous plaît, faites-moi connaître ma vocation; dites-moi si je suis appelée à vivre dans le monde ou si le bon Dieu m'appelle à la vie religieuse.

La supérieure dut intervenir avec toute son autorité pour mettre fin à ces naïves indiscrétions.

Ces jeunes filles avaient-elles deviné l'esprit prophétique du Père Frédéric à l'égard des vocations? De son vivant, beaucoup lui reconnaissaient ce don. Bien des années après la mort du serviteur de Dieu, on rencontrait des gens qui disaient: «Quand j'étais jeune, le Père Frédéric a passé par chez nous; il m'a béni(e), il a tracé un signe de croix sur mon front et a dit: «Plus tard, tu seras prêtre... tu seras franciscain.» Ou encore: «Celle-là deviendra religieuse un jour.» Que bien de ces prophéties se soient réalisées, l'habit religieux ou ecclésiastique que portaient les narrateurs en était la preuve vivante.

À propos de cette visite du 17 septembre 1881, l'annaliste du collège de Jésus-Marie laisse éclater son admiration:

Le bon Père [Frédéric] est resté dîner chez notre Père, «Sous les bois», et son dîner a consisté dans une assiettée de soupe et une pomme de terre. Il jeûne tous les jours et depuis qu'il est à Québec, ce qui fait trois semaines, il ne s'est pas encore couché dans un lit, mais il prend son repos sur le plancher. Il est parti vers trois heures, nous laissant toutes édifiées et dans des dispositions magnifiques de sainteté!

* * *

Le lendemain, dimanche, la paroisse de Saint-Augustin de Portneuf célébrait avec solennité la fête de Notre-Dame des Sept Douleurs. Le Père Frédéric fut invité à adresser la parole. Il fit deux touchantes allocutions, l'une à la messe, sur Jérusalem et les Lieux Saints, la seconde, au salut du Saint-Sacrement de l'après-midi, sur le chemin de la croix. De nombreuses députations des paroisses voisines s'étaient jointes aux paroissiens de Saint-Augustin. Un journaliste du *Canadien* était présent: il fit le rapport de cette journée. «Il y avait foule aux deux offices, écrit-il: l'église était littéralement remplie; tout le monde voulait entendre l'éloquent Vicaire Custodial de Jérusalem.» Tout en faisant des éloges maladroits sur l'«éminente sainteté» du Père Frédéric, le journaliste commit une «petite indiscrétion» sur son austère mortification:

> Il faut l'avoir vu à table comme nous, dit-il, pour se faire une juste idée des pénitences qu'il s'impose. Nous nous demandons comment il se fait qu'un homme d'une constitution aussi faible puisse supporter autant de privations? Un peu de soupe, un petite morceau de pain trempé dans du bouillon, et quelques cuillerées de confitures aux pommes, tel a été son dîner. Et le Révérend Provancher, rédacteur du *Naturaliste canadien,* qui se trouvait à la même table, a dit que le Révérend Père ne mange jamais plus que cela.

Ce journaliste glissait dans son rapport cette nouvelle: «Le saint missionnaire quitte aujourd'hui notre ville [Québec] pour les Trois-Rivières, où il séjournera quelque temps.»

Cependant le Père Frédéric passa encore toute la semaine à Cap-Rouge, où il rédigea deux longs articles, le premier pour rectifier quelques inexactitudes du rapport de la journée de Saint-Augustin: *Les fonctions du T.R.P. [Vicaire] Custodial à Jérusalem. L'œuvre de Terre Sainte,* dans *Le Canadien,* lundi 26 septembre 1881; et le second pour fins d'information et de propagande: *Le chemin de la croix et les Franciscains. — Le Cordon séraphique,* dans *Le Courrier du Canada,* 24 septembre (et aussi dans *Le Canadien,* 27 septembre).

Une bombe à retardement qui modifiera le cours d'une vie

Dans un des sermons de la retraite de Saint-Roch, le prédicateur avait offert sa vie pour le salut du Canada, « son cher Canada », comme il disait souvent. Le bon Dieu ne le prit pas au mot; mais il permit qu'un malentendu pénible vînt lui ravir sa réputation et sa sécurité. L'incident, qui finit par entraîner son départ prématuré de Québec, fut déclenché par quelques phrases anodines qu'il avait prononcées à la fameuse journée du lundi 12 septembre 1881. Avant de procéder à la cérémonie de bénédiction des objets de piété qui a été décrite plus haut, le Père Frédéric avait fait une courte allocution sur les erreurs modernes qui menaçaient d'envahir le Canada, entre autres le libéralisme, erreur condamnée par le pape Pie IX:

> Si tous les pays d'Europe, s'écria le prédicateur, sont malades aujourd'hui, cela est dû à la grande plaie du libéralisme. Cette maladie fait de grands ravages en France. Elle s'attaque de préférence à l'enfance: car de la sorte les libéraux espèrent réformer la société. On ne veut plus de Dieu dans les écoles, on fait disparaître les croix et les images de Marie, afin d'apprendre aux enfants à blasphémer ce qu'ils ignorent... Combattons donc cet ennemi, soyons de vrais catholiques, et le libéralisme ne prendra pas racine au Canada[10].

Ce discours éclata comme un coup de tonnerre par une belle nuit d'été. Fraîchement débarqué en Amérique du Nord, le Père Frédéric ignorait qu'il y avait au Canada comme en Angleterre, deux grands partis politiques, les conservateurs et les libéraux. Ces derniers se sentirent directement frappés par le réquisitoire du prédicateur. Ils prirent feu aussitôt, coururent les faubourgs pour rapporter à des amis crédules que les libéraux avaient été dénoncés du haut de la chaire et pour accuser le Père Frédéric d'avoir fait « de la politique et de la politique regrettable dans une allocution malheureuse ».

L'Affaire eut son écho dans les journaux, témoin cet entrefilet typique intitulé *Un changement d'opinion* et publié dans *Le Canadien* du 18 septembre 1881.

---

10. *Le Canadien,* 13 septembre 1881.

La semaine dernière, deux marchands se rencontrent à la basse ville, et la conversation tombe sur la grande retraite qui vient d'être prêchée par le R.P. Frédéric.

L'un d'eux demande à l'autre:

— Comment trouvez-vous les sermons de notre missionnaire?

Le second, de répondre:

— Magnifique! c'est un savant. Je ne sais pas, il a un ton sympathique qui touche les cœurs les plus endurcis. Je l'aime beaucoup.

Le premier interlocuteur reprend:

— Avez-vous entendu la dissertation que ce Révérend Père a prononcée, cet après-midi, à l'église de la Congrégation de Saint-Roch?

— Non, réplique l'autre.

— C'est malheureux! car vous avez perdu un des meilleurs sermons que j'ai entendus.

— Quel en a été le sujet?

— Il a traité du libéralisme et il nous a fait voir les immenses ravages que commet cette pernicieuse doctrine.

— Eh bien alors je ne l'aime plus, ce Révérend Père!

L'affaire prit des proportions telles que le Père Frédéric crut devoir exprimer publiquement sa surprise dans une longue lettre publiée dans le journal *Le Canadien* (17 septembre 1881). Il y dissipait tout d'abord la confusion entre «libéralisme religieux» et «libéralisme politique»; puis il protestait solennellement qu'il n'avait eu aucune intention de faire de la politique, mais qu'il avait tout simplement exposé la doctrine de l'Église et du pape Pie IX sur l'erreur perfide qui perdait l'Europe depuis un demi-siècle, et qu'il était de son devoir d'avertir le peuple canadien des dangers dont il était à son tour menacé.

Mais ses efforts pour tirer son épingle du jeu n'eurent pas tout le succès qu'il aurait voulu. Car la question des deux libéralismes agitait le Québec depuis plusieurs années. Pour dirimer les controverses qu'elle avait suscitées, les évêques de la Province avaient publié, en 1875, une laborieuse lettre collective. Nonobstant ce document conciliateur, des tensions avaient continué à se faire sentir entre l'archevêque de Québec (Mgr Taschereau) d'une part et les évêques de Montréal (Mgr Bourget) et de Trois-Rivières (Mgr Laflèche) d'autre part. Dans ce cadre explosif, l'allocution du Père Frédéric agit comme un détonateur. Ses paroles commentées par les journaux et les libéraux créèrent un tel malaise que l'archevêque s'en émut et interdit, dit-on, la prédication au Père Frédéric. Ce fut la plus pénible humiliation de sa vie. Quelques mois plus tard, l'affaire s'arrangea: le Père Frédéric fut rappelé par l'archevêque de Québec, son innocence étant reconnue. Il ne garda aucune amertume envers le prélat. Lorsque, dans la suite, l'incident était relevé devant lui, il ne proférait aucune parole désagréable à l'égard de Mgr Taschereau[11].

À cause d'un quiproquo, Trois-Rivières, et non Québec, hérite du Père Frédéric

Mais, dans l'immédiat, il dut quitter le diocèse de Québec. C'était une aventure mortifiante, qui le peina profondément. Cette disgrâce momentanée était toutefois «une bénédiction qui arrivait en cassant les vitres». Elle était le pépin providentiel qui devait conduire le serviteur de Dieu au Cap-de-la-Madeleine, ce lieu de grâce pour lequel il avait été mis à part comme autrefois saint Paul. Les événements s'enchaînèrent ici curieusement. L'évêque de Trois-Rivières, diocèse où se trouvait le Cap, était un ami intime de l'abbé Provancher. Grande personnalité dont tout le monde connaissait les convictions antilibérales tant doctrinales que politiques, Mgr Louis-François Laflèche reçut à bras ouverts le missionnaire franciscain de Terre Sainte, présenté par l'abbé Provancher. Il acceptait même, dans un avenir prochain, si la

---

11. Pour en savoir plus long sur ce conflit doctrinal qui a ébranlé le Canada français pendant des années, le lecteur consultera avec profit le livre *Mgr Moreau* de Jean Houpert (Montréal, Éditions Paulines, 1986). L'exposé nuancé de l'auteur couvre 53 pages des quelque trois cents que compte son ouvrage. Quant au chagrin profond ressenti par le Père Frédéric, on le comprendra mieux quand on aura lu, à la fin du chapitre 20 du présent volume, l'analyse de son tempérament, qui était fortement allergique à la chicane et au conflit.

divine Providence daignait bien disposer toute chose, l'établissement d'un commissariat de Terre Sainte dans sa ville épiscopale. De leur côté, les tertiaires trifluviens avaient invité depuis assez longtemps l'extraordinaire visiteur du Tiers-Ordre. Ils l'attendaient avec impatience.

Des mois de prédications exténuantes, mais fécondes

Dans le diocèse de Trois-Rivières, le Père Frédéric ne chôma pas. Il donna près de cent allocutions en l'espace de cinq semaines. Le jour même de son arrivée à Trois-Rivières, le samedi 24 septembre 1881, il se rendit, au-delà du fleuve Saint-Laurent, à la paroisse de Bécancour: il y prononçait, le lendemain dimanche, trois grandes conférences et y jetait les bases d'une future fraternité du Tiers-Ordre. Dans l'après-midi, il revenait à Trois-Rivières, où, à cinq heures et demie, par un nouveau sermon, il inaugurait la neuvaine solennelle des tertiaires, préparatoire à la fête de saint François d'Assise.

Cette neuvaine se confondit avec la cérémonie de la visite canonique de cette même fraternité et la retraite annuelle des dames de charité. C'était donc un programme très chargé: quatre grandes conférences par jour aux dames de la charité, le reste du temps consacré aux confessions, à la vénération des reliques de Terre Sainte, au soulagement des malades, qui s'amenaient nombreux. Le soir, prédication à la cathédrale devant une assistance considérable de fidèles.

Cette double retraite fut suivie, comme celle de Québec, avec une ferveur extraordinaire. Les prédications très populaires que le Père Frédéric donnait à la cathédrale provoquèrent un enthousiasme débordant. Après les sermons, la foule se pressait tellement nombreuse auprès du saint tribunal de la pénitence qu'on voyait même des hommes se jucher sur les confessionnaux pour ne pas perdre leur tour de confession[12]. Les marchands de

---

12. P. Augustin Bouynot, O.F.M., sermon donné à l'occasion du jubilé d'argent du Père Frédéric comme commissaire de Terre Sainte, 25 juin 1913.

Trois-Rivières ne suffisaient pas à vendre des crucifix d'ébène ou de cuivre, des cordons de saint François, des médailles[13].

La journée de clôture de la neuvaine et de la visite du Tiers-Ordre fut surhumaine. Sauf pour une interruption de dix minutes au dîner et de quelques minutes de plus à la collation du soir, le fils de saint François, ce jour-là, demeura plus de quatorze heures dans l'église. Depuis huit heures du matin jusqu'à dix heures et demie de la nuit, il fut occupé à donner la sainte communion, à parler en chaire, à faire vénérer les reliques de Terre Sainte ou à recevoir des personnes dans l'archiconfrérie du cordon de saint François: quinze cents, dans la matinée, et mille autres, dans la soirée.

Après une telle neuvaine, les nerfs du prédicateur, on le conçoit, se trouvèrent à bout. Son corps était d'une faiblesse extrême; ses poumons, qu'un de ses meilleurs bienfaiteurs appelait des «poumons d'acier», faillirent se briser sous l'effort démesuré qui leur avait été imposé. N'importe! L'apôtre avait son réconfort: «Il s'était fait du bien dans les âmes; Dieu en soit mille fois béni[14]!». Il avait par surcroît la vénération de toute la population trifluvienne. *Le Journal des Trois-Rivières* (29 septembre 1881) avait dit de lui: «Cet illustre religieux de Terre Sainte est un des prédicateurs les plus entraînants que l'on puisse entendre.»

Sa personne même était déjà une prédication. Tous ceux qui le voyaient à table étaient étonnés qu'un homme pût faire une si grande dépense de forces physiques avec si peu d'aliments pour les réparer, de sorte que l'on proclamait de toutes parts que c'était un saint déjà partiellement affranchi des lois de la nature[15].

Dès le lendemain de la double retraite épuisante, il commençait, dans des paroisses du diocèse de Trois-Rivières, dont plusieurs appartiennent maintenant au diocèse de Nicolet, une série de visites aux tertiaires isolés, de prédications et de retraites à Saint-Médard de Warwick, à la petite mission de Kinsey-Falls,

---

13. *La Concorde* (journal de Trois-Rivières), 7 octobre 1881.

14. *Mon premier voyage au Canada*, p. 37, et *La Concorde,* 10 octobre 1881.

15. *Le Journal des Trois-Rivières,* 3 octobre, p. 2.

à Sainte-Victoire de Victoriaville, à la Pointe-du-Lac, à Saint-Grégoire, au Cap-de-la-Madeleine, à Saint-Christophe d'Arthabaska, aux enfants des Frères des Écoles Chrétiennes de Trois-Rivières, aux membres de la Conférence de Saint-Paul, aux Ursulines de Trois-Rivières, et à combien d'autres!

Il amenait de nombreuses recrues au Tiers-Ordre franciscain. Il ne faut pas oublier que c'était avant l'adaptation du Tiers-Ordre aux temps modernes opérée par Léon XIII le 30 mai 1883. On était alors astreint aux rigueurs de la *Règle* primitive: récitation quotidienne de cinquante-quatre *Pater et Gloria Patri* avec celle, en plus, du *Miserere* et du *Credo,* à prime et à complies; port du grand scapulaire prescrit par Jules II, bande d'étoffe couvrant les épaules par quatre doigts de largeur et descendant en avant et en arrière jusqu'à la ceinture; abstinences sévères et jeûnes nombreux au cours de l'année.

Moyennant la vénération des reliques de la Terre Sainte, le Seigneur lui accorda plus d'une fois, avec de multiples faveurs spirituelles, la guérison de maux corporels.

La rencontre de deux grands ouvriers du Cap

Après cette tournée de quatre mois de prédications, le Père Frédéric était épuisé. Il trouva une généreuse hospitalité au presbytère du Cap-de-la-Madeleine, chez l'abbé Luc Désilets. Il avait fait la connaissance de ce prêtre dès les premiers jours de son arrivée à Trois-Rivières. L'intermédiaire avait été le frère même de l'abbé, le notaire Alfred Désilets.

Poussé par une confiance illimitée dans le pouvoir d'intercession du Père Frédéric, cet homme lui avait amené son enfant malade. Il espérait que la bénédiction du Père de Terre Sainte obtiendrait la guérison de l'enfant. Il fut charmé de la modestie et de la simplicité du nouveau missionnaire et décida de le présenter à son frère, curé du Cap-de-la-Madeleine et vicaire général du diocèse. Dès la première entrevue, l'abbé Luc Désilets fut saisi de vénération pour le religieux. Il vit dans cet homme de Dieu un puissant collaborateur possible pour l'œuvre mariale qui venait tout juste de démarrer au Cap. Sans révéler son secret, il ne voulut point céder à d'autres l'honneur de lui offrir l'hospitalité.

L'arrivée n'avait pas manqué de pittoresque. Le voyage de Trois-Rivières au Cap-de-la-Madeleine s'était fait par eau. Au matin du 29 septembre 1881, un long canot, creusé dans un tronc d'arbre, accueillait à son bord le Père Frédéric et les trois frères Désilets, Gédéon, journaliste, Pétrus et Alfred. L'embarcation, glissant sur l'immense avenue du fleuve, la seule voie de communication qu'avaient connue les premiers colons français, rappelait au Père Frédéric les durs voyages des anciens Récollets. Il faisait un temps idéal; l'automne avait déjà commencé à déposer sa palette de couleurs sur le feuillage des bois et les tièdes rayons du soleil scintillaient en réfractions dansantes sur les vagues de l'impérial cours d'eau. Dans ce décor incomparable, la voix du fils de saint François prenait je ne sais quelle solennité, quelle élévation, qui enchantait les frères Désilets. Le souvenir des premiers missionnaires du Canada ne se perpétuait-il pas dans la petite chapelle — aujourd'hui temple protestant — qui disparaissait là-bas, tout près du dôme des Ursulines? La ville et les belles campagnes de la rive droite, pointées de clochers, témoignaient de leur œuvre de civilisation en même temps que de foi.

— Dimanche dernier, à Bécancour, dit le Père Frédéric, j'ai rencontré les plus touchants souvenirs. Quatre de nos Pères dorment là du sommeil des justes; ils sont morts en pieuse réputation de sainteté...

— Voyez, à gauche, mon Révérend Père, dit celui des frères Désilets qui tenait l'aviron, c'est l'embouchure du Saint-Maurice: la rivière se divise en trois branches et donne son nom à la ville de Trois-Rivières.

Et un peu plus loin, il ajouta:

— Vous voyez là-bas, sur la falaise, un petit sanctuaire, et, en arrière, une église plus vaste. C'est là que nous allons!

Debout sur le promontoire, l'abbé Luc Désilets attendait les voyageurs matinaux. Les paroissiens, convoqués pour une messe spéciale, étaient groupés devant la porte de l'église. Ce jour-là, à Lyon, se fondaient les cloches destinées à la grande église.

Jamais je n'oublierai, dit Mgr Louis-Eugène Duguay, P.D., alors vicaire au Cap, la première impression que me fit le Père Frédéric, quand je le vis mettre pied à terre et s'avancer vers M. Désilets. Cette figure calme, amaigrie, austère, était celle que je m'étais faite de saint François en lisant *Les Poètes franciscains* de Frédéric Ozanam. Ce sentiment d'admiration et de respect, qui s'empara de moi, fut vite partagé par les fidèles qui m'entouraient.

De ce presbytère du Cap, comme d'un centre d'action, le Père Frédéric rayonna à travers le diocèse de Trois-Rivières. Partout il soulevait l'enthousiasme. L'abbé Désilets en informait, le 18 novembre 1881, Mgr Laflèche, rendu à Rome pour des affaires religieuses:

Le Jubilé et les Quarante Heures, au Cap, sont terminés depuis quelques jours, et me voici libre. Le Révérend Père Frédéric a prêché et réussi admirablement. C'est là un homme de Dieu, un saint, et un *savant*. Plus on voit cet homme de près, plus on le vénère, et on l'admire. Il m'a demandé à passer quelques jours dans la solitude du Cap pour préparer son *Manuel du Tiers-Ordre* pour le Canada: je le lui ai accordé de bon cœur. Ici, il peut être tranquille et travailler. Or il travaille jour et nuit comme le plus misérable des mercenaires, toujours nu-pieds, nu-tête, jeûnant au pain et à l'eau les trois quarts du temps, ne prenant presque rien, dormant peu, ne sortant pas de sa cellule improvisée, couchant sur la dure, et toujours le visage riant et d'une humeur magnifique. Si vous voyez ses Supérieurs, vous pouvez les assurer qu'il vit comme un saint [...] Il faut vivre un peu avec cet homme extraordinaire pour voir ce qu'il y a en lui de vertu, d'intelligence, de cœur et de noblesse [...] Le Père Frédéric nous est ici un appui nécessaire, et les bons catholiques, le clergé, les Jésuites appellent sa mission ici toute *providentielle*. Que sera-ce quand il aura été à Montréal dans quelques semaines? Il n'a fait encore que prêcher dans six ou sept paroisses, mais partout avec un succès prodigieux. Cependant c'en est assez pour remuer les populations et faire parler tout le monde. On court après lui, comme au temps des saints, et bien des malades sont guéris.

Le curé Désilets communiquait aussi son admiration débordante à l'abbé Provancher et au T.R.P. Raphaël Delarbre, O.F.M., définiteur général à Rome. À ce dernier, il écrivait:

> Mon Père, vous nous avez envoyé ici un saint; un saint et un religieux d'une puissance extraordinaire. Il a prêché le jubilé dans ma paroisse et en a obtenu des fruits merveilleux, comme du reste dans tous les lieux où il est allé. On se le dispute littéralement. Il vient ici tous les jours plusieurs prêtres qui veulent l'avoir et, s'il se rendait à toutes les demandes, il lui serait impossible de s'occuper de la mission pour laquelle il a été envoyé. Le fait est qu'il y a eu un grand nombre de guérisons surprenantes; mais personne n'en est étonné en voyant sa vie. Les malades le cherchent et le suivent partout, partant même d'endroits très éloignés. Hier, il en arrivait un du fond du Connecticut dans les États-Unis. Il avait bien parcouru cent lieues pour se recommander à lui; et, aujourd'hui, il en arrive un autre de quatre-vingt-dix lieues [16].

Les malades et les affligés relançaient donc le Père Frédéric dans sa cachette du Cap-de-la-Madeleine. La procession en était si considérable que le bon Père ne put qu'à grand-peine terminer son manuel du Tiers-Ordre. Il devait descendre, le 23 janvier 1882, à Cap-Rouge et à Québec pour surveiller l'impression de son manuscrit, lorsqu'il tomba gravement malade, le 21 janvier, d'une violente inflammation d'intestins et d'une forte fièvre. Ses étonnantes mortifications, ses prédications continuelles, les longs articles qu'il composait durant les heures de nuit, avaient fini par l'épuiser. Son état de faiblesse en fit une proie facile à la morsure d'un froid excessif auquel il fut exposé lors d'un voyage à Nicolet, le 17 janvier. La maladie fut courte mais si violente qu'il crut en mourir.

Après un bien long mois de convalescence, la santé revint et le travail aussi.

Cependant, au milieu d'avril, le Père Frédéric reçut un télé-

---

16. Lettre du 3 janvier 1882. Le P. Marcellin de Civezza l'a reproduite en italien dans sa *Storia universale delle Missioni Francescane,* Prato 1891, t. 7, 2e partie, pp. 317-322.

gramme: «Revenez en toute hâte en Orient. Guerre imminente en Égypte.»

Le premier mai 1882, il quittait le Canada, «avec un grand serrement de cœur, mais non sans quelque espérance de revoir une autre fois ce petit peuple béni de Dieu[17]», et, le 3 mai, en dépit d'une santé encore chancelante, il s'embarquait à New York pour la France et l'Orient.

Il arrivait à Alexandrie, le 14 juin, trois jours après les massacres d'européens qui venaient de s'y perpétrer. Au péril de sa vie, il demeura onze jours chez les religieux franciscains, attendant de voir quelle tournure prendraient les événements. La mission franciscaine d'Égypte devait subir de graves dommages. En juillet, éclatait la guerre anglo-turque. Voilà autant de faits qui firent l'objet d'un volume du Père Frédéric: *L'Égypte et les Franciscains.*

Le 18 juillet 1882, il arrivait à Jérusalem, très souffrant.

---

17. *Mon premier voyage au Canada,* p. 50.

Chapitre treizième

Commissaire de Terre Sainte au Canada (1888-1916)

On croyait que le Père Frédéric reviendrait au Canada à l'automne de 1882, avec un ou deux confrères, pour établir le commissariat de Terre Sainte à Trois-Rivières. Mais ce retour fut inopinément retardé de plusieurs années. Les raisons les plus diverses se relayaient. Le Père Frédéric devait avant tout rétablir une santé délabrée, puis s'acquitter des importantes fonctions attachées à sa charge de Vicaire Custodial, renouvelée pour un autre sexennat en 1884. En 1884, s'abattait sur lui une grave maladie, suivie d'une convalescence d'un an. En 1887, il rédigeait les précieux règlements de Bethléem et du Saint-Sépulcre. La Custodie, de son côté, devait parer aux désastres de la guerre d'Égypte; elle souffrait en outre du manque de sujets. Enfin, l'évêque de Trois-Rivières, quoique bien disposé à l'égard de l'établissement d'un commissariat de Terre Sainte dans sa ville épiscopale, ajournait constamment le projet par suite de difficultés pendantes, entre autres la division de son diocèse, qui devait donner naissance, en 1885, au diocèse de Nicolet.

Un retour différé, que des prêtres canadiens essaient de hâter

Cependant, durant l'absence du Père Frédéric, les affaires de la Terre Sainte ne furent pas délaissées au Canada. Le Vicaire

Custodial avait sagement pourvu à leur fonctionnement. Le lendemain de son arrivée à Cap-Rouge, le 25 août 1881 — ce fut l'un de ses premiers soucis — il avait demandé à son Ministre Général les pouvoirs de vice-commissaire de Terre Sainte au Canada pour l'abbé Provancher. Remplissant désormais cette nouvelle fonction sous la dépendance du commissaire de Terre Sainte des États-Unis, l'abbé Provancher recueillait les offrandes des fidèles en faveur du pays de Jésus. De plus, le Vicaire Custodial avait indiqué à l'archevêque de Québec le moyen le plus simple et le moins dispendieux de recueillir le produit de la quête annuelle du Vendredi Saint, soit de centraliser le montant des diocèses à son secrétariat et d'en envoyer le total directement au commissaire général de Terre Sainte, à Paris.

Dans ses lettres adressées de Jérusalem à son ami Provancher, le Père Frédéric se disait toujours prêt à retourner au Canada dès la première décision de ses supérieurs majeurs. Plus que tout autre, l'abbé Provancher désirait ce retour. Il avait même, à ce propos, insisté auprès du Ministre Général des Frères Mineurs, à l'été de 1882. En 1884, il avait accompagné en Palestine le premier pèlerinage canadien et avait passé cinq jours à Emmaüs à «s'entretenir du Canada avec le bon Père Frédéric», tout en satisfaisant son goût de naturaliste par l'herborisation et la chasse aux insectes; il avait plaidé aussi le retour du Père auprès du Custode. Puis, quelques mois plus tard, il avait fait la même chose auprès de Mgr Laflèche, qu'il avait relancé en octobre 1886.

Mais le projet de retour, maintes fois ébauché, traînait en longueur. Il eut enfin son dénouement grâce aux négociations promptes et audacieuses d'un homme entreprenant, l'abbé Raymond Caisse, procureur du séminaire de Trois-Rivières. Au cours d'un pèlerinage en Terre Sainte, ce prêtre avait admiré les qualités morales des gardiens officiels des Lieux Saints. De retour au pays, avec l'assentiment de son évêque, il avait écrit hardiment, le 6 octobre 1887, au Ministre Général des Frères Mineurs:

L'hiver dernier, j'étais à Jérusalem l'hôte des RR. PP. Franciscains, à Casa-Nova. Je suis revenu de ce pèlerinage avec le vif désir de voir vos Pères s'établir en Canada. Ce qui m'a inspiré ce désir, c'est la sainte simplicité, la régularité et la pauvreté évangélique dans laquelle vivent encore les enfants de saint François [...] Si nous avions, [me suis-je dit à moi-même], des enfants de saint François prêchant partout par leurs paroles et par leur exemple l'humilité et la tempérance, nous aurions en eux le plus puissant remède contre les excès du luxe et de l'ivrognerie. Plein de cette idée, je suis revenu auprès de mon Évêque bien-aimé, dans mon pays. J'en ai parlé à Sa Grandeur, qui m'a paru goûter fort cette idée. Monseigneur m'a même dit au mois de mai dernier qu'il se proposait de faire venir les Franciscains. L'objection de Sa Grandeur a été jusqu'ici la pauvreté de son diocèse, qu'on vient de diviser. Mais les Pères de Jérusalem m'ayant assuré qu'ils ne demandaient que la permission de s'établir sans aucun secours pécuniaire de la part de l'Évêque, Monseigneur n'aurait plus d'objection maintenant...

Le moment favorable est venu. Le Ministre Général sonde le provincial des Franciscains de France, suggère un acte pontifical au pape, communique avec le Custode de Terre Sainte, le Père Frédéric et l'évêque de Trois-Rivières.

Sur la demande du Général des Frères Mineurs, le pape Léon XIII renouvelle donc, dans un bref daté du 26 septembre 1887, la bulle de Pie VI recommandant la quête annuelle dans tous les diocèses du monde en faveur des Lieux Saints. Mgr Laflèche comprend l'opportunité d'un commissariat de Terre Sainte au Canada pour assurer le succès de la recommandation pontificale. C'est ainsi qu'une suite de lettres échangées entre Rome et Trois-Rivières détermine le Ministre Général à envoyer, le 4 avril 1888, au Père Frédéric l'obédience requise.

Le Père Frédéric enfin en route pour le Canada

Le lendemain de la réception de l'obédience, soit le 18 avril 1888, le nouveau commissaire de Terre Sainte au Canada quittait Jérusalem, en compagnie du Frère Lazare Fromentin, frère convers de la Custodie, qui devait lui servir de *socius*.

Les religieux de Jérusalem ne le voyaient point partir sans regret. Ils l'estimaient déjà comme un saint, témoin cet éloge adressé au Père Charles Vissani, commissaire de Terre Sainte à

New York, par un grand ami du Père Frédéric, futur commis-saire de Terre Sainte aux États-Unis, le Père Godefroy Schilling, O.F.M.:

> Je dois vous annoncer le départ du R.P. Frédéric, votre corres-pondant régulier. Il y a deux semaines, il a reçu ordre du Révéren-dissime Père Général de se rendre à Rome. Il est nommé supérieur quelque part, où il se rendra avec quelques frères. Ici, à Jérusalem, on se souviendra toujours de lui. C'était le parfait modèle du vrai fils de saint François. Il nous a édifiés par sa piété enfantine, son humilité sincère et profonde et son inaltérable confiance en Dieu, au milieu des plus grands ennuis. Les religieux de la communauté le voient partir à regret; car, en parole et en exemple, il a beaucoup fait pour le bien de tous et de chacun. Que le Dieu tout-puissant bénisse sa mission et qu'il lui fasse trouver, pour venir en aide à la Terre Sainte, des bienfaiteurs nombreux et généreux[1].

Le Père Frédéric s'arrêta huit jours à Rome (du premier au 9 mai) et y reçut les instructions particulières du Ministre Géné-ral. Puis, il se rendit à Paris; là, il s'annonça à son grand ami du Canada, l'abbé Provancher.

Avant de s'embarquer au Hâvre pour outre-mer, le 26 mai, il aurait voulu revoir toute sa famille; mais les circonstances trop pressantes ne le permirent pas. Il en exprima le regret à son demi-frère de Dunkerque, Jean-Baptiste Dumont, dans une lettre adressée de Paris, le 21 mai 1888:

> ... Je me faisais une fête de revoir toute la famille avant mon départ pour l'Amérique. Le bon Dieu me demande ce nouveau sacri-fice. Pour des causes indépendantes de notre volonté, nos supérieurs majeurs n'ont pu délivrer mes obédiences pour ma nouvelle mis-sion à l'époque qui avait été fixée préalablement. Je suis déjà en retard de plus d'un mois: tout mon voyage depuis la Ville Sainte jusqu'à Paris s'est fait en grande hâte, et ici je ne ferai que passer, en faisant économie de temps le plus possible. Que la sainte volonté de Dieu soit faite!

Toutefois il donnait à son demi-frère l'espérance de revoir la famille dans deux ans, après avoir organisé le commissariat

---

1. *The Pilgrim of Palestine and Messenger of Saint Francis* 1 (1888), 397.

de Terre Sainte au Canada et avant de retourner dans la Custodie, repassant par la France. Hélas! ces prévisions ne devaient pas se réaliser[2].

Le 8 juin 1888, le Père Frédéric arrivait à New York, où il se hâtait d'adresser un salut d'amitié aux abbés Désilets et Provancher. L'abbé Désilets allait le recevoir avec le Fr. Lazare, à la gare Bonaventure de Montréal, vers minuit du 13 au 14 juin.

L'accueil chaleureux du clergé trifluvien

Quand le lendemain, vers onze heures du matin, le train stoppait à Trois-Rivières, le chanoine F.-X. Cloutier, curé de la cathédrale, était déjà sur le quai de la gare pour accueillir les voyageurs.

Un autre accueil plus significatif encore les attendait à la porte de l'évêché: tous les chanoines étaient réunis, et, en l'absence de Mgr Laflèche, retenu par la visite pastorale, le premier grand vicaire, le chanoine Charles-Olivier Caron, faisait les honneurs de la réception. Tous les membres du chapitre diocésain partageaient les sentiments de sympathie cordiale et toute fraternelle que venait d'exprimer l'évêque à son second vicaire général, l'abbé Luc Désilets:

J'apprends avec plaisir l'arrivée à New York, et bientôt aux Trois-Rivières, du Très Révérend Père Frédéric et de son socius.

---

2. Le souci qu'avait le Père Légaré d'être aussi fidèle que possible à l'histoire le pousse toutefois à nuancer les données ci-dessus par la note infrapaginale que voici: «Lors de mon voyage à Ghyvelde, en 1950, l'on m'a rapporté un témoignage intéressant — le seul du genre que j'aie rencontré. Mme D... L..., qui vivait encore en 1950, se rappelait très bien la visite du *Père Frédéric à Ghyvelde, en 1888*; elle était alors âgée de huit ou neuf ans. Le père entra chez les parents de la fillette. Comme tous les enfants, la fillette restait à regarder, immobile, bouche bée, lorsque son père, s'approchant d'elle, l'invita à s'agenouiller devant le Père Frédéric pour recevoir sa bénédiction. Après le départ du missionnaire de Terre Sainte, ce père de famille disait à tous ceux qui voulaient l'entendre: «J'ai eu la visite d'un saint. » — Si le fait raconté par le témoin a bien eu lieu, on peut endosser l'explication du Père Légaré à l'effet que, dans ce cas, le Père Frédéric aurait modifié en dernière heure l'itinéraire qu'il avait annoncé à son demi-frère.

Qu'ils soient l'un et l'autre les bienvenus, et puissent-ils nous apporter les bénédictions que leurs anciens Pères apportèrent, il y a plus de 250 ans, à la terre canadienne et trifluvienne. En attendant le plaisir de les voir, dites-leur que je prie le Seigneur de répandre, sur leurs personnes et sur l'oeuvre qu'ils viennent fonder dans mon Diocèse et qui s'étendra à toute la Puissance du Canada, ses plus abondantes bénédictions[3].

Mgr Laflèche lui-même reliait le bon Père Frédéric à la lignée des Jamet, des Dolbeau, des Le Caron, des Duplessis, de tant d'autres franciscains récollets qui, de 1615 à 1849, de concert avec les Jésuites, les Sulpiciens, les prêtres séculiers, avaient planté l'Église en terre canadienne. Après le long hiver de l'intolérance protestante, qui avait provoqué l'extinction des Récollets et des Jésuites, le retour définitif du Père Frédéric, en ce mois de juin 1888, s'annonçait comme un second printemps de l'apostolat franciscain.

Le Cap-de-la-Madeleine, pied-à-terre provisoire du futur commissariat

En accédant à leur nouvelle patrie, les deux missionnaires de Terre Sainte s'abandonnaient à la Providence pour le vivre et le couvert. Ils acceptèrent l'hospitalité de l'évêché le jour de leur arrivée, et, le lendemain matin, sur l'invitation de l'abbé Désilets et sur l'avis du premier grand vicaire le chanoine Caron, ils se rendirent au presbytère du Cap-de-la-Madeleine.

En ce matin du 15 juin 1888, les frères Désilets, Gédéon, Pétrus et Alfred, mettaient, comme six ans auparavant, leur sympathique canot à la disposition des deux franciscains. Sur l'antique Saint-Laurent, la parole du Père Frédéric retentissait de nouveau, moins admirative peut-être, plus intime, toute de

---

3. Lettre de Mgr Laflèche, Saint-Justin, 11 juin 1888. Cette lettre et les autres documents concernant l'établissement du commissariat de Terre Sainte à Trois-Rivières se trouvent aux archives de la vice-postulation de la cause de béatification du B.P.F. (Trois-Rivières). Cf. Manuscrit du Père Frédéric, *Commissariat de Terre Sainte aux Trois-Rivières.*

joie profonde; elle redisait les sentiments exprimés dans une lettre récente à l'abbé Provancher: «Que le bon Dieu soit mille fois béni de la grande consolation que, dans sa bonté, il m'accorde de revoir ce cher pays, où j'ai laissé les plus intimes affections de mon âme reconnaissante[4].» Gédéon Désilets rapportera plus tard: «Nous étions tous heureux comme si nous avions revu un membre de la famille après une longue absence.»

Et c'était bien en effet un membre de la famille canadienne qui venait reprendre, après un siècle, le labeur de ses frères récollets dans un des lieux où ils avaient travaillé.

L'offrande de l'hospitalité, au presbytère du Cap, faisait l'affaire de chacun. L'abbé Luc Désilets, qui était à la fois grand vicaire du diocèse de Trois-Rivières et curé de la paroisse du Cap-de-la-Madeleine, trouvait dans le Père Frédéric l'homme providentiel dont il avait besoin pour organiser un lieu de pèlerinage en l'honneur de la Reine du Très Saint Rosaire. De son côté, le Père Frédéric trouvait une résidence temporaire en attendant la construction de son commissariat; de plus, son zèle de prédicateur ne demandait pas mieux que de se dépenser pour une cause mariale.

À peine était-il installé que partout se répandait la nouvelle de l'arrivée du Père Frédéric et que les malades déjà affluaient avec grande confiance au presbytère pour vénérer les reliques de la Terre Sainte.

Il arrivait juste à temps pour la dédicace solennelle de l'ancienne église du Cap-de-la-Madeleine à la Reine du Rosaire, le 22 juin 1888. Grande fête religieuse, grand sermon prophétique du Père sur les destinées de ce petit sanctuaire appelé à devenir le sanctuaire par excellence de Marie, grand miracle surtout, le fameux «miracle des yeux», survenu le soir même de ce jour qui marquait la naissance officielle du pèlerinage marial.

Il n'avait pas oublié la cordiale réception que lui avait faite le chapitre diocésain, les paroles aimables que lui avait adressées Mgr Laflèche par l'intermédiaire de son grand vicaire. Aussi le

---

4. *New York,* 9 juin 1888.

18 juin, il avait écrit à l'évêque de Trois-Rivières, en visite pastorale:

C'est avec le sentiment de la plus profonde gratitude que nous accueillons les souhaits de bienvenue et les encouragements si pleins de bienveillance que votre cœur tout paternel nous adresse, en date du 11 courant, dans la lettre que Votre Grandeur a écrite, à notre sujet, à Monsieur Luc des Îlets, Grand Vicaire de votre diocèse et notre insigne bienfaiteur.

Nous n'avons absolument rien fait pour mériter l'accueil que dans votre trop prévenante bonté vous nous réservez, Monseigneur, à votre Palais épiscopal au retour de votre visite pastorale: notre âme en reste toute confuse. Cependant, malgré notre infirmité, avec l'aide du bon Dieu, nous tâcherons de correspondre à tout ce que l'on attend de nous, dans ce cher pays du Canada, qui avait déjà toutes nos affections, et que nous venons maintenant habiter comme notre patrie d'adoption.

Oui, la terre canadienne et trifluvienne reçut, il y a 250 ans, les pauvres enfants de saint François, qui en furent les premiers apôtres, qui l'arrosèrent de leurs sueurs et qui lui sacrifièrent leur propre vie. Nous ne sommes pas dignes de marcher sur leurs traces; mais, soutenus par l'obéissance qui nous envoie, nous sommes résolus de dépenser toutes nos forces et de sacrifier également notre vie, au besoin, pour le bien des âmes, dans toute la Puissance du Canada en général et en particulier dans le diocèse des Trois-Rivières, et nous avons reçu, à notre passage à Rome, de nos Supérieurs majeurs, la recommandation formelle de rendre tous les services et de donner toutes les consolations possibles, en ce moment de si douloureuses épreuves, à son premier Pasteur, que nous devons regarder (et que nous regarderons toujours) comme notre bienfaiteur, notre protecteur et notre père.

En attendant le retour de Votre Grandeur, nous sommes actuellement au presbytère du Cap, dans la compagnie si précieuse de Monsieur des Îlets, qui nous accable, comme toujours, de toutes sortes de prévenances et de bienfaits.

L'accréditation de l'œuvre de Terre Sainte
auprès des évêques canadiens

Mgr Laflèche revint de sa visite pastorale, le 25 juin. Le Père Frédéric alla régler la question de son installation définitive dans le diocèse.

L'archevêque de Québec, promu cardinal depuis deux ans, faisait lui aussi sa visite pastorale. Il revint à son palais cardinalice, le 16 juillet. Après entente par lettres, le Père Frédéric s'y rendit et présenta au cardinal Taschereau ses lettres de créance et une lettre particulière de recommandation du cardinal Simeoni, préfet de la Propagande. Il était accompagné de son ami intime, l'abbé Provancher, qu'il était si content de revoir.

Après une courte visite à Cap-Rouge, il revint au Cap-de-la-Madeleine. Le 21 juillet, il expédia à tous les évêques canadiens des lettres circulaires annonçant la quête du Vendredi Saint et le nouveau poste de commissaire de Terre Sainte «pour tout le dominion du Canada». À cause de l'étendue du pays, il ne put évidemment se présenter en personne chez tous les évêques, mais il fut heureux d'en visiter quelques-uns: en plus du cardinal de Québec, les archevêques de Montréal et d'Ottawa, les évêques de Nicolet, de Saint-Hyacinthe et de Sherbrooke. Tous l'accueillirent avec bienveillance et lui permirent de prêcher et de confesser dans leur diocèse. Il y eut exception pour Mgr Fabre, archevêque de Montréal, qui donnait difficilement juridiction aux religieux étrangers; mais les choses s'arrangèrent par la suite.

Les démarches pour la construction d'une maison
qui serait le siège d'un commissariat

En même temps que le commissaire de Terre Sainte s'accréditait auprès de l'épiscopat, il se cherchait un emplacement dans la ville de Trois-Rivières.

Le curé Désilets lui avait dit, en confidence, aux premiers jours de son arrivée au pays:

— Monseigneur a un terrain des mieux situés. Il est disposé à vous le donner pour y bâtir le commissariat. Le terrain est assez vaste pour accueillir plus tard une communauté.

L'évêque fut vraiment l'ange de la Providence. Malgré les problèmes financiers de son diocèse, Mgr Laflèche voulut figurer en tête de liste des bienfaiteurs de la Terre Sainte. Le 9 août 1888, d'accord avec son chapitre, il faisait don d'un terrain d'un arpent carré (3419 mètres carrés), à l'angle des rues des Champs et du Pont (actuelles rues Laviolette et Saint-Maurice), pour y bâtir la maison du commissariat. Mais l'acte légal de donation ne fut signé que le 12 février 1889.

L'emplacement était très avantageux. Il était situé hors des limites urbaines, en plein champ, loin du bruit, tout en n'étant qu'à cinq minutes de la gare et à un mille (1,6 km) du centre-ville. De plus, il avoisinait une route sablonneuse qui allait de Trois-Rivières au Cap-de-la-Madeleine et débouchait, plus loin, sur les belles paroisses de Saint-Maurice et de Champlain. Dans les premières années, cet isolement apporta quelques complications, surtout l'hiver, au ministère des Pères. Le plus proche voisin, du moins jusque vers 1902, résidait à quelques arpents du commissariat, en face du terrain du Séminaire: c'était M. Gédéon Désilets, syndic du commissariat de Terre Sainte et futur syndic de la communauté des Franciscains, que la ville ne tarderait pas à rejoindre et encercler un jour.

Le Père Frédéric n'attendit pas que l'acte de donation fût signé pour faire commencer les travaux de construction. Ceux-ci débutèrent le 27 août 1888. Ils étaient sous la direction de Pierre Beaumier, cultivateur et menuisier du Cap-de-la-Madeleine, qu'on surnommera plus tard «le menuisier de Notre-Dame du Cap».

Le rectangle de terrain où furent entrepris les travaux de creusage se situerait un peu en avant de l'actuel couvent des Franciscains. Orienté d'est en ouest comme l'aile des parloirs, il s'étendrait de l'extrémité orientale de celle-ci jusqu'au portail de la porterie. Il s'agit de la partie nord de l'espace gazonné où s'élève aujourd'hui le calvaire des Pères.

Faites pour trois ou quatre religieux au plus, la résidence qui fut érigée sur le site en question était d'aspect modeste. C'était tout simplement une maison ordinaire, construite en bois selon l'usage du pays. Elle mesurait quarante-deux pieds sur trente-et-un (12,80 m sur 9,45 m) à l'extérieur, avec fondations de pierre de mêmes dimensions et une cave. À l'étage mansardé, se trouvaient les cellules, la bibliothèque, la sacristie, le petit oratoire bien simple, oasis de solitude sacrée réservée aux seuls religieux. Le rez-de-chaussée se divisait en onze pièces, y compris la chapelle des saintes reliques à l'entrée, le bureau du commissaire, les parloirs. Plus tard, on ajouta une galerie couverte de soixante-deux pieds de long sur douze (20,3 m × 3,9 m) qui, de la rue, conduisait à la chapelle des saintes reliques. Ce couloir impressionnant était conçu pour créer chez les visiteurs un fort dépaysement spirituel. Garni tout au long d'inscriptions et de tableaux des saints de l'Ordre séraphique, il fut bientôt surnommé «la galerie des saints». Au-dessus de l'entrée, surmontée d'une croix de Terre Sainte et des armoiries de l'Ordre franciscain peintes sur bois découpé, se détachait en grosses lettres l'inscription: *Commissariat de Terre Sainte.*

Les commissariats de Terre Sainte, placés dans les principaux centres d'Europe et d'Amérique, forment un trait d'union entre l'Orient et l'Occident; ce sont les racines vitales de la Custodie. Les commissaires ont pour mission spéciale de recueillir le produit de la quête annuelle et les offrandes spontanées des fidèles, de prêcher la dévotion aux Saints Lieux, de faire connaître au monde les travaux et les besoins de la Custodie, d'expliquer l'emploi des aumônes et de publier les incomparables privilèges spirituels que le Saint-Siège accorde aux bienfaiteurs de la Terre Sainte.

La mort de M. Désilets, curé du Cap, amène le Père Frédéric à donner une bonne part de son temps au pèlerinage

L'œuvre de Trois-Rivières débutait trop bien. Il fallait s'attendre à ce qu'une épreuve vînt bientôt la consacrer. Cette épreuve, ce fut la mort subite du premier hôte du Père Frédéric, le grand vicaire Luc Désilets. Ce grand ami et bienfaiteur décédait le 30 août 1888, à l'âge de 56 ans, chez son frère Alfred, à Trois-Rivières. Le mois précédent, une grave attaque cardiaque avait donné une sérieuse alerte. Elle était un prélude.

Le Père Frédéric vit dans ce deuil un signe que le Seigneur mettait le sceau sur l'œuvre naissante. «La fondation du commissariat, écrit-il à l'abbé Provancher, le 7 septembre 1888, commence par une bien grande épreuve pour moi; mais c'est un signe que c'est l'œuvre du bon Dieu. Notre Séraphique Père saint François ne demandait pour lui que des croix, les enfants pourraient-ils avoir d'autres désirs que ceux de leur Père?»

Les funérailles avaient eu lieu en présence d'un nombreux clergé et d'une foule immense de fidèles, qui ne put se loger toute dans l'église. Mgr Laflèche, très ému, fit l'éloge du défunt. «Je pus lui rendre en toute sincérité, écrivait-il à l'abbé Provancher, le témoignage qu'il a été un véritable bon prêtre, doué à un degré remarquable des dons de l'intelligence et du cœur. Comme le bon serviteur, il a fait valoir ses talents précieux pour la défense de la vérité, la gloire de Dieu et le salut des âmes[5].»

Après la mort de l'abbé Désilets, Mgr Laflèche nomma l'abbé Duguay, qui était vicaire, à la cure du Cap-de-la-Madeleine, et demanda au Père Frédéric de rester au presbytère pour aider à régler la question financière de la paroisse et à recevoir les pèlerins. Durant quatorze ans, avec l'abbé Duguay, il organisera et desservira les pèlerinages, tout en travaillant pour la Terre Sainte. Car il ne délaissera pas pour autant la maison du commissariat de Trois-Rivières. Entre cette maison et le presbytère du Cap, il fera souvent la navette, la plupart du temps à pied. Il lui arrivera maintes fois d'accomplir l'aller et le retour dans la même journée, soit la distance de sept bons milles (11,2 km).

Les problèmes de personnel du commissariat naissant

Au bout de trois mois et demi, il perdait son premier compagnon, le Frère Lazare. Celui-ci retournait en Terre Sainte le

5. Lettre du 4 septembre 1888.

28 septembre 1888. Ce religieux pieux, trop pieux, était plus fait pour être ermite que pour être socius d'un commissaire de Terre Sainte, dont la fonction exige un contact constant avec le public: le Frère Lazare ne voulait voir personne ni parler à personne et, en plus, manquait de jugement.

Cependant deux autres religieux arrivèrent de France le 11 septembre 1889: le Père Fulcran Berthomieux de Lacoste et le Frère Florian Voussure, convers, profès simple de 1887.

Le lendemain, le Père Frédéric prenait possession de sa nouvelle résidence, enfin achevée: elle lui avait coûté 3 500$. Mais la fondation d'un premier couvent régulier à Montréal ne tarda pas à lui siphonner ses deux auxiliaires: la restauration formelle de l'Ordre au Canada avait, aux yeux de ses supérieurs, priorité sur l'œuvre de Terre Sainte.

En fait, pour ce qui est du personnel, ce fut souvent, pendant les années qui suivirent, la grande misère au commissariat de Trois-rivières. La maison resta close bien des fois. Plusieurs frères convers se succédèrent, dont quelques-uns furent de simples postulants qui ne persévérèrent pas dans l'Ordre. À partir du 28 octobre 1901, grâce au concours du Frère Pascal Buisson, qui devait laisser à Trois-Rivières un souvenir des plus vénérés, le commissariat fut continuellement habité.

Dès le début, le Père Frédéric avait demandé à son confident, le Père Raphaël Delarbre, Procureur Général de l'Ordre franciscain à Rome, «des religieux selon le cœur de Dieu», entre autres deux religieux de la Terre Sainte et de la province de Saint-Louis qu'il connaissait bien: le Frère Accurse Vervinck d'Eccloo, d'origine belge, et le Père Augustin Bouynot de Jarnac. Ils arrivèrent tous deux au Canada en octobre 1892. Le Père Augustin fut dirigé sur Montréal afin de s'y occuper «pour quelques semaines seulement», disait-on, de la desserte spirituelle de la colonie italienne; il devait y rester trois ans. Le Frère Accurse demeura environ trois ans au commissariat de Terre Sainte, presque toujours seul, obligé d'aller le matin au séminaire pour entendre la sainte messe, puisque le Père Frédéric était sans cesse retenu par ses missions.

Il repartit, le 15 octobre 1895, pour la France, en compagnie du T.R.P. Arsène de Servières, provincial.

Enfin, le collaborateur idéal: le Père Augustin Bouynot

Quatre jours après, le 19 octobre 1895, en la fête de saint Pierre d'Alcantara, franciscain, le Père Augustin venait résider pour de bon au commissariat. Il fut accueilli à bras ouverts par le Père Frédéric. Ils avaient vécu ensemble aux couvents de Bourges et de Bordeaux, puis en Palestine. C'étaient deux êtres bien préparés à se comprendre et à s'attacher l'un à l'autre. La vie en fera deux compagnons inséparables, deux amis de la lignée des saint Basile et saint Grégoire; la mort viendra les chercher tous deux dans l'espace de cinq mois.

Ceux qui ont connu le Père Augustin sur la fin de sa vie revoient encore cette digne et belle tête de vieillard au vaste front dénudé, à la barbe blanche fournie, taillée en double pointe et tombant jusqu'à la poitrine.

Mais le portrait moral était plus remarquable encore. Le Père Augustin avait avec le Père Frédéric de nombreux traits de ressemblance, que faisaient ressortir ses caractéristiques individuelles.

Chez les deux franciscains, même zèle sacerdotal des plus actif et des plus désintéressé, même vie religieuse des plus aimable et des plus surnaturelle, même esprit de paix et de douceur, mêmes lumières prenant leur source dans la méditation théologique, mais plus encore dans les inspirations de la grâce. Leur mutuelle vénération prenait la forme d'une saine émulation dans la pratique des vertus et l'accomplissement du devoir. Ils étaient l'un et l'autre, chacun à sa manière, l'image de la bonté: aussi ne les appelait-on jamais que le bon Père Augustin, le bon Père Frédéric, le saint Père Frédéric. Remplis tous deux d'une extrême charité pour les malades, les infirmes, les affligés, ils ne pouvaient voir souffrir sans s'émouvoir. Dans leur foi simple, toute surnaturelle, ils n'hésitaient pas à demander au ciel de vrais miracles; plusieurs proclament avec une enthousiaste reconnaissance en avoir obtenus par le secours de leurs prières.

Le Père Augustin prêta souvent son concours au sanctuaire du Cap-de-la-Madeleine, aux curés des villes et des campagnes; mais sa principale tâche consista à visiter régulièrement les pauvres, les malades. Son accueil souriant, sa conversation douce et lente, sa charmante simplicité révélaient un cœur d'or et lui ouvraient celui des autres. Ministère caché que fut le sien, mais aussi fructueux que méritoire; vie religieuse et sacerdotale sans bruit, sans éclat, pareille aux eaux paisibles et ombragées qui répandent sur leurs bords fraîcheur et fécondité. Les pénitents appréciaient grandement la mansuétude, la patience du Père Augustin, car il confessait beaucoup, dirigeait bien des âmes. Certaines gens le préféraient comme confesseur au Père Frédéric, parce qu'ils le trouvaient moins rigide: c'était un «bon papa». Par contre le Père Frédéric avouait à l'un de ses confidents que le ministère des confessions était toujours pour lui un vrai martyre, à cause de la responsabilité des âmes. D'une conscience timorée, il avait besoin, pour aller hardiment de l'avant, de conseillers solides tels que les Pères Raphaël Delarbre et Colomban-Marie Dreyer. Très sensible, il avait une grande délicatesse de conscience, qui allait jusqu'à l'inquiétude morale, pour ne pas dire jusqu'au scrupule. Il sentait souvent le besoin d'être rassuré sur ses facultés de confesseur, ses pouvoirs, ses dispenses de commissaire de Terre Sainte. La crainte des responsabilités lui donnait celle du supériorat: «Ç'a été ma seule crainte, toute ma vie!», écrivait-il au Père Colomban-Marie en 1903. Une autre de ses craintes: celle de mourir commissaire de Terre Sainte: «Je crains cela plus que le feu[6].» Il devra hélas! se résigner à faire son purgatoire sur terre puisque, après avoir rempli cette charge pendant vingt-six ans, il mourra doyen des commissaires!

Le Père Frédéric était moins communicatif que le Père Augustin. Au premier abord, il inspirait le respect plutôt que la confiance. C'était l'ascète voué à la gloire de Dieu et au salut des âmes. Tout en faisant régner dans son extérieur une aimable courtoisie, il risquait rarement une confidence. Il pensait ce qu'il disait, mais il ne disait pas tout ce qu'il pensait. Il se ressentait sur ce point de son éducation première; mais la douceur, fine fleur de

6. Lettre au P. Colomban-M., mercredi des cendres 1903.

l'humilité et fruit de la charité, donnait à son commerce un charme singulier. Cette vertu lui gagnait la sympathie de tout le monde. Universellement estimé à cause de ses belles qualités d'esprit et de cœur, il impressionnait par son éminente piété.

Ces deux hommes de Dieu s'entendaient comme deux doigts de la main. Ils se complétaient dans l'œuvre de l'apostolat. C'est précisément parce que l'un possédait pleinement ce qui était moins éminent chez l'autre qu'ils devinrent bientôt inséparables. Tous deux travaillaient au salut des âmes, l'un en se produisant, l'autre en s'effaçant. Ne faut-il pas, pour l'accroissement des plantes, en plus du soleil qui illumine et qui réchauffe, le suc nourricier du sol? Ce que le Père Frédéric était pour les foules, le Père Augustin l'était pour les particuliers. Quand l'un avait fini son ministère, l'autre, aurait-on dit, commençait le sien.

De ces deux excellents serviteurs de Dieu et de la Terre Sainte l'on pouvait dire avec l'Écriture: «*Hi sunt duæ olivæ et duo candelabra in conspectu domini terræ stantes*» (Ap 11, 4), «ils sont comme deux oliviers, deux candélabres dressés côte à côte en présence du Seigneur de la terre.» À leur mémoire est attaché un parfum de sainteté qui n'est pas disparu. On les considère comme les deux patriarches de la restauration franciscaine au Canada. On voyait tant de vertu dans l'un et l'autre qu'on se demandait parfois avec indiscrétion qui était le plus saint.

Le Père Augustin resta sans interruption au commissariat de Trois-Rivières de 1895 jusqu'en 1899, sauf pendant les carêmes de 1898 et 1899, passés dans le diocèse de Montréal. Après le carême de 1899, il revint au commissariat pour une quinzaine de jours et se rendit ensuite au Cap-de-la-Madeleine pour aider le curé Duguay dans le service des pèlerinages. Il y resta jusqu'en février 1901 et quitta alors le Cap pour se rendre à Québec; il y tomba assez gravement malade et dut être transporté à l'hôpital de Trois-Rivières.

Depuis mai 1899 jusqu'à la fin d'octobre 1901, le commissariat resta à peu près inhabité. Les Pères Frédéric et Augustin y passaient de temps en temps un jour ou deux, et c'était tout. Le syndic Gédéon Désilets en gardait la clef.

Cependant il n'en fut pas toujours ainsi. Après leurs courses apostoliques, nos pieux missionnaires se hâtaient de regagner leur chère solitude. L'humble maison du commissariat devenait alors le témoin de leurs vertus: délices de la prière, amour de la pauvreté, mortification du coucher, du manger. Rarement vit-on pareille émulation spirituelle chez deux confrères partageant la même tâche et le même toit.

Un petit commissariat qui était une thébaïde de prière et de pénitence

Les deux grandes forces qui sous-tendaient la vie spirituelle du Père Frédéric, le souci de la sanctification et la préoccupation de l'apostolat, se faisaient parfois la guerre. Au milieu d'une vie très active, l'homme était saisi soudain par la nostalgie de la vie contemplative, par le désir de finir ses jours au Saint-Sépulcre ou au mont Thabor. Il faisait alors siens les gémissements amoureux de saint Paul. «Pour moi personnellement, écrivait-il, je ne désire qu'une chose, après laquelle je soupire depuis quarante ans: *cupiens dissolvi et esse cum Christo*[7]», «j'ai le désir de partir et d'être avec le Christ.» «Je ne me sens plus attaché à rien d'ici-bas et n'ai qu'un désir irrésistible: *cupiens dissolvi et esse cum Christo*[8].»

L'homme qui portait en lui de pareilles aspirations à la vie dans le Christ n'aurait évidemment pas pu endurer que l'esprit mondain vienne s'installer dans le petit poste qu'il venait de fonder par-delà les mers. Le Père Frédéric demandait à ses supérieurs majeurs de n'envoyer au Canada que de saints religieux. Il désirait que son entourage immédiat eût une soif contagieuse de sainteté.

Les Frères Accurse et Léon, écrivait-il au P. Raphaël le 2 janvier 1894, ont pris hier la résolution ardente de vivre en véritables saints, ici, dans notre incomparable solitude, gardant un strict silence

7. Ph 1, 23. Cité dans une lettre du P. Raphaël, 24 septembre 1902.
8. Lettre au P. Ange-Marie Hiral, O.F.M., gardien du couvent de Montréal, 14 mars 1911.

et se tenant toujours, le cœur joyeux, en présence de Dieu. Je leur ai dit que c'était la volonté expresse du Rme P. Général afin d'obtenir le tombeau du Fr. Didace. Il faut pour cela que nous soyons tous trois des saints par la mortification intérieure, car, pour l'extérieur, nos très chers frères ont très bon appétit!

À cette époque, de concert avec l'évêché de Trois-Rivières, le Père Frédéric faisait des démarches jusqu'auprès du premier ministre de la province de Québec pour obtenir le corps du Frère Didace Pelletier, franciscain canadien mort en odeur de sainteté en 1699, et pour racheter l'ancien couvent franciscain de Trois-Rivières, où était inhumé le vertueux récollet.

La pauvreté des premiers missionnaires du Canada se reflétait, elle, dans l'aspect très modeste de la maison du commissariat... Et dans la tenue du maître de céans. L'habit du Père Frédéric était simple, pauvre, rapiécé, mais propre. Son manteau trop court, presque fauve, lui donnait une apparence misérable, qu'accentuait encore son écharpe de laine tout élimée et décolorée. Cependant cette pauvreté rigoureuse ne lui enlevait rien de la dignité qui convient à un ministre de Dieu, car on savait qu'elle n'était pas le fait de la négligence, mais du renoncement. La charge de commissaire de Terre Sainte lui permettait de manier l'argent, ce qui exigeait une dispense pour un franciscain. Par crainte de malédifier, il le faisait d'une manière si discrète que beaucoup de gens ne s'en aperçurent jamais. Il n'usa jamais de cette dispense — qui lui était pénible — pour se procurer quelque avantage personnel.

Son indifférence au confort lui faisait trouver à son goût l'ameublement très ascétique du commissariat. En reprenant, en 1888, sa chambre de 1881 au presbytère du Cap, il avait trouvé son lit trop bon et s'en était fait un autre à son goût: trois planches sur deux tréteaux. Au commissariat, il dormait sur deux planches sans paillasse, enveloppé d'une couverture, n'ayant pour oreiller que son petit manteau.

La nourriture des Pères Frédéric et Augustin était des plus frugale. Quand ils étaient seuls, ils se faisaient la cuisine pour quinze jours, à la mode du Frère Junipère, le célèbre marmiton des *Fioretti.* Quand ils avaient un cuisinier, ils n'étaient guère plus difficiles. Le Frère Gonzalve Duval, postulant d'alors (1895-1899), raconta qu'un jour il avait oublié de mettre du sel dans les aliments. À table, il s'en excusa auprès du Père Frédéric. Celui-ci lui dit:

— Elles sont bonnes, très bonnes, vos pommes de terre. C'est ainsi que je les aime.

«Avec un tel homme, je pouvais rester cuisinier», concluait le frère, qui ne se faisait aucune illusion sur sa ressemblance avec Vatel.

Un petit commissariat qui était aussi un centre
de rayonnement spirituel et apostolique

Si grande qu'ait été la nostalgie du Père Frédéric pour la solitude et la prière, il ne pouvait empêcher le rayonnement de sa vie spirituelle de franchir les murs derrière lesquels il essayait de la cacher. C'est un principe de l'Évangile qu'il ne faut pas mettre la lampe sous le boisseau, mais lui donner la chance d'éclairer toute la maison de sa lumière. Que la chose ait plu ou non au Père Frédéric, son commissariat devint donc un centre de rayonnement spirituel. L'humble maison mansardée était une sorte de dispensaire moral, où accouraient les malades et les multiples blessés de la vie. Ils en repartaient avec des mots d'encouragement, des directives et parfois l'obtention d'une guérison. Le Père Frédéric ne disait pas qu'il faisait des miracles, mais tout le monde le proclamait!

À côté de ces contacts individuels, qui atteignaient les âmes une par une, le Père Frédéric a pratiqué plusieurs formes d'apostolat à portée plus large et plus sociale. Relevons plus en détail le zèle qu'il a déployé en faveur de la Terre Sainte et le souci qu'il n'a cessé de manifester pour l'avenir de son Ordre au Canada.

La contribution du Père Frédéric à la cause de la Terre Sainte

La crainte de mourir commissaire de Terre Sainte n'empêcha pas le Père Frédéric d'aimer de tout son cœur la cause qu'on l'avait envoyé servir au Canada. Si la Terre Sainte parlait tant à son âme de prêtre franciscain, c'est qu'il y voyait, dans la luminosité orientale, le lieu d'origine du Fils de Dieu fait homme et de sa divine Mère. Comme il le disait lui-même, il saluait toujours la Ville Sainte comme la patrie de son Dieu et la patrie de son âme à lui. Deux dévotions complémentaires lui étaient particulièrement chères: la dévotion à Jésus crucifié et le Rosaire, qui est une méditation priante des principaux mystères de notre rédemption. Comment n'aurait-il pas eu une prédilection spéciale pour les Lieux où s'étaient déroulés ces mystères?

L'amour de la Terre Sainte, corollaire de son amour ardent pour le Verbe incarné et sa Mère, fut donc un des ressorts les plus puissants de l'apostolat du Père Frédéric. Même lorsqu'il prêchait ses grandes missions, le souci de promouvoir la cause de la Terre Sainte ne cessait de l'habiter. Il peut certainement être regardé comme le plus grand apôtre du pays du Christ au Canada.

Pour propager cette œuvre, son zèle ingénieux inventait les formes les plus diverses d'apostolat: entrevues au commissariat, quêtes à domicile ou dans les églises, prédications, livres, revues, vénération de reliques, encouragement de pèlerinages canadiens, reproduction de quelques Lieux Saints, installation de chemins de croix en plein air.

Des aumônes pour les Lieux Saints

Nous avons vu que son premier voyage au Canada (1881-1882) avait atteint son objectif: l'établissement de la quête annuelle du Vendredi Saint pour les Saints Lieux. À cette occasion, il publia une brochure de propagande, peut-être la meilleure de toutes ses plaquettes: *Notice historique sur l'œuvre de Terre-Sainte* (Québec 1882, 79 pages).

Il se dépensait sans compter pour susciter des bienfaiteurs à la Terre Sainte et s'émerveillait de la réponse généreuse que les gens lui donnaient. Dans ses lettres au Custode, il n'en revenait pas de la charité du peuple canadien. D'après une évaluation sans doute contestable, il estimait le Canada «le pays le plus pauvre du monde» et cependant le plus généreux: «Je prie le Vénérable Discrétoire de remarquer que le Canada, pays très pauvre, et qui ne compte pas 2 000 000 de catholiques, a donné, cette année [1890], pour la Terre Sainte plus de 50 000 francs. Quelle est la contrée qui donne 25 000 francs par million d'âmes[9]?» «Je suis fier de mon petit peuple canadien, qui est le plus pauvre du monde et qui, au prorata, donne pour la Terre Sainte plus que tous les autres pays du monde[10]!»

Pour rendre plus efficace son action dans un pays bilingue comme le Canada, le commissaire de Terre Sainte comprit qu'il lui serait utile de savoir l'anglais. Et quand, en 1902, il confia à Mgr Laflèche qu'il se mettait à l'étude de cette langue à 63 ans, l'évêque sourit.

L'œuvre des pèlerinages canadiens en Terre Sainte

Il rêvait de conduire lui-même un pèlerinage canadien dans les augustes sanctuaires de Palestine. Il rêvait également d'établir à Jérusalem une maison d'hospitalité de pèlerins canadiens, dont la direction serait confiée à quelques sœurs tertiaires du Canada, qui étaient prêtes à se donner à cette œuvre.

Il encouragea et seconda cordialement son grand ami, l'abbé Provancher, dans l'organisation des pèlerinages de Terre Sainte, les premiers du genre au Canada, considérés alors comme des entreprises extraordinaires. L'abbé organisa quatre pèlerinages nationaux: en 1884, 1886, 1888 et 1890; il dirigea lui-même le premier.

---

9. Lettre au Custode et au discrétoire de la Custodie, 10 janvier 1890. À cette époque, le dollar canadien valait cinq francs.

10. Lettre au Custode, 8 mars 1890.

Le sanctuaire palestinien de Saint-Jean-in-Montana

Le Père Frédéric seconda aussi l'abbé Provancher dans la dernière entreprise de large envergure dont s'occupa cet homme extraordinairement dévoué à la religion et à la patrie. Il s'agit d'un imposant tableau de saint Jean-Baptiste, patron des Canadiens français, baptisant le Christ. L'achèvement de cette toile demanda six années de travail. L'œuvre originale mesurait neuf pieds sur six; dans un ciel entr'ouvert et dans un paysage du Jourdain, reproduit d'après nature, elle mettait en scène quarante-deux personnages. Elle fut exécutée par Adolphe Rho, peintre canadien bien connu et hautement apprécié dans son temps, l'un des plus grands talents qui aient paru chez nous. Le tableau fut emporté en Palestine, en 1890, par le quatrième pèlerinage canadien. Exposé tout près de l'entrée du sanctuaire de Saint-Jean-in-Montana, il représente de nos jours encore, pour les Canadiens qui se rendent en Terre Sainte, un sourire de la patrie laurentienne.

Les chemins de croix érigés en plein air

À défaut de conduire des pèlerinages en Terre Sainte, le Père Frédéric s'ingénia à faciliter aux Canadiens l'intelligence de la Passion de Notre-Seigneur en érigeant des monuments qui rappelaient les épisodes de la Voie douloureuse. Il réalisa ainsi l'un de ses rêves: «J'ai toujours espéré voir s'élever quelque part en Amérique, confiait-il un jour, des monuments représentant ceux de la Terre Sainte[11].» Il érigea en trois endroits de la province de Québec, de 1895 à 1897, des chemins de croix en plein air tracés d'après le plan de la Voie douloureuse de Jérusalem.

a) *Saint-Élie de Caxton*

Le premier des trois — le plus imposant et le plus respectueux des mesures de la Ville Sainte — fut établi à Saint-Élie de Cax-

---

11. Lettre à Mgr Marquis, 10 septembre 1896.

ton, village situé à trente-deux milles (51 km) au nord de Trois-Rivières. Avec le concours du curé Bellemare, le Père Frédéric traça, en 1895, un chemin de la croix dans la montagne boisée, haute de trois cents pieds (91,4 m), avoisinant l'église paroissiale; il lui donna la longueur exacte de la Voie douloureuse de Jérusalem, soit dix-sept cents pieds (518 m) de la première station au sommet de la montagne. Les distances entre les différentes stations correspondaient exactement à celles qu'on trouvait à Jérusalem. La montagne de Saint-Élie, grâce à ce chemin de croix et à son calvaire, est devenu un lieu de pèlerinage diocésain et comme «le paratonnerre de toute la région», selon le mot de Mgr Laflèche. Du sommet, une vue splendide s'étend sur la vallée qui s'étale en contrebas et le joli village de Saint-Élie, qui s'y niche.

b) *Le Cap-de-la-Madeleine*

Mais c'est sur le bord du fleuve, sur un terrain acheté de ses propres deniers par le curé Duguay et situé tout près du petit sanctuaire, que le Père Frédéric établit, en 1896, son chemin de croix le plus réussi. C'était la copie la plus intensément expressive de celui de la Ville Sainte par la proportion des distances, l'orientation des lieux, la configuration du terrain et l'érection de certains monuments évocateurs. Cependant, à cause de l'exiguïté du terrain, le Père Frédéric dut réduire de deux tiers la longueur totale qui sépare le prétoire de Pilate du mont Calvaire, à Jérusalem. De la neuvième à la quatorzième station les distances restaient sensiblement les mêmes. L'orientation des lieux était identique: comme le Christ chargé de sa croix, les pèlerins allaient de l'est à l'ouest, de l'orient à l'occident. Une claire-voie de bois blanche, représentant les murs de Jérusalem, alignait en lettres noires, le long du chemin de la croix, des sentences scripturaires concernant la Passion de Notre-Seigneur. L'évocation était peut-être plus populaire qu'esthétique. D'autres monuments de la Voie douloureuse furent ajoutés entre 1896 et 1900, avec le concours de Pierre Beaumier, «le menuisier de Notre-Dame du Cap». Ils comprenaient, outre les quatorze stations, la Tour Antonia (grosse tour carrée, brune et blanche, couronnée par des créneaux et visible de loin), la Porte Judiciaire, l'Arc de l'Ecce-Homo et enfin le Saint-Sépulcre, réplique parfaite de celui de Jérusalem. Le commissaire tenait beaucoup à ce dernier monument, qu'il paya par souscriptions; il considérait cette reproduction de grandeur naturelle comme unique au monde. En collaboration avec Mgr Marquis, il avait d'abord tenté de réaliser le projet à la Tour des Martyrs de Saint-Célestin, au diocèse de Nicolet. Ce lieu fut un temps un sanctuaire national de reliques diverses. Le Père Frédéric s'était dit prêt à payer le monument «jusqu'au dernier centin», à condition d'avoir les autorisations voulues de la part de ses supérieurs majeurs et de l'évêque du diocèse. Mais le projet n'aboutit qu'au Cap-de-la-Madeleine.

c) *La Réparation, à la Pointe-aux-Trembles*

Le commissaire de Terre Sainte collabora aussi, dès le début, à l'œuvre de Mademoiselle de la Rousselière, le sanctuaire de la Réparation, dédié au Sacré-Cœur et situé à la Pointe-aux-Trembles, près Montréal. En 1897, dans les bois attenant à la chapelle, le long des allées qui serpentent, il construisait, toujours sur le modèle de la Voie douloureuse de Jérusalem, un chemin de croix monumental, chef-d'œuvre de la maison Carli de Montréal. Peu après, il présidait à son érection canonique. Il y prêcha, en plusieurs circonstances, avec grand succès, sa réputation de sainteté attirant les foules de la ville et des environs. Ce fut, avec la construction de la chapelle, l'origine d'un populaire lieu de pèlerinage, que dirigent depuis 1921 les Pères Capucins.

Les volumes sur la Terre Sainte et les Annales
du Très saint Rosaire

Le livre et la revue furent aussi, pour le Père Frédéric, des moyens privilégiés de promouvoir l'œuvre de la Terre Sainte. La plupart de ses volumes ont été écrits pour faire connaître les sanctuaires des Lieux Saints. Mentionnons la *Vie de Notre-Seigneur Jésus-Christ, La bonne sainte Anne, Saint Joseph,* la *Vie de la très sainte Vierge Marie,* l'*Album de Terre Sainte.*

Si, à la fin de sa vie, reprenant le métier de commis voyageur de sa jeunesse, il vendit ses volumes de maison en maison au profit de quelques communautés religieuses, il était entendu qu'il se réservait un pourcentage pour la Terre Sainte.

N'ayant pu mettre à exécution, en 1890 et 1891, un projet qu'il mûrissait depuis longtemps, la fondation d'une revue mensuelle de trente-deux pages consacrée entièrement à la *Terre Sainte,* il se reprit avec la fondation des *Annales du Très Saint Rosaire,* en 1892: «Cette publication, indirectement l'organe du commissariat, écrivait-il au Père Raphaël Delarbre, fait du bien à l'œuvre de Terre Sainte en la faisant connaître par la description des sanctuaires[12].» La Terre Sainte lui apparaissait toujours comme le théâtre vivant des mystères du rosaire.

> Selon le vif désir de S.G. Mgr Laflèche, écrivait-il une autre fois, je présiderai tous les pèlerinages au Cap. *Les Annales du Très Saint Rosaire* me tiennent lieu de *Revue de Terre Sainte.* Le jour où le commissariat se sentirait capable d'en prendre la gérance, elles passeront là. Actuellement la gérance (à cause de la manipulation de l'argent) nuirait à la Terre Sainte. Mon entrée comme rédacteur aux *Annales de sainte Anne* a aussi le but de développer l'œuvre de la Terre Sainte. *Toutes mes grandes missions jusqu'ici ont le même but,* et, j'espère, devant Dieu, l'avoir atteint. Reste la restauration de l'Ordre au Canada[13].

La contribution du Commissaire de Terre Sainte à la restauration du Premier Ordre au Canada

Avec l'intérêt que, depuis ses recherches à la Bibliothèque Nationale, il n'avait cessé de manifester pour les travaux des Récollets en Nouvelle-France, il est tout naturel que le Père Frédéric ait entretenu le rêve de voir un jour ses confrères reprendre leur belle œuvre chez nous. De fait, la restauration de l'Ordre franciscain au Canada resta constamment chez lui un

---

12. Lettre du 22 avril 1903.

13. Lettre postulatoire (*ms.,* aux archives de la vice-postulation du B.P.F.).

souci des plus vifs et la collaboration qu'il apporta à cette cause fut extrêmement importante.

Il prépara d'abord la fondation du couvent de Montréal. Il fournissait par lettres les renseignements voulus au Ministre Général ainsi qu'au Procureur Général, le T.R.P. Raphaël Delarbre. Il fit aussi quelques démarches à Montréal pour sonder l'opinion et détecter quel serait le moment le plus favorable pour amorcer, en cette ville, le rétablissement de l'ordre franciscain au Canada.

Ses initiatives eurent un aboutissement favorable en 1890. Le 27 mai de cette année-là, le T.R.P. Othon de Pavie (Othon Ransan), provincial de Saint-Louis-d'Anjou, débarquait à Québec. Le 1er juin suivant, il signait, avec le conseil de fabrique de la paroisse Saint-Joseph de Montréal, un contrat de location assurant à ses religieux l'usage d'un immeuble situé à l'arrière du numéro 304 de la rue Richmond. Dans la pensée du Père Othon, la fondation du couvent de Montréal devenait chose faite avec cet acte, et il envoyait au Général de l'Ordre un télégramme en ce sens. Mais pareil événement méritait d'être officialisé par une cérémonie plus solennelle, qui, effectivement, prit place trois semaines plus tard. Le 24 juin 1890, à 7 heures du matin, Sa Grandeur Mgr Fabre vint en personne bénir le couvent et l'oratoire de la communauté naissante. Il y avait foule: des jésuites, des trappistes, des oblats, des sulpiciens, plusieurs prêtres séculiers, de nombreuses religieuses et quantité de laïcs, paroissiens de Saint-Joseph et surtout tertiaires de saint François. Après l'allocution du T.R.P. Provincial, les six religieux franciscains présents vinrent prêter obédience à Sa Grandeur et recevoir individuellement sa bénédiction. Parmi eux se trouvait le P. Fulcran Berthomieux, qu'on avait prélevé de Trois-Rivières pour étoffer le personnel de la nouvelle fondation. Le Commissariat payait son écot à l'extension de la Province!

Dans le diocèse de Québec, le rayonnement que le Père Frédéric exerçait depuis 1895 par les quêtes qu'il faisait en faveur du sanctuaire de l'Adoration perpétuelle à la Grande-Allée constitua une préparation importante à la fondation d'un couvent dans la Vieille Capitale. La fondation de ce couvent, compliquée, comme celle de Montréal, par des questions de site, fut menée à bien grâce au savoir-faire et au doigté du jeune P. Ange-Marie Hiral, futur évêque de Port-Saïd. Le local qui hébergea la première communauté régulière, une école désaffectée sise à l'angle sud-ouest des rues Crémazie et Bourlamaque, fut acquis le 3 octobre 1900 et solennellement inauguré en la fête de saint Pierre d'Alcantara, le 19 octobre 1900.

Après Montréal et Québec, c'était enfin au tour de Trois-Rivières d'obtenir son couvent régulier. Depuis longtemps, le Père Frédéric, qui gardait la nostalgie de la vie conventuelle, adressait à ses supérieurs d'instantes supplications pour l'obtenir. Ses requêtes reçurent un commencement d'exaucement en 1902. Cette année-là, Mgr François-Xavier Cloutier accordait à la province de France la permission d'établir un couvent régulier dans sa ville épiscopale. Le Père Frédéric offrit, pour les débuts de l'œuvre, la maison du commissariat. «Ce sera, écrivait-il à son Provincial, mon humble témoignage de gratitude pour le bonheur que je goûte déjà par anticipation d'avoir enfin la vie régulière après quinze ans de divagation par monts et par vaux... dans le monde[14].» Son offre fut acceptée. Le mercredi 10 juin 1903, le T.R.P. Colomban-M. Dreyer, provincial, venait installer le P. Maurice Bertin, ex-lieutenant de l'armée française, comme premier gardien de la nouvelle résidence régulière. Trois-Rivières devenait ce jour-là le troisième gardiennat de la future province Saint-Joseph du Canada.

Le Père Frédéric avait donc été un excellent précurseur de la restauration de l'Ordre franciscain tant au Canada qu'à Trois-Rivières. Il avait pleinement mérité le beau témoignage que devait lui donner un jour le T.R.P. Colomban Dreyer, son ancien provincial, devenu par la suite délégué apostolique en Indochine:

> Si l'Ordre franciscain, supprimé au Canada par la conquête anglaise au milieu du XVIIIe siècle, a repris vie vers 1890 et est devenu remarquablement florissant dans le pays, on le doit en grande partie au Père Frédéric, qui, le premier, a fait reparaître l'habit franciscain au Canada et a attiré les âmes par ses exemples, son activité et sa grande réputation de sainteté[15].

14. Lettre du 22 avril 1903.
15. Lettre postulatoire (*ms.,* aux archives de la vice-postulation du B.P.F.).

La première métamorphose d'une humble maison,
qui ne demandait qu'à servir encore

Les locaux du petit commissariat de la rue Saint-Maurice, qui avaient été prévus pour deux ou trois religieux, étaient trop exigus pour héberger habituellement le minimum de frères requis par le droit pour constituer un gardiennat canonique. On commença donc, le 14 juillet 1903, la construction d'un grand bâtiment de briques qui existe encore et qui constitue l'aile nord-sud du monastère actuel des Franciscains. Cette aile fut bénie le 29 décembre 1903.

Mais un couvent régulier exige une église conventuelle, et il n'y en avait pas dans l'aile neuve. C'est qu'on avait prévu que le commissariat jouerait temporairement ce rôle. Il le tint pendant trois ans. Le premier hiver, il fut utilisé tel quel. Puis, en avril 1904, on résolut d'augmenter un peu son cubage en utilisant aussi comme lieu de culte la fameuse «galerie des saints». Celle-ci fut donc déplacée d'une douzaine de pieds (3,6 m) vers l'ouest et, convenablement aménagée, devint partie intégrante de la chapelle conventuelle.

En 1906, ce fut la construction de la grande église conventuelle, celle qui existe toujours, et de l'aile des parloirs, qui la raccordait à l'aile nord-sud érigée en 1903. L'ex-maison du commissariat, dans la position qu'elle occupait, constituait un écran entre le couvent et la rue. Qu'allait-on en faire? Il fut décidé qu'elle serait transportée à l'angle sud-est de l'aile centrale, où elle servirait de scolasticat pour les clercs de philosophie, qu'on ne pouvait plus, faute de place, loger ni à Montréal ni à Québec.

Un déménagement laborieux, où la prière du Père Frédéric
à saint Antoine opère des merveilles

Le transport eut lieu en mai 1907. Il avait été confié à M. Alphonse Dufresne de Trois-Rivières. La tâche de celui-ci n'était pas facile: il s'agissait de déplacer d'une centaine de pieds, sur un parcours en forme d'équerre, une maison à lourde charpente.

Les travaux n'allèrent pas sans anicroches. De toute la première journée, la bâtisse n'avait avancé que de cinq à six pieds. Son poids avait déjà rompu plusieurs fois la chaîne de traction. L'entrepreneur était sur le point de perdre patience. Le Père Frédéric arriva sur les entrefaites:

— Monsieur Dufresne, vous avez de la *misère*?

— De la *misère*! J'y suis habitué. Mais ce qui me fait le plus de peine, c'est qu'au lieu de gagner de l'argent, je suis en train d'en perdre.

— Ne vous en faites pas, M. Dufresne. Laissez cela pour aujourd'hui. Demain, tout ira bien. Vous aurez de l'aide.

Les ouvriers furent renvoyés pour le reste de la journée: il fallait réparer la roue du cabestan et renouveler les chaînons brisés. Le lendemain, à six heures du matin, le contremaître était rendu sur le chantier. Il cherchait le moyen d'améliorer la situation. Après avoir tout examiné, il aperçut le Père Frédéric qui venait à sa rencontre, lui demandant:

— Comment ça va, M. Dufresne?

— Pour la santé, ça va; mais pour l'ouvrage, je ne sais pas si ça ira aussi bien.

— Aujourd'hui, ça va bien aller, vous verrez. J'ai prié saint Antoine à ma messe de ce matin, et, s'il ne m'exauce pas, ce sera la première fois.

À sept heures, les hommes arrivèrent. Ils attelèrent les chevaux au cabestan. Le jeune Dufresne, qui conduisait les chevaux, remarqua:

— Papa, vous savez qu'il y a une maille de cassée.

Cette maille était en fer de six lignes. Elle était presque entièrement rongée: ouverte à l'intérieur, elle ne résistait plus que par une ligne d'épaisseur. Elle était jugée finie, non serviable. Pour la remplacer, deux moyens se présentaient: soit l'ouvrir complètement avec un ciseau à froid ou la faire éclater par la force des chevaux.

Il y eut une violente discussion:

— Il faut couper la maille avec le ciseau à froid! soutenait Philippe Dufresne, le fils du contremaître.

— Non, non! il faut achever de la casser avec les chevaux!

— Mais les chevaux deviennent effarouchés quand les mailles cassent. Ils reçoivent sur les pattes le choc des baculs.

— Fais partir les chevaux! commande le père.

Le jeune homme ne bronche pas. Il ne s'exécute qu'au troisième commandement, quand le père lui lance:

— C'est moi qui mène, ici!

De colère, le jeune Dufresne fouette les bêtes; déjà ardentes, elles partent comme pour tout briser. Tous les yeux sont braqués sur la chaîne, et la chaîne, habituée à casser, tient bon. La mauvaise maille résiste. Tous les regards alors se tournent vers la maison. Ô merveille! elle avance; en un rien de temps, elle fait cinq ou six pieds, et bientôt, dans l'espace de trois quarts d'heure, soixante-quinze pieds. Jusque-là, pour la mouvoir, il avait fallu utiliser des crics comme propulseurs. M. Dufresne retrouva sa bonne humeur. Il n'avait rien perdu à travailler pour le bon Dieu, et sa foi, elle, s'en était trouvée singulièrement revigorée.

Cette même chaîne, avec sa maille jugée inutilisable et nullement réparée, transporta une autre maison très pesante. Le chaînon devenait fameux: on l'appelait «la maille du Père Frédéric». Durant le transport de la maison, la chaîne cassa une vingtaine de fois; mais «la maille du Père Frédéric» tint le coup. M. Dufresne en frissonnait d'émotion.

— Le Père Frédéric, disait-il, est un bon forgeron: il soude bien.

M. Dufresne se servit de cette chaîne deux ans encore. Il ne sait comment elle finit[16].

_____

16. Épisode que le fils de l'entrepreneur, M. Philippe Dufresne, a raconté au P. Légaré à Trois-Rivières, le 17 août 1952.

Par ce trait, l'on voit que le Père Frédéric savait aider les ouvriers et que sa confiance en saint Antoine de Padoue n'était pas vaine.

Une maison-caméléon, qui devient tour à tour
scolasticat de philosophie et collège séraphique

Dès que la bâtisse eut été rendue à destination, on la réaménagea en vue de sa nouvelle destination. On y pratiqua des salles de classe, sept cellules, une sacristie, une chapelle, où revint le premier autel du Père Frédéric, celui qui est actuellement au Musée. Les premiers clercs philosophes y arrivèrent le 20 août 1907. Mais il n'y eut que deux promotions d'élèves-philosophes. Le 27 août 1909, la philosophie fut en effet transférée au monastère de Québec, où il recommençait à y avoir de la place. De son côté, le collège séraphique de Montréal ne pouvant, faute d'espace, accueillir les aspirants nombreux qui s'y présentaient, la congrégation intérimaire d'avril 1910 décidait de réaménager une fois de plus l'ancien commissariat de Terre Sainte et d'en faire un second collège séraphique. Les travaux nécessaires ne furent toutefois pas exécutés avant l'été 1911.

Le bâtiment fut à nouveau déplacé de quelques dizaines de pieds. Mais cette fois, c'était vers le nord, ce qui l'éloignait de la rue Saint-Maurice et l'amenait à l'angle nord-est de l'aile centrale du grand couvent. Le transport, confié aux frères Paul Perron et Alphonse Beaudet, ne fut pas moins laborieux que celui de mai 1907! La bâtisse une fois déplacée, on en doubla la longueur en y ajoutant une rallonge de même hauteur, mansardée elle aussi. Le Père Frédéric, âgé de 73 ans, participa à ces travaux comme un jeune homme. Avec le P. Justinien Mercier, futur directeur, il creusa à la pelle et à la brouette une cave assez grande pour recevoir une grosse fournaise et son charbon. À la fin de l'été, l'aménagement des lieux était assez avancé pour qu'on pût y accueillir les élèves. Ceux-ci, au nombre de 21, arrivèrent le 15 septembre 1911.

Mais la nouvelle vocation de l'ex-commissariat fut elle aussi éphémère. Elle connut un premier arrêt lorsque, le 5 janvier 1912, les élèves-pionniers furent déménagés dare-dare à Montréal. Elle reprit, le 3 septembre 1912, avec l'arrivée dans le modeste immeuble de 24 aspirants. Mais elle se termina définitivement avec l'achèvement du nouveau collège séraphique construit sur la rue Laviolette. Celui-ci accueillit ses premiers pensionnaires le 20 novembre 1914 et fut solennellement béni par Mgr François-Xavier Cloutier, évêque de Trois-Rivières, le 8 décembre de la même année. Ce sont les élèves de ce nouveau collège qui bénéficièrent, au printemps 1916, d'une gracieuse intervention du Père Frédéric, qui sera racontée plus loin.

Les vieux jours remplis de paix du petit commissariat du Père Frédéric

Le bâtiment érigé par le Père Frédéric a connu, après 1914, plusieurs autres affectations. Son extérieur fut sérieusement modifié, en 1934, par les travaux effectués par le P. Paul-Eugène Trudel, gardien de Trois-Rivières, sur cette partie des bâtiments conventuels. La lourde carcasse de madriers doubles fut, lors de cette rénovation, revêtue d'un mur de briques rouges et l'étage mansardé remplacé par un étage uni, coiffé d'un toit à deux versants en pente douce. Ce qui rend la construction plus difficile à repérer, c'est qu'elle se cache derrière la touffe d'arbres qui ombrage en cet endroit la propriété des Franciscains. Mais elle est toujours là quand même, bien sage derrière le parking des Pères et identifiée, à l'étage, par les trois premières fenêtres voisines de l'aile nord-sud. Trois religieux habitent cette aïeule vénérable, qui est un peu notre Portioncule canadienne, puisqu'elle a été le premier avant-poste de la restauration franciscaine au Canada. Le souvenir du Père Frédéric y est très vif chez ses occupants et leurs commensaux.

Chapitre quatorzième

Le grand promoteur
de Notre-Dame du Cap

Le Père Frédéric avait laissé un fief marial dans son pays d'origine, sur les bords de la mer du Nord. Il en trouvait un autre dans son pays d'adoption, sur les rives du fleuve Saint-Laurent. Il s'en fit d'abord le prophète. Puis, pendant quatorze ans, c'est-à-dire la moitié de son second séjour au Canada, il en fut le héraut et le principal promoteur.

Il fut aussi le premier historien du sanctuaire actuel. En 1897, il faisait publier sous la signature de L.-E. Duguay, curé du Cap, une brochure intitulée: *Le sanctuaire du Très saint Rosaire du Cap de la Magdeleine. Notice historique sur ses origines et son développement.* Il est certain que c'est lui le véritable auteur [1].

---

1. Cette brochure de 17 pages a été rédigée par le Père Frédéric à Montréal (sans doute au couvent franciscain), dans la première quinzaine de mai 1897. Dans une lettre qu'il adressait de cette ville au curé Duguay, le 17 mai 1897, il lui communiquait le canevas d'une notice historique sur le sanctuaire du Cap destinée à *La Presse,* journal de Montréal, qui la publiait le 22 mai 1897. «Il me vient la pensée, écrivait-il à M. Duguay, que si j'avais cela en petite brochure de 16 à 20 pages, avec une ou 2 gravures, pour notre pèlerinage [...] cela ferait peut-être du bien [...] Dieu soit béni en tout, ajoutait-il. Nous devons le remercier, je pense, pour ce résultat quant à moi inespéré: je ne savais absolument pas comment faire cette rédaction, pour laquelle je m'étais réservé *15 jours entiers.* Je pense que c'est la Sainte-Vierge qui tout le temps a guidé mon esprit et ma plume.» Peu de temps après, son désir de propagande était

En nous inspirant de cette brochure, rappelons les grands traits de l'histoire du sanctuaire. Cela nous aidera à préciser le rôle important que le Père Frédéric a joué dans son développement.

La proto-histoire de Notre-Dame du Cap

Depuis trois siècles, le Cap-de-la-Madeleine est «terre de Sainte Marie». La dévotion à la Madone y a commencé modestement, mais intensément, dans le cœur des premiers habitants de la région. Les guerres iroquoises battaient leur plein. Sournoises et féroces, les incursions ennemies ne laissaient à la population aucun répit, obligeant à tout coup les colons à se réfugier dans les forts et prélevant un lourd tribut de morts, de blessés et de prisonniers. Menacés dans leur existence même, ces catholiques du XVIIᵉ siècle se mirent sous la protection de la très Sainte Vierge: chaque maison avait son petit oratoire dédié à Notre-Dame. Quant aux malades et aux blessés, la Madone veillait à leur chevet dans un hôpital connu sous le vocable de Notre-Dame-de-Pitié.

Les premiers desservants de la région furent les Jésuites et les Récollets. Celui qui a donné son nom au Cap-de-la-Madeleine ne vint jamais au Canada; mais il ne s'intéressa pas moins aux missions de la Nouvelle-France. En effet, en 1651, Messire Jacques de la Ferté, abbé de Sainte-Marie-Madeleine de Châteaudun (France), donnait aux Jésuites, sur la rive nord du Saint-Laurent, une seigneurie de deux lieues de largeur sur vingt lieues de profondeur, en vue d'y favoriser l'évangélisation des Indiens et la civilisation française. Ce qui s'était appelé jusque-là le Cap-des-Trois-Rivières devint, en souvenir du donateur, le Cap-de-la-Madeleine et la paroisse qui en naîtrait aurait nom Sainte-Marie-Madeleine.

En 1659, Pierre Boucher, gouverneur de Trois-Rivières construisait, au milieu d'une redoute érigée sur sa «Terre de Sainte-

---

réalisé: *La Presse* reproduisait le texte à peu près tel qu'on le retrouve dans la brochure susmentionnée. Celle-ci donne les grandes étapes historiqus du sanctuaire du Cap jusqu'en 1893. Elle est tout naturellement l'une des premières sources documentaires du présent chapitre.

Marie», une chapelle en bois de «20 pieds au carré». Le modeste oratoire fut cédé, en 1662, aux Jésuites, qui le transportèrent sur les bords du ruisseau Favrel, à peu près sur le site du sanctuaire actuel, l'agrandirent et le dédièrent à Sainte-Marie-Madeleine. Cette chapelle, de trente pieds de long sur seize de large, servit d'église paroissiale durant un demi-siècle.

Le premier curé résidant fut nommé en 1685 et devait occuper ce poste pendant quarante-quatre ans: c'était Messire Paul Vachon, chanoine de la cathédrale de Québec, qui avait succédé aux Récollets, successeurs eux-mêmes des Jésuites. Le nom de ce prêtre, qui mourut en réputation de sainteté, doit émarger, à un double titre, à l'histoire mariale de notre pays: il a érigé, en 1694, une des premières confréries du Rosaire et surtout a bâti, en 1717, le sanctuaire de Notre-Dame du Cap.

Mgr de Saint-Vallier ordonna, le 13 mai 1714 (date inscrite en relief sur une pierre de la façade), la construction d'une église plus vaste et plus solide que la précédente. Vu la grande pauvreté des paroissiens, toute la colonie contribua à l'érection de cet édifice appelé à devenir un «sanctuaire national» et à demeurer l'une des plus vieilles églises du Canada.

Florissante à ses débuts, la confrérie du Rosaire connut une léthargie d'un siècle. Après la mort du chanoine Paul Vachon (7 mars 1729), la paroisse de Sainte-Marie-Madeleine, réduite à l'état de desserte, resta privée de curé résidant pendant cent quinze années.

En 1845, le curé Léandre Tourigny sonnait un premier réveil de la foi endormie en remettant en vigueur la confrérie du saint Rosaire.

Marie s'apprête à rentrer en scène, et cette fois elle ne quittera plus la place. Elle se fait précéder de sa statue et prépare lentement les premiers miracles qui fonderont son pèlerinage.

En 1854, à l'occasion de la proclamation du dogme de l'Immaculée Conception, un paroissien du Cap-de-la-Madeleine, M. Zéphirin Dorval, fait don à son église d'une très belle Madone aux yeux baissés et aux traits délicats, destinée à l'autel de la confrérie. Elle provient des ateliers Carli-Petrucci, de Montréal. Son modèle n'est autre que la Vierge de la Médaille Miraculeuse telle qu'elle est apparue en 1830 à sainte Catherine Labouré. Cette statue, des prodiges la rendront célèbre et le peuple l'honorera de sa confiance. C'est celle que les Canadiens vénèrent aujourd'hui sous le nom de Notre-Dame du Cap.

L'abbé Luc Désilets, instigateur du renouveau marial au Cap

Le véritable instrument du renouveau marial au Cap-de-la-Madeleine fait son apparition en 1864 dans la personne de l'abbé Luc Désilets, qui restera curé du lieu pendant près de vingt-cinq ans (1864-1884, 1885-1888). À l'exemple de M. Vachon, il sera l'un des animateurs les plus zélés de la paroisse, le propagateur par excellence de la dévotion au très saint rosaire.

Homme de stature moyenne, aux épaules carrées, à la physionomie mobile, généralement souriante et fine, M. Désilets était un prêtre d'une remarquable personnalité.

Il mit sa parole vibrante et sa plume alerte au service de l'Église et de son pays. Chargé à plusieurs reprises de fonctions importantes, mêlé au journalisme avec ses frères, propriétaires du *Journal des Trois-Rivières,* il lui fallut plus d'une fois tenir tête à des adversaires; si tous ne se rangeaient pas à son opinion, tous reconnaissaient en lui la droiture, la loyauté et de solides capacités littéraires jointes à une profonde et forte piété. Dans tous ses rapports, tant avec ses frères qu'avec ses paroissiens, il se montrait un cœur d'or. Dès qu'il s'agissait de rendre service, rien n'était épargné, et son zèle le poussait parfois à des actes héroïques. Il avait l'esprit tellement marial qu'il a devancé Léon XIII dans la dévotion du rosaire.

Ce curé avait affaire à des gens pauvres et rudes: ne pouvant vivre uniquement du revenu de leurs maigres terres sablonneuses, ses paroissiens s'en allaient travailler dans les chantiers. Ils n'étaient pas plus dévots qu'il ne fallait: la paroisse se ressentait de son état d'abandon centenaire. M. Désilets aurait peut-être eu du mal à trouver chez ses ouailles dix «justes», dix fervents chrétiens. «Puisque vous ne voulez pas m'écouter, dit-il un jour du haut de la chaire, c'est le bon Dieu lui-même qui vous parlera.» Une nuée de sauterelles s'abattait sur les champs peu après; heureusement, le saint prêtre la conjurait par l'intercession de Marie. Les gens allaient aux bleuets le dimanche plutôt que d'aller à la messe, et, sur semaine, ils vendaient leurs cueillettes en ville. «Si vous allez aux bleuets le dimanche, l'an prochain, vous n'en aurez pas.» L'année suivante, dit-on, il n'y eut pas de myrtilles. De semblables avertissements du ciel achevaient de secouer les retardataires et remettaient aux mains des paroissiens le chapelet qu'ils avaient laissé tomber. M. Désilets espérait malgré tout que ses gens deviendraient un jour de bons chrétiens.

L'incident du pourceau dans l'église

Un événement particulièrement disgracieux déclencha la restauration de la confrérie du saint Rosaire dans la paroisse du Cap, de même que l'établissement d'autres confréries dans la région circonvoisine; il fut le vrai point de départ d'une dévotion croissante envers le rosaire, qui devait par la suite attirer au Cap tant de foules.

Le 29 mai 1867, veille de la fête de l'Ascension, le curé Désilets, malgré ses pressantes invitations, ne rencontre aucun pénitent au confessionnal de la sacristie. Avant de retourner au presbytère, il entre à l'église pour dire à Notre-Seigneur sa peine de ce que ses paroissiens ne savent point apprécier une si belle fête. Quelle n'est pas sa surprise d'y découvrir un cochon qui, par la porte laissée ouverte, s'est introduit dans le lieu saint et mâche, en face de la chapelle latérale où se trouve l'autel du Rosaire, un chapelet ramassé sur le parquet! Le curé chasse le vilain animal en lui arrachant le chapelet, mais une pensée lui vient qui le frappe étrangement: «Les hommes, se dit-il, laissent tomber le chapelet, et les pourceaux le ramassent!» Il se jette à genoux devant la Madone et jure de se consacrer à rétablir et à propager la dévotion du rosaire. Le lendemain, jour de la fête, il raconte à ses paroissiens le fait, que, dans sa foi simple et agissante, il regarde comme un avertissement du ciel. Il prêche le rosaire à ses paroissiens, leur en fait connaître les privilèges et la puissance; des guérisons s'opèrent, des faveurs sont obtenues, présages d'autres faveurs plus grandes.

La nouvelle église et « le Pont des chapelets »

Mais bientôt un événement d'un autre genre allait concentrer l'attention sur l'antique et modeste sanctuaire.

La vieille église de 1714 était devenue trop petite pour les besoins d'une population de treize cents âmes. Mgr Laflèche, évêque de Trois-Rivières, demanda, en 1873, de bâtir un édifice plus ample. Pour diverses raisons, l'exécution en fut retardée jusqu'en 1877. La pierre était rare au Cap, les ressources pécuniaires également. Le conseil de fabrique décida de démolir la vieille église pour en utiliser les cailloux dans la maçonnerie de la nouvelle, cependant que le reste de la pierre serait préparé de l'autre côté du fleuve, à Sainte-Angèle, et transporté en hiver sur la glace, ce qui coûterait moins cher. On «leva» la pierre requise au cours de 1877 et 1878.

Or l'on sait que le fleuve ne prend pas également tous les ans. Pour obtenir cet avantage, le curé Désilets mit toute sa paroisse en prière. Chaque dimanche, à l'issue de la grand-messe, durant tout l'hiver de 1878-1879, on récita le chapelet aux pieds de la statue de Notre-Dame du Très Saint Rosaire. Mais on avait beau prier, le fleuve ne prenait pas. Janvier et février étaient déjà passés, mars s'écoulait de même; la saison des grands froids était finie; humainement parlant, on ne devait plus espérer un passage sur la glace. On continua néanmoins de prier encore. C'est alors que M. Désilets fit vœu que, si la Sainte Vierge obtenait, à cette saison avancée, un pont de glace permettant de transporter la pierre, il conserverait la vieille église pour la consacrer, avec l'agrément de l'évêque, au culte de Marie sous le vocable de Notre-Dame du Très Saint Rosaire et ferait bénir la nouvelle église paroissiale, le jour de la fête du Saint Rosaire, comme un ex-voto à Marie.

Le soir du 14 mars 1879, après une semaine de temps doux, un vent violent du nord-est brisa les glaces du lac Saint-Pierre et des bords du fleuve et les poussa pêle-mêle dans l'anse du Cap où elles s'entassèrent jusqu'à la rive sud. Entre les deux rives, distantes d'un mille et demi environ, un chemin fut nivelé, balisé, arrosé d'eau pour que la glace soit plus solide. Trente à quarante hommes y œuvrèrent jusqu'à une heure avancée de la nuit, avec très peu de lumière et sans le moindre accident. La foi de ces hommes en la protection de Marie était telle qu'ils travaillaient sans aucune crainte au milieu des glaces. Pleins d'assurance, ils disaient, en regardant la lumière qui brillait à l'une des fenêtres du presbytère: «Il n'y a pas de danger, M. Désilets dit son chapelet; ce sont les *Ave Maria* qui nous portent.»

Durant toute une semaine, exactement depuis la fête de Saint-Joseph, époux de la Vierge Marie jusqu'à son jour octave, plus de cent sleighs traversèrent le fleuve, transportant des charges de pierre de plus de trois mille livres. Aussitôt que la pierre demandée eut été charriée, le soleil fondit neige et glace, et l'eau remplaça la route.

À cause des *Ave* du curé et de ses paroissiens, le bon peuple appela spontanément «Pont des chapelets» le merveilleux chemin. Ce pont de glace est un gracieux miracle d'une Vierge toute canadienne, un symbole de la tendresse de Marie pour ses enfants des «arpents de neige», à qui elle dresse un pont de la rive du temps à celle de l'éternité.

Mgr Laflèche écrivit à M. Désilets ces mots aimablement spirituels: «Le bon Dieu vous a véritablement favorisé pour le transport de votre pierre d'église. C'est une nouvelle preuve que la foi peut tout, même jeter une montagne à la mer et cent cinquante toises de pierre d'un côté à l'autre du Saint-Laurent. Vous avez retardé le printemps d'au moins quinze jours. Après avoir convenablement remercié le Seigneur, il faudra le prier de réparer les inconvénients de ce retard.»

Tel était le grand prodige que tout le monde racontait quand le Père Frédéric arriva au presbytère du Cap-de-la-Madeleine en septembre 1881, prodige qu'il racontera lui-même souvent dans ses prédications, une fois retourné en Terre Sainte.

La nouvelle et spacieuse église de Sainte-Madeleine avait été solennellement bénite, le 3 octobre 1880, en la fête du Très Saint-Rosaire.

Les plans du curé Désilets plus ou moins en veilleuse

«Le curé Désilets était prévoyant. Entrevit-il les développements de l'œuvre mariale au Cap? se demande le P. Breton, O.M.I., historien du Cap-de-la-Madeleine. Peut-être. De 1871 à 1885, il se rendit acquéreur, au nom de la Fabrique, de plusieurs terrains qui forment le fond de nos parterres[2].»

Au cours de l'hiver 1882, parla-t-il formellement au Père Frédéric d'un projet de sanctuaire où la Sainte Vierge eût été spécialement glorifiée, comme l'était déjà sa mère sainte Anne sur la côte de Beaupré? Lui demanda-t-il non seulement le concours de ses prières mais celui de son travail? C'est tout probable. Toutefois il n'en est pas question clairement dans les documents de l'époque, dans les lettres du Père Frédéric comme dans celles de M. Désilets qui nous sont parvenues.

D'ailleurs, les circonstances auraient difficilement permis au commissaire de la Terre Sainte de prêter efficacement son concours à pareil projet: il était déjà débordé. L'accomplissement de son mandat de quelques mois au Canada, les demandes continuelles de prédications, la rédaction du manuel du Tiers-Ordre, les visites de malades l'accaparaient totalement. Sa grave maladie de janvier 1882 arrêta toute activité. Elle fut suivie d'une convalescence relative et du départ précipité du Canada pour l'Orient en mai 1882. Bref, l'heure providentielle n'était pas encore arrivée.

De son côté, l'abbé Désilets partait pour Rome en mai 1883, accompagnant Mgr Laflèche; il y restait deux ans en mission diplomatique concernant l'épineuse question de la division du diocèse de Trois-Rivières.

C'est durant ce séjour à Rome que Léon XIII lançait ses deux premières encycliques sur le rosaire (premier septembre 1883 et

---

2. P. Breton, O.M.I., *Cap-de-la-Madeleine, cité mystique de Marie,* [1937], p. 143.

30 août 1884), ordonnant au monde catholique de consacrer tout le mois d'octobre à la pratique du rosaire. M. Désilets exultait. Ses plus intimes convictions triomphaient. Un jour, devant l'image de la Vierge de saint André delle Fratte ou de Ratisbonne, à Rome, il lui vient une pensée qu'il ne peut s'empêcher de communiquer à son évêque:

> Monseigneur, j'ai une suggestion très importante à vous faire. [...] Comme le Rosaire est le salut de l'Église, il sera aussi celui du diocèse. Si donc Votre Grandeur s'engageait de favoriser et d'encourager tout particulièrement le saint Rosaire et l'établissement de ses confréries, dans l'étendue de son diocèse, pour obtenir le triomphe sur les mauvaises doctrines du pays, je crois sincèrement et intimement que vous seriez exaucé d'une manière éclatante et à l'honneur de Dieu et de sainte Mère. J'ai trop vu jusqu'ici l'effet surprenant de cette puissance pour en douter un instant. Et je vous dirai même que je pense être, en vous communiquant cette pensée comme doit le faire un ancien directeur de cette confrérie, l'instrument indigne de la Sainte Vierge[3].

M. Désilets était encore à Rome quand il reçut sa nomination à la cure importante de la Baie-du-Febvre. Mais il ne se laissait pas fasciner par l'appât du gain et des honneurs. De retour au pays, il saisit l'occasion qui s'offrit à lui de reprendre charge de son ancienne paroisse du Cap-de-la-Madeleine. Il s'occupa de restaurer son «très aimé sanctuaire»: planchers, murs, voûte, tout fut remis à neuf. Le maître-autel fut redoré par l'artiste peintre Adolphe Rho.

Le retour au Cap du Père Frédéric

Le Père Frédéric revint au Canada pour la deuxième fois le 14 juin 1888 et s'en alla directement à son «aimable solitude» du Cap-de-la-Madeleine. Sur la butte de sable, cette bosse de terrain dominant la berge et évoquant un peu les dunes de Ghyvelde, il retrouvait toujours le même presbytère, séparé du *chemin du roi* par la *coulée,* ravin large de quatre-vingts pieds (28,5 m), long

---

3. Lettre à Mgr Laflèche, 19 octobre 1884.

de trois cent cinquante (106,7 m) et profond de quinze à vingt pieds (de 4,6 à 6,1 m), que combleront plus tard, à leur arrivée, les Pères Oblats. Sur ce promontoire lui parvenait le bruit du fleuve, habituellement paisible murmure, mais de temps à autre, grondement de colère. Il rencontrait le personnel du presbytère: outre M. le curé Désilets, il comprenait M. le vicaire Louis-Eugène Duguay, les deux gouvernantes, les demoiselles Bellefeuille (Émilie et Elly), et l'homme de cour, Majorique Arcand. Grande fut sa surprise de constater les progrès considérables réalisés depuis 1882: le vieux sanctuaire tout restauré, la nouvelle église édifiée un peu plus loin, les grands travaux de nivellement entrepris dans les alentours, le superbe quai à eau profonde que le sénateur Montplaisir avait fait construire l'année précédente.

Le 22 juin 1888: véritable jour de naissance du sanctuaire

Tout était prêt pour le grand jour: le 22 juin 1888. Jour de joie et d'intense piété mariale! Fidèles au vœu de leur curé, les paroissiens du Cap consacraient le petit sanctuaire au culte de Notre-Dame du Très Saint Rosaire.

Le Père Frédéric, précédé de sa grande réputation de sainteté, revenait au Canada à une heure providentielle. «Il fut l'âme de cette journée à jamais inoubliable», a dit l'abbé Duguay. À la grand-messe, il donna un sermon en tout point remarquable. Les assistants ne purent sans émotion s'empêcher de reconnaître que l'esprit de Dieu parlait par sa bouche. À un moment donné, il eut comme un pressentiment des grandeurs futures de l'œuvre naissante. Il montra avec évidence la vitalité du projet de M. Désilets et annonça, à la manière d'un prophète, les glorieuses destinées du sanctuaire: «*Ce sera à l'avenir le sanctuaire de Marie,* s'écria-t-il. *Vous y viendrez prier, paroissiens du Cap. On y viendra de toutes les parties du diocèse; on y viendra de tous les points du pays. Il deviendra trop étroit pour contenir les foules qui y viendront implorer la Vierge du Rosaire*[4].»

---

4. Abbé L.-E. Duguay, sermon du jubilé d'or de profession religieuse du bon Père Frédéric, 22 juillet 1915 (*ms.*).

Après la messe, eut lieu la translation solennelle de la statue du Très Saint Rosaire de la chapelle latérale au maître-autel: par cette cérémonie, la Vierge du Rosaire prenait possession du sanctuaire. Dans l'après-midi, à la suite des vêpres, le Père Frédéric donna un nouveau sermon. On passa le reste du jour à prier avec ferveur et confiance. On demanda à la Sainte Vierge une marque sensible, un témoignage irrécusable de l'acceptation de ce sanctuaire qu'on lui dédiait à perpétuité.

Une réponse de Marie à ses dévots: le célèbre «prodige des yeux»

Vers les sept heures du soir, un malade tout perclus, Pierre Lacroix, de Trois-Rivières, était amené au presbytère. Il venait demander sa guérison. M. Désilets et le Père Frédéric le soutiennent par les bras et tous trois entrent au sanctuaire. Ils se rendent à la balustrade, les deux prêtres se mettent à genoux, tandis que l'infirme reste assis entre les deux. Ils sont là à prier depuis quelques moments, lorsque la statue s'anime. Ses yeux, d'ordinaire modestement baissés, sont distinctement ouverts, d'une manière naturelle, comme si elle regardait au-dessus des trois priants, vers Trois-Rivières.

M. Désilets, qui est à droite du malade, se rend auprès du Père Frédéric:

— Mais voyez-vous?

— Oui, répondit le Père. La statue ouvre les yeux, n'est-ce pas?

— Eh oui! mais est-ce bien vrai?

Pierre Lacroix leur dit que lui aussi il voit cela depuis quelques instants.

Pierre Lacroix attesta sous serment, le 14 janvier 1895, sur son lit de mort — à une heure où l'on ne ment pas — l'animation des yeux de la statue de la Vierge. Cette déclaration fut reconnue exacte en tous points par le Père Frédéric. Mais laissons-le parler dans sa notice historique sur *Le sanctuaire du Très Saint Rosaire du Cap de la Magdeleine* (p. 11s):

> La statue de la Vierge, qui a les yeux entièrement baissés, avait les yeux grandement ouverts: le regard de la Vierge était fixe; elle regardait devant elle, droit à sa hauteur. L'illusion était difficile: son visage se trouvait en pleine lumière, produite par le soleil qui luisait à travers une fenêtre et éclairait parfaitement tout le sanctuaire. Ses yeux étaient noirs, bien formés et en pleine harmonie avec l'ensemble du visage.
>
> Le regard de la Vierge était celui d'une personne vivante; il avait une expression de sévérité mêlée de tristesse. Ce prodige a duré approximativement de *cinq* à *dix* minutes.
>
> Le grand vicaire des Îlets (qui est resté curé du Cap jusqu'à sa mort) n'a jamais douté un seul instant de la réalité du prodige, et il en parlait souvent avant sa mort.
>
> Quant au Révérend Père Frédéric, il continue d'affirmer que lui non plus n'a jamais douté, et que l'impression produite par le long regard de la Vierge est restée si profonde en lui qu'il la voit toujours nettement devant ses yeux; et que, s'il était dessinateur, il la reproduirait telle qu'elle lui a paru, le 22 juin.
>
> La constatation simultanée de trois témoins, au moment même d'un prodige qui a duré si longtemps, semble devoir être d'un grand poids en faveur de l'authenticité de ce même prodige.

Le Père Frédéric donnait ce témoignage en 1897: neuf ans après le prodige des yeux ouverts de la statue de la Madone, il voyait donc toujours nettement devant ses yeux le long regard de la Vierge!

L'intensité d'une expérience spirituelle se mesure à la qualité des initiatives qu'elle suscite et à l'ampleur des effets de conversion qui résultent de celles-ci. Si l'on s'en tient à ce critère, il faut conclure que, des trois bénéficiaires du prodige des yeux, le Père Frédéric fut le plus profondément marqué par le miracle. Il voyait dans cette manifestation de la Reine du ciel une volonté d'attirer les foules en pèlerinage et une volonté de regarder avec bonté ceux qui viendraient l'invoquer filialement dans son sanctuaire. Il est sûr que le long regard de la Vierge, toujours présent à sa mémoire, l'a beaucoup soutenu dans l'établissement de ce pèlerinage auquel il croyait, surtout dans les difficultés et les contradictions du début. Et, à voir le rayonnement national et international que connaît aujourd'hui le sanctuaire du Cap, commnent douter que le regard de Marie ait communiqué à l'action de son serviteur une efficacité surnaturelle exceptionnelle? De même que le bref sourire de la Vierge à la petite Thérèse, le miracle des yeux dont fut témoin le Père Frédéric n'a pas fini d'influencer le monde. De cet immense mouvement spirituel, voyons comment le bon Père a été, pendant quatorze ans, l'infatigable promoteur.

Le Père Frédéric entrevu par M. Désilets comme
le collaborateur idéal de l'abbé Duguay, son successeur.

Deux grands événements avaient donc attesté de façon éclatante la présence de Marie au Cap-de-la-Madeleine: le pont des chapelets et le prodige des yeux ouverts. Par cette double intervention, la Madone avait montré qu'elle acceptait la suzeraineté du fief que lui avaient préparé ses dévots serviteurs. Aux fidèles de montrer que cette acceptation, ils l'avaient comprise.

Le premier des deux événements avait attiré, entre 1879 et 1888, quelques pèlerinages privés et quelques pèlerinages publics. Le 7 mai 1883, en l'année même qui vit paraître la première encyclique de Léon XIII sur le rosaire, avait lieu le premier pèlerinage public. Cent cinquante personnes de Trois-Rivières, directeur, religieuses et orphelins de l'hôpital de la Providence, auxquels s'étaient joints quelques autres gens, faisaient le pèlerinage à pied, sous la conduite du chanoine Séverin Rheault, curé de la cathédrale, et recevaient la communion dans la chapelle du saint Rosaire, afin d'obtenir à Mgr Laflèche un heureux voyage à Rome.

Le 24 juin 1888, deux jours après la dédicace du sanctuaire à la Reine du Rosaire, près de quinze cents pèlerins de Trois-Rivières, de Bécancour et de Sainte-Angèle se rendaient au Cap-de-la-Madeleine.

À la fin de l'année 1888, les statistiques compteront plus de dix mille personnes venues de toutes parts pour saluer Notre-Dame du Cap.

Le 19 juillet 1888, paraissait dans le *Journal des Trois-Rivières* le premier article de publicité envers le sanctuaire. «Un pèlerin reconnaissant envers la Vierge du Rosaire» y faisait l'apologie des lieux de pèlerinage en général et, en particulier, de celui «de la petite église du Cap-de-la-Madeleine», qui commence, dit-il, à attirer les foules. «Je ne suis pas prophète, conclut-il, ni fils de prophète, mais je crois, d'après les apparences, ne pas me tromper en prédisant que le vieux sanctuaire du Cap-de-la-Madeleine égalera peut-être en intérêt, dans un avenir assez rapproché, le célèbre sanctuaire de sainte Anne.» Ce pèlerin avait certes le «flair» d'un prophète.

Trois hommes furent les instruments de la Providence: le véritable fondateur du pèlerinage de Notre-Dame du Cap, le grand vicaire Luc Désilets, et ses deux coopérateurs, le zélé abbé Louis-Eugène Duguay et l'humble et entreprenant Père Frédéric.

Le curé Désilets savait jauger son monde. S'il tenait tant à faire du Père Frédéric le collaborateur de son œuvre mariale, c'est qu'il trouvait en lui l'aura d'un saint et le savoir-faire d'un missionnaire de Terre Sainte accoutumé à recevoir des pèlerins et qualifié plus que tout autre à expliquer les mystères du rosaire.

Au jubilé d'or de profession religieuse du commissaire de Terre Sainte, en 1915, l'abbé L.-E. Duguay dévoilera les vues de M. Désilets:

> Mon curé Mgr des Îlets, se sentant mourir, dans un entretien tout intime, le dernier que j'ai eu avec lui, me révéla tout l'avenir du sanctuaire, me demandant de vouloir régler les affaires et continuer son œuvre. Cette charge, je l'ai toujours redoutée. Il vit un faux-fuyant dans ma réponse. Alors, me regardant fixement: «*C'est l'œuvre*, dit-il, *de la Sainte Vierge. Si vous la négligez, elle vous rejettera et se choisira un autre ouvrier. Au reste, le R.P. Frédéric vous sera un aide: car ce n'est pas sans un dessein spécial de la divine Providence qu'il est venu ici.*»

Ces mots éclairent la parole que le moine franciscain adressait à son provincial, le 24 septembre 1889: «Le désir du défunt [M. Désilets] était de travailler avec moi au développement des pèlerinages.»

Le grand vicaire s'était fait une vue grandiose des développements futurs du sanctuaire. C'est dans ce but qu'il avait versé d'importantes sommes d'argent pour les constructions, les achats de terrain et les agrandissements nécessaires à l'œuvre. Sa mort subite jeta la paroisse dans de grands embarras financiers.

Un temps, l'on crut que l'œuvre n'était que celle d'un homme et qu'elle tomberait avec la mort du fondateur. Mais la Vierge s'était manifestée trop ostensiblement. Elle suscita pour la relève deux hommes de Dieu.

Le vicaire, M. Duguay, qui avait été durant dix ans le disciple de M. Désilets, devint son successeur, et, nouvel Élisée, il hérita du manteau de son zèle et de sa foi. En assumant un imbroglio financier qui paraissait insurmontable, il comptait que Marie se chargerait d'en procurer la solution et qu'elle conduirait à bonne fin des entreprises commencées pour son culte et sa gloire. Il ne fut pas déçu.

Sans suggestion de quiconque, Mgr Laflèche, on s'en souvient, demandait au Père Frédéric de rester au Cap-de-la-Madeleine pour aider au nouveau curé à régler la question financière de la paroisse, à recevoir les pèlerins, bref, à promouvoir les initiatives déjà lancées.

Le Père Frédéric se disait timide. S'il l'était, ce n'était pas de la timidité des incapables! Nature forte, généreuse, riche en ressources de toutes sortes, il était entreprenant et déployait dans l'action cet enthousiasme entraînant sans lequel rien de grand ni de pénible ne peut s'accomplir. Persévérant avec cela: l'habitude du travail lui était devenue une seconde nature et, avec la ténacité de sa race, il savait attendre patiemment l'heure propice. Des dispositions pareilles, quand elles se mettent au service d'une cause, deviennent des forces irrésistibles. Or le Père Frédéric s'était donné corps et âme au service du Royaume. Quand il avait dit: «Dieu veut cette œuvre», un zèle ardent l'animait et aucun obstacle ne pouvait l'arrêter. Ajoutons à ces qualités naturelles et surnaturelles une très tendre dévotion à la Très Sainte Vierge. Il n'en parlait qu'avec des yeux brouillés de larmes et une voix tremblante d'émotion.

L'action conjuguée de Monsieur Duguay et du Père Frédéric, nouveau départ pour l'œuvre du Cap

Sous la double action du curé Duguay et du Père Frédéric l'œuvre naissante du sanctuaire allait prendre un nouvel essor.

Quelques jours après sa nomination, le nouveau curé du Cap-de-la-Madeleine envoyait au *Journal des Trois-Rivières* (20 septembre 1888) une lettre ouverte annonçant son intention bien arrêtée de promouvoir, avec tout le dynamisme possible, la dévotion du Très Saint Rosaire. Après avoir rappelé les pèlerinages édifiants des années précédentes et les grâces obtenues par l'intercession de la Très Sainte Vierge, il rendait un suprême hommage de reconnaissance à M. Luc Désilets, qui avait consacré ses vingt dernières années à l'embellissement du petit sanctuaire et à la glorification de Marie. Il demandait aux curés et aux supérieurs de communautés religieuses désirant faire un pèlerinage à Notre-Dame du Rosaire de l'avertir quelques jours d'avance, «afin que tout puisse se faire avec ordre et recueillement». Puis il ajoutait:

> Nous avons l'avantage de posséder ici au Cap le R.P. Frédéric, commissaire de Terre Sainte pour tout le Dominion. Nos pèlerins auront donc l'immense privilège d'avoir un Père de Terre Sainte qui veut bien se mettre à leur disposition, soit pour entendre leurs confessions, soit pour leur expliquer dans de pieuses conférences les mystères du Rosaire, en les transportant en esprit aux Lieux Saints où se sont accomplis ces mêmes mystères, Lieux qu'il a habités durant de longues années. En attendant que la construction de sa modeste résidence, déjà commencée, s'achève, le Révérend Père a accepté de conserver chez nous, ici au Cap, un pied-à-terre et d'y séjourner durant le mois du Très Saint Rosaire.

Désormais, pendant quatorze ans, entre le curé Duguay et le Père Frédéric, il y aura communauté de zèle et de prières, de peines et de consolations, d'humiliations et de gloires. M. Duguay dira au P. Mathieu-M. Daunais, O.F.M.: «Durant quatorze ans, avec le Père Frédéric, j'ai travaillé dans le surnaturel.»

Lors d'une grande fête, il fera cette autre révélation: «Vous avez là le secret de cette union qui a fait des travaux du Révérend Père mes travaux, de ses veilles les miennes, de ses labeurs mes labeurs, de sa vie la mienne. Il était là dès le commencement, *in principio erat*; et je puis dire par analogie que *tout a été fait par lui,* puisque *rien n'a été fait sans lui*; toujours [il fut] mon aide, mon appui, mon conseiller, mon mentor, mon modèle[5].»

La présence du Père Frédéric aux origines de l'œuvre peut être considérée comme une grâce très spéciale due à l'intercession de la Vierge miraculeuse. Il fut, par ses prédications et par ses écrits, comme on l'a signalé, son premier prophète et le meilleur propagandiste de son sanctuaire. Son prestige de saint, son magnétisme spirituel contribuèrent pour une large part à attirer les premières foules aux pieds de la Reine du Rosaire. À une époque où le Cap-de-la-Madeleine offrait encore si peu d'attraits aux visiteurs, il ne fallait rien de moins que le dynamique rayonnement d'un saint pour créer un mouvement populaire. Comme le proclamera Mgr Cloutier, évêque de Trois-Rivières, aux funérailles du serviteur de Dieu: «C'est le Père Frédéric qui, en grande partie, a lancé l'œuvre de Notre-Dame du Rosaire, au Cap-de-la-Madeleine.»

Au début, cette œuvre semblait téméraire, même aux yeux de certains membres du clergé. Il faut dire qu'en 1888, le Cap-de-la-Madeleine était un coin de terre assez ignoré. C'était un petit bled fort peu attrayant et plutôt difficile d'accès, comme le furent d'ailleurs à l'origine maints lieux de pèlerinage marial, tels que Tepeyac, Lourdes, La Salette et Fatima. On dirait que la Sainte Vierge exige d'abord de ses enfants qui veulent s'approcher d'elle en ses lieux de miséricorde esprit de foi et pénitence. La suite des événements manifeste invariablement le bon goût de la Reine de l'univers: elle sait choisir des lieux pittoresques pour ses centres d'intervention.

---

5. Abbé L.-E. Duguay, sermon du jubilé d'or de profession religieuse du bon Père Frédéric, 22 juillet 1915.

Pour accéder au Cap, vers 1888, il n'y avait ni chemin de fer, ni tramways électriques. Les autos et les autobus n'existaient pas encore. L'asphalte n'avait pas transformé la route nationale qui longe le fleuve Saint-Laurent entre Montréal et Québec. On ne pouvait s'y rendre qu'en voiture à cheval ou à pied, par un chemin de sable rempli d'ornières; à certains endroits, les roues s'enfonçaient jusqu'aux moyeux. Les bateaux ne pouvaient aborder la rive que depuis un an, grâce au quai construit en eau profonde par le sénateur Montplaisir sur les instances du curé Désilets.

Des sceptiques se rendaient au Cap pour y faire leur petite enquête et déclarer, au retour: «Il n'y a rien à faire sur cette butte de sable!»

De telles gens n'estimaient pas le Père Frédéric capable de mener à bien l'œuvre des pèlerinages qu'il avait entreprise. Ils ne croyaient pas à sa parole: «La Sainte Vierge veut être honorée, ici, au Cap-de-la-Madeleine!»

Ils lançaient cette boutade: «Le Père Frédéric amène des gens au Cap-de-la-Madeleine pour se faire vénérer!»

Le Père connaissait-il ce mot réconfortant d'un archevêque de Cambrai à l'abbé Dehaene, l'ancien principal du collège d'Hazebrouck: «La persécution, mon cher, cela empêche de moisir!»?

Aux censeurs trop zélés Mgr Laflèche répondit un jour: «Il n'y a pas d'inconvénients à ce que le Père Frédéric amène des gens au Cap-de-la-Madeleine pour leur faire réciter le chapelet. Si les choses changent, j'y verrai.»

Malgré certains inconvénients réels du site, malgré les contradictions des hommes, le Père Frédéric n'en continuait pas moins avec grande foi son entreprise. Car il était persuadé qu'il accomplissait l'œuvre de la Sainte Vierge.

À ceux qui lui faisaient l'objection: «Pourquoi invoquer la Sainte Vierge dans un lieu plutôt que dans un autre?», il répondait sagement avec saint Augustin que le Seigneur est maître de ses dons. Dieu fait-il connaître le lieu où il se plaît à manifester sa présence et à répandre ses faveurs, les hommes n'ont plus qu'à admirer sa sagesse dans un respectueux silence et surtout à se montrer empressés d'aller recueillir ses faveurs précieuses là où il veut bien les leur communiquer.

« Pourquoi aller au Cap? Pourquoi aller prier la Sainte Vierge au Cap-de-la-Madeleine plutôt qu'ailleurs? » Mais toute l'histoire de ce haut lieu de prière proclame la présence tout à fait spéciale de Marie, un choix tout particulier de la part du ciel! Les bienfaits de Notre-Dame du Rosaire attiraient les pèlerins, et, après 1892, les *Annales du Très Saint Rosaire* publieront ces faveurs[6].

Plusieurs de ceux qui posaient en sceptiques croyaient que ce mouvement religieux qui prenait de l'ampleur se faisait en marge de l'autorité compétente et au détriment d'autres œuvres. Il n'en était rien. Mgr Laflèche avait l'œil ouvert, il suivait jusque dans les moindres détails tous les événements qui se passaient au Cap. Il surveillait et encourageait à la fois tous les efforts. Il aimait à venir de temps en temps saluer les pèlerins et à les édifier de sa parole simple, élevée et puissante. Il observait toutefois une prudente réserve, laissant au ciel le soin de démontrer le caractère providentiel et surnaturel de cette œuvre.

Le curé Duguay et le Père Frédéric soumettaient tous les projets à l'autorité épiscopale. C'est ainsi qu'ils firent approuver le mouvement et l'organisation des pèlerinages, et, au fur et à mesure, les différentes étapes du développement de l'œuvre.

Le Père Frédéric va recruter les pèlerins dans les paroisses

Héraut de Marie, le Père Frédéric comprit que, pour provoquer un vaste mouvement de pèlerins, il devait aller lui-même dans les paroisses des diocèses de Trois-Rivières, de Nicolet, de Québec, et de Montréal, inviter les fidèles et mettre sur pied leurs pèlerinages. Il fut le premier grand organisateur des pèlerinages du Cap-de-la-Madeleine. Il donnait au peuple des conférences pleines d'intérêt sur les mystères du rosaire; il parlait des faveurs singulières obtenues par la Vierge du Cap et conseillait aux famil-

---

6. Cf. conclusion de la brochure *Le sanctuaire du Très Saint Rosaire du Cap de la Magdeleine, 1897.*

les de se faire représenter aux pieds de la Madone par un ou deux de leurs membres allant prier au nom de tous et pour tous. Il les entraînait ainsi à sa suite.

Il continuait toujours de visiter les fraternités du Tiers-Ordre. Il en avait déjà établi plusieurs et avait prêché aux plus importantes de cette époque. Il était tout naturel qu'il y allât faire de la propagande pour le Cap-de-la-Madeleine. Et l'on comprend que les fraternités de tertiaires franciscains des villes de Montréal et de Québec aient été parmi les premières associations extradiocésaines (si l'on excepte peut-être celles de Nicolet, diocèse voisin de celui de Trois-Rivières) à se rendre aux pressantes invitations du Père. Pendant les dix premières années au moins, les seuls groupes de pèlerins qui vinrent de la ville de Québec furent organisés par les tertiaires des paroisses de Saint-Roch et de Saint-Sauveur.

Un article de *La Revue du Tiers-Ordre et de la Terre Sainte,* paru en 1893 (pp. 462ss.) nous révèle l'efficacité de la campagne de propagande menée en peu de jours et avec enthousiasme par le serviteur de Dieu.

Un magnifique pèlerinage a été effectué le 12 août [fête de sainte Claire] par nos frères et nos sœurs [du Tiers-Ordre] de Québec [en grand habit religieux] au sanctuaire du Cap-de-la-Madeleine et à Trois-Rivières, où reposent les restes de notre bien-aimé Frère Didace...

Les vapeurs *Pèlerin* et *Sainte-Croix,* chargés de transporter les 1200 pèlerins, laissent le quai à six heures [du soir]; force fut au directeur, le R.P. Perron, [O.M.I.], de refuser plus de 400 personnes qui désiraient aussi se rendre au Cap-de-la-Madeleine.

Ce concours prodigieux était dû au zèle du directeur et à une visite du R.P. Frédéric, gardien du sanctuaire, qui, vendredi dernier, vint à Québec et engagea fortement les fidèles à prendre part à ce pieux pèlerinage, les assurant qu'ils rencontreraient ainsi les vues du Saint-Père, qui vient de recommander à la chrétienté et le Tiers-Ordre de saint François et la dévotion à Notre-Dame du Saint Rosaire.

Souvent, comme ce fut le cas le 12 août 1892, le Père accompagnait en bateau ou en train les pèlerins de Montréal ou de Québec. C'était alors sur le bateau une nuit féerique portée par la prière que présidait l'infatigable apôtre de Marie.

À la demande des curés, les pèlerinages étaient assez souvent préparés par une grande retraite ou par un triduum de prédications, de confessions et de communions. Les âmes ainsi disposées gardaient le recueillement en se rendant au sanctuaire du Très Saint Rosaire.

La journée d'un pèlerin du Cap

À l'arrivée des pèlerins, le Père Frédéric était au débarcadère de la gare ou au quai du bateau pour les recevoir, tenant toujours en main son chapelet, qu'il récitait à haute voix jusqu'au sanctuaire. Des prêtres ou des pèlerins, distribués tout au long du défilé, récitaient aussi le chapelet, formant autant de groupes d'orants, qui, semblables à des chœurs, lançaient aux échos du village et du fleuve les accents multipliés de la prière. Cette sonore mais simple démonstration de piété touchait tous ceux qui en étaient témoins et valait à elle seule un tas de sermons.

Au sanctuaire, avaient lieu la messe du pèlerinage et la communion générale. Le commissaire de Terre Sainte prêchait l'action de grâces, entendait les confidences, bénissait les malades, distribuait des paroles de consolation ou d'encouragement et faisait vénérer les reliques de la Terre Sainte. En chaire, il commentait les mystères du rosaire; il en récitait les prières à haute voix avec une onction, une solennité inimitables, qui inspiraient à tous la ferveur. Il réalisait alors ce qu'il avait écrit au T.R.P. Raphaël Delarbre, O.F.M. le 18 décembre 1890:

La Très Sainte Vierge Marie n'a pas encore de sanctuaire au Canada. J'ai un désir irrésistible qu'elle en ait un ici. Avec la bénédiction du Révérendissime Père [Général] et au besoin avec celle de Sa Sainteté Léon XIII, je serai sûr de réussir. On n'aime pas assez pratiquement la Sainte Vierge; on ne connaît pas le rosaire tant recommandé par le Saint-Père! Moi, je prêche toujours les quinze mystères. J'emmène mon auditoire avec moi en Terre Sainte.

C'était surtout à la consécration des pèlerins à Marie, Reine du Très Saint Rosaire, qu'il excellait. À cette cérémonie, qui avait lieu quelque temps avant le départ, tout en lui parlait, tout priait. Il avait alors cette espèce rare d'éloquence, l'éloquence de l'Esprit, qui empoigne les cœurs et les jette en Dieu. Quelques années après leur pèlerinage, des gens se rappelaient encore avec émotion cette cérémonie qui les avait remués si profondément, tel ce brave homme qui traduisait ses impressions personnelles sur le Père Frédéric avec un geste et un mot typiques où passait toute son âme: «Je croyais que la Sainte Vierge allait lui parler!»

Dans ses prédications simples et touchantes, l'apôtre de Marie rejoignait les pèlerins de toutes les classes. Sa parole possédait une vertu secrète, le magnétisme des grands orateurs, qui lui valait très vite l'écoute de ses auditeurs. Une fois le contact établi, il pouvait être bref. Mais d'ordinaire il parlait longuement, oubliant complètement, comme saint Bernardin de Sienne, la recommandation que la *Règle* de saint François fait aux prédicateurs franciscains: «Ils annonceront les vices et les vertus, la peine et la gloire, *avec brièveté de discours.*»

Ce causeur savait captiver les enfants. Un journaliste trifluvien de 1888 raconte qu'il fut «témoin d'une scène tout à fait charmante», lors de la fête du Très Saint Rosaire au Cap-de-la-Madeleine.

En entrant dans la chapelle du Rosaire, écrit-il, j'aperçus une foule d'enfants groupés autour de la crèche de l'Enfant Jésus de Bethléem, et, au milieu d'eux, le Révérend Père Frédéric, la figure souriante et animée d'une expression toute paternelle, et qui les entretenait familièrement des événements de la naissance du Sauveur, les interrogeait tour à tour, leur donnait des conseils à leur portée, causait enfin avec eux et dans leur langage avec une grâce charmante, tout en les édifiant. Et sur toutes ces petites figures, où rayonnait l'innocence, on lisait le plus avide intérêt pour chaque parole qui tombait des lèvres du saint religieux. Cette scène rappelait bien celle de Notre-Seigneur au milieu des enfants. Heureuse génération dont les premières années resteront illuminées par de pareils souvenirs[7]!

---

7. *Journal des Trois-Rivières,* 11 octobre 1888.

Dès qu'il s'agissait de la gloire de Dieu, du salut des âmes, le prédicateur s'oubliait totalement, quel que fût l'excès de ses fatigues. Il revient, un jour, de ses missions, sérieusement malade. Six jours durant, d'atroces souffrances le retiennent au lit; il ne peut prendre de nourriture; son estomac ne peut même supporter l'eau. On lui annonce que les paroissiens de Champlain (diocèse de Trois-Rivières) viennent d'arriver au sanctuaire. Il fait effort, se lève, se rend à l'église du Rosaire, monte en chaire, prie et parle, préside tous les exercices de piété, arrachant des larmes à toute l'assistance. Cette fois-là, l'oubli de soi dans l'acte héroïque apporte au presbytère du Cap une joie imprévue: après le départ des pèlerins, le Père Frédéric reprend ses travaux habituels sans plus manifester de fatigue ni de malaise: il est guéri[8].

L'atmosphère de pénitence et de piété des pèlerinages

Par sa piété, sa vie de mortification et son ardente parole, le Père Frédéric créa l'atmosphère spirituelle des pèlerinages du Cap: prière et pénitence.

Après que le chemin de la croix eut été érigé, en 1896, sur la berge du Saint-Laurent, il n'y eut plus de pèlerinage sans ce pieux exercice: c'en était l'aspect pénitentiel. Devant les stations, dont il avait lui-même marqué les emplacements, le commissaire de Terre Sainte se retrouvait en quelque sorte chez lui. L'ex-Vicaire Custodial aimait à prêcher la Voie douloureuse, ce qu'il savait faire mieux que tout autre.

La présence du Père Frédéric au Cap créait aussi un climat de confiance surnaturelle. Bien des gens profitaient de leur pèlerinage pour aller le rencontrer et réclamer le secours de ses prières. Il passait pour un saint et semblait, comme plusieurs amis de Dieu, avoir reçu le don de faire des miracles et de lire dans les consciences. On le considérait comme l'image fidèle et vivante de saint François d'Assise. Il est certain qu'après Dieu et la Sainte Vierge c'était lui qui attirait les pèlerins. Ceux-ci lui confiaient

---

8. Abbé L.-E. Duguay, sermon du jubilé d'or de profession religieuse du bon Père Frédéric, 22 juillet 1915.

la cause qu'ils venaient plaider aux pieds de Marie. Avec le Père Frédéric pour avocat, la cause devait être gagnée; sans cet avocat, elle risquait fort d'être perdue.

Quant à lui, il profitait de ces marques de confiance pour porter les affligés et les malades à une plus grande dévotion envers la Reine du Très Saint Rosaire. «La Sainte Vierge, qui est si bonne, disait-il, va vous venir en aide; elle va vous guérir.» Avec l'ardent désir d'être exaucé, il répétait la prière d'un saint: «Faites que j'approche de vous ceux qui s'approchent de moi.»

Cette confiance qu'on mettait dans l'efficacité de ses prières jetait dans la confusion le moine franciscain. Il en ouvrait son cœur à son confident le T.R.P. Raphaël Delarbre, O.F.M.[9]

Je travaille à la gloire de Notre-Dame du Très Saint Rosaire, écrivait-il. Je préside tous les pèlerinages au Cap. Il en est venu hier de bien loin: toute une paroisse de campagne, plus de six cents communions. Partie ce matin; grande ferveur; cela fait un très grand bien. Seulement nos bonnes gens s'exposent à tout gâter. Ils viennent demander la pluie ou le beau temps et la Sainte Vierge les exauce. Ils demandent aussi avec grand empressement la guérison de toutes leurs maladies, et là ils se trompent *toto coelo* [du tout au tout]: au lieu de demander ça à Marie, *Salus infirmorum* [salut des infirmes], ils me demandent ça à moi carrément et à haute voix! c'est effrayant — *o fides* [ô foi]!

Une guérison entre bien d'autres

Avec cette foi inébranlable que leur communiquait le dévot franciscain, les fidèles obtenaient de la Très Sainte Vierge des miracles éclatants. C'est ainsi qu'après s'être recommandé au Père Frédéric, M. Charles Lamy, de Saint-Sévère (comté de Saint-Maurice, diocèse de Trois-Rivières), fut instantanément guéri au sanctuaire du Cap.

À la suite d'un triduum qu'avait prêché le franciscain, ce cultivateur avait décidé d'entreprendre avec des coparoissiens le pèle-

---

9. Lettre du 30 juillet 1891.

rinage au Cap-de-la-Madeleine. Il voulait obtenir sa guérison. La ruade d'un cheval lui avait fracturé le bras droit. Le bras s'était remis; mais une plaie s'était formée qui suppurait beaucoup. Nuit et jour, pendant quatre semaines, le pauvre homme avait enduré d'atroces souffrances. On avait même parlé d'amputation. Le soir de son arrivée au Cap, il souffrait tellement que la douleur le mettait tout en nage:

— Priez pour moi, disait-il au vicaire qui était venu lui faire une visite d'encouragement et d'espérance, priez pour moi, il faut que mon bras soit guéri. J'ai bien confiance au Père Frédéric et en la Sainte Vierge.

Dès le lendemain matin, il alla trouver le moine, qui lui appliqua sur le bras son grand crucifix de mission et lui dit:

— Allez réciter le rosaire devant la statue de la Sainte Vierge et vous serez guéri.

Pendant qu'il priait, il fut accablé de sueurs, et, prenant machinalement son mouchoir de la main qui avait été malade, il s'essuya; il s'aperçut qu'il était guéri! La figure épanouie, le pas ferme, il alla, séance tenante, montrer son bras au presbytère: on défit les bandages et la plaie apparut bien cicatrisée. «Le lendemain, avouait-il, je chargeais seize voyages de foin sans ressentir la moindre douleur.»

Si un pèlerin prétendait avoir obtenu une guérison par l'intercession des prières du Père Frédéric, l'apôtre de Marie l'attribuait toujours à l'efficacité des reliques de la Terre Sainte ou encore à la bonté toute maternelle de la Vierge du Calvaire ou de la Vierge du Cap.

Quelques-uns sans doute — d'ordinaire des religieux — se moquaient des miracles qu'on lui attribuait: ils riaient de ses pratiques. Mais la foule le vénérait.

Le rôle qu'il jouait était tel que des personnes se demandaient si les pèlerinages continueraient une fois qu'il serait disparu. Car c'était vraiment lui qui en était l'âme. Son compagnon d'armes, le curé Duguay, l'a affirmé sans ambages: «Parfois, a-t-il dit, si le Père s'éloigne du Cap pour d'autres missions, [il arrive] que des religieux, dominicains, oblats, franciscains, prêtres du séminaire et autres viennent apporter leur concours; il n'en restera pas moins l'âme du pèlerinage, contrôlant matériel et spirituel[10].»

Quelques grandes dates du pèlerinage au temps du Père Frédéric

Que de faits variés le modeste franciscain a vus survenir au Cap-de-la-Madeleine pendant ses quatorze ans de ministère (1888-1902)! Rappelons simplement les grandes fêtes religieuses qui ont attiré les foules les plus considérables pour le temps: au début de juillet 1894, deuxième centenaire de la confrérie du Rosaire; le 10 septembre 1895, congrès du Tiers-Ordre franciscain (sans doute le premier du genre au Canada), qui réunit 8 000 pèlerins; le 30 juin 1896, bénédiction solennelle, par Mgr Laflèche, du nouveau chemin de la croix en plein air, sous les regards attentifs d'une foule de 5 000 personnes; le 31 mai 1897, inauguration solennelle et bénédiction par Mgr Laflèche, entouré de plus de 5 000 pèlerins, de l'embranchement de la nouvelle voie ferrée; le 6 septembre 1900, bénédiction solennelle des monuments de la Voie douloureuse par Mgr Cloutier (6 à 8 000 pèlerins). Ces festivités diverses constituaient autant de preuves de l'action efficace du Père Frédéric au sanctuaire du Cap-de-la-Madeleine.

Les Annales du Très Saint Rosaire

Toutes ces réalisations auraient peut-être suffi à coiffer les aspirations apostoliques d'un personnage moins dynamique et moins zélé que le commissaire de Terre Sainte. Mais l'inventif ex-voyageur de commerce qu'était l'apôtre du Rosaire avait vite trouvé un moyen pour amplifier l'effet de sa parole et de son action au Cap: la plume.

Dans le but de favoriser le mouvement toujours croissant des pèlerinages et d'activer le culte marial dans la population canadienne, il fondait, en janvier 1892, avec le curé Duguay, les *Annales du Très Saint Rosaire*. Cette revue comprenait, dans un ordre

---

10. Sermon du jubilé d'or de profession religieuse du Père Frédéric.

inviolable, quatre grandes rubriques: la vie ou les grandeurs de Marie dans les saintes Écritures et la Tradition, la description des sanctuaires de la Terre Sainte ou de la Sainte Vierge, l'historique des reliques de la Terre Sainte ou de la Sainte Vierge, les faveurs obtenues au Cap-de-la-Madeleine. Plan très simple: la Sainte Vierge en elle-même, en ses sanctuaires, ses reliques, ses miracles. Le Père Frédéric se chargeait des trois premières parties, étant donné son expérience palestinienne. En fait, la plupart du temps, durant l'espace de dix ans, il rédigea tout seul cette «publication mensuelle rédigée en collaboration», au dire du sous-titre. «Mon nom ne paraîtra pas», avait-il avoué à un confident. Et ainsi en fut-il. L'administration relevait du curé Duguay; officiellement ce devait être «son œuvre exclusivement». Vingt-quatre pages in-seize sur papier jaune et mat, pas de couverture, la toilette de la revue signifiait que l'économie la plus stricte avait été pratiquée pour pouvoir réduire le prix de l'abonnement à vingt-cinq cents. «Toute sa beauté est à l'intérieur», disait-on en souriant. Cependant elle ne tarda pas à être populaire grâce à l'influence du Père Frédéric, qui s'en fit le plus puissant propagandiste. Après un an, elle comptait douze mille abonnés.

Les progrès rapides du pèlerinage suggèrent bientôt sa prise en charge par une communauté

Les efforts humains du fils de saint François secondaient l'attirance surnaturelle de la Reine du Rosaire; ils dépassèrent les plus légitimes espérances. Les résultats furent tels qu'en 1895 le *codex historicus* de l'œuvre accusait un total de trente mille pèlerins et qu'en 1900 Mgr Cloutier proclamait officiellement le Cap-de-la-Madeleine lieu de pèlerinage *diocésain*. Dans son *Mandement sur le Rosaire de Marie* (20 avril 1900), l'évêque de Trois-Rivières déclarait: «Chaque année, 30 000 à 40 000 pèlerins visitent la modeste chapelle du Cap et s'en retournent chargés de grâces spirituelles et temporelles, en même temps que couverts de la protection de la Vierge Immaculée.» En 1909, la dernière étape sera franchie quand les Pères du premier Concile plénier de Québec reconnaîtront le sanctuaire de Notre-Dame du Rosaire comme lieu de pèlerinage *national.*

À partir de 1888, l'œuvre prit de l'extension d'année en année. Dès 1893, le curé Duguay était débordé. Son aide, le Père Frédéric, écrivait à Mgr Laflèche, le 27 août 1893: «De l'avis de tous, une congrégation religieuse semble nécessaire désormais pour conserver, en la développant, l'œuvre déjà établie du Cap-de-la-Madeleine. L'ordre de saint François ne saurait à aucun titre accepter cette mission, à cause de la *manipulation de l'argent,* qui est absolument défendue par le Règle.» Ce point de la Règle, les supérieurs franciscains d'alors tenaient à l'observer en toute rigueur, sans dispense. Le Père Frédéric leur avait soumis l'affaire; devant leur décision, fermement motivée, il n'avait pas insisté et avait cessé les pourparlers. Dans une lettre, adressée encore à l'évêque de Trois-Rivières, quatre jours après la précédente (31 août 1893), il revenait sur l'avenir du sanctuaire: «L'œuvre des pèlerinages du Cap, actuellement trop développée pour un *seul homme* [c'est-à-dire le curé], semble demander la présence d'une corporation religieuse, comme serait, v.g., la Société des Oblats de Marie Immaculée.» Ces missionnaires, si estimés au Canada, étaient alors, en France, les gardiens des célèbres basiliques de Pontmain et de Notre-Dame de la Garde.

En cette même année 1893, Mgr Laflèche offrit le sanctuaire du Cap aux Oblats[11]. En 1896, il le proposa aux Dominicains[12].

Le curé Duguay servit d'intermédiaire auprès d'autres communautés, qui demandèrent, elles aussi, des délais, n'étant pas prêtes pour cette fondation.

Dans cette évolution du Cap, le Père Frédéric montra un désintéressement admirable. Il refusa constamment pour lui-même et pour son Ordre la prise de possession du sanctuaire, malgré les offres des évêques de Trois-Rivières. Mgr Cloutier annonça bien, dans sa lettre pastorale d'avril 1900, que les Pères Franciscains du commissariat de Terre Sainte «avaient, jusqu'à nouvel ordre

---

11. Cf. *Revue du Tiers-Ordre et de la Terre Sainte* 9 (octobre 1893), 463.
12. Cf. *Annales du Très Saint Rosaire* 5 (mai 1896), 83s.

et de concert avec M. le curé de la paroisse, la charge et la desserte du sanctuaire dédié à Notre-Dame du Saint Rosaire, ainsi que de l'œuvre des pèlerinages»: ces mots faisaient du Père Frédéric le quasi-directeur du Cap. De fait, durant la saison d'été de 1900 et de 1902, les pèlerinages furent présidés par les Pères Franciscains de Montréal, de Québec et de Trois-Rivières. Mais cette direction ne fut que temporaire.

Le Père Frédéric avait développé les pèlerinages au service de Marie et au bénéfice de la congrégation religieuse qu'il plairait à Dieu d'appeler à l'épanouissement de l'œuvre. «Quant à l'avenir du Cap, pour l'assurer, écrivait-il à Mgr Cloutier le 20 juin 1901, notre intime conviction reste qu'il faut là une congrégation religieuse dirigeant et les pèlerinages et la paroisse. Avec cela, et les *chars électriques,* l'avenir du Cap est assuré!»

Sur la recommandation formelle du Père Frédéric,
les Oblats sont choisis

Il suggéra de nouveau les Oblats lorsque Mgr F.-X. Cloutier, successeur de Mgr Laflèche, voulut organiser définitivement, en 1901, le sanctuaire de Notre-Dame du Saint Rosaire. L'évêque racontera, un jour, la scène: «Je me demandai, dira-t-il, quels religieux je devais faire venir pour cela, car il était compris que des religieux seuls pouvaient faire convenablement la desserte d'un tel lieu de pèlerinages. Je consultai alors le Père Frédéric, qui, après quelques instants de réflexion, me répondit:

— Prenez donc les Oblats de Marie Immaculée.

— Pourquoi?

— Parce que, dit-il, ils sont d'une grande humilité et d'une grande simplicité de manières[13].»

Le 9 octobre 1901, Mgr Cloutier faisait la proposition officielle au provincial des Oblats, le T.R.P. J.-M. Jodoin, qui l'accepta quelque temps après. Ce fut le Père Frédéric qui apporta

---

13. *Annales de Notre-Dame du Cap* 35 (1926), 124.

au curé Duguay la nouvelle de l'acceptation. Grande fut leur joie. Tous deux, ils allèrent s'agenouiller en action de grâces au pied de l'autel de Marie. Dès lors, ils entrevoyaient l'avenir le plus brillant pour le sanctuaire du Rosaire. Les Oblats de Marie Immaculée en prirent charge le 7 mai 1902; ils en dirigent depuis les destinées. À la mort du Père Frédéric, ils soulignèrent le détachement exemplaire dont le grand apôtre du Cap fit preuve après leur avoir cédé la place au petit sanctuaire.

> Quand sa mission fut remplie, le Père Frédéric, comme saint Jean-Baptiste devant Jésus-Christ, éprouva le besoin de s'effacer totalement en faveur de la Sainte Vierge. «Laissez-moi», semblait-il dire aux foules qui se pressaient autour de lui, «laissez-moi et attachez-vous à Marie. À Elle de grandir, à moi de diminuer. *Illam oportet crescere, me autem minui!*» Retiré dans son obscur oratoire des Trois-Rivières, il ne faisait plus à Notre-Dame du Cap que de courtes visites, comme pour lui renouveler son entier dévouement et lui exprimer de plus sa tendre et chaude affection[14].

En fait, il envoyait encore et parfois accompagnait lui-même de nombreux groupes de fervents pèlerins venant de tous les coins de la province de Québec: on a toujours à cœur le succès et la croissance d'une œuvre à laquelle on a consacré tant d'énergie et d'amour! Mais, comme le souligne très exactement le Père Joyal, il «s'effaçait» désormais devant l'équipe qui l'avait remplacé: le Cap n'était pas *son* pèlerinage, mais celui *de Marie*.

La place précise du Père Frédéric dans la grande œuvre du Cap

Le moment est venu de nous demander quel rôle exact revient à notre homme dans le développement de cette œuvre devenue aujourd'hui si importante. Quelle est la place qu'il faut lui attribuer dans l'histoire du sanctuaire du Cap?

On ne peut certainement pas lui attribuer purement et simplement le titre de fondateur. La petite église qui est au cœur

---

14. Sermon du P. Joyal, O.M.I., au Cap-de-la-Madeleine, 14 août 1916, dans *Annales du Très Saint Rosaire* 1916, p. 380.

du pèlerinage existait avant son arrivée et l'idée de la conserver et de la consacrer au culte de Notre-Dame-du-Rosaire n'est pas de lui, mais de M. Désilets. Pourtant, si le Père Frédéric n'est pas au sens usuel le fondateur du pèlerinage, il en est à un degré éminent le co-fondateur: il en a été le promoteur le plus efficace, celui qui a été la cheville ouvrière de son lancement définitif. Quand il est revenu au Cap en 1888, le petit sanctuaire n'était encore qu'une affaire *paroissiale,* dont on pouvait se demander combien de temps elle durerait. Lorsque, quatorze ans plus tard, la charge et la desserte de ce même sanctuaire furent remises aux Pères Oblats, la survie du pèlerinage ne faisait plus question: il avait pris une telle ampleur qu'il avait été déclaré œuvre *diocésaine.* Sa gestion exigeait une équipe de prêtres à plein temps et le moment était tout proche où il serait reconnu comme pèlerinage national. Cette croissance rapide est pour une bonne part due au concours du Père Frédéric.

Elle n'aurait pas été possible s'il n'y avait eu d'abord chez l'apôtre du Cap une forte dose d'esprit prophétique, qui lui avait été inculquée par le Ciel lui-même. Mais il y a plus: comme celle des prophètes de l'Ancien Testament, la mission du Père Frédéric a été pour ainsi dire entérinée par une vision inaugurale, qui en a garanti l'authenticité. On se souvient en effet qu'il avait été l'un des trois témoins du «prodige des yeux». Le long regard de la Vierge, levé au-dessus de lui le soir du 22 juin 1888, le soutint pendant quatorze ans dans ses efforts pour propager le culte marial. En avalisant par sa présence les paroles prophétiques qu'il avait prononcées le matin même, la Vierge dut le remplir d'une confiance inébranlable dans l'avenir spirituel du petit sanctuaire. On s'explique dès lors qu'il ait conseillé aussi fortement aux curés Désilets et Duguay de faire sans retard l'acquisition des terrains adjacents à l'ancienne église. L'Esprit lui faisait déjà voir quels espaces le pèlerinage occuperait un jour.

Mais un pèlerinage ne se bâtit pas uniquement par des visions prophétiques. Pour réaliser ce qu'on a entrevu, il faut du dynamisme et du savoir-faire. Or, c'est ici que la personnalité aux mille facettes du Père Frédéric va s'avérer le plus précieux des atouts. Sous la pression des circonstances, il va se transformer en facto-

La grand-rue du village de Ghyvelde au début du siècle.

Ce qui restait en 1948 de la ferme natale du P. Frédéric.

La famille du P. Frédéric. Gravure illustrant une vie latine
du serviteur de Dieu publiée à Rome, en 1927, par le P. Santarelli,
Postulateur général des Franciscains.

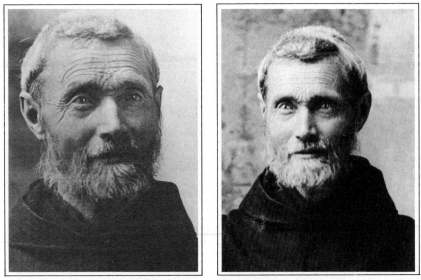

Deux photos du P. Frédéric prises en 1888:
un quinquagénaire aimable et enjoué.

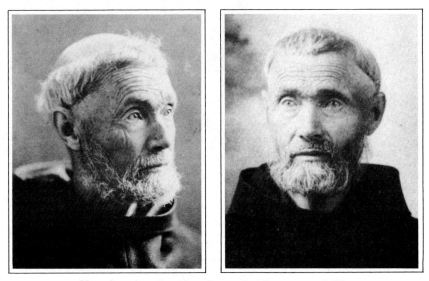

Une vingtaine d'années plus tard. L'homme a vieilli:
c'est le «saint François» des foules.

Pèlerinage de tertiaires franciscains au Cap après 1902.
Le P. Frédéric se tient entre le P. Ange-M. Hiral et M. Duguay.

Au scolasticat de théologie des Franciscains de Québec, en 1907.
Assis: les PP. Deffrennes, Hiral, Dreyer, Janssoone et Fisher.

1915.
Les yeux intenses
semblent plus que jamais
contempler le monde mystérieux
de l'Au-delà:
le mystique s'affirme ici.

1915.
La photo choisie
pour le Jubilé d'or
de profession
du serviteur de Dieu.
C'est une image récapitulative.

Vers 1915: pique-nique avec les Séraphiques de Trois-Rivières.
Le P. Frédéric soulève sa canne en signe de participation.

1916. «Aux sucres»,
avec le P. Joseph-Alfred Wolfe, O.F.M.

1915. Pèlerinage
à Sainte-Anne-de-Beaupré.
Il a un manteau neuf.

L'abbé Léon Provancher,
qui orienta le P. Frédéric vers le Canada.

L'abbé Luc Désilets,
véritable père du pèlerinage du Cap.

M. Pierre Lacroix,
troisième témoin du « prodige des yeux ».

L'abbé L.-E. Duguay,
co-fondateur du pèlerinage du Cap.

Le Cap-de-la-Madeleine au temps du P. Frédéric.
À gauche, l'église Sainte-Madeleine, aujourd'hui démolie, surplombe le «ravin».

1888. Le P. Frédéric discute avec
M. Duguay l'avenir du sanctuaire.

1904. Le P. Frédéric porte le diadème
au couronnement de N.-D. du Cap.

La vieille église et le presbytère du Cap vus du quai en 1894.

M. Désilets accueille le P. Frédéric arrivant au Cap en 1881.

Le P. Frédéric mène au sanctuaire des pèlerins venus en bateau.

Le couvent des Franciscains de Trois-Rivières en 1916.
L'ex-commissariat, déménagé, constitue la moitié gauche de l'aile mansardée.

Les mêmes édifices photographiés le 16 janvier 1988.
La statue du P. Frédéric se dresse devant l'extrémité de l'aile nord-sud.

Le Commissariat de Terre Sainte à Trois-Rivières en novembre 1888.

La même bâtisse en avril 1904.
Au second plan, on aperçoit l'extrémité de l'aile nord-sud du couvent actuel.

Quelques évêques à qui le P. Frédéric a eu affaire.

1. Le cardinal E.-A. Taschereau, archevêque de Québec (1870-1898)
2. Mgr C.-E. Fabre, évêque, puis archevêque de Montréal (1876-1896)
3. Mgr L.-F. Laflèche, évêque de Trois-Rivières (1870-1898)
4. Le cardinal L.-N. Bégin, archevêque de Québec (1898-1924)
5. Mgr Paul Bruchési, archevêque de Montréal (1897-1939)
6. Mgr F.-X. Cloutier, évêque de Trois-Rivières (1899-1934)
7. Mgr Zéphirin Moreau, évêque de Saint-Hyacinthe (1875-1901)
8. Mgr Elphège Gravel, évêque de Nicolet (1885-1904)
9. Mgr Joseph-Médard Émard, évêque de Valleyfield (1892-1922).

Quelques provinciaux plus remarquables du P. Frédéric.

1. T.R.P. Raphaël Delarbre, provincial de Saint-Louis (1873-1881)
2. T.R.P. Othon Ransan, provincial de Saint-Louis (1889-1891)
3. T.R.P. Arsène Béix, provincial de Saint-Pierre (1895-1898)
4. T.R.P. Colomban-M. Dreyer, provincial de Saint-Pierre (1905-1911)
5. T.R.P. Ange-M. Hiral, vicaire provincial pour le Canada (1911-1915)
6. T.R.P. Jean-Joseph Deguire, provincial de Saint-Pierre (1915-1919)
   Les cinq premiers sont français, le sixième canadien.

Le P. Frédéric avec son meilleur ami, le P. Augustin Bouynot.

À Sainte-Anne-de-Beaupré avec le P. Ange-M. Hiral:
celui-ci aimait à le taquiner.

Confrères, amis, «miraculés»...

1. M. Charles Lamy, cultivateur, guéri à Notre-Dame du Cap
2. M. l'abbé L.-H. Paquet, aumônier des Franciscaines Missionnaires de Marie
3. M. Gédéon Désilets, syndic du Commissariat de Terre Sainte
4. Le P. Marie-Raymond Sifantus, O.F.M., arrivé au Canada en 1897
5. Le P. Valentin-M. Breton, O.F.M., 1er gardien de Montréal-Rosemont
6. Le P. Théophile Gin, O.F.M., commensal du P. Frédéric
7. Le P. Matthieu-M. Daunais, O.F.M., 3e gardien de Trois-Rivières
8. Le Bx André Bessette, C.S.C., ami du P. Frédéric
9. Sr Marie-Joseph de Jésus, clarisse, guérie par le P. Frédéric.

Le T.R.P. Gilles Bourdeau, O.F.M.,
provincial de la Province Saint-Joseph,
dont le Bon Père Frédéric
fut l'éclaireur et le pionnier.

Mgr Laurent Noël,
évêque de Trois-Rivières,
où le Bon Père Frédéric
a vécu 28 ans
et où son corps
repose depuis 1916.

tum capable de mettre la main aux entreprises les plus diverses et de les mener à bien.

Après la mort de M. Désilets, il aide le nouveau curé, pendant quatre ou cinq ans, à régler la situation financière de la paroisse. Par sa brochurette, *Le sanctuaire du Très Saint Rosaire du Cap de la Magdeleine,* il est le premier historien du sanctuaire actuel. Il est le premier grand organisateur des pèlerinages; son renom de sainteté amène aux pieds de Marie des milliers de fidèles, qu'il accueille, anime et inspire durant tout leur séjour au Cap. Directeur et âme des pèlerinages, il s'en fait en plus le publiciste par la fondation des *Annales du Très Saint Rosaire*; cette revue a été continuée en 1902 par les Pères Oblats et, après avoir porté à partir de 1919 le titre d'*Annales de Notre-Dame du Cap,* s'appelle maintenant *Notre-Dame du Cap.*

Le côté matériel du Cap-de-la-Madeleine n'est jamais resté étranger à ses soucis. Au carême de 1891, il va prêcher et quêter aux États-Unis pour pouvoir doter le trop petit sanctuaire d'une annexe — la première — pouvant contenir trois à quatre cents pèlerins; elle durera jusqu'en 1904. Il fait maintes démarches pour obtenir le prolongement de la voie ferrée de Trois-Rivières jusqu'au Cap-de-la-Madeleine et gagne à cette entreprise le sénateur Montplaisir.

Il donne au Cap ce qu'on a appelé «son aspect pénitentiel», qui est largement dû à la présence sur son terrain des stations du chemin de la croix. Ces stations ont été refaites par la suite; des monuments de la Voie Douloureuse, édifiés en bois, il ne reste plus que le tombeau de Notre-Seigneur, renouvelé totalement en 1937.

C'est une autre initiative du Père Frédéric qui obtint pour le Cap les privilèges spirituels habituellement attachés aux pèlerinages. Pour les obtenir, il fit les démarches nécessaires auprès de l'évêque de Trois-Rivières, puis auprès du Saint-Siège, cette fois par l'entremise de son confrère, le T.R.P. Raphaël Delarbre, Procureur Général des Franciscains à Rome. Un bref de Léon XIII, en date du 19 décembre 1892, concédait l'indulgence plénière pour tous les pèlerins qui, confessés et communiés, visiteraient la chapelle du Rosaire et y prieraient aux intentions du Souverain Pontife. Le 15 décembre 1893, un décret de la S.C. des Rites accordait aux prêtres pèlerins le privilège de dire la messe votive du Très Saint Rosaire. De ces deux faveurs la première a sans doute contribué à stimuler considérablement le zèle et la ferveur des premières générations de pèlerins du Cap. Car, à la fin du XIXe siècle et dans la première moitié du XXe, les indulgences tenaient une place beaucoup plus grande qu'aujourd'hui dans la vie des fidèles.

Il y a une trentaine d'années, le souvenir du Père Frédéric se retrouvait encore, très discret, dans les accessoires qui ornaient la statue de Notre-Dame du Cap placée sur le maître-autel. Cette statue était couronnée d'un diadème de pierres précieuses, portait sur la poitrine un cœur d'or et égrenait entre ses doigts un long rosaire en bois doré qui descendait du baldaquin en forme de M. Le diadème et le cœur d'or étaient un don des sœurs tertiaires franciscaines de langue anglaise de Montréal, et le rosaire en bois d'olivier de Gethsémani était un don du Père Frédéric, qui l'avait fait venir exprès de Terre Sainte. En 1981, des vandales firent main basse sur le diadème et le cœur d'or offerts par les sœurs tertiaires de Montréal. Mais ils laissèrent derrière eux le rosaire en bois d'olivier du Père Frédéric. Cet objet est donc toujours au sanctuaire. La couronne et le cœur d'or n'ayant jamais été rapportés, ceux que porte actuellement la statue de Notre-Dame du Cap sont des pièces nouvelles, qui ont été inaugurées le 7 juin 1987, premier jour de l'année mariale. Le rosaire en bois de Gethsémani, lui, n'a pas été remplacé.

Mais il reste un signe vivant qui plus que tout autre rappelle le rôle important joué par le Père Frédéric au Cap-de-la-Madeleine: c'est la présence des Pères Oblats sur le terrain du sanctuaire. En obtenant leur venue au Cap, le serviteur de Marie assurait la survie définitive de son œuvre. En effet, qui, mieux qu'une communauté dont le nom même (Oblats de Marie Immaculée) évoque le dévouement à la Sainte Vierge, pouvait présider aux développements ultérieurs d'un pèlerinage pour lequel il avait tant travaillé, sûr qu'il était bien l'objet des complaisances de Notre-Dame!

Quelles autres traces pourrait-on encore mentionner du passage du Père Frédéric au Cap-de-la-Madeleine? Le souvenir de ses vertus, l'exemple de son grand amour pour Marie, la chaleur de son zèle apostolique? Bien sûr. Mais il reste surtout, dans l'âme des pèlerins, une profonde piété mariale, «une dévotion, dit le P. Breton, O.M.I., qui s'est implantée solidement au Cap et qui ne peut que grandir et prospérer».

Ces effets variés d'une activité multiforme et féconde attachent pour jamais le nom du Père Frédéric à l'histoire du sanctuaire du Cap-de-la-Madeleine. *Son plus beau titre de gloire au Canada, c'est d'avoir été le grand apôtre de Notre-Dame du Cap.* Ce seul titre suffirait à sa renommée. Un événement religieux, survenu une couple d'années après son départ du Cap, allait exprimer symboliquement le rôle à la fois modeste et essentiel qu'il avait tenu dans le développement de la dévotion à la Vierge du Cap.

Le couronnement de la Vierge du Cap, mise en lumière des services rendus par son chevalier

En 1904, en l'année jubilaire du dogme de l'Immaculée Conception et en l'octave de la fête du Rosaire, la statue de la Vierge miraculeuse du Cap obtenait de Rome l'insigne privilège — encore unique au Canada — du couronnement. Il y avait cinquante ans que la blanche statue avait été installée sur son trône du vieux sanctuaire.

Ce couronnement solennel avait eu un prélude assez simple, qui remontait à six années: il s'agissait d'une sorte d'avant-première, tout empreinte de piété filiale, tenue à l'occasion d'une réunion de caractère intime. Inspirées par le Père Frédéric et dirigées par le P. Ambroise Romain, O.F.M., quelques sœurs tertiaires franciscaines de langue anglaise de Montréal avaient fait généreusement le sacrifice de leurs bijoux, avec promesse de ne plus les remplacer. Or, perles, diamants avaient été intégrés en une couronne royale et en un cœur symbolique. Le 15 août 1898, fête du couronnement de Marie au ciel, cent cinquante tertiaires montréalaises avaient apporté le diadème et l'avaient déposé devant le maître-autel, comme marque de gratitude pour les faveurs obtenues au cours du pèlerinage de 1897. Après une cérémonie spéciale, où le P. Ambroise Romain avait prononcé un discours, le diadème avait été déposé sur la tête de la Madone et le cœur en or appendu à son cou.

Les fêtes du couronnement officiel, au nom du Souverain Pontife Pie X, furent grandioses; elles laissèrent, chez les heureux participants, un souvenir ineffaçable. Un triduum très solennel prépara le grand jour. Le 12 octobre 1904 peut être considéré à bon droit comme le jour le plus glorieux qu'ait encore connu au Canada la Reine du Très Saint Rosaire. Journée idéale, sans aucun nuage au ciel, soleil de gloire. Seize évêques et archevêques, y compris S. Exc. Mgr Sbarretti, délégué apostolique au Canada, plus de quatre cents prêtres et religieux, et pas moins de quinze mille fidèles, venus de tout le Canada et même des États-Unis, étaient présents ce jour-là.

Ce fut aussi le jour le plus glorieux du Père Frédéric: le champion de Notre-Dame du Cap y était à l'honneur, après avoir été longtemps à la peine.

À dix heures et demie du matin, au son des cloches, aux détonations du canon, les évêques quittaient processionnellement la communauté des Oblats pour se rendre à l'estrade dressée en face de l'antique sanctuaire. La croix ouvrait la marche; puis venaient les enfants de chœur du séminaire de Trois-Rivières, parés de leurs plus beaux atours, les prêtres en surplis, de nombreux chanoines, le Père Frédéric, portant sur un riche coussin la couronne réservée à la Madone, enfin les évêques revêtus de leurs habits pontificaux.

La couronne était le diadème donné, en 1898, par les tertiaires anglaises.

Un témoin se rappelle l'attitude du Père Frédéric: «Il parut aussi simple et pauvre qu'il était d'ordinaire, avec la même piété et le même recueillement, sauf que dans des circonstances semblables, il avait l'air légèrement ahuri.» Un curé, l'un de ses amis intimes, se trouvant à un moment donné près de lui, connut la raison de cet «ahurissement», quand le Père Frédéric lui dit à mi-voix: «Je suis tout confus du choix que l'on fait de moi pour porter la couronne.» Mais bientôt la joie envahit toute sa figure, ses yeux brillèrent de bonheur. C'était l'allégresse du fils présentant une couronne à sa mère bien-aimée.

La messe fut célébrée par le délégué apostolique; Mgr Bégin, archevêque de Québec, donna le sermon de circonstance en français. À la fin de la messe, Mgr Cloutier lut un précis historique très net, très intéressant, du sanctuaire du Cap, précis visiblement inspiré de la notice historique du Père Frédéric. L'évêque de Trois-Rivières ne pouvait laisser dans l'ombre le rôle joué par le commissaire de Terre Sainte au Cap: il rendit hommage à son mérite comme à celui des curés Désilets et Duguay.

C'est le Révérend Père Frédéric de Ghyvelde, O.F.M., Commissaire de Terre Sainte en Canada, dit-il, qui fut l'envoyé de la Providence. Le bon Père se fit généreusement le coopérateur et l'aide du curé de la paroisse dans le besoin de la confrérie du Rosaire, la desserte du sanctuaire et la réception des pèlerinages. Grâce à l'ascendant que sa vertu éprouvée lui donnait sur les populations, grâce à ce que nous pourrions appeler son magnétisme, il contribua pour une large part au règlement des difficultés et à la diffusion de la dévotion au Très Saint Rosaire.

L'évêque concluait son discours par ces mots: «Grâces soient rendues à Marie, qui après avoir fait de son modeste sanctuaire un lieu de pèlerinage privé, puis diocésain, daigne, en ce jour de grande solennité, le faire reconnaître comme pèlerinage national!»

Enfin, ce fut la cérémonie du couronnement par l'évêque de Trois-Rivières, agissant au nom de S.S. Pie X. Le Père Frédéric présenta la couronne d'or à l'évêque, qui la bénit, et, pendant que le canon grondait, que les cloches sonnaient à toute volée, le prélat déposait sur le front de Notre-Dame du Cap le signe de la royauté. Une émotion indicible parcourait l'assistance. C'était un courant surnaturel qui passait sur les fronts, sur les cœurs, les secouait et les enflammait.

Le pays entier était à genoux devant Notre-Dame du Cap, la Dame du Saint-Laurent, la Reine protectrice du Canada.

Au soir de cette journée émouvante, le Père Frédéric disait: «Je puis maintenant chanter mon *Nunc dimittis.*»

Le rêve entrevu, la prophétie énoncée par le grand serviteur de Marie au matin de la dédicace du sanctuaire, le 22 juin 1888, recevait sa consécration, à l'automne de sa vie, en ce glorieux jour ensoleillé du 12 octobre 1904.

Chapitre quinzième
L'apôtre du Tiers-Ordre franciscain

Aucun frère mineur que préoccupe un tant soit peu la vitalité de sa famille religieuse ne saurait rester indifférent à la cause du Tiers-Ordre franciscain. Car, si l'on en croit la *Légende des trois compagnons,* la naissance du mouvement se rattacherait à la prédication des tout premiers disciples de saint François et procéderait du même élan de conversion qui a suscité l'expansion miraculeuse des Frères mineurs et des Clarisses au XIIIe siècle.

[Les discours persuasifs des frères], raconte le chapitre 14e de cet écrit, allaient au fond des cœurs et gagnaient jeunes gens et vieillards. On abandonnait père et mère et tout ce qu'on possédait pour suivre les frères et prendre l'habit de l'Ordre... Les hommes n'étaient pas les seuls à prendre la détermination de se consacrer à Dieu. Des femmes aussi — des jeunes filles et des veuves — touchées de la prédication des frères, fondaient, sur leurs conseils, des couvents dans les villes et les bourgades... De même, des maris et des épouses, ne pouvant rompre les liens du mariage, s'adonnaient dans leurs maisons, sur le pieux conseil des frères, à une pratique plus étroite de la pénitence[1].

Dans ces petites communautés de gens mariés dirigés par les frères, le Tiers-Ordre était déjà fondé: il ne restait plus qu'à lui donner une reconnaissance canonique, ce que le pape Nicolas IV réalisa en lui octroyant une *Règle* en bonne et due forme, ap-

---

1. *Légende des trois compagnons,* § 60.

prouvée par la constitution apostolique *Supra montem* du 18 août 1289.

On s'explique dès lors que, six siècles après Nicolas IV, saint Pie X, conscient lui aussi de la communauté d'origine et de but qui liait les trois Ordres issus de saint François, n'ait pas craint d'adresser aux ministres généraux des trois familles franciscaines les paroles suivantes:

> Nous estimons que la tâche première qui vous incombe, très chers fils, est d'expliquer de plus en plus au peuple la nature et la fin du Tiers-Ordre selon la volonté de son saint Législateur et de montrer, non pas qu'il diffère des deux autres par sa nature, mais que simplement, avec ses moyens propres, il tend vers le même but[2].

Ami du Tiers-Ordre depuis sa jeunesse

Le jeune Frédéric Janssoone aima le Tiers-Ordre de saint François dès qu'il le découvrit à sa petite pension d'Estaires. Ce fut son étoile des Mages, celle qui le conduisit au premier Ordre.

Les deux premiers volumes qu'il publia au début de sa vie sacerdotale portèrent l'un sur la vie de saint François d'Assise, l'autre sur la vie d'une tertiaire franciscaine, la bienheureuse Jeanne-Marie de Maillé.

À Bordeaux, il fut l'un des premiers collaborateurs assidus de la *Revue franciscaine*. En tant que supérieur, il se chargea avec dévouement d'une fraternité du Tiers-Ordre, voulant répandre dans la société l'esprit du Poverello, l'esprit de l'Évangile. En Terre Sainte, il propagea le Tiers-Ordre parmi les pèlerins, surtout parmi les prêtres, venus parfois des contrées les plus éloignées (c'est le cas de son cher frère Pierre, prêtre des Missions étrangères). Il avait l'habitude de recevoir les pèlerins à la vêture ou à la profession de l'Ordre de la pénitence « à l'ombre de la croix», sur le Calvaire. Le 19 janvier 1881, il demanda au Père Général des Franciscains les pouvoirs de directeur du Tiers-Ordre

---

2. Pie X, *Le Tiers-Ordre franciscain,* 8 septembre 1912.

pour trois missionnaires de l'Inde et de la Chine, qu'il avait admis comme tertiaires l'année précédente.

Le travail accompli pour le Tiers-Ordre en 1881-1882

Son premier voyage au Canada, en 1881-1882, avait pour objectif une triple mission: la création possible d'un commissariat de Terre Sainte, l'établissemnt de la quête annuelle pour les Lieux Saints, enfin le développement du Tiers-Ordre de saint François par la visite des fraternités existantes ou par l'érection de nouvelles. Il s'acquitta de sa troisième mission avec le même savoir-faire qu'il avait déployé dans les deux autres. Son passage au Canada suscita la renaissance du troisième Ordre franciscain et l'éclosion prodigieuse de l'archiconfrérie de saint François, sorte d'avant-garde du Tiers-Ordre.

En 1882, il publia le premier manuel du Tiers-Ordre au Canada, *La Règle du Troisième Ordre de saint François d'Assise* (653 pages), tirée à cinq mille exemplaires, extraite presque textuellement de la sixième édition de la *Séraphique Règle* du T.R.P. Léon de Clary (Paris 1881).

Dès ce premier voyage au Canada, il se proposait d'éditer avec l'abbé Provancher une «petite revue mensuelle pour le Tiers-Ordre», projet qu'ils avaient conçu tous deux lors de leur entrevue à Paris, en juin 1881[3]. Les nombreuses occupations du Père Vicaire Custodial et son prompt rappel en Orient l'empêchèrent sans doute de mettre le projet à exécution. On peut toutefois se demander si, avant de quitter le Canada, le 1er mai 1882, le Père Frédéric n'en aurait pas laissé l'inspiration à l'un de ses amis, le Père Prudent Cazeau, S.J. (1853-1884), directeur de la fraternité de Montréal. En effet, entre le directeur jésuite du Tiers-Ordre et le visiteur franciscain des fraternités s'était formée une amitié, comme nous le montre la correspondance qui s'est échangée entre eux du 15 octobre 1881 au 22 novembre 1882 au moins. Le Père Frédéric fit la visite des tertiaires de Montréal à la fin

---

3. Lettre du Père Frédéric à l'abbé Provancher, Paris, 19 juillet 1881.

de mars 1882. Or, en février 1884, paraissait la *Petite revue du Tiers-Ordre et des intérêts du Cœur de Jésus,* sous les soins du Père Cazeau et de la fraternité qu'il dirigeait[4].

La reprise de la tâche après le second retour

Après son retour définitif au Canada, en 1888, le Père Frédéric mena de front la diffusion du Tiers-Ordre, l'œuvre de la Terre Sainte et le pèlerinage du Cap-de-la-Madeleine. En 1889, il lança pour la masse, au tirage de dix mille exemplaires, un opuscule de soixante-douze pages: *Le Tiers-Ordre — Sa Règle, son excellence.* C'était l'abrégé, dans sa forme essentielle, de la *Règle du Troisième Ordre de saint François d'Assise,* ce volume de plus de six cents pages publié en 1882 et mentionné plus haut. La nouvelle brochure était devenue nécessaire pour des considérations pratiques et aussi en raison des changements que Léon XIII avait apportés à la règle du Tiers-Ordre en 1883. Le prix en était excessivement modique: trois dollars le cent à domicile, trois cents l'exemplaire. C'était tout juste assez pour payer les frais d'impression et d'expédition. On souscrivait pour un minimum de

---

4. La *Petite Revue du Tiers-Ordre et des intérêts du Cœur de Jésus* changea son titre, en mars 1889, en celui de *Revue du Tiers-Ordre et de S. François.* En 1891, elle passa des mains des Sulpiciens, qui dirigeaient alors la fraternité du Tiers-Ordre de Montréal, à celles des Franciscains, qui venaient d'arriver au Canada (1890), et prit le titre de *Revue du Tiers-Ordre et de la Terre Sainte.* Ce dernier titre est dû à l'influence du P. Frédéric, qui prépara les voies à la transformation dès les premiers jours de son retour en juin 1888 (cf. Lettres du P. Frédéric au T.R.P. Raphaël, O.F.M., 3 et 10 août 1888, 7 avril et 21 octobre 1889; rapport du P. Frédéric au Ministre Général, 26 février 1889; lettre du P. Frédéric au P. Jean-Baptiste, O.F.M., gardien du couvent de Montréal, 4 juillet 1890; note du P. Frédéric dans la *Revue du Tiers-Ordre,* janvier 1890, p. 353: «*La Petite Revue du Tiers-Ordre* avertit ses abonnés qu'elle cesse de paraître avec le présent numéro de janvier 1890, et qu'elle reparaîtra prochainement sous la direction des Pères du premier Ordre, avec le titre de *Revue du Tiers-Ordre et de la Terre Sainte*»). Ce titre demeura jusqu'en 1917, c'est-à-dire cinq mois après la mort du premier commissaire de Terre Sainte au Canada. Il prouve l'attachement indéfectible que le Père Frédéric garda jusqu'au bout pour le Pays de Jésus.

cent exemplaires au moins. La brochure s'écoula ainsi dans l'espace de quelques mois[5].

La conjoncture était excellente. À la suite de Léon XIII, les évêques canadiens recommandaient chaudement le Tiers-Ordre. C'était le cas de l'évêque de Montréal, Mgr Fabre, et du saint évêque de Saint-Hyacinthe, le bienheureux Mgr Moreau, tertiaire lui-même, qui, dans l'espace de cinq ans (de 1882 à 1886), parla sept fois du Tiers-Ordre dans ses circulaires. C'était vrai surtout de l'énergique évêque de Trois-Rivières, Mgr Laflèche.

Un coup de main de saint François à Québec

À Québec, le Père Frédéric bénéficia d'un tremplin de propagande exceptionnel, car on lui permit, là, de s'adresser au clergé diocésain en bloc. Le cardinal Taschereau, tertiaire depuis longtemps, l'avait invité à donner aux prêtres de son diocèse une conférence d'une heure sur l'excellence du Tiers-Ordre. Déjà l'archevêque, dans une belle lettre pastorale, avait vivement exhorté tous ses curés à faire connaître le Tiers-Ordre à leurs ouailles et à établir des fraternités dans leurs paroisses respectives.

La conférence eut lieu à l'occasion de la retraite ecclésiastique, le 29 août 1889, d'une heure à deux heures de l'après-midi. Le cardinal se tenait au pied de la chaire, les retraitants occupaient leurs places habituelles. L'orateur cependant devait affronter de sérieux handicaps: une température écrasante, une heure mal choisie, l'heure de la digestion. Malgré la bonne volonté générale, les têtes des braves curés tombaient lourdement sur leurs poitrines, les vieillards étalaient leur fatigue, les plus jeunes prêtres luttaient héroïquement contre la torpeur. Mais le prédicateur s'était préparé par une prière intense. À cette heure où les esprits étaient engourdis, le bon saint François vint visiblement au secours de son fils. Dans un sursaut d'éloquence qui lui était familier et où s'affirmait invariablement son don de toucher les cœurs, le Père Frédéric montra les sacrifices que le Christ et son

5. P. Frédéric, *Vie de saint François d'Assise,* Montréal 1894, p. 238, en note.

serviteur François avaient faits pour les âmes. Une apostrophe énergique lui valut le succès complet: «Ce n'est pas seulement pour votre salut personnel que vous avez été appelés au sacerdoce. C'est pour le salut d'une multitude d'âmes qui vous sont confiées. Ces âmes ont coûté cher à Notre-Seigneur et vous ne devez pas les perdre. Vous en répondrez au tribunal du souverain juge. Or un bon moyen de les tirer du vice et de les porter à la vertu, c'est le Tiers-Ordre de la pénitence de saint François, tant recommandé par Sa Sainteté Léon XIII, glorieusement régnant. Placé comme une société intermédiaire entre le cloître et le monde, il est utile aux prêtres et aux fidèles. Avec le Tiers-Ordre, les Louis de France se sont sanctifiés dans la richesse, comme les Novellon (cordonnier) se sont sanctifiés dans la pauvreté. Avec le Tiers-Ordre, le bienheureux Curé d'Ars, tertiaire lui-même, a entraîné à sa suite des milliers d'âmes.»

Ces paroles vives ouvrirent soudain les paupières alourdies et touchèrent les cœurs. «Je ne sais quelle émotion subite gagna tout l'auditoire, confia le prédicateur, lorsque je parlai du nombre incalculable d'âmes sauvées par le Tiers-Ordre. Vos vénérables vieillards se réveillèrent et, quand je vis des larmes perler dans les yeux de ces dévoués pasteurs, je compris que le ciel m'avait exaucé et je l'en remerciai avec la plus vive gratitude.»

À la fin de la conférence, le cardinal Taschereau s'adressa aux retraitants à peu près en ces termes: «Maintenant, Messieurs, ceux d'entre vous qui ne sont pas encore tertiaires et qui désireraient prendre l'habit du Tiers-Ordre sont priés de se rendre à la chapelle, où le Père les recevra séance tenante.» «La réception, ajoute le Père Frédéric, fut sans précédent dans les annales du Tiers-Ordre. Nous donnâmes le saint habit de l'Ordre à quatre-vingt-douze prêtres, presque tous curés[6]!» Dès lors, une grande partie du clergé de l'archidiocèse de Québec appartenait à la famille franciscaine. En conséquence, le Tiers-Ordre devait se développer graduellement dans la plupart des paroisses.

---

6. Fr. Frédéric, *Étude historique du Tiers-Ordre au Canada,* dans *Revue du Tiers-Ordre et de la Terre Sainte,* 13 (1897) 229, et lettre au T.R.P. Raphaël Delarbre, O.F.M., 4 septembre 1889.

Des efforts d'organisation bien secondés par les évêques

Pour mieux organiser son travail de propagandiste, le Père Frédéric fit, dès l'hiver de 1889, une enquête auprès des évêques de la province de Québec. Il voulait établir les statistiques du Tiers-Ordre: noms des fraternités existantes, avec leur date d'érection canonique et leur nombre de tertiaires. Il commença par le diocèse de Rimouski: cependant il ne put le visiter par suite de circonstances spéciales et d'occupations toujours croissantes.

Mgr Cyrille Légaré, vicaire général de l'archidiocèse de Québec, répondait, le premier juillet 1889, au visiteur du Tiers-Ordre: «Son Éminence est en visite pastorale: Elle ne sera de retour que le 19 de ce mois. Je sais que Son Éminence s'occupe de recueillir les statistiques que vous désirez. À son retour, Elle sera heureuse de vous les transmettre[7].»

Le chancelier de l'archevêque de Montréal communiquait, le 17 août 1889, la liste des fraternités du Tiers-Ordre de saint François érigées depuis janvier 1884, avec la date d'érection de chacune d'elles[8].

Mgr Laflèche, évêque de Trois-Rivières, y allait de son encouragement personnel. Ainsi, il donnait le sermon de circonstance, en présence de huit mille personnes, au cours d'une messe en plein air, à un grand congrès du Tiers-Ordre tenu au Cap-de-la-Madeleine le 10 septembre 1895. Ce congrès, sans doute le premier du genre au Canada, avait été préparé par le Père Frédéric: des tertiaires des diocèses de Montréal, de Québec, de Trois-Rivières, de Nicolet et «d'autres diocèses plus éloignés» avaient répondu à son appel[9].

Comme on le voit, les évêques secondaient généreusement le zèle du missionnaire. Chacun, voulant entrer dans les intentions du pape Léon XIII, s'efforçait de répandre le Tiers-Ordre. Le grand pontife de la classe ouvrière n'avait-il pas répété en

---

7. *Ibid.*, p. 288.
8. *Ibid.*, p. 264.
9. *Annales du Très Saint Rosaire* 5 (1896) 16s.

plusieurs circonstances: «Ma réforme sociale à moi, c'est le Tiers-Ordre»?

Un apostolat fondé sur de fortes convictions

Le Père Frédéric avait de profondes convictions sur l'excellence du Tiers-Ordre de saint François. Ces convictions étaient fondées sur plusieurs motifs: l'obéissance au Saint-Siège et à l'autorité des supérieurs franciscains, la valeur sanctificatrice de l'Ordre de la pénitence, l'amour de saint François d'Assise, proposé comme modèle aux fidèles parce qu'il était la parfaite copie du Christ.

Tout en travaillant à d'autres œuvres, le Père Frédéric s'intéressa donc toujours au Tiers-Ordre. Déjà, en 1882, il écrivait au provincial franciscain de France: «Il y a un bien immense à faire dans ce pays par le Tiers-Ordre.» Il n'oublia jamais que la diffusion de ce mouvement représentait une partie importante de la mission que lui avaient confiée ses supérieurs majeurs. Il disait dans une lettre au curé Duguay datée du 6 février 1898: «Vous savez qu'il entre beaucoup dans ma mission d'établir le Tiers-Ordre.» Même propos dans une lettre écrite, en 1901, au gardien du couvent franciscain de Montréal pour assurer la propagation de la *Revue du Tiers-Ordre*: «Il faut répandre les bonnes lectures, et nos jeunes pères semblent bien pénétrés de ceci, à savoir que notre œuvre à nous est avant tout la diffusion du Tiers-Ordre.»

Fidèle aux directives de Léon XIII, il faisait connaître partout ce mouvement spirituel, qui a produit tant de saints laïcs, et le présentait volontiers comme un levain pour la société chrétienne:

> On nous demande tous les jours, disait-il, en quoi peut bien consister l'action sociale du Tiers-Ordre, et dans quel sens le pape Léon XIII a pu dire que la société, qui se meurt, sera sauvée encore une fois, comme au temps de saint François, *par le Tiers-Ordre*. Il nous semble que la réponse se trouve tout entière en ceci: si les

238

tertiaires observent bien leur sainte règle, le monde sera sauvé de nouveau[10].

Et le Père expliquait sans relâche cette règle, code de vie et de générosité chrétiennes.

Comme toute prédication efficace la sienne vivait du double programme énoncé par la sentence des Saintes Écritures: *diverte a malo et fac bonum* (éloigne-toi du mal et fais le bien). Il s'efforçait de détourner les fidèles des causes de décadence morale au Canada. Il dénonçait la plaie sociale du luxe et «la passion toujours grandissante pour les danses, les théâtres, les grandes veillées». «L'on se persuade, commentait-il, qu'il n'y a pas grand mal là-dessus.» Et il prêchait la simplicité de vie. Où trouvait-il la cause de tout bien, le secret de l'action sociale du Tiers-Ordre? Dans la sainte messe et dans la sainte communion. Il insistait sur la fréquentation des sacrements.

Certes il ne délaissait pas la conversion des pécheurs; mais il cherchait avant tout l'avancement des âmes justes: *qui justus est, justificetur adhuc et sanctus, sanctificetur adhuc* (que le juste pratique encore la justice, et que le saint se sanctifie encore, Ap 22, 11). Il éveillait dans les âmes un grand amour de la vertu, une haute idée de l'excellence du Tiers-Ordre. Il voulait une élite chrétienne bien vivante, bien formée, bien organisée. Ce fut l'une des caractéristiques de son apostolat de croire à la force conquérante du bon exemple: les âmes moins ferventes, entraînées par la conduite des âmes généreuses, se décideraient un jour ou l'autre à les suivre. Sa vie personnelle illustrait d'ailleurs le point: toute tendue vers la gloire de Dieu, elle n'en exerçait pas moins un puissant effet de conversion sur les foules.

À l'abbé Provancher, qui préparait un pèlerinage en Terre Sainte pour 1890, il écrivait le 16 octobre 1889: «Il me sera impossible de songer à accompagner un pèlerinage avant longtemps. J'ai énormément à faire comme commissaire de Terre Sainte et visiteur du Tiers-Ordre. Ce sont deux œuvres que le bon Dieu

---

10. Fr. Frédéric, *Étude historique du Tiers-Ordre au Canada*, dans *Revue du Tiers-Ordre et de la Terre Sainte* 14 (1898) 51.

bénit visiblement. Je veux y consacrer pour le moment toutes mes forces et toute ma petite santé. Je souffre actuellement de douleurs intérieures. Ma digestion est nulle et je marche toujours. »

La réponse des fidèles québécois: des pêches miraculeuses

Comment les fidèles répondaient-ils aux appels du Père Frédéric? Par un élan magnifique qui nous étonne aujourd'hui: ils entraient par centaines dans le Tiers-Ordre. Les uns étaient attirés par le gain des indulgences, d'autres par le nombre de saints tertiaires, et la majorité, sans aucun doute, par le rayonnement de la sainteté du prédicateur.

Ainsi, dans sa seconde visite à Warwick, diocèse de Nicolet, en janvier 1889, il donnait l'habit du Tiers-Ordre à cent quatre-vingt-quatre hommes et femmes et recevait à la profession cent douze novices. Cette petite ville comptera en 1897 plus de cinq cent cinquante tertiaires[11]. Le prédicateur écrit à son Ministre Général que dans une petite campagne, au cours des premiers mois de 1889, il a admis à l'habit du Tiers-Ordre plus de deux cents personnes; dans une autre, plus de quatre cents[12].

Il témoigne également des fruits abondants de son apostolat dans une lettre adressée le 23 janvier 1890 à Mère Marie de la Passion, fondatrice des Franciscaines Missionnaires de Marie:

... Il me serait difficile d'énumérer les missions, les triduums ou retraites que j'ai prêchés durant l'année qui vient de s'écouler; une fois, en quatre jours, j'en ai prêché cinq ou six à la fois, aux garçons, aux filles, aux Frères, aux tertiaires[13]. Dans une mission sur

---

11. *Revue du Tiers-Ordre et de la Terre Sainte* 13 (1897) 420, 424.

12. Lettre du Père Frédéric au Ministre Général, 25 mai 1889, dans *L'Oriente Serafico 1889*.

13. La chose s'est passée à Saint Ferdinand d'Halifax, diocèse de Québec, où le Père Frédéric donne du 9 au 13 octobre 1889, une retraite pour établir le Tiers-Ordre. Il écrit dans son cahier de prédications: «Six sermons par jour, comme suit: 3 à la paroisse, 1 aux religieux, 1 à leurs élèves, 1 aux élèves des Sœurs. Reçu dans l'archiconfrérie du cordon de S. François toute la paroisse,

les montagnes, j'ai reçu *trois cents tertiaires.* Dans une autre, nous avons donné le saint habit à *sept cents* postulants et postulantes[14], et le vénérable curé m'écrivait quelques semaines plus tard: «Nos tertiaires marchent droit: ils tiennent à leur Règle; plutôt que d'y manquer, *ils se laisseraient couper la tête*!» J'ai fait imprimer une petite brochure de soixante-douze pages sur le Tiers-Ordre à dix mille exemplaires; on en a distribué jusqu'à quinze cents dans un même petit village[15]! Voilà le Canada!

«Nos tertiaires... tiennent à leur Règle; plutôt que d'y manquer, *ils se laisseraient couper la tête.*» Cette remarque d'un «vénérable curé» montre que les réceptions de masse effectuées par le Père Frédéric étaient bien autre chose que «des feux de paille». Le taux de persévérance des nouveaux agrégés est d'ailleurs la meilleure vérification de leur sérieux. La retraite qui s'était clôturée par l'admission à la vêture de sept cents personnes avait été prêchée, du premier au 8 septembre 1889, à un auditoire de douze cents à quinze cents dames. L'année suivante, le Père Frédéric retrouvait, pour les admettre à la profession, ses sept cents recrues de 1889 et il en admettait en plus de cent à cent cinquante autres au noviciat.

À l'admission des sujets présidait un choix sévère. Et on regardait comme un grand honneur le fait d'avoir été jugé digne d'entrer dans le Tiers-Ordre. Ainsi, la grande bourgeoisie trifluvienne

---

dans le Tiers-Ordre, 300 personnes.» — À Sainte-Anne de la Pérade, diocèse de Trois-Rivières, du 21 au 24 septembre 1890, le Père Frédéric donna également 6 sermons par jour, faisant la visite du Tiers-Ordre et donnant la retraite aux élèves des deux communautés, celle des Frères et celle des Sœurs.

14. La «mission sur les montagnes» est de nouveau Saint-Ferdinand d'Halifax. Le registre du T.-O. de cette paroisse le confirme, et les recrues faites par le Père Frédéric en 1889, «plus de 300 personnes», faisaient leur profession l'année suivante. Quant à la mission miraculeuse qui produisit le chiffre record de sept cents prises d'habit, il semble bien que ce soit celle que le Père Frédéric a donnée à Saint-Joseph de Lévis, en septembre 1889.

15. C'est le village de Saint-Tite, d'après les manuscrits du Père Frédéric. Là aussi la prédication publicitaire du prédicateur de Terre Sainte avait eu des résultats mirobolants. Du 8 au 15 décembre 1889, lors d'une grande retraite pour établir le T.-O. à Saint-Tite, diocèse de Trois-Rivières, le Père Frédéric recevait 350 novices au saint habit.

du début de ce siècle s'honorait d'appartenir au Tiers-Ordre de saint François.

Dans les principaux centres, comme Montréal, Trois-Rivières et Québec, les tertiaires portaient leur grand habit religieux aux assemblées mensuelles.

Sans beaucoup organiser, le Père Frédéric communique l'esprit évangélique

Si le Père Frédéric ne pouvait de son temps donner aux fraternités l'organisation plus poussée qu'elles ont reçue par la suite, du moins il leur inculquait un attachement inébranlable à leur règle et une mystique évangélique et franciscaine aussi spirituellement efficace que malaisée à transmettre. L'initiation à cette mystique, il la faisait dans ses sermons de triduums, au milieu d'un climat de piété où un concours de confesseurs favorisait les communions nombreuses. Une lettre qu'il adressait, le 14 mars 1895, au chanoine Thomas Martel, curé de Saint-Barnabé (comté de Saint-Maurice), nous révèle le programme de ces «triduums»:

J'ai la satisfaction de vous annoncer que le Révérend Monsieur Héroux viendra avec moi, samedi. Nous serons ainsi quatre confesseurs dès le dimanche; car je désire faire communier tous vos bons paroissiens deux fois, si vous n'y voyez pas d'inconvénient: une fois pour leurs Pâques et une autre pour gagner l'indulgence du triduum.

J'apporterai avec moi tout ce qu'il faut pour les tertiaires: manuels, beaux scapulaires avec l'image de saint François et cordons *faits par moi-même* [l'ex-commis voyageur fait sa réclame]. Voici le plan que je vous propose humblement pour votre sainte retraite: ouverture à la grand-messe; tous les jours, lundi, mardi, mercredi, messe à neuf heures, précédée des confessions depuis l'angélus et suivie du sermon. L'après-midi, à deux heures, sermon, salut, et confessions jusqu'à six heures. Mercredi, à deux heures, sermon, cérémonie de clôture, prise d'habit, bénédiction papale, salut. Jeudi matin, à huit heures, je chanterai un service solennel pour tous les défunts de la paroisse et j'inviterai chaleureusement tout notre monde à communier autant qu'ils le pourront. Si quelques personnes n'avaient pu venir la veille pour recevoir l'habit du Tiers-Ordre, je les recevrai jeudi matin, avant mon départ pour les *chars*.

Au congrès national du Tiers-Ordre franciscain tenu à Montréal en 1921, le R.P. Paul-Eugène Trudel, O.F.M., commissaire provincial du Tiers-Ordre, proclamait en ces termes le travail de l'infatigable missionnaire:

> Grâce au zèle de ce toujours vaillant, de cet ami du peuple et de Dieu, de cet éveilleur de généreux sacrifices en faveur des âmes, de ce prédicateur puissant par la parole et par l'exemple, de ce religieux modèle, dont nos cœurs gardent et garderont longtemps le souvenir si édifiant, grâce, dis-je, au dévouement du grand apôtre du Tiers-Ordre, le regretté Père Frédéric, nos pères pouvaient compter en 1890, dès leur arrivée définitive au Canada, trente-quatre fraternités régulièrement constituées et une foule de tertiaires isolés prêts à fonder des centres nouveaux, d'où rayonnerait toujours salutaire l'esprit de saint François[16].

Les bases d'un mouvement ultérieur extrêmement vigoureux

Comment évaluer le nombre de ces tertiaires qui existaient, avant le retour des franciscains au Canada en 1890? S'il est permis d'émettre une conjecture, à défaut de statistiques précises, les groupements, indépendamment de l'organisation imparfaite d'un certain nombre d'entre eux, devaient représenter au moins douze mille membres. «Un tel résultat et une semblable diffusion suffisent à établir le dévouement de ceux qui se firent spontanément les initiateurs de ce mouvement depuis 1840 et combien la Providence et François d'Assise bénirent et fécondèrent leur activité sacerdotale[17].» Une place toute spéciale parmi ces pionniers revient évidemment au Père Frédéric!

Après la restauration de son Ordre au pays, le Père Frédéric

---

16. Dans *Congrès national du Tiers-Ordre franciscain,* Montréal 1921, p. 100s.

17. Ephrem [Longpré], O.F.M., *Le Tiers-Ordre séculier de saint François d'Assise au Canada. Esquisse historique,* Montréal 1921, p. 83.

continua à prêcher en faveur du Tiers-Ordre, augmentant sans cesse ses effectifs, tout en ne cessant de se préoccuper de la qualité des candidats.

Ainsi lancé, le Tiers-Ordre canadien prospéra miraculeusement. Aux alentours de 1945, les statistiques internationales montraient qu'il était plus florissant au Canada que dans n'importe quel autre pays chrétien. Que le Père Frédéric ait joué un rôle important dans cet essor, cela se voit dans le fait que, vers le même temps, Trois-Rivières était, au dire du Père Paul-Eugène Trudel, O.F.M., «le diocèse le plus tertiaire du monde». Même si le mouvement a subi, comme toute l'Église du Québec, les effets de la désaffection généralisée pour la chose religieuse, l'impulsion que lui a imprimée à ses débuts le Père Frédéric y reste toujours vive: l'esprit de l'Évangile l'anime toujours et il reste, dans nos milieux, un ferment discret de renouveau.

Une pointe avancée du Tiers-Ordre en Nouvelle-Angleterre

Dans les années 1889, 1890 et 1891, l'apôtre du Tiers-Ordre étendit son zèle au-delà de la frontière canadienne, dans les centres franco-américains de la Nouvelle-Angleterre.

En juin 1889, il alla prêcher des retraites dans le diocèse de Springfield. À Pittsfield, il fit, en même temps que la mission, la visite de la petite fraternité du Tiers-Ordre. À Indian Orchard et à Three Rivers, il reçut quelques tertiaires isolés.

De janvier à mars 1890, il séjourna de nouveau aux États-Unis. Il admit, à Worcester, quelques personnes dans la milice séraphique. Il prêcha ensuite une grande retraite aux dames de la paroisse de Notre-Dame de Lourdes de Fall River. Les résultats de cette dernière retraite furent plus considérables: sur deux mille communiantes, il reçut trois cents à quatre cents personnes dans le Tiers-Ordre et le reste dans l'archiconfrérie du cordon de saint François.

Lors d'une autre mission, en février et mars 1891, il retourna à Worcester et à Fall River, et son passage suscita la création de noyaux franciscains à Holyoke, à Champlain, N.-Y., à Providence et Arctic Center. «Ces diverses retraites ont été comme l'occasion providentielle qui a amené la fondation de plusieurs fraternités dans les centres franco-américains[18].»

---

18. *Ibid.*, p. 107.

Chapitre seizième

Le prédicateur populaire

Les foules canadiennes ont connu le Père Frédéric surtout par ses prédications.

Il serait fastidieux de relever les endroits qui l'ont entendu. Qu'il suffise de dire qu'il a prêché dans la plupart des diocèses alors existants de la province de Québec, tels que Québec, Trois-Rivières, Nicolet, Saint-Hyacinthe, Montréal, Valleyfield et Joliette. Il a prêché à toutes sortes d'auditoires et en toutes sortes de circonstances. La fréquence de ses allocutions était évidemment fonction des temps de l'année et des occasions qui se présentaient. Mais il y eut des périodes où ses prédications constituaient une suite ininterrompue, une sorte de feu roulant étonnamment prolongé.

Nous avons déjà parlé du pèlerinage du Cap-de-la-Madeleine et du Tiers-Ordre de saint François. Il nous reste à dire quelques mots des autres causes qui mobilisèrent le zèle de notre missionnaire. Nous en profiterons pour analyser les thèmes et les caractéristiques de sa prédication et montrer, par quelques faits choisis, l'efficacité spéciale que les vertus du prédicateur conféraient à cette parole sacrée simple et débonnaire.

Les retraites paroissiales et les visites du Tiers-Ordre

Dans une relation qu'il adressait de Trois-Rivières, le 25 mai 1889, le Père Frédéric renseignait le Ministre Général sur le programme suivi d'ordinaire dans la prédication de retraites paroissiales ou de visites de fraternités du Tiers-Ordre.

Les missions, écrit-il, appelées ici retraites spirituelles, sont de deux sortes: 1) la grande mission, qui commence le dimanche avec la messe chantée et finit le dimanche suivant aux vêpres; 2) la mission ordinaire, qui commence également le dimanche et finit le soir du vendredi suivant.

À la première comme à la seconde mission, le curé invite ses confrères des paroisses voisines pour aider à confesser.

Nous nous levons à six heures, entendons les confessions des fidèles jusqu'à huit heures; une messe se célèbre alors, suivie d'un court sermon et d'une prière d'action de grâces. Une dernière messe est dite à neuf heures et demie, suivie d'un sermon de trois quarts d'heure. Après quoi, les prêtres retournent au confessionnal, si c'est nécessaire.

À deux heures de l'après-midi, nouvelle prédication; puis, bénédiction du Très Saint-Sacrement et séance de confessions jusqu'à six heures.

Même avant le décret du bienheureux Pie X exhortant à la communion fréquente, le Père Frédéric encourageait ces concours de communions paroissiales faites à l'occasion des retraites, «ayant vu par expérience, disait-il, tout le bien qui en résulte».

Les marathons de prédication de la Portioncule

Quelques-uns de ses contemporains ont longtemps évoqué avec admiration les édifiants records d'endurance qu'établissait l'intarissable prédicateur lors des fêtes de la Portioncule ou de certains pèlerinages.

Du temps du Père Frédéric, les fidèles pouvaient gagner l'indulgence franciscaine de la Portioncule en visitant une église de l'un des trois Ordres de saint François ou une église en possession d'un indult: par l'accomplissement de certaines conditions, ils pouvaient bénéficier, à chaque visite, d'une indulgence plénière pour eux-mêmes ou en faveur des âmes du purgatoire.

Il y a une centaine d'années, cette indulgence si précieuse était presque unique dans le monde: un peu de propagande attirait aisément les foules. On accourait de toutes parts pour la gagner. Un conducteur de tramways de Montréal au début de ce siècle prétendait véhiculer, le 2 août, la plus grande foule de voyageurs de l'année. Avec le temps, plusieurs autres indulgences analogues à celle de la Portioncule ont peu à peu amoindri la popularité de celle-ci. L'évolution de la piété chrétienne qui a suivi Vatican II, en diminuant l'intérêt que les fidèles portaient aux indulgences en général, a encore accentué cette baisse de popularité de la célèbre indulgence franciscaine. Mais il faut se souvenir que 1988 ce n'est pas 1888!

Conformément à ce qu'il avait fait à Bordeaux, le Père Frédéric propagea ardemment cette indulgence dans la province de Québec. Sa grande dévotion pour le jour de la Portioncule était fondée, comme celle de saint François, sur son amour des âmes, aussi bien celles du purgatoire que celles des pécheurs, mais également sur des souvenirs personnels qui l'avaient remué en profondeur. Il avait eu la chance de visiter plusieurs fois le célèbre sanctuaire de Notre-Dame des Anges, ou Portioncule, à Assise, et, mieux encore, il avait eu le bonheur d'assister à une fête de la Portioncule où de quinze à vingt mille pèlerins étaient accourus de tous les points du monde.

Le deux août, à partir de la veille après-midi, il restait en chaire presque toute la journée pour faire prier les gens et leur faire gagner des indulgences. Le 2 août 1888 et dans les années qui suivirent, il alla au petit sanctuaire des Vieilles Forges de Saint-Maurice, près Trois-Rivières; en 1890, il se rendit à Shawinigan, ville du diocèse de Trois-Rivières. Par la suite, une année il *faisait la Portioncule* à l'église conventuelle des Franciscains de Montréal, une autre année à celle de Trois-Rivières ou encore à l'église des Franciscaines Missionnaires de Marie, à Québec. Les fêtes de la Portioncule dirigées par le Père Frédéric étaient célèbres et suscitaient des rapports enthousiastes dans les journaux ou les revues.

L'une d'elles, célébrée chez les Franciscains de Montréal,

à la fin du dernier siècle, donne une idée de la prodigieuse quantité de travail qu'elle exigeait de l'animateur.

Le grand pardon d'Assise s'ouvrait par le chant solennel des premières vêpres de la fête (donc l'après-midi du premier août) et attirait des fidèles extrêmement nombreux. L'église des Franciscains n'était alors qu'un soubassement. Parfois, à cause de l'affluence du peuple on faisait le sermon en plein air. Mais ce jour-là les rites propres à la fête se déroulent à l'intérieur de l'église.

Après le chant des vêpres, le Père Frédéric monte en chaire, il explique aux fidèles l'indulgence, leur inspire les dispositions voulues, les exhorte à faire une ample moisson d'indulgences plénières en faveur des âmes du purgatoire et dirige les prières. Il reste ainsi en chaire pendant que la foule se renouvelle. Il n'en descend qu'à l'heure du souper et récite du bréviaire. Les religieux sont déjà à table quand il entre au réfectoire. Son souper est des plus sommaire, comme d'habitude: un bol de thé, un peu de légumes et de pain.

Son repas est expédié en quelques minutes. Il dit au Père Colomban, qui est gardien:

— Si vous me le permettez, je vais faire continuer les visites.

L'église ne se ferme pas de la nuit. De nombreux fidèles poursuivent leurs visites sous la direction du Père Frédéric. Cela dure, sans interruption, jusqu'à quatre heures et demie du matin. Le Père dit alors sa messe et distribue la sainte communion. Il achève cette fonction quand les religieux entrent au chœur pour la méditation et l'office du matin, à cinq heures et quart.

Pendant que les Pères célèbrent leurs messes, il dit son bréviaire, prend une heure et demie de repos, revient à l'église et s'unit aux fidèles. Un groupe considérable se forme vite autour de lui, entrant et sortant à sa suite, répondant aux prières qu'il récite tout haut.

Dès que les messes sont dites, il remonte en chaire, et continue, comme la veille, à faire prier, à prêcher et à diriger les visites. Ceci dure jusqu'à midi. Il se rend au réfectoire, prend un dîner aussi sommaire que le souper de la veille, si ce n'est qu'il y ajoute un peu de soupe. Les religieux sont encore à table qu'il est de nouveau en chaire.

— Il ne faut pas que les fidèles perdent leur temps, dit-il en quittant le réfectoire.

Il ne descend de chaire que pour le salut solennel du Très Saint Sacrement et le chant du *Te Deum,* au coucher du soleil.

Mais, comme si la journée n'avait pas été assez pleine pour lui, sitôt le chant du *Te Deum* terminé, il veut adresser encore une fois la parole à la foule qui remplit l'église. Le nombre de ceux qui veulent l'entendre est tel qu'il n'est pas possible de circuler dans les allées. On a même envahi les confessionnaux.

Il parle près de trois quarts d'heure sur ce thème-ci: *Le bien que l'Ordre de saint François a procuré aux âmes dans tout l'univers durant la suite des siècles.* Sa voix est aussi claire, aussi forte, aussi pénétrante que s'il venait d'interrompre sa solitude. Durant ces trois quarts d'heure, il captive tellement son auditoire qu'on n'entend pas le moindre bruit. Et ce recueillement et cette attention ne se démentent pas un seul instant.

Sur cette journée un compagnon des travaux du Père Frédéric donne des précisions intéressantes:

En comptant bien, dit-il, j'ai trouvé, que durant cette fête de la Portioncule, depuis les premières vêpres (premier août) jusqu'à son sermon du soir (2 août), le Père Frédéric a passé vingt-cinq heures en chaire, soit à prêcher, soit à dire le chapelet à haute voix. Il n'est pas possible de se faire une idée de la fatigue excessive que dut lui causer un tel travail. Les visites se faisaient dans le soubassement, et la chaleur était très forte. Le nombre de visites atteignit des proportions fantastiques dans la journée du 2 août. J'en fis moi-même le compte à quatre reprises différentes, deux dans l'avant-midi et deux dans l'après-midi. Les sorties se faisaient par les deux portes latérales et chaque fois le résultat fut le même: il sortait deux personnes par seconde. En admettant que le temps consacré aux visites fut de trente heures, nous pouvons compter sans exagération 216 000 visites[1].

1. Témoignage du P. Xavier Ricomès, O.F.M. (notes inédites).

La fête de la Portioncule de 1896 tombait un dimanche. L'église des Franciscains de Montréal resta ouverte toute la nuit, à la demande des commis de magasins qui voulaient gagner l'indulgence après leur travail du samedi. Cette année-là, le Père Frédéric parla près de vingt heures sans désemparer. Il descendit de chaire pour les matines de la nuit et la célébration de la messe, le dimanche matin. Il prit sur place, en guise de repas, seulement un peu de vin. «Ne vous scandalisez pas, prévint-il les fidèles. On m'apporte du vin, je vais le prendre: c'est pour me réconforter.» Quand il descendit, au coucher du soleil, le soir du 2 août, il ne semblait nullement fatigué, il continua encore à faire réciter des prières et à faire baiser les saintes reliques.

Par ses discours et par son opuscule, publié en 1898, *La Portioncule ou Grand Pardon d'Assise,* il contribua largement à rendre populaire dans la province de Québec la belle indulgence du deux août.

Les pèlerinages à Sainte-Anne-de-Beaupré et au Cap

Sa voix et sa piété se manifestèrent non moins vivement dans les pèlerinages. Il a fortement encouragé par son activité multiple et sa présence les pèlerinages aux trois grands sanctuaires de Sainte-Anne-de-Beaupré, de Notre-Dame du Cap et de l'Oratoire Saint-Joseph, «flamboyant triptyque que la main de Dieu a enchâssé dans le décor féerique de notre région laurentienne». Bien plus, il a joué un rôle important dans l'histoire des trois lieux: il fut l'ardent propagateur du premier, le co-fondateur et le prophétique promoteur du second, enfin le soutien moral du troisième par l'appui spirituel qu'il a apporté à son modeste fondateur, le frère André.

Les pèlerinages qui amenaient en bateau les tertiaires de Montréal à Sainte-Anne-de-Beaupré ou au Cap-de-la-Madeleine étaient assurés du succès le plus complet dès lors qu'ils pouvaient compter sur la présence du «saint Père». C'est bien lui qui, dès le commencement, a su leur donner le caractère de piété, de recueillement et de pénitence qu'ils gardèrent dans la suite et qui faisait les délices des âmes vraiment pieuses. On disait couramment: «Quand on veut faire un pèlerinage de prière, il faut s'unir au Tiers-Ordre.»

De fait, tout au long du voyage, à l'aller comme au retour, c'étaient une prière et une prédication continuelles, entrecoupées de cantiques. Un pèlerinage en bateau de Montréal au Cap-de-la-Madeleine durait vingt-quatre heures; de Montréal à Sainte-Anne-de-Beaupré, trente-six heures. L'abbé Dugas, directeur du Tiers-Ordre à Sainte-Anne-des-Plaines, diocèse de Montréal, écrivait, un jour, à propos du Père Frédéric: «Les pèlerins l'ont entendu parler dans le cours d'un pèlerinage à Sainte-Anne-de-Beaupré, durant au moins quatre heures consécutives sans manifester la moindre fatigue. Et je ne crois pas, ajoutait consciencieusement l'abbé Dugas, qu'il ait eu à rendre compte à Dieu de paroles inutiles.» Quand il cessait de prêcher, il faisait prier ou chanter. Dans les wagons de chemin de fer, la tâche était plus difficile: il se multipliait pour atteindre les différents groupes et y entretenir la ferveur dans la prière. Son plus grand plaisir était de prier avec les fidèles.

Rendu à Sainte-Anne, il montait la *scala santa* et suscitait la piété par des entretiens sur la Passion de Notre-Seigneur: il se tenait pour parler au haut du saint escalier et récitait à haute voix les prières avec les pèlerins. Il prêtait son concours au confessionnal. Il consacrait son temps libre à recevoir, à la sacristie ou dans les corridors, les confidences des nombreux pèlerins, qui lui disaient leurs souffrances, leurs besoins spirituels et temporels et recevaient de lui consolations et encouragements.

On ne peut qu'endosser le témoignage lucide que lui a rendu le Père Lévesque, ancien provincial des Rédemptoristes: «Le Révérend Père Frédéric Janssoone, O.F.M., a été un fervent dévot de la bonne sainte Anne, un infatigable héraut de ses gloires, un propagateur zélé de son culte, un promoteur ardent de pèlerinages à son fameux sanctuaire de Sainte-Anne-de-Beaupré[2].»

---

2. Lettre postulatoire (*ms.*).

L'admirateur enthousiaste des Récollets ne pouvait manquer de partager une autre dévotion que ses confrères du XVIIe siècle avaient implantée au Canada, la dévotion à saint Joseph. Il fut l'un des premiers à encourager le mouvement des foules vers l'Oratoire Saint-Joseph de Montréal et, sans doute, l'instigateur des pèlerinages que les Franciscains de Trois-Rivières y accomplirent à partir de 1912 environ.

Le Frère André, C.S.C., modeste promoteur de l'Oratoire, mort en odeur de sainteté en 1937 et béatifié en 1982, a affirmé que les encouragements du Père Frédéric lui avaient été d'un précieux secours dans les difficultés de la fondation de ce lieu, connu maintenant dans le monde entier. Dans cette œuvre, qui au début rencontrait de l'opposition, le missionnaire de Terre Sainte voyait la volonté de Dieu. Il exhortait le Frère André à persévérer dans sa dévotion envers saint Joseph, disant que ce grand saint enlèverait les obstacles et qu'un jour ce petit endroit deviendrait un grand sanctuaire consacré à son culte.

Lié avec le Frère André de la plus touchante amitié, le moine franciscain allait lui recommander des intentions, car il le considérait comme un grand ami de saint Joseph. Le Frère André lui servit la messe plusieurs fois à l'Oratoire.

Il y eut, un jour, entre ces deux saintes âmes, une lutte d'humilité, digne d'un chapitre des *Fioretti*.

Le Père Frédéric se présenta à l'Oratoire Saint-Joseph.

— Je viens demander au Frère André comment il fait pour être si saint que ça.

Le recteur l'amène à la petite chapelle et grimpe l'escalier qui conduit à la mansarde où loge le frère. Celui-ci descend et le visiteur, à son approche, se jette à genoux et s'écrie:

— Bénissez-moi, Frère André.

— Oh, non, mon Père, c'est à vous à me bénir, puisque vous êtes prêtre.

Et ils sont là tous deux à genoux, l'un devant l'autre, dans un noble assaut d'humilité. Quelle charmante réédition de la rencontre de saint Dominique et de saint François d'Assise! À la fin, les deux religieux, toujours agenouillés, se donnent le baiser de paix[3].

Le style de prédication du Père Frédéric

Le Père Frédéric était devenu «légendaire». Ses contemporains signalent unanimement sa popularité. Il suffisait de l'annoncer pour une prédication et l'église se remplissait. Cependant il ne faisait aucun cas de la vogue dont il jouissait. À quoi donc tenait cette réputation?

Les thèmes de sa prédication n'avaient rien d'extraordinaire. Pas de haute théologie. L'homme de Dieu prêchait, comme l'avait recommandé son séraphique Père, «les vices et les vertus, la peine et la gloire». Il proclamait l'amour de Jésus crucifié et les bontés de sa divine Mère; il propageait la connaissance des sanctuaires de la Terre Sainte; il expliquait le saint Évangile et en faisait à ses auditeurs des applications frappantes de justesse. Il se montrait un amant passionné de l'Église. Dès avant 1880, avant la recommandation du bienheureux Pie X, il prêchait la communion fréquente. Le thème ordinaire de ses entretiens, c'étaient les grandes vérités, l'amour de Dieu et de la Sainte Vierge, les sujets de piété et de dévotion.

Il prenait plaisir à raconter les légendes et les merveilles de la vie des saints, les faits étonnants qui sont à l'origine des lieux des pèlerinages.

Animé de zèle pour le salut des âmes et la gloire de l'Église, il se proposa toujours non seulement d'amener les fidèles à la pratique des commandements de Dieu et de l'Église, mais aussi de promouvoir la pratique des vertus religieuses dans le monde.

---

3. Cf. Henri-Paul Bergeron, C.S.C., *Le frère André C.S.C., apôtre de saint Joseph,* Montréal 1938, p. 118s.

Il recherchait les âmes d'élite capables de sacrifices. Voilà pourquoi il prêcha tellement le Tiers-Ordre de saint François d'Assise.

Sa préparation éloignée de prédicateur avait été excellente. Il avait travaillé beaucoup et médité davantage.

Ses quatorze petits cahiers bleus du scolasticat témoignent de son labeur. Dans une couple d'entre eux, sa main à la fine calligraphie avait colligé des anecdotes hagiographiques. Cette réserve avait alimenté maintes prédications de la Terre Sainte.

Mais on ne saurait trop souligner combien son séjour au pays de Jésus a contribué à étoffer sa pensée et sa parole. Ayant parcouru au long et au large les sites où s'étaient passés les faits de l'Évangile, il avait de ceux-ci une connaissance extrêmement riche, une connaissance en quelque sorte physique et sensorielle. Comme disait plaisamment un confrère, «il savait son Évangile comme pas un parce qu'il l'avait appris avec ses pieds». Ce contact privilégié avec le monde biblique a donné à sa pensée une densité théologique qui l'a préservée des clichés et de la sentimentalité vide. Ajoutons que la solide culture humaniste de l'homme, ses lectures abondantes et sa vaste expérience des pays et des êtres étaient autant de facteurs qui empêchaient sa prédication de tomber dans l'insignifiance à laquelle sa facilité risquait de l'amener.

La préparation immédiate de ses instructions se faisait d'habitude devant le Saint Sacrement et il en écrivait le canevas sur une feuille. Il comptait sur l'Esprit Saint pour leur donner le tonus surnaturel et l'efficacité apostolique voulus.

L'abandon du grand genre pour le ton familier de la causerie

Il a su évoluer dans son genre oratoire pour donner à sa prédication plus d'efficacité. Il a tâté d'abord de la grande prédication: c'est elle qu'il a pratiquée en France, en Terre Sainte et sans doute lors de son premier voyage au Canada, si l'on en juge d'après les rapports très admiratifs des journaux trifluviens de 1881.

«Le sermon donné [par le Père Frédéric] a été un véritable

chef-d'œuvre d'éloquence[4].» «Chaque soir, le temple sacré était encombré pour entendre les savants et éloquents sermons du révérend Père[5].» «La parole tombée de sa bouche hier était celle d'un des plus grands orateurs sacrés[6].» «Cet illustre religieux de Terre Sainte est un des prédicateurs les plus entraînants que l'on puisse entendre[7].» «Il y avait un immense auditoire que la parole si forte, si entraînante de l'illustre prédicateur a profondément remué[8].»

Après son retour définitif au Canada, il abandonna, vers 1889, la grande prédication pour mieux s'adapter au peuple. Déjà à cette époque, il avait choisi de préférence le genre simple et familier qu'on lui a toujours connu au Canada.

La virtuosité de ses adaptations aux divers pays où il a œuvré fut d'ailleurs l'une des belles qualités missionnaires du Bon Père Frédéric. La souplesse de son esprit et son amour surnaturel des âmes, de toutes les âmes, le ramenaient comme d'instinct à la leçon de saint Paul: «Avec les Juifs, j'ai été comme les Juifs, afin de gagner les Juifs au Christ[9].» Avec les Canadiens, le Père Frédéric se fit canadien jusque dans les expressions typiques de la *parlure locale.*

Sa prédication fut donc populaire, mais jamais populacière. Elle était simple, anecdotique, abondante, souvent trop longue, toujours surnaturelle et apostolique.

Les traits de cette prédication ont été vivement condensés par le Père Benoît Salvail, O.F.M., peu de temps après la mort du serviteur de Dieu.

Le Père Frédéric n'était pas *orateur,* écrit le Père Salvail: il ne *prêchait* pas, il causait avec ses auditeurs, il s'entretenait familière-

---

4. *La Concorde,* Trois-Rivières, 10 octobre 1881, p. 3, et 26 décembre 1881, p. 2.

5. *Idem,* 30 décembre 1881.

6. *Le Journal des Trois-Rivières,* 26 décembre 1881, p. 2.

7. *Idem,* 29 septembre 1881, p. 3.

8. *Idem,* 3 octobre 1881, p. 2.

9. 1 Co 9, 20.

ment avec eux «des choses du bon Dieu». Ses prédications, dans les derniers temps surtout, étaient moins des sermons que les effusions abandonnées d'un vieillard qui aime le bon Dieu et qui laisse parler son cœur. Totalement et volontairement étranger aux vains ornements de ce que saint Paul appelle «la rhétorique de la sagesse humaine», on ne trouvait pas dans ses entretiens ces qualités de style que les délicats recherchent habituellement; mais, par contre, quel accent de piété et de sincérité! Quelle saveur évangélique! Comme l'on sentait bien chez lui l'impulsion d'un zèle vraiment surnaturel, qui n'a d'autre but que la gloire de Dieu et le salut des âmes! Et voilà pourquoi les fidèles ne se lassaient pas de l'écouter; ils goûtaient ce langage simple et sans apprêt, mais plein de chaleur, disons mieux plein de ferveur, qu'ils comprenaient sans peine et qui les touchait, qui partait du cœur et qui allait au cœur.

Qui ne l'a entendu, ajoute le P. Salvail, dans les pèlerinages ou aux fêtes de la Portioncule, annoncer la parole de Dieu, des heures entières, avec le charme toujours captivant de cette causerie inimitable, délicieusement émaillée de souvenirs personnels, de traits touchants, d'anecdotes plaisantes, et qui parfois faisait rire et pleurer tour à tour [10]?

Dès que le «saint Père» paraissait en chaire, les auditeurs étaient frappés par sa tenue recueillie, sa simplicité et son humilité. Sa pose modeste n'avait rien d'un grand orateur. Il parlait sans déploiement de gestes, les yeux habituellement baissés, les mains dans les manches. Les yeux semblaient ne s'ouvrir que pour s'élever vers le ciel. Le ton était doux, la voix claire, pénétrante, suffisamment forte; l'élocution distincte. La physionomie expressive de la figure ascétique reflétait fidèlement, dans le cadre d'une barbe peu fournie, le jeu des divers sentiments de l'âme.

Des entretiens à la va-comme-je-te-pousse, habituellement longs

Agréable causeur plutôt qu'orateur selon le sens ordinaire du mot, il parlait aux fidèles comme à des amis, sur le ton de la conversation, s'exprimant avec clarté, toujours en très bon français.

---

10. Fr. Benoît, O.F.M., *Le T.R.P. Frédéric,* dans *Almanach de Saint François 1917* (Montréal).

«Il ne disait pas des choses éthérées», rappelait une bonne vieille, qui en gardait un souvenir ému. Être compris de tous et agir sur les cœurs lui suffisait. Simple, clair, intéressant, il avait le don de captiver rapidement son auditoire, qu'il pouvait ensuite entraîner pratiquement n'importe où. Indépendant à l'égard de la rhétorique, il ne tenait pas compte de l'ordre des matières et du plan énoncé. Il savait faire des digressions, passait aisément d'un sujet à l'autre par des transitions naturelles, et, bien qu'il parlât parfois longtemps, il ne fatiguait pas son auditoire, qui le suivait comme on suit un récit de roman. Quelquefois, il parlait d'un sujet tout différent de ce qu'il avait promis. On le plaisantait même sur sa manière de porter la parole. Un jour, il fut sans doute piqué de ces plaisanteries, et, au sermon suivant, il énonça, à la manière des orateurs classiques, les grandes divisions de son exposé: «Ceci est mon premier point..., ensuite voici mon deuxième point... Et enfin j'arrive à mon troisième point.» Il avait montré qu'il connaissait les règles de l'art oratoire aussi bien que d'autres; mais il aimait mieux, lui, se laisser porter par l'Esprit, qui souffle où Il veut...

Il aimait à illustrer ses paroles par des exemples de la vie des saints. Il en avait des centaines en réserve. Il détaillait les choses — tels un fait hagiographique, une circonstance de la passion de Jésus — avec un véritable art descriptif, qui rendait ses sermons toujours intéressants malgré leur longueur.

Il parlait d'abondance, avec beaucoup de facilité, sans hésitation, servi par une excellente mémoire. D'ordinaire, il parlait longtemps, trop longtemps au gré de quelques-uns. Mais les fidèles en général n'en paraissaient pas lassés. Les savants l'écoutaient attentivement comme les illettrés.

Amusant est ici le petit fait raconté par l'abbé Louis-E. Duguay, son «patron» au Sanctuaire du Cap:

> Un jour, nous avions des pèlerins de divers endroits, notamment de Louiseville sous la direction de M. le chanoine N. Tessier. M. le grand-vicaire S. Rheault y était aussi. À l'heure du dîner, M. le chanoine Tessier était demeuré au Sanctuaire avec ses pèlerins, que le Père Frédéric entretenait. Comme le dîner était servi

et que les prêtres attendaient, M. le Grand-vicaire dit: «Je vais aller le chercher.» Il part immédiatement, il entre dans le chœur de la sacristie. Le Père parlait: il écoute, il s'assied et reste. Après un certain laps de temps, las d'attendre, je m'excusai auprès des convives pour aller avertir au Sanctuaire. Arrivé au chœur, je veux m'approcher des prêtres sus-nommés. J'entends parler le Père: sa pensée me frappe, je m'assieds et y reste. Captivés par sa parole, nous l'écoutions jusqu'à ce qu'il ait quitté la chaire pour aller rencontrer, à la sacristie, les pèlerins qui voulaient le voir privément. Je donne ce fait entre mille où j'ai été captivé semblablement. Le Père était un attirant causeur. Sa parole avait une vertu qui empoignait les âmes et les captivait[11].

Le Père Frédéric, après avoir ainsi causé pendant des heures et des heures, ne semblait pas plus fatigué à la fin qu'au commencement. Sa facilité à parler longtemps sur des sujets pieux fut l'un de ses traits oratoires les plus caractéristiques. Cette prolixité causait souvent des incidents. En voici quelques-uns choisis parmi les plus pittoresques.

* * *

Le premier met en lumière l'esprit d'obéissance de notre grand parleur.

Le Père Frédéric devait prêcher, un jour de grande fête, au couvent franciscain de Québec, dans la petite chapelle située alors au rez-de-chaussée de l'aile de l'Alverne. Mais le Père Gardien, pressé par le temps, par la fatigue ou simplement par la connaissance de son homme, avait enjoint au prédicateur de finir à sept heures sonnantes. Celui-ci commence en ces termes: «Mes bien chers frères, je connais profondément mes bons Canadiens, puisque je vis au milieu d'eux depuis de longues années. Or, il y a une vertu qui leur manque beaucoup, dont ils ont un grand besoin; c'est la patience.» Cet exorde terminé, il commente pendant une dizaine de minutes des textes sur la patience pris dans la Bible,

_____

11. *Procès ordinaire de Trois-Rivières,* pp. 36-37, § 10.

dans les épîtres de saint Paul, de saint Jacques. Puis voilà qu'il retombe dans son défaut mignon: raconter des histoires édifiantes.

Il a le temps d'en raconter une au long. Il s'engage ensuite dans une seconde. Au beau milieu du récit, à un moment pathétique où les souffles des auditeurs sont en quelque sorte suspendus, l'horloge fatidique sonne sept coups distincts. Immédiatement le récit cesse: «Mes bien chers frères, coupe l'orateur, le R.P. Gardien m'a bien recommandé de finir à sept heures. Je lui obéis et je vous continuerai mon histoire la prochaine fois. Que le bon Dieu vous bénisse, au nom du Père, du Fils et du Saint-Esprit! Ainsi soit-il!»

* * *

Les deux autres exemples montrent le souci que le Père Frédéric avait de concilier le ministère de la parole avec les exigences de la charité. À une certaine période, il prêcha tous les dimanches chez les Franciscaines Missionnaires de Marie de Québec. C'était d'habitude avant la bénédiction du Très Saint Sacrement de l'après-midi. L'aumônier, l'abbé Pâquet, lui fit la remarque:

— Père Frédéric, vous prêchez trop longtemps. Ayez pitié des servantes qui doivent rentrer assez tôt chez elles pour préparer le repas.

Au sermon du dimanche suivant, le Père avertit ses gens, tout en regardant sa montre:

— On m'a recommandé de ne pas être long. Les servantes qui doivent partir pour aller préparer le souper peuvent le faire. *Et je vais continuer.*

Dans ses retraites aux Carmélites du *Pater,* à Jérusalem, il prêchait toujours debout devant la grille du chœur et parlait très longuement. Pour ne pas trop déranger l'horaire de la communauté, il disait à la cuisinière:

— Allez à votre travail.

Il utilisa sans doute souvent cette recette. Ainsi, à l'une des deux retraites annuelles qu'il prêcha aux Franciscains de Montréal, l'une en 1898 et l'autre en 1899, il prolongea une instruction de la matinée plus que d'habitude; n'oubliant pas que l'homme vit à la fois de toute parole divine et de pain, il donna congé, à un moment donné, au cuisinier, en ces termes:

— Le frère cuisinier peut se retirer pour aller préparer le repas.

Et pendant que les autres demeuraient à leurs places, il poursuivit son instruction.

* * *

Une fête de l'Assomption, chez les religieuses Adoratrices du Précieux-Sang, de Trois-Rivières, il réédita un épisode charmant de la vie de François d'Assise. Craignant de dépasser l'heure qu'on lui avait accordée pour parler, il avait demandé à son compagnon, le Père Augustin, de l'avertir de l'expiration du terme. Au moment opportun, le moniteur, fidèle à la consigne, s'avance bravement et dit: «Mon Père, c'est assez.» Le prédicateur s'arrête en plein milieu d'une phrase, sourit, incline la tête et descend prendre place à son prie-Dieu, où il demeure plongé dans une profonde adoration jusqu'à la fin du salut du Très Saint Sacrement.

* * *

Une autre fois c'est la *Légende dorée* qui se renouvela: un acte de foi mérita un repas préparé par les «anges»! Cela se passa aux États-Unis. Dans la semaine du 16 au 23 février 1890, le Père Frédéric prêchait à Worcester, Massachusetts, deux triduums: l'un donné spécialement à des tertiaires séculières, futures Petites Franciscaines de Marie, et l'autre à la paroisse. Il consacra, semble-t-il, tout l'après-midi du dimanche 23 février aux filles de saint François, qui étaient alors aux débuts de leur fondation. Dans sa conférence, il leur demande de ne pas redouter les actes de foi extraordinaire, quand ils sont requis pour l'accomplissement des exercices de piété.

Et l'apôtre à la réputation de thaumaturge de donner sur-le-champ un exemple concret. Une instruction de retraite, commencée à trois heures de l'après-midi, se prolonge au-delà de la durée habituelle, qui est d'une heure environ. Le Père Frédéric parle du bon Dieu, de son amour, de sa miséricorde, il exalte l'humilité joyeuse et la pauvreté confiante de saint François; il s'anime, il s'émeut, et le temps passe. Au début, les sœurs n'étaient qu'enthousiasme et réceptivité; mais après deux heures d'attention, l'instinct maternel reprenant ses droits, les esprits s'évadent vers les orphelins, laissés sous la surveillance des aînées, vers un souper hypothétique qui n'a pas été mis au feu... Le conférencier observe cette désertion sur la physionomie de ses auditrices, et, tout placidement, les rassure: «Vous êtes en peine de vos enfants, soyez tranquilles, vos bons anges en prendront soin.» Puis il continue son exhortation. À six heures, les retraitantes trouvent les enfants au réfectoire, en parfait ordre, plus «anges» que jamais, dégustant avec appétit le repas préparé par les grandes[12]!

Disons, en passant, que le Père Frédéric fut mêlé aux origines franco-américaines des Petites Franciscaines de Marie. Il les fit bénéficier de ses encouragements précieux, de ses pieux enseignements et de ses conseils pratiques, notamment concernant l'horaire de la communauté. Si dans sa seconde visite à Worcester, en mars 1891, il fut, en deux circonstances, dur envers les fondatrices, c'est qu'il avait été mal renseigné, ainsi qu'il l'avouera plus tard aux religieuses avec beaucoup d'humilité et de regret.

Un amendement un peu tardif...

Les sermons d'une heure ou d'une heure et demie n'étaient pas rares. Vers l'âge de soixante ans, le Père Frédéric revint à de plus communes mesures. Il écrivait, le 28 février 1902, au Père Colomban Dreyer, Gardien du couvent de Montréal: «Je recommande toujours à nos jeunes pères d'éviter les excès de zèle en chaire, d'être trop long: j'ai commis moi-même cette faute toute ma vie; aujourd'hui, j'ai pour règle de prêcher dans les

_____

12. Michelle Garceau, P.F.M., *Par ce signe tu vivras,* Baie Saint-Paul 1972, pp. 65-66.

retraites: sermon du matin, trois quarts d'heure; après-midi, une demi-heure. Cela semble plaire à tout le monde.»

L'élément secret des succès oratoires du Père Frédéric: la sainteté de vie

Ce prédicateur modeste a groupé autour de sa chaire des foules aussi nombreuses que peuvent en désirer les grands orateurs. Certaines personnes instruites ne comprenaient pas pourquoi cette prédication était si goûtée du peuple. Elles remarquaient volontiers que les discours du Père étaient parfois un peu décousus. Elles n'arrivaient pas à saisir l'élément caché qui faisait leur force secrète: un grand amour de Dieu, qui envoûtait subtilement et très suavement les âmes. Cette éloquence ne venait pas de la rigueur de l'argumentation, ni de la belle construction des phrases, mais de l'ascendant de la vertu, bref, de la sainteté de la vie: c'était l'éloquence de l'âme, l'élan d'un cœur qui aimait «le bon Dieu» et voulait le faire aimer. C'est pourquoi l'on a comparé le genre oratoire du Père Frédéric à celui du saint Curé d'Ars ou à celui de saint François d'Assise. Il est sûr, en tout cas, qu'on pouvait lui appliquer ce que saint Paul disait de son propre style apostolique:

> Lorsque je suis venu chez vous, ce n'est pas avec le prestige de la parole ou de la sagesse que je suis venu vous annoncer le témoignage de Dieu. Je ne vous ai pas proclamé [l'Évangile] en termes persuasifs de sagesse, mais ce fut une démonstration de la puissance de l'Esprit, afin que votre foi ne fût pas fondée sur la sagesse des hommes mais sur la puissance de Dieu[13].

La force de conversion d'une parole toute simple et pas mal mélo

L'éloquence du Père Frédéric, tout en éclairant les esprits, avait une grande force émotionnelle et provoquait facilement les larmes de l'assistance. Des confrères en religion, à qui leur intimité avec l'homme permettait des remarques plus hardies, le

---

13. 1 Co 2, 1, 4-5.

taquinaient parfois là-dessus en lui disant qu'il savait très bien prendre le ton voulu pour faire pleurer ses auditeurs. C'était loin d'être une invention: bien des témoins se rappellent encore l'avoir entendu prêcher avec une onction pathétique et avec des larmes dans la voix. Était-ce de l'artifice? Chose certaine, dans le domaine religieux il avait le cœur sensible, la piété tendre. Malgré son désir de ne pas se singulariser et de garder cachés ses sentiments, il arrivait parfois qu'à la lecture publique de certains passages, au réfectoire, la défaillance de sa voix trahissait son émotion, l'obligeait à suspendre la lecture et à passer le livre à son voisin.

Cette éloquence du cœur produisait des effets merveilleux: démarches de foi d'âmes déjà chrétiennes, entrées massives dans le Tiers-Ordre, conversions de pécheurs. Dans une retraite aux filles du couvent de Champlain, diocèse de Trois-Rivières, le Père Frédéric, entre autres choses, parla de la vanité d'une manière si persuasive que, touchées par ses paroles, ses auditrices ôtèrent d'elles-mêmes leurs bijoux. Un prêtre du diocèse de Québec a raconté que trois matelots du village de Deschambault étaient devenus, au tout début de ce siècle, des hommes d'une piété remarquable: ils ne se gênaient pas de dire qu'ils avaient été convertis par une prédication du Père Frédéric.

L'ancien gérant d'un prospère commerce de bois, buveur et viveur, avouait lui devoir sa vocation franciscaine: il s'agit du Père Joseph Roy (1864-1941), le «Père Joe», comme on l'appelait familièrement à Québec. Bien des éprouvés sont venus conter leurs peines à cet apôtre haut en couleurs, dont la mimique inimitable déridait les plus moroses et dont le vert langage de bûcheron cachait un grand cœur et une foi profonde. Ses nombreux «convertis» avaient pour lui une vénération confinant au culte et on a beaucoup parlé, à Québec, des faveurs étonnantes obtenues par son intercession.

En somme, la prédication du Père Frédéric produisait ce qu'elle visait par-dessus tout, à savoir la gloire de Dieu et le salut des âmes. Même dans ses conversations de récréation, le zélé missionnaire aurait toujours parlé de Dieu, s'il n'en avait tenu qu'à lui. Il aimait à faire ce qu'il appelait «de petites récréations spirituelles». La seule plainte qu'on lui entendit quelquefois proférer fut la plainte séculaire des prédicateurs: «La foi baisse!» Au confessionnal, on le trouvait bon et doux. L'aura de sa vertu appuyait sans cesse ses paroles. Et les gens répondaient à sa sainteté par une confiance sans réserve.

Une prédication appuyée sur l'oraison et la pénitence

Quand il prêchait une retraite, le Père Frédéric priait beaucoup. Il passait de longs moments devant le Saint Sacrement aux heures matinales et au cours de la journée.

Il communiquait sa piété aux fidèles. À Saint-Ubald de Portneuf, qu'il visita le premier janvier deux années consécutives (1890 et 1891), il fit une impression extraordinaire: il réussit le tour de force de retenir les paroissiens à l'église tout le Jour de l'an! Et pourtant, c'était pour les québécois de la campagne la principale fête familiale de l'année! Les gens des *rangs* dînèrent au village et ne retournèrent chez eux qu'à la brunante, remettant à un autre jour le gueuleton de famille. Ils étaient contents de dire en rentrant à la maison: «Nous avons passé la journée à l'église avec le Père Frédéric!» C'était comme s'ils venaient de passer une journée au ciel! Dans quelle paroisse rurale contemporaine un prédicateur pourrait-il obtenir un résultat pareil?

La mortification peu commune de ce disciple moderne des Pères du Désert étonna toujours ses contemporains. Au moment d'entrer lui-même en retraite de neuf jours à Sainte-Anne-de-Beaupré, il soumettait son régime alimentaire à la supérieure des Franciscaines Missionnaires de Marie:

Après le Salut, j'entrerai en neuvaine. Je désire observer un *silence absolu* vis-à-vis de tout le monde; et vous aurez la charité de me laisser mon régime alimentaire à peu près comme l'an dernier.

Matin, une simple tasse de café noir, servi en silence. À midi et le soir (aussi en silence) une patate, du pain, avec une tasse de thé (sans lait) — pas autre chose: ni beurre, ni dessert, ni rien.

J'ai deux grandes faveurs à obtenir: une de la bonne sainte Anne et l'autre de saint Antoine[14]!

Nous avons souligné comment sa réputation de sainteté favorisait les succès apostoliques du Père Frédéric. Elle expliquait aussi sa vogue auprès des malades. Mais cela, il ne le prenait pas bien: la confiance des malades en son pouvoir de thaumaturge le fatiguait «énormément».

Dans quelques instants, confiait-il au T.R.P. Raphaël Delarbre, le 7 avril 1889, je vais ouvrir la grande retraite de huit jours. Sainte-Geneviève [de Batiscan, diocèse de Trois-Rivières], est une paroisse de 1500 à 1800 âmes avec un curé seul. À nous deux nous aurons toutes les confessions, et les malades m'attendent avec l'invincible persuasion que je puis les guérir, si je le veux. Cela me fatigue le moral énormément et m'oblige à faire violence au ciel. Ah! si notre P.S. François nous envoyait ici un autre bienheureux Frère Salvator d'Horta pour guérir ces malades[15]!

Une prédication parfois cautionnée, en plus,
par des guérisons spectaculaires

La confiance des malades était souvent récompensée. Quel religieux franciscain d'un certain âge n'a pas entendu des personnes qui lui ont dit: «Le Père Frédéric a passé par chez nous.

---

14. Lettre du 15 mars 1909.

15. Le bienheureux Salvator d'Horta est un frère convers franciscain d'Espagne, qui fut le grand thaumaturge du XVIe siècle. Ses miracles furent innombrables. Selon *L'Auréole Séraphique*, il guérissait d'un signe de croix, en leur demandant d'aller se confesser et de communier, plus de 2 000 malades par semaine. Pendant une semaine sainte, le nombre de guérisons s'éleva à 4 000 et un jour de l'Annonciation, à 6 000. Il est fort possible que la renommée ait considérablement soufflé ces chiffres! Le fait reste que le Frère Salvator dut changer de couvent par trois fois parce que l'affluence de ses clients, qui venaient de toute l'Espagne et même de France, rendait la vie intenable à ses confrères. On le fit changer de nom et on essaya de le cacher dans des ermitages situés au diable vauvert; la foule le retrouvait toujours! Ce recordman franciscain du miracle a été canonisé par Pie XI le 17 avril 1938. Même s'il fallait diviser par 100 le nombre de ses prodiges, ses performances thaumaturgiques resteraient stupéfiantes. Il est curieux qu'il ne soit pas plus connu!

J'étais malade; j'avais mal au pied... j'avais mal aux yeux... Le Père Frédéric a tracé sur moi un signe de croix et mon mal a disparu»...

Voici une guérison qui a étonné toute une paroisse. Du 17 au 20 décembre 1896, le Père alla prêcher un triduum à la fraternité du Tiers-Ordre franciscain de Loretteville (Saint-Ambroise de la Jeune Lorette), près de Québec. Il ne manqua pas à son habitude de visiter les tertiaires malades.

Mlle Laura Falardeau, âgée de vingt-sept ans, était gravement malade; atteinte de tétanos, elle était sans connaissance depuis neuf jours. Le samedi, 19 décembre, le médecin avait dit à la famille:

— Elle ne passera pas la journée... Si elle n'est pas morte après le souper du Père, j'irai le chercher au presbytère et je vous l'amènerai.

Le soir, le médecin revenait en compagnie du missionnaire franciscain et du vicaire l'abbé Antoine Lamothe. La maison était pleine de monde.

Le Père Frédéric entra avec Mme Falardeau dans la chambre de la malade. Le vicaire, sceptique, disait à son entourage:

— C'est à croire que le Père va faire revenir les morts!

Mais lorsqu'il eut entendu tout à coup la voix de la malade, une voix forte et sépulcrale, monter de sa poitrine comme du fond d'un tonneau, il fut saisi, sidéré, et son front se couvrit de sueur. Tous les assistants étaient abasourdis comme lui, gardant un profond silence. Quelques-uns pleuraient.

Voici ce qui s'était passé dans la chambre. Après que le Père eut intensément prié, la malade avait ouvert les yeux, sortant comme d'une vision céleste:

— Mon Dieu! que c'est beau! disait-elle, le visage rayonnant.

— Vous avez vu des beautés du ciel, répliqua le Père. Que préférez-vous? Rester sur la terre ou aller au ciel?

— Que la sainte volonté de Dieu soit faite!

— Quelle parole d'or vous venez de prononcer! Eh bien! vous resterez sur la terre, mais vous aurez des épreuves tout le temps.

Au sortir de la chambre, le Père Frédéric dit au père et au frère de Mlle Falardeau:

— Demain dimanche, pendant le sanctus, vous lui ferez faire trois pas.

Voulait-il par là rappeler la pieuse coutume de nos ancêtres qui aimaient à faire faire les premiers pas de leurs enfants pendant le sanctus de la grand-messe?

— Après-demain, vous lui ferez faire six pas, et, la troisième journée, neuf pas, et vous la laisserez ensuite aller où elle voudra.

Tout s'accomplit comme l'avait prédit le Père aussi bien pour la guérison que pour les épreuves subséquentes. Celles-ci prirent la forme de maladies d'yeux, de gorge, de plaie au côté. Cinq ou six ans après sa guérison, Mlle Falardeau perdait la parole, qu'elle n'a pas recouvrée par la suite. Quand on l'interrogeait, elle s'exprimait par écrit ou par signes; son frère Charles, son aîné de deux ans, avec qui elle demeurait, lui servait d'interprète, au besoin. Elle portait allègrement, en septembre 1951, ses quatre-vingt-deux ans; les épreuves de l'existence ne lui avaient pas ravi son fin sourire ni sa bonne humeur[16].

---

16. La *Revue du Tiers-Ordre et de la Terre Sainte* 13 (1897) 67s. a donné un compte rendu de la visite du Père Frédéric à Loretteville: «Les tertiaires malades n'ont pas été privés des bienfaits de la sainte Visite. Le Révérend Père s'est fait un devoir de leur apporter à domicile les consolations de la famille séraphique, et même des soulagements à leurs maux corporels. C'est à l'occasion d'une de ces visites qu'une malade s'est sentie ranimée en vénérant une relique de Terre Sainte. Et depuis ce temps le mieux a continué sa marche à grands pas, comme pour attester que saint François avait réellement, bien qu'invisiblement, passé par chez nous.» Il s'agit ici sans aucun doute de Mlle Laura Falardeau. Le Père Légaré l'a interrogée plusieurs fois chez elle. Elle regardait toujours le Père Frédéric comme son protecteur. Ainsi elle lui attribuait la guérison subite d'une pleurésie sèche qui l'avait mise, en 1949, aux portes du tombeau. Son frère Charles est décédé le 31 octobre 1952.

Un prédicateur semblable aux grands missionnaires de l'histoire franciscaine

Le Père Frédéric fut peut-être le prédicateur le plus infatigable de notre époque. Prêcher durant quarante-cinq ans sans fatigue apparente; édifier les fidèles pendant vingt-cinq ou trente-six heures consécutives, à l'occasion de la fête de la Portioncule et des pèlerinages à Sainte-Anne-de-Beaupré, ce sont des records qui en valent bien d'autres. Mais la réussite la plus enviable qu'ait accomplie ce missionnaire, ce fut d'avoir fortifié la foi des innombrables auditeurs qui l'ont entendu et de les avoir incités à s'adonner généreusement à la pratique des vertus chrétiennes. C'est par cet impact profond qu'il a eu sur les âmes qu'il a mérité de prendre place dans la galerie des grands prédicateurs franciscains qui ont illustré l'Église: saint François d'Assise lui-même, le fondateur de l'Ordre, puis ses disciples saint Bernardin de Sienne, saint Jacques de la Marche, saint Jean de Capistran, saint Pierre d'Alcantara et enfin saint Léonard de Port-Maurice, dont il a beaucoup pratiqué les textes. «Les maîtres spirituels, dit le *Livre de Daniel*, resplendiront à jamais comme la voûte du ciel par nuit claire et ceux qui auront enseigné à beaucoup la sainteté scintilleront éternellement comme les étoiles qui la remplissent» (Dn 12, 3).

Chapitre dix-septième

L'écrivain d'édification

De la parole ou de l'écrit, lequel a le plus de rayonnement? Beau sujet de débat pour potaches! Le Père Frédéric, lui, a tranché la question de la manière la plus réaliste qui soit, en utilisant au maximum chacun des deux médias.

Comment il a usé — et abusé, diront les malins — de la parole, c'est ce que les chapitres précédents ont, nous l'espérons, montré un peu! Ce qu'on sait moins, c'est qu'avant lui il n'y a peut-être eu personne au Canada qui ait autant misé sur le pouvoir de l'écrit. Un tantinet opportuniste au besoin, il recourait volontiers à sa plume facile pour faire œuvre de propagande. C'est ainsi que, dès son arrivée au Canada, en 1881, il s'empara des journaux pour révéler sa mission franciscaine, les œuvres de la Terre Sainte, le rôle du Tiers-Ordre dans les temps modernes, les trésors spirituels du chemin de la Croix. Il récidiva avec encore plus de zèle à son second séjour. En tout, il a écrit une trentaine de volumes et de brochures et en a distribué plus de cent soixante mille exemplaires. C'était prodigieux pour son temps.

En outre, il a collaboré à des périodiques français, américains et canadiens, tels que la *Revue franciscaine* de Bordeaux, *Saint François et la Terre Sainte* de Paris, *The Pilgrim of Palestine* de New York, la *Revue du Tiers-Ordre* de Montréal, les *Annales de Sainte-Anne,* et nous en oublions sans doute. Il a fondé deux revues canadiennes-françaises: les *Annales du Très Saint Rosaire* et la *Revue Eucharistique, Mariale et Antonienne.*

Il nous reste de lui près de cinq cents lettres, adressées à des évêques, à des prêtres, à des franciscains, à des religieuses, à des parents, à différentes personnes. Il nous reste également un bon nombre de notes manuscrites.

Le serviteur de Dieu a donc beaucoup écrit. Sa bibliographie a été établie vers les années '30 par le Père Hugolin Lemay, O.F.M., de la Société royale du Canada[1].

Ici, comme dans la prédication, c'est un souci apostolique qui le guidait et le poussait à prendre la plume. Il avait compris qu'il en va des lectures un peu comme il en va des fréquentations: «Dis-moi qui tu hantes et je te dirai qui tu es.» C'est pourquoi en ce domaine comme ailleurs il sentait le besoin de contrer les forces du mal, d'éclairer les esprits par la saine doctrine et de fortifier les bonnes volontés en présentant positivement le bien.

Le co-fondateur de revues

C'est dans cet esprit qu'il se fit le co-fondateur des *Annales du Très Saint Rosaire,* dont nous avons raconté plus haut les modestes débuts. S'il souhaite que la revue se répande, c'est qu'il voit en elle un rempart pour la foi. «Oh! si le Pape du Rosaire, écrivait-il à son principal confident, daigne bénir nos *Annales* et les recommander à nos chers Canadiens, quel bien cela fera dans notre cher petit pays, où le démon travaille surtout en ce moment d'une manière affreuse pour ruiner la foi dans les âmes. Les bonnes lectures sont plus que jamais nécessaires[2]!»

La même sollicitude pastorale fut au principe de l'autre revue dont le Père Frédéric a été le fondateur, la *Revue Eucharistique,*

---

1. P. Hugolin [Lemay], O.F.M., *Bibliographie et iconographie du serviteur de Dieu, le R.P. Frédéric Janssoone, O.F.M. (1836-1916),* Québec 1932, 62 pp. Cette bibliographie aurait besoin d'être quelque peu revisée, même pour les écrits du serviteur de Dieu.
P. Hugolin Lemay, O.F.M., *Les manuscrits du R.P. Frédéric Janssoone, O.F.M.* Description et analyse. Firenze-Quaracchi, 1935, 71 pp.
2. Lettre au T.R.P. Raphaël Delarbre, O.F.M., 21 novembre 1892; voir aussi lettres du même au même, 11 janvier 1893, 20 janvier 1893, etc.

Mariale et Antonienne. Mais la naissance de celle-ci fut plus laborieuse et, quand le bébé fut enfin mis au monde, il ne correspondait pas tout à fait à l'idée que s'en était faite tout d'abord son géniteur.

C'est que la tête du Père Frédéric fourmillait continuellement d'idées et de plans. Les projets les plus divers germaient sans cesse dans son cerveau fertile. Les activités religieuses antérieurement décrites témoignent déjà de ce foisonnement intérieur.

Mais elles n'arrivaient pas à épuiser le dynamisme psychologique de l'homme. C'est pourquoi elles se sont mariées, à l'occasion, à des initiatives passablement inattendues relevant plutôt de l'ordre social. C'est ainsi que notre homme acceptait temporairement, vers 1894, la charge de missionnaire agricole dans la région trifluvienne. C'est ainsi également qu'il conçut le projet d'un orphelinat agricole dirigé par les Franciscains et se fit pendant tout un temps l'apôtre de la betterave à sucre. Il s'ensuivit que d'aucuns, à un moment donné, le surnommaient «le Père à la betterave»!

Mû par ces intérêts multiples, le Père Frédéric songeait, en 1893, à une publication qui s'intitulerait *La Semaine des Familles* et qui aurait pour but de répandre le goût de la bonne lecture. Cet imprimé serait un périodique hebdomadaire de douze pages in-octavo, dont l'abonnement coûterait cinquante cents par année. Le schéma de présentation envisageait quatre parties principales: 1) légendes des saints; 2) merveilles dans l'ordre de la nature et dans l'ordre de la grâce; 3) anecdotes amusantes, instructives; 4) partie récréative: énigmes et charades. «*La Semaine,* disait le Père Frédéric, sera expédiée assez tôt pour arriver dans les familles le dimanche. On pourra aussi ajouter des récits de voyage, d'événements intéressants puisés dans les *Annales de l'Ordre* et ailleurs.»

Le plan était original: il s'agissait ni plus ni moins que de créer une sorte de magazine familial chrétien analogue à l'actuelle revue française *La Vie.* Mais le projet, trop en avant de son temps peut-être, n'aboutit pas. Il devait être repris quarante-quatre ans plus tard par les Franciscains canadiens, qui lancèrent, en 1937, *La*

Famille, revue mensuelle magnifiquement illustrée et patronnée par une brochette de collaborateurs éminents. Le programme de *La Famille* était-il trop centré sur un thème unique? La revue, en tout cas, après avoir changé de format en 1949, disparut à l'été 1955.

Des nombreux périodiques religieux qui se disputent présentement la clientèle québécoise, celui dont la présentation correspond peut-être le mieux, en fin de compte, à la formule entrevue par le Bon Père Frédéric, c'est *La Revue de Sainte-Anne,* continuatrice des *Annales de la Bonne Sainte-Anne.* C'est vraiment un magazine populaire, où l'on trouve, à côté d'articles, courts mais bien faits, sur l'actualité nationale et internationale, les problèmes religieux d'aujourd'hui, l'histoire de l'Église et des saints, une section plus bon enfant comprenant des travaux généalogiques, des mots croisés et des mots-mystères, des biocrostiches et des jeux de société divers. Le Père Frédéric, avec son très vif sens pratique, l'aurait sûrement trouvée à son goût. La population québécoise, en tout cas, semble bien goûter la formule, puisque, sauf erreur, *La Revue de Sainte-Anne* est, de tous nos magazines religieux, celui qui a le plus fort tirage.

En attendant, le projet de *La Semaine des Familles* évolua et prit une autre orientation: après des pourparlers avec l'aumônier des Franciscaines Missionnaires de Marie de Québec, l'abbé Louis-Honoré Pâquet, et avec la supérieure Mère Marie de la Charité, naissait, en janvier 1900, la *Revue Eucharistique, Mariale et Antonienne.* Cette revue devenait l'organe de l'œuvre de l'Association de l'Adoration perpétuelle, installée dans la chapelle des Franciscaines Missionnaires de Marie, à Québec. Quand il quêtait, dans l'archidiocèse, pour le sanctuaire de ses sœurs en saint François, le Père Frédéric recueillait en même temps des abonnements à la revue. Deux ans après la fondation, il écrivait, le 12 mai 1902, au T.R.P. Raphaël Delarbre, O.F.M.: «Notre belle *Revue Eucharistique et Antonienne* arrive à quinze mille abonnés. C'est prodigieux.»

Dès le premier jour, il fut l'un des collaborateurs assidus. Il rédigeait des mois à l'avance certaines séries d'articles (y compris la chronique des événements, disaient les pince-sans-rire).

273

Dans le numéro de septembre 1916, la direction de la revue consacra une notice émue à l'abbé L.-H. Paquet et au Père Frédéric, qui furent «tellement unis dans la vie qu'ils sont inséparables dans la mort». On y disait:

> C'est pendant quinze ans qu'ils ont publié de concert l'organe officiel de l'Œuvre [de l'Adoration], la *Revue Eucharistique*. Le cher Père Frédéric se chargeait volontiers du tiers de la collaboration; c'est à sa plume que sont dus les articles sur l'Eucharistie, sur saint Antoine, sur l'Heure d'Adoration; et, avant de se coucher pour ne plus se relever, il venait, selon son habitude, de préparer la matière pour une nouvelle année, en sorte que, même après sa mort, il parlera encore aux lecteurs de la *Revue*.

Lors de son jubilé d'or, en 1950, la revue ne manqua pas de rappeler le souvenir de ses deux prolifiques promoteurs.

L'encouragement aux bibliothèques paroissiales

Avocat et champion des bonnes lectures, le Père Frédéric se devait d'encourager tout ce qui pouvait contribuer à les promouvoir. C'était le cas des bibliothèques paroissiales. L'ex-bibliothécaire du couvent de Bordeaux exprimait donc sa position sur celles-ci dans une lettre à Mgr Bégin, auxiliaire de Québec, datée du 6 février 1894:

> J'ai toujours travaillé pour le développement des bibliothèques paroissiales. J'ai sous la main un petit manuel du Tiers-Ordre, qui porte sur sa couverture un petit catalogue d'une petite bibliothèque en voie de formation. Tout est *petit,* comme vous le voyez, Monseigneur, parce que être petit plaisait à notre père saint François.
>
> J'ai marqué d'une petite croix une douzaine d'ouvrages, ceux, à mon humble avis, qui figurent mieux dans une bibliothèque de paroisse.

Le «small is beautiful» n'était pas encore inventé, mais il hantait déjà notre homme, semble-t-il! On aura remarqué que le Père Frédéric ne se contente pas de dire qu'il appuie les bibliothèques paroissiales: il explique à l'auxiliaire qu'il a déjà sa petite liste de livres à lui. Quand on est un zélé comme lui, on passe facilement de l'intention à l'action!

La rédaction d'ouvrages personnels

Mais quand il s'agit de promouvoir la bonne lecture, passer à l'action ce n'est pas seulement colliger et ramasser des bouquins, c'est aussi en écrire! Dans la suite de la lettre à Mgr Bégin plus haut citée, c'est la témérité que le Père Frédéric confesse avoir commise: il a déjà écrit deux volumes dont, mine de rien, il fait ingénuement l'éloge à sa Grandeur. Et, pas trop contrit de son péché d'audace, il ajoute, avec une simplicité madrée, qu'il serait prêt à écrire des tas d'autres volumes si seulement il avait les fonds voulus pour les faire éditer. Le texte vaut la peine d'être lu en entier, il constitue un bon échantillon de la dextérité innocente dont le Père Frédéric savait faire preuve quand il poussait une cause!

J'ai osé moi-même, ajoute-t-il, composer une *Vie de saint François*. Je l'ai faite avec ce que j'ai trouvé de *mieux* (surtout au point de vue de la piété) dans les vies déjà existantes de notre Séraphique Père. Votre Grandeur la trouvera au bas de la liste. J'espère aussi que la *Vie de Notre-Seigneur,* selon le désir de son Éminence [le cardinal Taschereau] et le vôtre trouvera place d'honneur dans toutes les bibliothèques aussi bien que dans toutes les familles.

En terminant, permettez-moi, Monseigneur, de vous soumettre une idée, également en toute simplicité. Je tiens prêts des documents pour une série de volumes destinés soit à être distribués en prix, soit à être placés dans les bibliothèques paroissiales. Ils auraient déjà vu le jour; mais ce sont les ressources pécuniaires qui font défaut...

Si je trouvais un éditeur, ou mieux un institut religieux, un collège, un séminaire ou un évêché qui voulût accepter mon manuscrit, je l'offrirais *gratis,* avec bonheur, et de plus je travaillerais moi-même à faire de la propagande tant que je pourrais, afin de faire rendre aux éditeurs les déboursés, avec un boni en plus.

« Les ressources pécuniaires qui lui faisaient défaut », le Père Frédéric semble n'avoir pas eu trop de peine à les trouver, puisque les deux premiers ouvrages ci-haut mentionnés devaient être suivis d'une douzaine d'autres. Jetons un coup d'œil sur cette collection.

Trois grands mobiles avaient poussé son auteur à écrire: 1) l'amour de la Terre Sainte, 2) l'amour de la chose franciscaine et 3) le souci de promouvoir la piété. Par voie de conséquence, ses livres se classent eux aussi en trois séries: 1) ceux qui se rapportent à la Terre Sainte; 2) ceux qui traitent de sujets franciscains; 3) ceux qui abordent les thèmes relatifs à la dévotion.

Parmi les premiers, rappelons la *Notice historique sur l'œuvre de Terre Sainte* (1882), *Le chemin de la croix à Jérusalem* (1882), *L'Égypte et les Franciscains* (1897), et enfin *l'Album de Terre Sainte* (1905), en deux volumes de trente et une vues avec texte explicatif en regard.

La *Notice historique sur l'œuvre de Terre Sainte* est une brochurette de propagande, un condensé émouvant et vigoureux de l'histoire de la Terre Sainte, un plaidoyer chaleureux pour l'œuvre adressé aux Canadiens français; c'est peut-être une des meilleures brochures du Père Frédéric, certainement celle où il a mis dans le moins de pages le plus de détails autobiographiques.

Ce n'était toutefois pas la Terre Sainte comme telle qui intéressait notre homme. S'il a tant aimé ce sol, c'est en raison des personnages exceptionnels qui l'ont habité. Ici vient en tout premier lieu, bien sûr, le Dieu fait homme, Notre-Seigneur Jésus-Christ! Mais il y a aussi sa parenté immédiate, la Très Sainte Vierge, saint Joseph et sainte Anne. Et voilà l'explication d'une première série de volumes aux titres accrocheurs; *Vie de Notre-Seigneur Jésus-Christ, écrite avec les paroles mêmes des quatre évangélistes* (1894), *La Bonne Sainte Anne. — Sa vie, ses miracles, ses sanctuaires* (1896), *Saint Joseph, sa vie, son culte* (1902), et *Vie de la très sainte Vierge Marie, extraite de la Cité mystique de la vénérable Mère Marie d'Agréda, avec la description des principaux sanctuaires de Terre Sainte* (1904).

Certains de ces ouvrages posaient de fameux problèmes de

rédaction! Comment raconter décemment la vie de sainte Anne, dont le Nouveau Testament ne dit pas un mot? Comment même disserter sur les vies de saint Joseph et de la Sainte Vierge quand l'Évangile lui-même se montre si discret à leur sujet? Notre intrépide auteur a ses trucs à lui. Il recourt à une double source: 1° la pieuse tradition et les saintes légendes, 2° les révélations d'une franciscaine conceptioniste espagnole du XVIIe siècle, la vénérable Marie d'Agréda, consignées dans une œuvre de sept volumes intitulée *La cité mystique.* Le fonds mystico-biographique représenté par l'ouvrage de Marie d'Agréda, le commissaire de Terre Sainte l'insère dans un cadre palestinien de sa façon: quelques chapitres décrivant les sanctuaires des Lieux Saints et empruntés presque textuellement au célèbre *Guide indicateur des sanctuaires et lieux historiques de la Terre Sainte* du Frère Liévin, O.F.M.

Un ouvrage à très grand succès:
la Vie de Notre-Seigneur Jésus-Christ

La *Vie de Notre-Seigneur Jésus-Christ* par le Père Frédéric (qu'une vieille «âme pieuse» de l'époque appela un jour, par une inversion cocasse: *La vie du Père Frédéric* par Notre-Seigneur Jésus-Christ) parut en 1894. Cette œuvre de vulgarisation, basée sur la traduction et les notes de l'abbé J.-B. Glaire, n'était rien d'autre qu'une synopse, une synthèse de textes évangéliques. C'était, en somme, une anticipation du célèbre ouvrage *Les quatre Évangiles en un seul,* que l'abbé Weber devait publier en France quatre ans plus tard et qui allait devenir un best-seller mondial. Le volume du Père Frédéric s'ornait de gravures de Terre Sainte, qui devaient transporter «en esprit le lecteur aux Lieux mêmes où Notre-Seigneur a donné ses divins enseignements». Mieux faire connaître et aimer Jésus, «voir entre les mains de tous le livre des saints Évangiles[3]», voilà le but que s'était proposé le pieux auteur franciscain. Il songeait à une telle œuvre depuis 1880, c'est-à-dire depuis le début de son vicariat custodial dans la Ville Sainte du Messie.

---

3. Père Frédéric, dans *Revue franciscaine* de Bordeaux, 1880, p. 216.

Retiré dans la solitude, il travailla à la composition de la *Vie de Notre-Seigneur Jésus-Christ* de dix à douze heures par jour pendant deux ou trois mois de l'hiver 1893-1894. Par respect pour la parole sacrée, il transcrivait à genoux les textes évangéliques harmonisés. Puis, muni d'approbations écrites de plusieurs évêques canadiens, il se mit sur les chemins pour faire de la propagande. L'ouvrage avait connu, en 1907, huit tirages, ce qui représentait un total de quarante-deux mille exemplaires; ce fut longtemps sans doute le plus grand succès de librairie au Canada. En 1906, la *Revue du Tiers-Ordre et de la Terre Sainte* (p. 250 ss.) écrivait:

> Plus de trente-six mille exemplaires de la *Vie de Notre-Seigneur Jésus-Christ* (ou Concordance des quatre Évangiles) ont été placés par le Père Frédéric au Canada, et dans tel diocèse, celui de Québec, il y a bien peu de familles qui ne possèdent au moins un exemplaire de ce précieux ouvrage. Pour atteindre ce résultat, le Père Frédéric n'a pas épargné ses labeurs, et on l'a vu par tous les temps et par toutes les saisons parcourir les campagnes et visiter les maisons des rangs les plus éloignés.

Au diocèse de Valleyfield, l'évêque, Mgr Émard, réservait à l'auteur une faveur bien propre à le récompenser de tous ses travaux, de toutes ses peines. Non seulement Mgr Émard accordait à cet apôtre itinérant de l'Évangile «tous les encouragements en son pouvoir», mais il envoyait au pape Pie X, à Rome, la supplique suivante:

> Très Saint Père,
>
> Le Père Frédéric de Ghyvelde, religieux de l'Ordre de saint François, ayant entrepris, avec l'approbation de l'Ordinaire, de parcourir toutes les paroisses du diocèse de Valleyfield, pour placer dans chaque famille, s'il est possible, le saint Évangile de Notre-Seigneur, et voulant par là travailler, selon les intentions de Votre Sainteté, à tout restaurer dans le Christ, et spécialement les foyers chrétiens, le soussigné, évêque de Valleyfield, humblement prosterné aux pieds de Votre Sainteté, La supplie très respectueusement de vouloir bien accorder au même Père Frédéric et à son œuvre le bienfait de la

Bénédiction Apostolique, et étendre cette Bénédiction à toutes les personnes qui répondront à son appel.

(Signé) + Joseph-Médard
Évêque de Valleyfield

Au bas de cette supplique, le Saint-Père apposa de sa main la bénédiction sollicitée:

À notre cher Fils le Père Frédéric, de l'Ordre de saint François, à ses œuvres et tous ceux qui répondront à sa prédication apostolique, Nous accordons de tout cœur la Bénédiction Apostolique.

Pie X, Pape.

En raison du zèle que le Père Frédéric a mis à composer et à propager sa synopse, un confrère admiratif lui a consacré un article intitulé *Le Père Frédéric, apôtre de l'Évangile*[4]. Telle quelle, l'expression utilisée ne décrit pas avec assez de précision le rôle novateur qu'a joué ici le serviteur de Dieu. Tout prédicateur sérieux n'est-il pas, à sa manière, un apôtre de l'Évangile? Ce qu'il faudrait dire, c'est que, en répandant son ouvrage, le Père Frédéric a été un pionnier de la diffusion des textes bibliques au Canada.

* * *

La *Vie de saint François d'Assise,* au style simple et onctueux, est un autre ouvrage qui obtint une grande diffusion. Ce fut longtemps, au Canada, la *Vie de saint François* la plus populaire. Les deuxième et troisième éditions ont été revisées: la deuxième, en 1913, par le R.P. Valentin Breton, O.F.M., et la troisième, en 1942, par le T.R.P. Jean-Joseph Deguire, O.F.M.

À la série des sujets franciscains ajoutons: la vie de *Saint*

---

4. P. Pamphile D., O.F.M., *Le père Frédéric, apôtre de l'Évangile en Canada,* dans *Revue franciscaine* (Montréal), 54, (1938), 509-511.

Antoine de Padoue (1896)[5], *Saint Antoine et les petits* [1905][6], *la Vie du Frère Didace, récollet* (1894), frère convers canadien mort en odeur de sainteté en 1699, et les ouvrages sur le Tiers-Ordre.

Parmi les sujets de piété, relevons: *Le mois du Très Saint Rosaire* (1895)[7], *la Neuvaine au Saint-Esprit* (1897)[8], *Le Parterre angélique ou choix de merveilles tirées de la Vie des Saints à l'usage de la jeunesse* (2 vol., 1905), *Le Ciel, séjour des élus* (1912).

Le Ciel comprend un traité des anges dû à saint Thomas d'Aquin, une doctrine mystique empruntée à sainte Thérèse d'Avila, des témoignages et faits hagiographiques et des idées personnelles de l'auteur sur l'ascétisme chrétien. Ce volume de quatre cents pages fut le dernier que publia lui-même le Père Frédéric. Il le considérait comme son plus beau livre, comme le plus apte à porter les âmes à la piété[9]. Aussi sa patience fut-elle rudement éprouvée quand il n'entendit plus parler du manuscrit remis à son supérieur majeur, en 1909, pour approbation. Le manuscrit fut bloqué plus de deux ans chez un censeur accaparé par des travaux urgents. Le censeur en question était le P. Richard Deffrennes, O.F.M. Il n'apprit qu'après la mort du Père Frédéric la peine très grande que ses retards lui avaient causée. Il en fut lui-même très marri.

---

5. Une deuxième édition, revue et augmentée par les soins du T.R.P. Jean-Joseph Deguire, O.F.M., a paru à Montréal, en 1931.

6. Réédité par *Le Messager de saint Antoine,* Lac Bouchette, QC, 1949, 48 pp.

7. Réédité, à Trois-Rivières, en 1948, par le R.P. Onésime Lamontagne, O.F.M., vice-postulateur.

8. Rééditée par le R.P. Nérée-M. Beaudet, O.F.M., dans sa brochure *Catéchisme du Saint-Esprit,* 3e édition, revue et augmentée, Montréal, 1952, pp. 96-111.

9. Certain curé de campagne du diocèse de Québec, plein de vénération pour le Père Frédéric, qui avait guéri autrefois, à Deschambault, son propre frère de cinq ans, estimait beaucoup le volume *Le Ciel, séjour des élus.* «Je le laisse ouvert sur mon appareil de radio, disait-il, et j'en lis des passages de temps en temps. Le chapitre sur les anges est ce que j'ai trouvé de plus complet sur le sujet; c'est un traité qui ramasse des choses que l'on ne trouve pas dans les livres ordinaires.»

Une œuvre de compilateur

Dans ces ouvrages multiples, il est inutile de chercher de grandes synthèses doctrinales à la saint Paul ou à la saint Bonaventure. Le Père Frédéric n'est ni un spéculatif ni un théologien professionnel. Il est avant tout un compilateur et un vulgarisateur, qui prend son bien à gauche et à droite. Ce fait, que l'on devine déjà rien qu'à la lecture de ses titres de volumes, il n'en fait aucunement mystère. Bien au contraire, il s'en vante, comme si ses nombreux emprunts constituaient une garantie de fiabilité pour ce qu'il publie.

C'est ainsi que, dans une lettre qu'il envoyait au T.R.P. Raphaël Delarbre, O.F.M., il fait un commentaire assez inattendu de sa *Vie de saint François,* «que l'on considère ici, surtout Mgr Bégin, comme une vraie perle»: «J'en suis d'autant plus heureux, dit-il, qu'il n'y a rien de moi là-dedans. J'ai seulement fait la rhapsodie et j'ai réussi[10].»

Même son de cloche dans une lettre qu'il écrivait au T.R.P. Colomban Dreyer, O.F.M., le 14 mai 1911, c'est-à-dire cinq ans avant sa mort. Le volume dont il parle cette fois, c'est *Le Ciel, séjour des élus,* dont nous avons rappelé plus haut les malencontreux délais de publication.

> Vous savez, mon Très Révérend Père, que dans cet ouvrage, comme dans tous les autres, il n'y a à peu près rien de moi. Mais j'ai travaillé beaucoup à ma collection de documents et j'ai cru, sauf avis meilleur, que ce livre serait le plus complet dans son genre, s'il vient à voir le jour!

* * *

Pour être un bon compilateur, il faut avoir un esprit curieux, ouvert aux différents domaines de l'activité et de la culture

---

10. Lettre du 16 avril 1895. À noter la justesse de l'expression «rhapsodie» que le Père Frédéric emploie pour caractériser son travail. Le français n'était pas sa langue maternelle: «Dans son village de Ghyvelde, nous dit son biographe Léon Moreel, il n'avait, jusqu'à l'âge de sept ans, entendu parler que le flamand.» Mais cette langue seconde, il l'avait très bien apprise!

humaine. Il faut aussi se documenter sérieusement. Ces deux éléments, nous l'avons vu, se sont manifestés très tôt chez le Père Frédéric. Dans un chapitre antérieur, nous avons souligné le surprenant éventail d'intérêts dont témoignent ses carnets de notes de scolasticat.

Le matériel substantiel qu'il avait accumulé durant ces années d'études, il n'a cessé, par la suite, de l'enrichir chaque fois qu'il en a eu l'occasion. C'est ainsi qu'à Paris, pour se documenter sur les Récollets canadiens, il s'est fait chercheur à la Bibliothèque Nationale. Plus tard, en Terre Sainte, il s'est fait excursionniste sur les pistes des Bédouins, histoire d'étudier les mœurs et coutumes des nomades du pays.

Ces intérêts multiples étaient fortement polarisés chez lui par le goût profond qu'il avait de la chose spirituelle. Il ne pouvait guère en être autrement chez quelqu'un dont toute la vie était centrée autour de la cause du Royaume. Mais cette combinaison de tendances, toute riche qu'elle ait été, n'aurait peut-être jamais donné naissance à une carrière de polygraphe spirituel si des circonstances exceptionnelles n'étaient intervenues. C'est le moment de se rappeler que le Père Frédéric a reçu, dès son noviciat et son scolasticat, une forte initiation aux ouvrages de spiritualité. On se souvient que le Père Léon de Clary, qui fut son maître de noviciat et son supérieur à Limoges, était l'auteur de *L'Auréole Séraphique,* sorte de dictionnaire des saints de la famille franciscaine. Au fur et à mesure qu'il terminait ses manuscrits, il les faisait recopier, en vue de l'impression, par le jeune Frère Frédéric, dont la fine calligraphie était renommée. Le pieux religieux prit goût à ces sortes de travaux et il en mit lui-même sur le chantier. Des recherches qu'il fit dans cette ligne à Amiens, à Limoges et à Branday, devait sortir son premier ouvrage, la *Vie de la bienheureuse Jeanne-Marie de Maillé,* qui ne parut en brochure qu'après son ordination.

La personnalité littéraire du Père Frédéric

La personnalité de notre compilateur se révèle dans le choix des sujets — indices de ses préoccupations —, dans le triage judicieux des documents qu'il utilise et dans la manière toute simple et pieuse de les présenter. Les quelques détails autobiographiques qu'il ose livrer au public sont presque toujours insérés modestement en note au bas des pages: notations de voyage, souvenirs ou commentaires personnels.

Le Père Frédéric était friand des récits merveilleux qui abondaient dans les anciennes vies des saints. Il faisait grand usage de ces légendes «gracieuses et innocentes», dont il admirait le charme naïf et vieillot. Mais il n'avait pas le tempérament d'un poète, comme son père saint François. «Certains, dit George Eliot, du poète ont le cœur, non la voix.» C'était exactement son cas. Ce qu'on découvre plutôt chez lui, fait surprenant, c'est le talent d'un homme d'action et d'affaires, le flair d'un publiciste et les notations précises de celui qui regarde les choses avec un compas dans l'œil. On s'attendrait à bien des choses plutôt qu'à ce réalisme de pur aloi!

Cet homme pratique sait évidemment raconter: le récit de ses missions apostoliques au Canada en 1881-1882 est très intéressant[11]. Ses dons d'observateur jouent ici à leur meilleur. D'une façon générale, son esprit positif se manifeste par l'amour de la précision, le souci du détail minutieux. Vous le remarquerez dans n'importe lequel de ses volumes ou articles de revue, principalement dans son *Journal de voyage. — France — Italie — Palestine, 1876-1877*[12]. Son observation se complaît dans les chiffres: c'est sa façon à lui d'évoquer une chose, d'en relever l'importance. On dirait que dans ses voyages il traîne toujours avec lui un mètre pliant ou un pied de roi.

Il signale qu'il a mesuré lui-même tel monument, il en note soigneusement les dimensions précises. La petite et unique fenêtre des étroites et basses cellules des *Carceri*, à Assise, «mesure très exactement en hauteur *onze pouces* (269,5 mm) et sa largeur

---

11. Ce récit, paru d'abord en articles de revues, a été publié il y a quelques années par le R.P. Paul-Eugène Trudel, O.F.M., dans une petite brochure intitulée: *Mon premier voyage au Canada, 1881-1882.* (Collection B.P.F. n° 2), Trois-Rivières [1946], 51 pp.

12. Publié en 1946, à Trois-Rivières, dans la collection Éditions B.P.F., n° 1.

est naturellement encore plus restreinte[13]». Un des clous de saint Pierre, vénéré à la basilique des douze apôtres, à Rome, «est une véritable barre de fer: il est de forme carrée, mesurant environ *deux pouces* (49 mm) en épaisseur et *dix pouces* (245 mm) en longueur: on devine par là les indicibles douleurs que le saint apôtre a dû endurer dans son crucifiement par amour pour son adorable Maître[14]».

Des livres peu fignolés, parce qu'écrits avant tout pour édifier

Les livres du Père Frédéric ont été écrits vite, trop vite. Non seulement ils ne sentent pas l'huile, mais ils sont plutôt bâclés. Leur besogneux auteur n'avait pas le temps de fignoler ses phrases. Il devait souvent prendre sur ses nuits pour faire sa correspondance, rédiger ses articles de revue, composer ses volumes. Il écrivait donc comme il parlait. La maxime de Montaigne s'applique parfaitement à son style: «Tel sur le papier qu'à la bouche.» Comme sa parole, son style est clair, simple, spontané et vivant. Sa piété tendre et communicative répand une onction continuelle et pénétrante à travers tous ses écrits. Sans s'en apercevoir peut-être, même sous des apparences impersonnelles, l'auteur étale son cœur.

Ce sont les écrits d'un apôtre, d'un *homme de Dieu,* non ceux d'un homme de lettres, d'un savant, ou d'un apologiste discutant avec des agnostiques. Le Père Frédéric ne cesse de répéter que ses écrits sont des livres «non de science mais de piété». Qu'on n'y cherche pas par conséquent l'érudition, ni des synthèses savantes de spiritualité ou d'histoire. Le seul objectif que leur auteur ait visé en les écrivant, c'est l'édification. Il s'inscrit par là dans la tradition d'auteurs spirituels comme saint Bernard et saint François de Sales. Le premier est souvent cité pour sa classification des chercheurs, qu'il répartit en quatre catégories. «Il y a dit-il, ceux qui étudient pour connaître simplement, et c'est curiosité;

---

13. P. Frédéric de Ghyvelde, O.F.M., *Vie de Saint François d'Assise,* Montréal, 1894, p. 153, en note.

14. Id., *Le Ciel, séjour des élus,* Montréal 1912, p. 149, en note.

pour être connus, et c'est vanité; pour être édifiés, et c'est prudence; enfin pour *édifier* les autres, et c'est charité.» Quant à saint François de Sales, dont la prose aimable lui a valu de devenir le patron des écrivains, le chanoine Leclercq a souligné combien *le souci d'édifier* était important dans son œuvre[15].

On se gausse volontiers de la «littérature édifiante», surtout depuis le trop fameux mot d'André Gide: «Avec de beaux sentiments on ne fait que de la mauvaise littérature.» La maxime n'a rien d'évident. Mais elle a fait fortune comme plus d'un aphorisme saugrenu de «petit grand homme» (E. Rostand). C'est donc devenu un dogme, dans certains milieux de snobs instruits, qu'on ne fait de bonne littérature qu'avec de mauvais sentiments, de la violence, de la cupidité et de la paillardise. Auprès de ces gens, le Père Frédéric est coulé d'avance.

Une théologie dépassée, mais une spiritualité
qu'il vaudra la peine de bien étudier

Sans verser dans ce travers, beaucoup de contemporains sérieux font quand même la moue sur les volumes «édifiants» du bon Père. «C'est de la vieille théologie, objectent-ils. Ce qu'on peut prendre là, on peut le trouver sous une forme autrement plus nourrissante dans d'autres ouvrages modernes. Quant à l'esprit critique dont leur auteur fait preuve, il est lamentable, notamment en ce qui concerne les histoires à dormir debout des apocryphes. Dans l'interprétation actuelle de la Bible, il n'est plus permis d'ignorer l'apport des chercheurs qui ont œuvré depuis le début du siècle.»

Il y a beaucoup de vrai dans ces réflexions, dont on trouve

---

15. «Il suffit de lire les sermons de saint François de Sales, pour y sentir la préoccupation à peu près exclusive d'*édifier* beaucoup plus que d'instruire, et cela même dans des sermons à des auditoires laïcs. Il suffit de regarder la liste des livres qu'il conseille à Philotée dans *l'Introduction* : Philotée nourrira sa dévotion par des lectures ayant un caractère pratique; le saint auteur ne songe pas à lui dire de s'instruire dans la foi, d'approfondir les fondements théologiques de sa vie surnaturelle» (Abbé Jacques Leclercq, *Saint François de Sales, docteur de la perfection,* Paris, Beauchesne, 1928, p. 56).

d'ailleurs l'écho chez les censeurs romains des écrits de notre auteur. Mais il ne faudrait pas tomber dans un anachronisme trop fréquent et blâmer le Père Frédéric pour des ignorances qui étaient le fait de bien des honnêtes gens de son temps. Ses volumes ont bien rempli leur rôle à leur époque, c'est là l'essentiel. Et, si ses connaissances scientifiques sur la Bible ont pris de l'âge, il n'est pas écrit que la théologie spirituelle qu'il a tirée des Saints Livres soit elle aussi périmée. Le premier censeur romain de ses écrits souligne, par exemple, que, dans les volumes X et XI de ses manuscrits, «les belles prières qui terminent les discours sur la Madone sont à remarquer pour la chaude tendresse filiale qui les remplit» (*Jud. super scripta,* p. 10). C'est ici qu'un bon commentaire moderne de sa pensée serait des plus utiles. Exemplaire est dans cette ligne le travail que le P. Alphonse Gilbert a effectué sur la spiritualité du Père Libermann[16]. Puisse le Père Frédéric, écrivain d'édification, trouver à son tour un aussi bon présentateur.

Des livres dont une publicité habile a fait des best-sellers fort rentables

Quoi qu'il en soit des remarques qu'on peut faire sur la valeur de ses ouvrages, le Père Frédéric, lui, s'appliquait à les vendre avec beaucoup de savoir-faire. Le sens du commerce, qui va de pair chez lui avec une très subtile matoiserie à la flamande, est un des traits les plus inattendus de sa personnalité. Cet humble moine tout perdu en Dieu était un maître publiciste. Comme le plus malin des libraires modernes, il savait que, si on veut vraiment vendre un livre, il faut en soigner le marketing! Quand il édite ses ouvrages pour s'en faire dans la suite le colporteur, l'ancien vendeur de toiles en fignole donc la présentation avec une habileté très commerciale. *Ad majorem Dei gloriam,* bien sûr! Son souci de propagande se manifeste jusque dans les sous-titres: *Vie de Notre-Seigneur Jésus-Christ, écrite avec les paroles mêmes*

16. Alphonse Gilbert, *Le feu sur la terre. Un chemin de sainteté avec François Libermann* (Collection Des chrétiens: Croire), Paris, Fayard, 1985, 251 pp.

des quatre évangélistes et enrichie de 33 gravures choisies de Terre Sainte, avec leurs légendes explicatives; Le mois du Très Saint Rosaire, enrichi de 15 belles gravures de Terre Sainte; La bonne sainte Anne, avec 22 belles gravures hors-texte. Et, avec non moins de savoir-faire, l'auteur pousse sa publicité auprès des personnes-clefs, qui pourront le mieux assurer la diffusion de ses ouvrages.

Dans le commerce plus qu'ailleurs la fortune favorise les délurés. Présentés de main de maître, les livres du Père Frédéric se vendirent comme des petits pains chauds. À telle enseigne qu'ils donnèrent lieu à un amusant paradoxe: écrits avant tout pour *l'édification des âmes,* ils contribuèrent aussi, par les revenus importants qu'ils engendrèrent, à *l'édification de plusieurs bâtisses matérielles,* monastères et églises.

Comme nous le verrons dans le chapitre suivant, l'ancien «saute-ruisseau» d'Estaires se fit en effet sur ses vieux jours le commis voyageur de Dieu: il alla de diocèse en diocèse, de paroisse en paroisse, de maison en maison, vendant ses livres, et recueillant d'abondantes aumônes pour des communautés religieuses. Il parcourut le diocèse de Québec au profit de l'église des Franciscaines Missionnaires de Marie, le diocèse de Valleyfield pour la construction du monastère des Clarisses, le diocèse de Joliette en faveur des Sœurs du Précieux-Sang, enfin le diocèse de Trois-Rivières pour l'église conventuelle et le monastère des Franciscains de l'endroit.

Le Père Frédéric vendant ses best-sellers de porte en porte, c'est une image qui surprendra un peu ses dévots. Il faut quand même lui faire bon accueil, voire la fêter, car elle illustre l'originalité profonde de cet homme qui ne rêvait que de la gloire de Dieu et du salut des âmes. La grâce ne détruit pas la nature: elle lui prépare les épanouissements les plus pittoresques.

Chapitre dix-huitième

Le commis voyageur de Dieu

Depuis son retour au Canada en 1888, la vie du Père Frédéric avait été un tourbillon d'activités intenses. Dès son arrivée à Trois-Rivières, avant même que le commissariat de Terre Sainte ne fût bâti, il avait accepté de venir aider Monsieur Duguay, nouveau curé du Cap, à mettre en marche et à développer le petit sanctuaire restauré par l'abbé Désilets. Comme nous l'avons vu, cette tâche avait été loin d'être une sinécure. En plus d'obliger notre homme à faire pendant quatorze ans la navette entre le Cap et Trois-Rivières, elle avait exigé de lui une immense somme d'énergie comme organisateur, animateur et prédicateur des pèlerinages. À ce ministère déjà exténuant il faut ajouter tout le travail que le Père Frédéric continuait à fournir comme commissaire de Terre Sainte, écrivain, publiciste, prédicateur de retraites et propagandiste du Tiers-Ordre. C'était beaucoup sur les épaules d'un seul homme, qui commençait à prendre de l'âge. Lorsque, après ses quatorze années de service au Cap, les Pères Oblats vinrent enfin assurer la relève du sanctuaire, le Père Frédéric allait sur ses soixante-quatre ans. Les Trifluviens de 1902 avaient les meilleures raisons de penser qu'il prendrait enfin un repos bien mérité dans la chère solitude de son commissariat. Après quelques obédiences qui l'avaient expédié à gauche et à droite, le P. Augustin Bouynot, son grand ami de toujours, avait fini, en 1895, par se voir attaché pour de bon à cette maison. Dès lors quoi de plus tentant, pour l'apôtre chevronné, que de passer ses dernières années à se recueillir et à prier avec le grand ami de sa vie en ce sanctuaire de silence et d'oraison? Déchargé enfin des responsabilités matérielles qu'il avait assumées durant tant d'années, il pourrait continuer à prêcher tout en restant l'ange consolateur des affligés. Car les fidèles ne cessaient d'accourir nombreux au commissariat pour implorer des prières et obtenir, si possible, des guérisons.

Quêteur à travers le Québec

Ce que le bon peuple de Trois-Rivières ne savait guère et ce qu'on ne sait pas beaucoup mieux aujourd'hui, c'est qu'au moment où les Pères Oblats vinrent remplacer le Père Frédéric au Cap-de-la-Madeleine, il y avait déjà plusieurs années que les autorités franciscaines avaient mis sur le dos de notre héros une autre tâche de longue haleine qui allait lancer l'homme sur les routes du Québec et l'obliger, comme jadis saint Paul, à parcourir des centaines de milles à pied. Il s'agit des quêtes homériques que le missionnaire de Terre Sainte eut à effectuer à travers plusieurs diocèses du Québec pour le profit d'œuvres diocésaines ou franciscaines. Elles allaient faire de lui, pour une autre vingtaine d'années, le commis voyageur de Dieu et constituer la dernière des grandes tâches de sa vie.

Le sacrifice d'un vieux rêve

L'acceptation de cette mission surhumaine ne s'était pas faite sans remous intérieurs. Car, outre l'immense fardeau supplémentaire qu'elle représentait, elle signait un peu l'arrêt de mort d'un vieux rêve qui, comme une lampe de sanctuaire, n'avait cessé de brûler dans le cœur de l'infatigable apôtre. Il s'agissait du rêve qu'il portait en lui d'aller terminer sa vie dans la solitude d'un retiro. Saint François n'avait-il pas expressément prévu que ceux de ses religieux qui le voudraient pourraient pratiquer la vie en ermitage? À leur intention, il avait même écrit un *Règlement* spécial. Ce rêve de se plonger pour de bon dans l'oraison et les louanges divines, ç'avait été avant tout celui du noviciat et de la jeunesse religieuse du Père Frédéric. Mais il semble qu'il se

289

soit fortement ravivé chez lui lors de la fin de son engagement au Cap-de-la-Madeleine. Le 12 mai 1902, c'est-à-dire 5 jours exactement après l'installation des Oblats au Cap, il écrit en effet à son confident habituel, le P. Raphaël Delarbre: «Pourrais-je espérer d'aller au Thabor avec le Père Augustin pour y finir mes jours dans la solitude[1]?» Et, à l'automne de la même année, il renouvelle, à son provincial cette fois, le même souhait nostalgique: «Je sens un désir irrésistible de prier le Révérendissime Père Général de me relever de mes fonctions de commissaire pour redevenir, avant de mourir, une véritable *franciscain*: il me semble que depuis quinze ans je ne le suis pas du tout. Quel conseil me donneriez-vous[2]?»

Y avait-il, dans ce désir pathétique, un vieux fonds de perfectionnisme spirituel et une reviviscence de cette tendance au scrupule que nous avons vu affleurer ici ou là aux heures importantes de la vie du Père Frédéric? En tout cas, le T.R.P. Colomban-M. Dreyer, qui connaissait son homme autant qu'il avait confiance en lui, lui répondit sans ambages: «Faites-vous un retiro au fond de votre cœur.» C'était équivalemment lui redire la réponse que saint Claire et le Frère Sylvestre avaient faite sans se concerter à saint François, qui avait lui aussi hésité un jour entre les deux voies de la vie spirituelle, la contemplation et l'apostolat: «Le héraut du Christ doit aller prêcher par le monde.» Qui a reçu le charisme manifeste de l'apostolat se doit de l'exercer!

Devant cette réponse, qui constituait pour lui un signe manifeste de la volonté de Dieu, le Père Frédéric n'hésita plus. À l'âge où d'autres prennent leur retraite dans un poste reposant, il reprit le collier pour mener à bien la tâche colossale qu'il avait entreprise sept ans plus tôt. Il continua à parcourir l'immense diocèse de Québec pour utiliser, selon sa boutade favorite, «les restes de sa vie». Les fatigues que ce travail représentait, il ne les connaissait que trop. Mais pouvait-il laisser échapper une si splendide occasion d'accroître ses mérites, de faire pénitence et, surtout, de pratiquer la charité. Car c'était avant tout la charité qui l'avait

---

1. Lettre au T.R.P. Raphaël Delarbre, O.F.M., 12 mai 1902.
2. Lettre au T.R.P. Colomban Dreyer, O.F.M., 18 novembre 1902.

embarqué dans cette aventure de quête, où il brûlera le reste de ses forces. Un retour en arrière, accompagné de quelques explications historiques, le fera mieux comprendre.

Les Franciscaines Missionnaires de Marie

Le 17 mai 1892, cinq franciscaines missionnaires de Marie de langue française débarquaient à Québec. Leur vigoureux institut, fondé depuis quinze ans seulement, avait déjà des résidences dans trois parties du monde. La fondatrice, Mère Marie de la Passion, était heureuse d'offrir au zèle de ses filles, en ce quatrième centenaire de la découverte de l'Amérique par le tertiaire franciscain Christophe Colomb, un quatrième continent.

Les cinq franciscaines missionnaires de Marie arrivaient, le 20 mai, à leur lieu de destination: la Baie Saint-Paul. C'était un gros village situé en pleine région montagneuse, au diocèse de Chicoutimi, à soixante milles (96 km) en aval de Québec, sur la rive nord du fleuve Saint-Laurent. Elles venaient répondre à la requête du curé de cette paroisse, fervent tertiaire de saint François, l'abbé Ambroise Fafard. Celui-ci, avec l'approbation de l'évêque du lieu, Mgr Bégin, avait écrit, le 28 janvier 1892, à Mère Marie de la Passion: il l'avait invitée à venir ériger chez lui une maison. Il lui avait demandé de lui envoyer, au moins pour quelques années, des religieuses d'expérience, afin de lui aider à former à la vie franciscaine les novices d'une nouvelle communauté canadienne, les futures Petites Franciscaines de Marie.

Mais entre la demande de fondation et la réalisation, Mgr Bégin avait été choisi comme auxiliaire du cardinal Taschereau, archevêque de Québec. Ce fut une grande déception pour les Franciscaines Missionnaires de ne pouvoir faire affaire avec l'évêque qui les avait réclamées, surtout quand elles se rendirent compte que la Baie Saint-Paul, assez éloignée des grands centres, ne convenait pas à un institut qui cherchait à implanter sa toute première fondation dans le nouveau monde. Après cinq semaines, elles résolurent d'aller à Québec exposer leurs craintes à

Mgr Bégin; elles lui demandèrent d'y transporter leur petit cloître. Le prélat accorda la requête, que le cardinal ratifia.

Une idée pourtant obsédait les Franciscaines: remplir au plus tôt leur rôle d'adoratrices pour être meilleures missionnaires. Justement, à cette époque (1894), Mgr Bégin, désirant entrer pleinement dans les vues de Sa Sainteté Léon XIII, cherchait à établir dans son diocèse l'Adoration perpétuelle du Très Saint Sacrement. En voyant ses nouvelles diocésaines, il pensa qu'elles étaient toutes désignées pour ce grand dessein. Il entrevit la cité si chrétienne de Québec dominée par le sanctuaire de l'Adoration perpétuelle, comme l'était déjà Paris par le sanctuaire de Montmartre. La colline où timidement s'édifiait la maison des Franciscaines Missionnaires de Marie allait devenir, au-dessus de Québec, un haut-lieu de prière: là allait s'établir le siège de l'Adoration perpétuelle du diocèse.

Dès lors, il fallait une chapelle plus spacieuse. La nouvelle construction s'éleva comme une hostie faite d'une multitude de grains de blé moulus. Elle fut l'œuvre de dévouements multiples et le fruit de souscriptions diocésaines, grains de blé de la charité chrétienne. Elle apparut donc à tous comme la véritable église eucharistique des Québécois. Trois noms sont attachés à ses origines: le protecteur, Mgr Bégin, et les deux principaux artisans, l'abbé Louis-Honoré Paquet, aumônier des Franciscaines Missionnaires de Marie pendant vingt ans (1895-1915), et le bon Père Frédéric.

Le Père Frédéric vendeur de livres et quêteur pour le sanctuaire de l'Adoration Perpétuelle

Celui-ci fut le plus efficace des collaborateurs, tout en restant, à l'instar de saint François, «un homme catholique et totalement apostolique». Comme il l'avait fait pour l'œuvre de la Terre Sainte, pour la propagation du Tiers-Ordre et la diffusion de la dévotion au Rosaire, il suivit docilement les directives de Léon XIII touchant l'œuvre de l'Adoration perpétuelle du Très Saint Sacrement, ce qui ne l'empêcha pas une fois de plus de faire montre de son grand sens pratique.

Il sollicita tout d'abord de la Très Révérende Mère Générale des Franciscaines Missionnaires de Marie la permission d'établir une petite imprimerie au couvent de la Grande-Allée de Québec. Puis il confia aux religieuses l'impression de quelques-uns de ses livres, tels que la *Vie de Notre-Seigneur Jésus-Christ,* la *Vie de la très sainte Vierge Marie, Saint Joseph.*

Les livres imprimés, il allait les vendre, en parcourant les campagnes au prix de grandes fatigues. Afin d'aider à bâtir un temple digne de Jésus-Hostie, il se fit commis voyageur et mendiant pour ses sœurs en saint François. En janvier 1896, il leur apportait la quête de l'Enfant-Jésus: six cents dollars. De plus, en juin 1896, il s'engageait formellement à recueillir quatre mille dollars (vingt mille francs de cette époque) provenant de la vente de la *Vie de Notre-Seigneur Jésus-Christ* et de quêtes à domicile. Est-il besoin de souligner que les dollars d'avant 1900 avaient autrement plus de valeur que ceux d'aujourd'hui! Le Père Frédéric calculait que l'église des Franciscaines coûterait environ trente mille dollars. Il faudrait plus qu'un million de dollars actuels pour équivaloir à pareille somme! Comment allait-on la recueillir?

L'obéissance, ici, conditionna de bout en bout l'action du Père Frédéric. Tout ce qu'il fit pour les Franciscaines fut accompli avec l'assentiment de ses supérieurs majeurs et les plus chaleureux encouragements de l'auxiliaire de Québec. Par son procureur, Mgr Bégin sollicita auprès du Ministre Général franciscain la permission pour le Père Frédéric de faire la quête dans les cent cinquante paroisses de son archidiocèse, c'est-à-dire de visiter plus de vingt mille familles. Cette *rude besogne,* comme la qualifiait notre quêteur, ne put s'exécuter sans une aide spéciale du ciel. Pour l'accomplir, il prit neuf ans et demi, c'est-à-dire depuis le printemps ou l'été de 1895 jusqu'à décembre 1904.

Il effectuait ce nouveau genre d'apostolat à pied ou parfois en voiture, par tous les temps, particulièrement à l'arrière-saison et durant l'hiver, car il réservait la belle saison à la direction des pèlerinages du Cap-de-la-Madeleine. Cependant il consacra presque toute l'année 1898 aux quêtes en faveur du sanctuaire de l'Adoration perpétuelle.

Voici comment il procédait d'ordinaire: l'abbé Paquet était chargé par l'archevêque de tracer un itinéraire, de s'entendre avec les curés sur la date de la visite prochaine du Père Frédéric; les Sœurs Franciscaines préparaient les reliques et les *bons* à distribuer. À la date fixée, le missionnaire arrivait à la paroisse; la population avertie accourait à l'église. Le Père expliquait l'œuvre de l'Adoration perpétuelle; il montrait le livre qu'il voulait placer au bénéfice de cette œuvre. Les fidèles passaient à la sacristie et versaient le prix du volume, généralement un dollar contre lequel ils recevaient un *bon,* c'est-à-dire un reçu qui permettait de réclamer leur dû quand par la suite arrivait dans la paroisse le stock des livres souscrits. Le Père Frédéric laissait aux souscripteurs un souvenir de la Terre Sainte, par exemple une relique de la maison de sainte Anne. «Cela réussit toujours *merveilleusement,* disait-il; sans reliques, il n'y aurait rien à faire.»

Habituellement, le curé lui fournissait une double liste de visites à faire: les malades et quelques familles du village ou des rangs où il s'attendait de recueillir des aumônes. En certains endroits, selon le désir unanime, il passait à toutes les maisons.

Reprenant pour le compte de Dieu son ancien métier de commis voyageur, le sexagénaire franciscain se met en route, alerte et droit comme un jeune homme. Nu-pieds dans ses sandales — souvent même en certaines journées d'hiver —, couvert d'un petit manteau jauni qui semble avec lui rivaliser d'âge, le missionnaire de Terre Sainte évoque Jésus de Nazareth passant en faisant le bien. Sa visite apporte joie, lumière et réconfort. Car il jouit d'une réputation extraordinaire. Pendant des années, il ira ainsi à pied ou en voiture, de diocèse en diocèse, de paroisse en paroisse, de porte en porte, au hasard des accueils.

Un porte à porte qui s'avère un Klondike

En 1896, il communique à Mgr Bégin le «succès inespéré» de l'inauguration officielle de sa campagne à Lévis: «Pour visiter, comme je l'ai promis, ajoute-t-il, toutes les familles [de Notre-Dame], cela me demandera vingt à trente jours, en marchant dix à douze heures par jour! Dieu soit béni! Cela fait du bien[3].»

Vers la mi-août de 1899, il avait placé la *Vie de Notre-Seigneur Jésus-Christ* dans plus de la moitié des paroisses de l'archidiocèse de Québec, comme nous l'apprend une lettre de l'abbé Paquet adressée à Mgr Bégin: «Quant aux curés qui ont déjà reçu le Père Frédéric, et ils sont maintenant environ quatre-vingts, ils ne manquent pas leur occasion de me dire, soit de vive voix soit par écrit, combien ils apprécient le bien et l'édification que le Père répand dans les paroisses[4].»

Pendant que l'abbé Paquet surveillait sur place les travaux de construction du sanctuaire de l'Adoration perpétuelle, le Père Frédéric continuait ses randonnées de charité: il parcourait une à une les maisons du diocèse de Québec, plaçant dans chaque foyer la *Vie de Notre-Seigneur Jésus-Christ* (et, en 1904, *La Vierge Immaculée*), recueillant en retour une aumône pour le sanctuaire diocésain et associant tous les fidèles, toutes les familles à l'Œuvre de l'Adoration.

Grâce à son prestige, il rapportait beaucoup d'aumônes. Nous ne savons au juste quel objectif il a atteint. Au retour de ses courses, souvent fort longues, il versait entre les mains de la supérieure, avec un contentement visible, le fruit de ses quêtes. Le Père Ange-Marie Hiral, O.F.M., fondateur et premier gardien du couvent franciscain de Québec, fut témoin d'un retour de quête: il s'étonnait de voir tant d'argent sortir des poches du Père Frédéric.

Mgr Bégin plaisantait cet incomparable quêteur, en l'appelant «le Père Klondike». C'était à l'époque où tout le monde courait vers les mines d'or du Klondike, au Yukon.

Mais le Père Frédéric protestait:

— Moi, un fils de saint François!

Il acceptait volontiers les taquineries. Mais celle-là, il avait

---

3. Lettre du 13 décembre 1896.
4. Lettre du 21 août 1899 (archives de l'archevêché de Québec).

un peu de mal à l'encaisser. Elle avait beau ne vouloir être qu'une glorification badine de ses talents de quêteur, il reste que, dans sa teneur matérielle, elle pouvait sonner comme une mise en question de son esprit franciscain, de sa pratique personnelle de la pauvreté. Et cela, il ne pouvait pas le prendre à la légère. Il riait quand même de la plaisanterie, mais au fond il riait un peu jaune.

Ces années-là, il menait de front plusieurs œuvres: direction de pèlerinages au Cap-de-la-Madeleine, érection de chemins de croix en plein air, composition de volumes. Ces œuvres réussissaient toutes, en dépit des prévisions pessimistes. Les résultats semblaient dépasser les moyens employés. Ses amis le plaisantaient aimablement sur ce qu'ils appelaient ses coups d'audace. C'est ainsi que l'abbé Paquet lui dit, un jour:

— Père, vous auriez dû acheter le terrain sur lequel est bâtie la ville de New York. Vous auriez pu le revendre à bonne condition pour vos œuvres.

— Riez tant que vous voudrez, lui répondit-il. Je l'aurais certainement fait, si je l'avais pu et si j'avais cru y faire un peu de bien.

Un superbe temple pour l'Adoration Perpétuelle

Mgr Bégin vit l'achèvement du sanctuaire avec un sentiment de joie profonde. Il l'offrit, au nom de son diocèse tout entier, à Jésus-Eucharistie et en consacra l'autel majeur le 5 février 1903. Comment décrire le bonheur intime de l'abbé Paquet et du bon Père Frédéric présents à cette cérémonie solennelle? Leurs efforts recevaient en ce jour leur récompense. Ce sanctuaire fut certainement à cette époque le plus beau de l'Institut des Franciscaines Missionnaires de Marie; leurs *Annales* le notaient souvent et n'omettaient jamais d'en rapporter l'honneur à Mgr Bégin et à ses dévoués collaborateurs.

De style Renaissance française, l'église respirait la paix et la félicité: c'était la maison du Dieu de charité. La décoration, d'un goût simple, s'épanouissait avec grâce et harmonie. Durant la belle saison, les touristes, tant protestants que catholiques, venaient nombreux visiter le remarquable édifice. Quelques non-catholiques, dit-on, se seraient même convertis à la suite de leur visite. L'atmosphère d'intense recueillement du chœur et de la nef donnait le sentiment de la Présence réelle. Une vie mystérieuse, discrètement interpellante, émanait de l'autel illuminé, où trônait l'imposant ostensoir d'or, devant lequel des religieuses en longs voiles blancs étaient constamment agenouillées en posture d'adoration.

Quand la construction fut achevée, le Père Frédéric annonça l'heureux événement dans une lettre où perce la satisfaction de l'artiste et de l'artisan. Le 24 septembre 1902, il écrivait au T.R.P. Raphaël Delarbre, O.F.M., le plus précieux des conseillers de Mère Marie de la Passion, fondatrice des Franciscaines Missionnaires:

> L'église est terminée avec la façade (à l'usage des Sœurs), les sacristies et le presbytère. Elle a coûté environ trois cent mille francs (c'est-à-dire environ soixante mille dollars, selon le change de l'époque, donc le double de ce qu'avait prévu le Père Frédéric). Il n'y a pas dans ce monument ombre de luxe; mais il est bien réussi et il fait l'admiration de tout le monde, et surtout de la foule des touristes qui remplissent Québec chaque année, à la belle saison. Il ne resterait plus qu'à organiser des pèlerinages; mais nous laisserons cette œuvre à d'autres.

Le beau temple tout neuf était dédié à saint Antoine de Padoue. Toujours animé de grandioses projets apostoliques, le Père Frédéric aurait voulu en faire un sanctuaire national à l'honneur du grand thaumaturge. «Il faut, écrivait-il à la supérieure des Franciscaines Missionnaires de Marie de Québec, que notre grand thaumaturge ait son *sanctuaire national,* tout comme la bonne sainte Anne à Beaupré et Notre-Dame du Rosaire au Cap[5]!» Ce projet, dont il laissait à d'autres la réalisation, ne se concrétisa jamais. Ce fut au pèlerinage du Lac Bouchette, dirigé par les Pères Capucins, que revint l'honneur de devenir le sanc-

---

5. Lettre du 28 décembre 1902.

tuaire national antonien dont le Père Frédéric avait rêvé. Quant à la maison et à l'église de la Grande-Allée, les difficultés des temps ont fait que les Sœurs Franciscaines durent les abandonner toutes les deux, à leur grand chagrin, après quatre-vingts ans. L'église sert aujourd'hui de lieu de culte aux catholiques maronites de Québec.

Les Clarisses de Valleyfield

Après le diocèse de Québec, le Père Frédéric fut appelé à parcourir celui de Valleyfield, au sud de Montréal. Après les Sœurs du Tiers-Ordre régulier franciscain, celles du deuxième Ordre bénéficièrent de son dévouement. Auprès d'elles, il personnifia la sollicitude de François pour sa petite plante Claire.

Au matin du 17 avril 1902, à la grotte de Massabielle, cinq Pauvres Clarisses Colettines de Lourdes, dont deux françaises et trois canadiennes, assistaient avec une ferveur d'anges, à leur messe de départ pour le Canada.

Et le 26 avril suivant, à Valleyfield, on accueillait avec vénération ces fondatrices, vêtues d'une grossière bure grise et chaussées de sandales, sortes de simples planchettes, qui ne servaient qu'à rendre la marche plus pénible. En attendant que leur pied-à-terre fût prêt, elles reçurent l'hospitalité chez les Sœurs de la Sainte-Famille. Les charmantes petites sœurs, habituées à prendre soin des prêtres séculiers, n'avaient jamais côtoyé de cloîtrées et se demandaient si elles accueillaient comme il faut ces contemplatives arrivées d'outre-mer! Elles furent heureuses de voir arriver à leur secours leur fondatrice et supérieure générale, qui demeurait à Sherbrooke. Cette supérieure s'appelait Marie-Léonie Paradis. Elle a été béatifiée à Montréal, le 11 septembre 1984, par le pape Jean-Paul II.

Le jour de leur installation (10 août) dans le couvent provisoire contigu à l'église paroissiale Notre-Dame de Bellerive, toute la population catholique de la ville épiscopale ménagea aux filles de sainte Claire une ovation qui les jeta dans la confusion. Le long cortège recueilli, formé d'associations pieuses et de membres du clergé, les conduisit de la cathédrale au nouveau petit Saint-Damien. Une voiture attelée de chevaux blancs, supportant la statue de Notre-Dame de Lourdes, ouvrait la marche. Dans les voitures suivantes prenaient place les pauvres moniales, escortées chacune de trois dames de charité et toutes confuses d'être ainsi «offertes en spectacle aux anges et aux hommes». Mais le cortège ne faisait que rééditer le grand déploiement qui, cinq siècles auparavant, avait souligné le jour [17 septembre 1402] où sainte Colette de Corbie était entrée en réclusion dans sa logette accrochée à l'église Notre-Dame-en-Saint-Étienne. L'évêque de Valleyfield, Mgr Émard, présidait la cérémonie, au cours de laquelle il prononçait un sermon sur la vie contemplative et la vocation des Clarisses.

Peu à peu, la petite communauté se développa et son humble asile se trouva trop exigu pour le nombre des postulantes qui venaient solliciter leur entrée.

Le Père Frédéric à nouveau mobilisé

En 1905, le T.R.P. Colomban-Marie Dreyer, O.F.M., prêcha une retraite aux moniales. Il s'émut de les voir si à l'étroit, sans lieu régulier et dans l'impossibilité complète de recevoir de nouveaux sujets. C'est alors qu'il fit part à l'abbesse de la pensée qu'il avait eue de mettre le Père Frédéric pendant quelque temps au service des Clarisses. Il en parla à Mgr Émard, qui accepta très volontiers la proposition. Le Père Frédéric alla rencontrer l'évêque, à la fin de 1905, pour s'entendre avec lui. Après l'approbation épiscopale, il se prépara. Il fit imprimer, chez les Franciscaines Missionnaires de Marie, plusieurs milliers de volumes de la *Vie de Notre-Seigneur Jésus-Christ.*

Le 10 avril 1906, Mgr Émard envoyait de Rome à l'administrateur du diocèse une lettre des plus encourageante:

J'apprends avec bonheur que l'excellent Père Frédéric doit se mettre en route pour parcourir le diocèse et travailler à placer, s'il est possible, dans chacune de vos familles, le livre sublime qui retrace la vie, rappelle les enseignements, raconte toute l'histoire de Notre-

Seigneur Jésus-Christ. Non seulement j'approuve de tout cœur cette œuvre à laquelle veut bien se dévouer le digne religieux, mais encore je le bénis de toute mon âme et je veux lui accorder tous les encouragements en mon pouvoir. J'en parlerai au Saint-Père.

L'on se souvient que c'est à cette occasion que l'évêque de Valleyfield obtenait de Pie X une bénédiction apostolique pour le Père Frédéric et pour tous ceux qui appuyaient son œuvre. Après avoir signalé l'importance de la diffusion de l'Évangile, Mgr Émard ajoutait dans la lettre susmentionnée:

> Si, en outre de ces avantages spirituels, qui sont l'objet direct de l'œuvre, et grâce à la libéralité des familles, il en résultait un bénéfice matériel, on l'appliquerait à consolider l'établissement de nos pauvres Clarisses de Valleyfield; et la fondation définitive du monastère ajouterait encore au mérite du bon Père Frédéric et de ceux qui auront répondu à son appel. Je souhaite donc à l'œuvre dans son ensemble tout le succès désirable[6].

Escorté par les prières des Clarisses, le Père Frédéric commença sa mission de dévouement le jour de Pâques, 15 avril 1906.

> Il se faisait précéder dans les paroisses d'une ou de plusieurs caisses de volumes, a raconté la première abbesse[7], et il s'y rendait ensuite, allant dans chaque maison et vendant chaque volume un dollar au profit du monastère. Partout où il passait, il était accueilli avec enthousiasme et son passage était une prédication. L'été fut particulièrement chaud et le bon Père marchait à pied, nu-tête, sous un soleil de feu, ne voulant pas accepter le soulagement de se faire conduire d'un endroit à l'autre. Nous souffrions beaucoup à la pensée de toutes les souffrances que ce vénéré Père s'imposait pour nous. Un jour, je ne pus m'empêcher de lui témoigner toute notre sympathie et compassion. Avec un accent pénétrant, il me répondit: «Ma chère Mère, pensez donc, acquérir des mérites pour le ciel, faire des actes de charité pour le paradis!» Toutefois, la chaleur extrême le fatiguait beaucoup et ses jambes malades lui refusèrent

---

6. *La diffusion des saints Évangiles* dans *Revue du Tiers-Ordre et de la Terre Sainte 22* (1906), 251s.

7. Lettre de Mère Marie-Joseph de Jésus au P. Mathieu-M. Daunais, O.F.M., 14 mars 1917.

leur service; alors, à l'automne, il fut obligé de s'en retourner à Montréal. Il revint au printemps de l'année suivante et passa dans les paroisses qu'il n'avait pu visiter.

L'abbesse écrivait au provincial des Franciscains, le 11 septembre 1906: «À l'évêché, on compte que le Révérend Père Frédéric va sûrement recueillir six mille dollars, ce qui est merveilleux pour un si petit diocèse.»

De fait, selon son aveu, le Père plaça dans le diocèse de Valleyfield plus de six mille volumes à un dollar chacun[8]. L'abbesse en était toute reconnaissante. Tout autre que le Père Frédéric n'eût pas *collecté* le tiers des recettes[9]. Le procureur de l'évêché recevait l'argent.

Grâce à la générosité des fidèles, qui répondirent avec empressement à l'œuvre pieuse du franciscain, les constructions du nouveau monastère commencèrent le 14 septembre 1906, jour de l'Exaltation de la sainte Croix.

À la fin de chaque semaine, le quêteur apportait la somme suffisante pour couvrir le salaire hebdomadaire des ouvriers. Il visita souvent les travaux; avec un air de contentement il voyait s'élever le monastère et en appréciait les dimensions. La construction fut poussée assez rapidement pour que la bénédiction se fît le 24 novembre 1907.

Le Père Frédéric reprit, en septembre 1911, ses courses dans le diocèse de Valleyfield au profit des Clarisses.

Un secours inattendu d'une bienfaitrice permit de terminer la chapelle pour la célébration du septième centenaire de l'Ordre des Pauvres Dames en mars 1912, et elle fut définitivement livrée au culte le 12 août de la même année.

---

8. Lettre du Père Frédéric à la Supérieure des Sœurs du Précieux-Sang de Joliette, 18 mai 1909.

9. Lettre de Mère Marie-Joseph de Jésus, *loc. cit.*

Les Franciscains de Trois-Rivières, les Adoratrices du Précieux Sang et les Trappistines

Le commis voyageur de Dieu accomplit le même travail de propagande apostolique et de souscription dans le diocèse de Trois-Rivières en faveur du monastère et de l'église conventuelle des Pères Franciscains (1908-1909) et dans le diocèse de Joliette en faveur des Sœurs Adoratrices du Précieux-Sang (août 1909-juin 1911).

Il eut en outre le vif désir de venir en aide, après sa mission de Joliette, aux Sœurs Trappistines de Saint-Romuald, près Lévis. Son zèle oubliait le poids de l'âge: soixante-douze ans.

Le rayonnement spirituel d'un colporteur de Dieu

Au cours de ses randonnées, il recueillit d'abondantes aumônes. Beau résultat, sans doute; mais qu'est-ce que cela auprès des bienfaits sans nombre semés sous ses pas? Œuvre d'édification matérielle et œuvre d'«édification» spirituelle! Les témoignages de ce temps sont unanimes: la visite du Père Frédéric dans chacun des diocèses était regardée comme une vraie mission. A-t-on conservé la mémoire de tant de bienfaits?

Encore aujourd'hui bien des personnes n'ont connu le Père Frédéric que par la vente de livres dans leur paroisse: elles revoient, dans la maison de leur enfance, ce vieillard à barbe blanche, à la figure émaciée mais à l'air si bon, si doux, nu-tête, nu-pieds, vêtu d'un costume étrange et pauvre, considéré par tous comme un «saint». Il s'intéresse aux enfants, met la main sur leur tête, les bénit d'une croix sur le front et souvent prédit leur vocation.

En 1900, il entre dans une petite école de Saint-Tite des Caps (diocèse de Québec), il avise une fillette de six ans assise près d'un poêle, sur un petit banc, à côté d'une compagne:

— Toi, ma petite fille, tu feras une religieuse.

Après avoir mis son crucifix sur le front de l'enfant, il le lui fit baiser.

La fillette d'alors est devenue, il y a longtemps, une religieuse de Notre-Dame du Perpétuel Secours: elle n'a jamais oublié la scène.

En 1903, le missionnaire vendait ses volumes dans la petite paroisse de Sainte-Agathe de Lotbinière (diocèse de Québec). Un bambin de cinq ans, en remettant au Père le prix du volume, lui dit:

— Voulez-vous, s'il vous plaît, prier pour moi afin que je fasse un prêtre?

N'ayant pas compris l'enfant, qui avait parlé un peu bas par intimidation, le Père se fit répéter la demande. Alors sa figure s'illumina; son regard pénétrant semblait scruter l'avenir en regardant l'enfant, et aussitôt il répondit:

— Je vais te bénir et certainement tu feras un prêtre.

Vingt ans plus tard, l'enfant montait à l'autel. Il se rappela toujours avec reconnaissance la promesse du bon Père Frédéric.

Les bonnes gens de nos campagnes surtout, plus simples et plus profondément croyants que la plupart des citadins, le recevaient avec allégresse comme un envoyé de Dieu, comme Notre-Seigneur lui-même. Ils le voyaient déjà ceint d'une auréole. Ils admiraient ce vieillard, qui malgré son âge avancé et ses tournées harassantes, ne retranchait rien de ses austérités. Aux yeux de tous, il personnifiait la vertu. Modestie du regard, pauvreté des habits, charité des paroles et des œuvres, fidélité à la Règle, austérité de la pénitence, oubli de soi, efficacité de la prière, zèle des âmes et amour de Dieu, rien n'y manquait. Chez le peuple la Parole de Dieu, présentée trop abstraitement, reste souvent lettre morte. Mais dès que surgit dans un homme l'Évangile pleinement vécu, ce même peuple comprend sans peine le contraste entre l'esprit du monde et l'esprit du Christ.

On le perçoit comme un thaumaturge

Ils sont innombrables les indices qui attestent que ce moine brun était vénéré comme un saint, voire comme un thaumaturge.

Un fort volume aurait pu être composé sur les miracles que la foi clairvoyante des humbles lui a attribués.

Cueillons au moins une fleur dans chacun des diocèses qui ont vu celui qui sur son passage semait le bien.

C'était vers 1895 ou 1896. Le Père Frédéric vendait ses volumes dans le diocèse de Québec. Il séjourna quelque temps à Saint-Charles de Bellechasse.

Un matin, il s'attarda auprès de son servant de messe, un bambin de huit ans.

— Comment t'appelles-tu, mon petit?

— Antonelli Gosselin.

— Es-tu le seul enfant chez toi?

— Non, nous sommes neuf. Mais j'ai une petite sœur qui est bien malade: elle va mourir.

— Oh! il ne faut pas qu'elle meure. J'irai la voir.

La mère de la malade avait grande confiance dans le bon Père Frédéric.

— Je ne suis pas riche, dit-elle, mais si le Père Frédéric fait du bien à ma petite fille, j'achèterai son volume.

Le Père se rendit à la maison de la fillette. Âgée de neuf ans, elle était *décomptée* par les médecins. Malade depuis l'âge de quatre ans, elle souffrait de la tuberculose des os. Quatorze plaies marquaient sa jambe gauche. Le missionnaire passa sa corde franciscaine autour de la jambe, qu'il bénit. En moins d'un mois, les plaies cessèrent de couler; peu à peu la peau se reforma. Les plaies ne reparurent jamais dans la suite. La santé aussi revint au point que cette personne se maria et eut vingt-trois enfants. Elle jouissait encore en 1952 d'une excellente santé[10].

---

10. Fait raconté au P. Légaré par l'intéressée elle-même, Madame Arthur Boilard (née Anna-Berthe Gosselin), de passage à Québec, 15 novembre 1951. Elle demeurait alors à Sherbrooke (Québec).

* * *

La Mère Marie-Joseph de Jésus, première abbesse des Clarisses de Valleyfield, attribuait la guérison de ses yeux à l'intercession du bon Père Frédéric. Depuis neuf mois, elle ne voyait plus pour lire et voyait à peine pour se conduire. Craignant une complète cécité, elle demanda conseil à un spécialiste, qui pronostiqua un glaucome. Dans le même temps, elle pria par lettre le Père Frédéric de se rendre au monastère, lors de son passage à Valleyfield; elle était pleinement confiante d'être guérie, s'il la bénissait. Devinant ce qu'on attendait de lui, le Père ne voulut pas, dans son humilité, accéder au pieux désir de l'abbesse; mais il se contenta de lui envoyer une relique de la Terre Sainte pour poser sur ses yeux. Quand il vint à Valleyfield, les Clarisses firent de nouvelles instances; mais il fit dire seulement qu'il envoyait sa bénédiction à la Mère Abbesse. Quelques jours après, la guérison était opérée. Et, lorsque le spécialiste se présenta, il constata, après un soigneux examen aux rayons X, que toute trace de la maladie avait disparu. «Quel saint avez-vous donc prié, dit-il aux religieuses, car je ne trouve plus rien, et il y avait certainement un glaucome[11].»

* * *

«Que Dieu soit mille fois béni, s'écriait de son côté une femme reconnaissante. C'est le Père Frédéric qui a guéri mon mari.»

Le Commissaire de Terre Sainte était entré dans la maison de M. Ovide Marion, de Saint-Jacques L'Achigan, diocèse de Joliette.

— Pauvre Monsieur, qu'avez-vous là? dit-il, en désignant la main enveloppée de bandelettes.

— C'est l'effet d'une miette d'acier.

— Je ne comprends pas.

---

11. Lettre de Mère Marie-Joseph de Jésus au P. Mathieu-M. Daunais, O.F.M., 14 mars 1917, et lettre postulatoire des Clarisses, 28 janvier 1931 (*ms*).

— J'étais dans la forge à regarder le forgeron battre sur l'enclume un morceau d'acier, lorsqu'une étincelle vint comme un éclair mordre ma main. Sur le moment, je fus saisi, mais la douleur ne dura qu'un instant. Et je n'y pensai plus. Cependant, au bout de trois semaines, la main commença à enfler et à faire mal. Quelques jours après, on découvrit la paillette d'acier enfouie dans les chairs. L'enflure et la douleur ne diminuaient pas. Des plaies suppurantes apparurent à l'index. Elles étaient si profondes que, dans les pansements, ma femme introduisait de grosses mèches de charpie. Après six mois, il n'y avait pas d'amélioration. Maintenant, le médecin veut m'amputer le doigt pour prévenir l'empoisonnement de sang.

— C'est pénible, reprit le Père Frédéric, de subir ces opérations-là. C'est toujours défectueux quand un doigt manque.

— C'est bien ce que je crains, se plaignit le malade.

— Faites voir votre main.

Tout en parlant, le Père faisait de petites croix tout autour de la plaie. Ayant levé lex yeux au ciel, il ajouta:

— Mon ami, vous allez guérir.

Dès ce jour, la main commença à désenfler et la plaie à guérir.

En reconnaissance pour l'aumône reçue, le missionnaire apportait à un bon chrétien la guérison et la joie[12].

* * *

À Saint-Paulin, paroisse du diocèse de Trois-Rivières, le cas de Mme Henri Plourde était désespéré. Bénissant cette bonne mère de famille, le Père Frédéric lui dit: « Vous ne mourrez pas maintenant. Il faut que vous viviez encore pour élever ces petits enfants qui vous entourent. Ils ont besoin de vous. » Et Mme Plourde guérit[13].

---

12. P. Mathieu Daunais, O.F.M., *L'Apostolat du Père Frédéric,* Trois-Rivières [1929], p. 152s. et *Les dernières années du Bon Père Frédéric,* Saint-Justin 1936, p. 11.

13. *Ibid.*

* * *

À Champlain, non loin de la ville de Trois-Rivières, on fut témoin d'une charmante intervention du Père. Une fillette de quatre ans, Suzanne Beaudoin, en jouant, venait d'être victime d'un incident qui la faisait pleurer à chaudes larmes. Accompagné de M. Louis-Alfred Sauvageau, le Père Frédéric entra dans la maison. Entendant les lamentations, il s'informa:

— Pourquoi cette enfant pleure-t-elle? Est-elle malade?

— Non, mon Révérend Père. Elle s'est enfermée à clef dans cette chambre en jouant avec sa petite sœur. Elle ne peut en sortir. Nous avons essayé par tous les moyens d'ouvrir la porte, sans réussir.

— Je vais essayer à mon tour, dit M. Sauvageau, qui était un ami de la famille.

— Elle est *barrée,* conclut-il après quelques efforts. Je ne suis pas capable de l'ouvrir.

Avec une ravissante simplicité, le Père Frédéric reprit aussitôt:

— Saint François est bien capable de délivrer cette enfant, s'il le veut.

Il tourne immédiatement la poignée, et, levant les yeux au ciel, il ouvre la porte tout doucement, au grand étonnement de la maisonnée. Après le départ des deux hôtes, les parents émerveillés se jettent à genoux et récitent le chapelet en action de grâces. Ils restèrent toujours convaincus d'avoir vu un «miracle[14]».

Et on l'appelait «le Saint Père»

De tels faits, qui corroboraient la renommée de haute vertu du bon Père, s'ébruitaient et jetaient le peuple, qui aime toujours le merveilleux, dans l'admiration, dans la confiance.

---

14. *Ibid.*

De son vivant même, on appelait le Père Frédéric «le Saint Père». Le cardinal Bégin, archevêque de Québec, qui était d'humeur joviale, aimait à le taquiner à ce propos et il le menaçait de le dénoncer à Rome parce qu'il usurpait un titre réservé au Pape.

Avec son fin sourire et sa bonhomie coutumière, le cardinal racontait volontiers le fait suivant:

> Durant notre visite pastorale, nous cheminions tranquillement avec un brave citoyen de Saint-Pierre de Broughton, qui nous conduisait à la paroisse voisine. Le temps était superbe et les foins, fraîchement coupés, exhalaient leur suave arôme. Chemin faisant, le paysan nous dit avec un air de satisfaction visible:
>
> — Dans ma vie, j'ai eu deux grands bonheurs.
>
> — Quels sont-ils?
>
> — C'est d'avoir conduit dans ma voiture le Cardinal et le Saint Père.
>
> — Mais le Saint-Père n'est jamais venu à Saint-Pierre.
>
> — Certainement qu'il y est venu. Je l'ai conduit moi-même dans cette voiture.
>
> — Vous savez bien que le Saint-Père est prisonnier au Vatican et qu'il ne sort pas de Rome.
>
> — Ah! ce n'est pas de ce Saint-Père-là dont je veux parler. C'est du saint Père Frédéric, qui a passé de maison en maison pour placer la *Vie de Notre-Seigneur Jésus-Christ* dans toutes nos familles.

Le Cardinal, qui avait déjà deviné quel était ce nouveau *Saint Père* dont voulait parler le paysan, riait de bon cœur [15].

Les mille et une pénitences de la route

C'est ainsi que pendant une quinzaine d'années environ le Père Frédéric pratiqua la «spiritualité de la route», bien avant les Com-

---

15. P. Mathieu Daunais, O.F.M., *L'apostolat du Père Frédéric,* p. 157s.

pagnons de saint François de Joseph Folliet. Conçoit-on toute la force morale et physique qu'exigeait ce nouveau genre d'apostolat, entrepris à un âge avancé? Les curés qui, une saison par année, doivent faire leur visite paroissiale, peuvent deviner toutes les fatigues, toute l'énergie qu'a dû coûter à notre vieillard un tel ministère exercé à longueur d'année, pendant des lustres. Il y trouva, comme en d'autres domaines, matière à sanctification.

Jusqu'au moment où la maladie l'immobilisa sur un lit de douleur, son programme d'action resta le même. À soixante ans, à soixante-douze ans, il parcourut les diocèses de paroisse en paroisse, de porte en porte et de cœur en cœur, œuvrant pour des causes diocésaines ou religieuses et accomplissant, mine de rien, le bien sous toutes ses formes, que celui-ci soit connu ou pas.

Des incidents typiques, parfois comiques, donnaient du piquant à ces courses perpétuelles. Les chiens de toutes tailles, qui faisaient bonne garde autour des maisons, goûtaient peu l'accoutrement de ce chemineau d'espèce inusitée et encore moins la canne qui l'accompagnait: c'était un appui à de vieilles jambes et surtout une défense contre de redoutables crocs, d'autant plus hostiles aux étrangers que dévoués aux maîtres. À l'approche du moine, quels aboiements furieux! On avait beau les rappeler, les toutous n'arrivaient pas à comprendre qu'ils avaient affaire à un brave homme, à un saint religieux.

— Bijou, tais-toi! Bijou, viens ici!

— Vous l'appelez Bijou, Monsieur?

— Oui, mon Père. Joli nom, n'est-ce pas?

— Mais vilain chien, rétorque le Père Frédéric en souriant. Drôle de Bijou qui nous mord les talons!

En plus de la hargne des chiens, bien d'autres contrariétés attendaient le saint homme dans ses pérégrinations. Dans toute campagne de propagande, ce ne sont pas les imprévus et les contretemps qui manquent. Le Père Frédéric avait d'abord à endurer les inconvénients des saisons, si férocement contrastées au Québec! Il devait s'accommoder des chaleurs accablantes de l'été, des pluies fréquentes et morfondantes de l'automne, des verglas, des froids de loup et des blizzards de l'hiver, du dégel et des chemins défoncés du printemps. D'autres ennuis lui venaient des hommes: rebuffades et humiliations de la part de certains mauvais coucheurs, embêtements de la part de curés pourtant sympathiques. Un tel ne peut recevoir le Père à la date convenue, il faut donc modifier tout son agenda. Un autre se fait tirer l'oreille, il faut le persuader que le missionnaire ne travaille pas pour lui-même, mais pour une œuvre diocésaine. Celui-ci, agissant avec la candeur de l'innocence, a dressé au commissaire de Terre Sainte un programme de galérien et lui a assigné des travaux de surcroît à le rendre malade.

D'autres désagréments enfin prenaient leur source chez le Père Frédéric lui-même: c'étaient quelque «bonne grippe», un grand mal d'yeux, une maladie de genou ou encore une blessure à la jambe ou au pied qui l'immobilisaient pour quelques jours.

La moindre infraction au programme causait de multiples ennuis aux curés, qui attendaient le missionnaire à date prédéterminée. Celui-ci s'en consolait en disant: «Je fais l'obéissance. Il n'est pas permis de murmurer contre les événements qui semblent nuire au succès d'une affaire. Le bon Dieu a ses raisons pour les permettre.» Le Père Frédéric connaissait la valeur sanctificatrice des immobilités providentielles, la puissance rédemptrice des *allongés*. Il écrivait, un jour: «Personnellement, comme religieux de saint François, mon pain quotidien doit être la tribulation, les épreuves. C'est par cette voie que saint François désire, à l'exemple de Notre-Seigneur, mener ses enfants en Paradis [16].»

«Passe encore de bâtir, mais quêter à cet âge...»

Mais pourquoi donc, demanderont les lecteurs, le Père Frédéric a-t-il entrepris la rude tâche de quêter, dans sa vieillesse, pour des œuvres diocésaines? N'avait-il pas assez de besogne au pèlerinage de Notre-Dame du Cap-de-la-Madeleine et à l'œuvre de la Terre Sainte?

16. Lettre à M. Léger Brousseau, éditeur, 22 février 1915.

La réponse est complexe. En plus du motif général de l'amour de Dieu et du prochain qui l'animait dans toutes ses décisions, plusieurs raisons, semble-t-il, ont poussé l'infatigable apôtre à ces randonnées exténuantes.

Il y a eu d'abord l'amour du Canada. Il écrivait, le 25 avril 1910, à la supérieure des Trappistines de Saint-Romuald:

> J'ai promis solennellement, à mon premier voyage au Canada, de travailler, tout le reste de ma vie, au bien spirituel et temporel de ce cher pays, dont nous avons été les premiers missionnaires, et, j'en bénis le Seigneur, j'ai la consolation d'avoir pu tenir ma promesse depuis plus de vingt ans, dans le petit cercle d'action où la divine Providence me fait mouvoir depuis environ un quart de siècle. C'est le motif, Révérende Mère, des humbles services que je m'efforce de vous rendre dans les circonstances présentes.

L'attachement aux trois Ordres de saint François a été aussi pour lui un puissant stimulant. Il a quêté avec joie pour les Franciscains, pour les Clarisses, pour les Franciscaines Missionnaires de Marie. Et s'il a été heureux de parcourir le vaste diocèse de Québec, c'est que cette besogne lui donnait du même coup l'occasion d'établir le Tiers-Ordre séculier de saint François dans bien des paroisses, de raffermir la récente restauration franciscaine au Canada (1890) et de préparer la future fondation du couvent franciscain de Québec (1900).

Enfin, sous-jacent à ces différentes considérations, il y avait toujours chez lui le souci de bien remplir le mandat fondamental qui lui avait été confié, à savoir le commissariat de Terre Sainte. En travaillant si activement pour des œuvres diocésaines, le Père Frédéric utilisait le seul moyen qu'il avait à sa portée pour promouvoir efficacement l'œuvre des Lieux Saints. Il avait été convenu avec les évêques qu'il se réservait en faveur de la Terre Sainte un pourcentage sur chacun des volumes qu'il vendait au profit d'une œuvre diocésaine. «C'est le seul mode possible, écrivait-il, de recueillir des aumônes pour les Lieux Saints, et les Constitutions Générales de l'Ordre recommandent aux commissaires de trouver des moyens pour «*collecter*[17]». Il est certain

---

17. Lettre au P. Colomban Dreyer, O.F.M., 25 octobre 1908.

qu'à cette époque les évêques ne lui auraient pas permis de réserver à la seule œuvre de la Terre Sainte les fruits de son système de propagande.

De gratifiantes fêtes jubilaires

«Le dévouement, a dit un penseur chrétien, semble le dernier mot de la vertu. C'est qu'il achève ce que le désintéressement commence: le dépouillement de soi, l'oubli de soi, le don de soi, la perte de soi[18].» Cette offrande de la personne à une cause ou à des frères n'est pas toujours reconnue et appréciée par ses bénéficiaires. Saint Paul s'en plaignait discrètement à ses Corinthiens: «Pour moi, je me dépenserai tout entier pour vos âmes. Faut-il que, vous aimant davantage, je sois moins aimé?» (2 Co 13, 13). Il semble que les contemporains du Père Frédéric ne lui aient pas infligé pareil désappointement. Sa vie montante, comme disait Mgr Baunard, son âge d'or, comme nous disons aujourd'hui, a connu en effet de magnifiques fêtes jubilaires.

* * *

Il convenait de célébrer avec le plus de solennité possible le vingt-cinquième anniversaire de la fondation du commissariat de Terre Sainte au Canada. C'était le moyen de fêter en même temps l'humble et dévoué commissaire, qui, sans cette circonstance, se fût certainement dérobé à de telles manifestations.

Le jubilé d'argent se célébra les 24, 25 et 26 juin 1913, au couvent franciscain de Trois-Rivières, siège du commissariat. Il eut plus d'éclat que ne l'aurait voulu l'humilité du saint vieillard. Ce fut une véritable apothéose.

Le numéro d'août 1913 de la *Revue du Tiers-Ordre et de la Terre Sainte* en donne le compte rendu que voici: «On peut résumer d'un mot ce que furent ces solennités: elles furent grandes et intimes. Grandes sans faste, intimes sans familiarité, et bien

---

18. Ollé-Laprune, *Le prix de la vie,* Paris 1906, p. 281.

dans la note franciscaine qui convenait. On sentait, dans l'ensemble et le détail, une main délicate et attentive qui avait tout organisé avec prudence et goût.» Cet organisateur avait été le gardien du monastère, le R.P. Thomas Denis.

Les fêtes débutèrent le mardi 24 juin, à l'église conventuelle des Franciscains. La cérémonie était présidée par le T.R.P. Ange-Marie Hiral, O.F.M., ministre provincial et futur vicaire apostolique du Canal de Suez.

> Une couronne de religieux, ceux de la communauté et des délégués des couvents [franciscains] de Montréal et de Québec, avec les délégués des fraternités du Tiers-Ordre de Trois-Rivières, se forma autour du chœur; la nef était remplie d'une assistance sympathique, dans laquelle ne se trouvait peut-être pas une personne qui ne fût redevable au vénérable Père de quelque bienfait.

Des vœux et des adresses furent présentés de la part du provincial, de la part des tertiaires et du curé de la paroisse.

Le provincial offrit au jubilaire une bénédiction autographe du pape Pie X, une autre du Rme P. Général, un précieux bouquet spirituel de vingt-cinq bénédictions épiscopales canadiennes en souvenir de vingt-cinq années dépensées au service de la Terre Sainte. Toutes ces bénédictions étaient animées par la vénération la plus grande; mentionnons celles de Mgr Bégin, archevêque de Québec, de Mgr Cloutier, évêque de Trois-Rivières et de Mgr Stagni, délégué apostolique au Canada. Mgr Bégin, qui devait être promu cardinal en 1914, écrivit une lettre d'un charme exquis. Elle mérite d'être citée:

Québec, 3 juin 1913

Révérend et bien cher Père,

Je suis heureux d'apprendre que votre jubilé coïncide avec le mien. Il y a bien vingt-cinq ans que vous êtes commissaire de Terre Sainte et que je suis évêque.

Nous allons donc célébrer ensemble nos jubilés et nous unir pour remercier le bon Dieu des grâces dont il nous a comblés.

Franchement, je crois que vous avez marché beaucoup plus vite

313

que moi dans le chemin du ciel; vous couchiez sur la dure, et moi dans un bon lit; vous viviez de pommes de terre et de sel, et moi je me nourrissais bien; vous visitiez le diocèse *en détail,* de maison en maison, et moi *en gros* seulement; vous prêchiez jusqu'à trente-six heures de suite et moi une heure et demie au plus; on vous appelait le *Saint-Père* et moi *l'évêque* tout simplement. J'en conclus que vous me dépassez de beaucoup en vertus, en sainteté.

Après la présentation de ces témoignages de vénération, le jubilaire remercia d'une voix que l'émotion bien souvent mouilla de larmes. Il revint sur les souvenirs de son arrivée au pays, sur la réception que lui avaient réservée les fidèles de la ville et du diocèse: «Depuis ce temps, dit-il, Trois-Rivières a été *la patrie de mon cœur.* »

Le lendemain, 25 juin, il chanta une messe solennelle d'action de grâces. Le Père Augustin y donna ce qu'on pourrait appeler le sermon de circonstance. Mais ce n'était pas un sermon. Comme le fit remarquer quelqu'un, un sermon, même très éloquent, n'aurait pas été aussi bien. C'était plutôt un récit: *Le Père Frédéric raconté par un témoin de sa vie.*

À midi, on prit part à de joyeuses agapes. L'ancien commissariat, devenu collège séraphique, fut transformé pour la circonstance en salle de banquet. Les tables étaient disposées en forme de croix de Terre Sainte. Les croisillons étaient chargés de fleurs et de fruits.

À la fin du banquet, le jubilaire remercia ses hôtes. Il sentit son cœur s'émouvoir au souvenir des leçons et des exemples reçus dès sa plus tendre enfance. Il n'hésita pas à attribuer à sa mère, après Dieu, tout le mérite du bien accompli au cours de son ministère. Le récit fut si beau que l'émotion gagna toute l'assistance.

La fête n'eut pas été complète sans un pèlerinage au Cap-de-la-Madeleine. Il eut lieu jeudi matin, 26 juin. Environ six cents personnes se joignirent à la communauté des Franciscains. Deux bateaux amenèrent les pèlerins au sanctuaire. À neuf heures, le Père Frédéric chanta la messe solennelle.

Une courte mais intéressante allocution suivit l'évangile, comme l'a rapporté la *Revue du Tiers-Ordre*. Le R.P. Valiquette, curé du Cap, feuilleta la chronique du sanctuaire, y relevant l'œuvre du R.P. Frédéric. Par une pensée pleine de délicatesse, il demanda à la Sainte Vierge que celui qui l'avait couronnée sur la terre fût un jour couronné par Elle dans le ciel... mais le plus tard possible.

La messe finie, le R.P. Frédéric, accompagné d'une assez nombreuse assistance, se rendit au monument du Saint-Sépulcre. Là, il parla longuement à la foule avide de l'entendre, de le voir, de l'interroger, d'obtenir ses conseils, sa bénédiction.

Les RR.PP. Oblats, héritiers au Cap des œuvres et du zèle du Bon Père, avaient tenu à lui offrir le dîner. Un repas tout intime réunit les deux communautés. M. Duguay, ancien curé du Cap au temps où le R.P. Frédéric y exerça son apostolat, prit la parole à la fin du repas. Il parla avec un rare talent, surtout avec une rare affection, du bien qui s'était opéré au Cap.

Quelques jours après ces fêtes si simples et si grandes, Mgr Bégin envoyait au Père Frédéric une nouvelle lettre, pleine de cordialité. On y reconnaît bien sa tendresse espiègle:

J'ai reçu avec grand plaisir, votre portrait: il est fidèle et me rappelle celui de saint Léonard de Port-Maurice. Il me donne de bonnes pensées, en me faisant ressouvenir de votre vie de dévouement, de charité et de mortification. L'Église a bien eu raison d'approuver et de recommander le culte des images: la vôtre me prêche l'esprit de pénitence, que vous avez pratiqué à un si haut degré, lorsque vous parcouriez nos campagnes, dans le but d'obtenir des fonds pour la construction de la belle église des Franciscaines: *propter domum Domini Dei nostri quœsivi bona tibi.*

* * *

En 1915, on commémora le jubilé d'or de profession religieuse du Père Frédéric. Cette fête avait une signification toute particulière: on y fêtait l'éclaireur du bataillon franciscain canadien, celui qui avait tant fait au Canada pour l'Ordre séraphique et pour l'Église. «Le jubilé s'est fait ici, en famille, le 22 juillet, écrivait-il au T.R.P. Raphaël. J'aurais voulu le retarder à cause des horreurs de la guerre; on n'a pas voulu. La précieuse bénédiction apostolique est arrivée juste une heure avant la cérémonie. C'est Monseigneur l'évêque de Trois-Rivières qui me l'a lue. Dieu soit béni!»

La fête comporta une messe solennelle, avec les cérémonies particulières du rituel de l'Ordre, et un modeste banquet. À la grand-messe, M. l'abbé Duguay prononça l'allocution de circonstance. D'une voix que souvent l'émotion entrecoupait, il esquissa la féconde carrière du bon Père. On songeait à David célébrant l'amitié merveilleuse de Jonathan.

La fête se termina, comme il convenait, au sanctuaire du Cap-de-la-Madeleine, aux pieds de cette Vierge du Rosaire, dont le religieux franciscain avait été le prophète et le héraut.

À ces noces d'or de profession religieuse fut associé l'ami inséparable du Père Frédéric, le Père Augustin. Ensemble, sur le conseil de l'autorité, les deux vieillards visitèrent les deux couvents de Montréal et de Québec, qui à leur tour fêtèrent le jubilaire; ensemble, ils allèrent jusqu'à Sainte-Anne-de-Beaupré accomplir le pieux pèlerinage que souvent ils avaient effectué en accompagnant les fidèles. On disait gentiment qu'ils faisaient leur voyage de noces!

Chapitre dix-neuvième

Marana tha: Viens, Seigneur Jésus

Une maladie qui couvait depuis plus de vingt-cinq ans

À l'été de 1916, le Père Frédéric avait soixante-dix-sept ans accomplis. Depuis de longues années, il traînait la maladie qui devait l'emporter. Il parlait souvent dans ses lettres de maux d'estomac et de douleurs intestinales.

Le 7 avril 1889, il écrivait au T.R.P. Raphaël Delarbre, O.F.M.:

> Je me permets de nouveau d'insinuer qu'il sera prudent de choisir un religieux pour me remplacer. J'ai toujours le pressentiment d'une mort subite. Je dis à tout le monde que ma santé est bonne, pour éviter les réflexions inutiles, mais en réalité je souffre continuellement le jour et la nuit, et plus la nuit que le jour. Mon estomac n'accepte presque plus de nourriture. Je ne puis pas dire pourtant que je suis malade, et, contradiction manifeste, je me sens toujours mieux en terminant une grande mission qu'en la commençant. Le repos m'est nuisible. Aussi n'en prends-je presque point. C'est paradoxal!

Quelques années plus tard, il se plaint encore de son estomac, de «douleurs intestinales fortes», d'une «santé fortement ébranlée».

Une violente et soudaine irritation d'estomac, lundi matin, à Saint-Victor (Beauce), m'a obligé de revenir à Québec hier, écrit-il, le 14 septembre 1898, au P. Gardien du couvent de Montréal. Je suis mieux et je pense reprendre mes missions samedi. Nous pensons que c'est le froid inattendu qui m'a saisi: je n'étais pas assez vêtu. Pauvre corps humain! combien de temps faudra-t-il donc encore supporter ses caprices?

Tout le monde me fait compliment sur mon exubérante santé! écrit-il en 1902. Seul, en secret, je souffre étonnamment et sans interruption de douleurs intérieures qui, à courte échéance, me mettront, je l'espère, hors de combat! Cependant que la sainte volonté de Dieu soit faite[1].

Plusieurs de ceux qui l'ont approché pensent que ce n'est pas sans une aide spéciale de Dieu qu'avec tous ces malaises grandissants et si peu de nourriture ce grand apôtre a pu abattre l'immense tâche que l'on sait.

On le juge un être d'exception. En 1900, le T.R.P. Colomban Dreyer répondait à Mgr Marois, vicaire général de l'archidiocèse de Québec, qui avait demandé un père franciscain pour une œuvre diocésaine:

Réellement, après avoir réfléchi et consulté la volonté de Dieu, je ne puis vous promettre davantage. Je sais que le Père Frédéric fait plus et mieux que cela [il quêtait, à cette époque, pour les Franciscaines Missionnaires de Marie]; mais vous le connaissez. C'est un homme à part, un être immatériel qui n'a pas besoin de repos, ni physique ni moral, tandis que nous ici nous sentons l'infirmité de la nature. Ce serait un malheur de tuer un Père par un travail exagéré. Car ce Père ne serait pas remplacé de sitôt[2].

Si le commissaire de Terre Sainte au Canada travaille comme un homme débordant de santé, il s'aperçoit d'année en année de son état d'épuisement. Il réclame de ses supérieurs un remplaçant: «Je demande sans cesse de ne pas me laisser mourir dans

1. Lettre au P. Colomban Dreyer, O.F.M., gardien du couvent de Montréal, Québec, 9 avril 1902. De la maladie d'estomac, il est question dans les lettres du 7 avril 1889, 10 mai 1895, 14 septembre 1898, 5 mai 1903; de douleurs intestinales, dans les lettres du 3 mai 1896, 17 avril 1907, 4 et 10 septembre 1907...

2. Lettre du 18 mai 1900.

318

ma charge. J'aurais trop peur. Simple religieux, je pourrais tranquillement me préparer à la mort[3].»

Chacune de ses graves maladies, en 1876, en 1882 et 1884, avait soulevé en lui l'espoir de rejoindre son Dieu. Depuis ces approches de la mort, il avait eu plusieurs alertes; mais chaque fois une couple de jours de repos lui avaient suffi pour le remettre à la besogne. Toutes ces indispositions n'avaient réussi qu'à aviver chez lui, avec une sorte d'insistance croissante, la plainte mystique de saint Paul: «Je ne me sens plus attaché à rien ici-bas, et n'ai qu'un désir irrésistible: *cupio dissolvi et esse cum Christo*[4].» Il avait d'ailleurs à plusieurs reprises offert sa vie pour son pays d'adoption, le Canada.

Il sentait le poids des ans. Les travaux, les veilles et les jeûnes l'avaient usé. Maintenant la Grande guerre de 1914 l'abattait. Il suivait avec une filiale anxiété le sort de sa patrie. Des nouvelles peu rassurantes bouleversaient son âme sensible.

Son corps flanchait sous les sourdes atteintes d'un mal inexorable. Il n'en connaissait pas encore la nature. À certaines heures, il endurait un véritable martyre. Ces douleurs, il les supportait avec une telle résignation silencieuse qu'elles étaient ignorées de presque tous ses confrères religieux. Les séculiers ne les soupçonnaient même pas. S'il affirmait qu'il n'avait pas de santé, le sourire d'un tiers soulignait parfois la pieuse exagération. Bref, une force d'âme héroïque jetait un voile sur des souffrances endurées secrètement pour l'amour de Dieu et le salut des âmes.

Un dernier pèlerinage à Sainte-Anne

Depuis longtemps, il avait l'habitude d'accompagner le pèlerinage annuel des sœurs tertiaires de Montréal à Sainte-Anne-de-Beaupré. Le 9 juin 1916, il se rendit dans ce but à la métropole.

---

3. Lettre au T.R.P. Ange-Marie Hiral, O.F.M., commissaire provincial, 16 février 1913.

4. Ce cri de saint Paul revient souvent dans ses lettres: 30 juillet 1891, 21 novembre 1892, 20 janvier 1893, 24 septembre 1902, 14 mars 1911, etc.

Le lendemain matin, il tint à dire sa messe à l'Oratoire Saint-Joseph du Mont-Royal.

Le soir du même jour, il prit le train du pèlerinage. Il se traînait plutôt qu'il ne marchait. Au cours du voyage, il eut une crise très violente, qui l'eût emporté sans l'intervention du docteur Eugène Virolle, qui était au nombre des pèlerins. «C'est mon dernier pèlerinage avec vous, répétait-il. Je me sens mourir. Je n'en puis plus.» Les pieux pèlerins en étaient contristés: chaque année, ils comptaient sur sa présence pour les édifier et les faire prier.

À Sainte-Anne-de-Beaupré, il présida quand même la procession habituelle dans le grand parterre et le salut du Très Saint Sacrement dans la basilique. Le P. Marcel-Marie Dugal, O.F.M., était son assistant. Durant la procession, le courageux commissaire de Terre Sainte chanta de toute son âme avec la foule: ce fut son chant du cygne.

Le diagnostic enfin: un cancer d'estomac

De retour à Montréal, il se soumit à l'examen médical. L'excellent docteur Virolle, médecin de la maison-mère des Franciscains, était renommé pour la sûreté de ses diagnostics; il discerna sans peine chez le Père Frédéric une forme de cancer, le néoplasme de l'estomac. Il jugea à propos d'avertir les supérieurs que le cas du patient, à cause de son grand âge, était désespéré.

Une visite d'une journée à Trois-Rivières permit au commissaire de Terre Sainte de mettre ordre à ses affaires. Il rédigea cette note hâtive: «Le commissariat de Terre Sainte ne doit rien à personne. Tout est réglé[5].»

---

5. On trouve cependant dans le témoignage porté par le frère Louis Soucy, O.F.M., au tribunal d'Alexandrie le curieux récit que voici: «Le Père Frédéric pratiquait la justice envers les hommes... Il payait ses dettes avec exactitude. Cependant, pendant une nuit, le Père Cyrille eut le songe suivant. Le Père Frédéric lui apparut, en rêve, et lui dit qu'il trouverait dans le tiroir de son bureau un petit compte qu'il avait oublié de payer de son vivant. Le Père Cyrille en avertit le Père Gardien, Ange-Marie Hiral. Celui-ci répondit: «Personne n'a

Puis, il revint suivre un traitement à Montréal. Le 16 juin 1916, il dut s'aliter; il demeura cinquante jours à l'infirmerie du couvent de Saint-Joseph. Le V. Fr. Raphaël Quinn, O.F.M., lui prodigua ses soins avec une grande charité fraternelle.

Le malade entrevoyait la fin de son exil. Le Seigneur, enfin, allait exaucer la prière du vieillard Siméon, qu'il redisait depuis plusieurs années à qui voulait l'entendre: «Laissez partir votre serviteur en paix.»

«J'ai combattu le bon combat»

Il avait droit d'espérer du juste Juge la récompense du bon et fidèle serviteur. De son côté, l'historien peut porter son jugement humain sur toute cette vie. Il croit à juste titre qu'il a affaire à un saint religieux, à un saint prêtre qui a su parfaitement bien remplir sa mission providentielle. Et l'on se prend à bénir cette longue carrière d'avoir si bien démenti les pronostics qu'on aurait pu faire en ne considérant que la mine chétive de l'homme. La vitalité des œuvres du Père Frédéric, dont les principales lui survivent encore, témoigne de son savoir-faire, de sa coopération aux vues de la Providence.

Presque toute sa vie religieuse a été consacrée, d'une façon ou de l'autre, à la Terre Sainte: douze ans de service au pays de Jésus, en qualité de missionnaire fervent, d'habile et zélé vicaire custodial, et le reste de son existence, au Canada, en qualité d'efficace commissaire. Il a bâti l'église de Sainte-Catherine de Bethléem, il a rédigé les importants règlements du Saint-Sépulcre et de Bethléem. Il a créé le mouvement spirituel Canada-Palestine par l'établissement du premier commissariat et de la quête en faveur des Lieux Saints; il a fait mieux connaître et aimer le pays du Christ et de sa sainte mère. Il fut le précurseur de la restauration des Frères Mineurs au Canada. Les villes de Montréal, de

---

encore habité la chambre du Père Frédéric depuis sa mort. J'irai voir.» Il y alla et, de fait, il trouva le compte en question. Il le paya. Honnête jusqu'au bout des ongles durant sa vie, le disparu aurait continué de l'être après sa mort! (*Dossier adjoint à la réponse du Promoteur,* p. 21, *ad* 34).

Québec et de Trois-Rivières eurent à nouveau, comme sous le régime français, des monastères franciscains, dont la fondation était due en grande partie à son influence. Grâce à son zèle, les Clarisses furent solidement établies à Valleyfield. Grâce à sa propagande, le Tiers-Ordre de saint François a connu dans la province de Québec une prospérité phénoménale. En 1881 et 1882 et pendant plus d'un quart de siècle à partir de 1888, il avait suscité au pays un renouveau de ferveur religieuse. Et en cet été de 1916, la Reine du Rosaire était plus vénérée dans les foyers canadiens. L'œuvre des pèlerinages de Notre-Dame du Cap avait un fondement stable; elle prospérait sous la sage direction des Oblats de Marie Immaculée, dont il avait soufflé le nom à l'oreille de l'évêque de Trois-Rivières. En plus du Cap-de-la-Madeleine, le commissaire avait travaillé à l'établissement d'autres lieux de pèlerinage: la Réparation de Montréal et Saint-Élie de Caxton; il avait fortement encouragé le promoteur de l'Oratoire Saint-Joseph du Mont-Royal, le Fr. André, C.S.C. Par ses écrits, il avait nourri la piété d'un grand nombre d'âmes. On ne pouvait compter les vocations religieuses ou sacerdotales qui lui devaient leur éclosion ou leur affermissement ni le nombre d'âmes pécheresses qui lui devaient leur retour à Dieu.

Après la vie publique, la Passion

Après les années d'apostolat intensif venaient maintenant les journées d'attachement à la croix. Le fils du Stigmatisé de l'Alverne endurait avec une patience héroïque les souffrances de son corps: douleurs indicibles, vomissements épuisants et fréquents, nuits d'insomnie, consomption par la fièvre. Aux visiteurs qui lui souhaitaient par une formule banale et réconfortante un prompt rétablissement, il répondait: «Ne demandez pas ma guérison: laissez faire le bon Dieu.»

Avec la docilité d'un enfant, il acceptait toutes les potions que lui présentait son infirmer, sans témoigner la moindre répugnance pour des médicaments impuissants à le soulager. «Vous êtes mon supérieur, disait-il à son infirmier. Je prendrai tout ce que vous me donnerez. Je paierai cela ce soir.» Ces derniers mots laissaient entendre que les soi-disant calmants du médecin produiraient leurs contre-coups pendant la nuit suivante. Ses intestins étaient perforés: il souffrait plus que tout le reste des odeurs nauséabondes qui montaient de son estomac.

Désolations et angoisses de l'âme

Les souffrances du corps cependant n'étaient rien en comparaison de celles de l'âme. L'ultime purification de toute scorie humaine s'accomplissait. Jusqu'à la fin, par vagues d'intensité variables, l'homme de Dieu devait être martyr et faire front à l'Ennemi. Peu à peu des ténèbres envahissaient son âme: scrupules exagérés d'une conscience timorée, néant de l'indignité personnelle, vertige en face de l'éternité, crainte du jugement de Dieu. «Ai-je été fidèle à ma vocation?» L'épreuve torturante du noviciat revenait. Il semblait au malade que sa vie n'avait été qu'une vaine agitation, qu'un continuel abus de grâces. Une peur désespérante s'emparait de lui. Le Prince des ténèbres croyait arrivée son heure: enfin, il tenait sa vengeance contre cet apôtre, contre cet homme de prière et de pénitence. Il profitait de l'extrême faiblesse du malade, de l'intensité de ses souffrances pour le terrifier par d'épouvantables visions. Le religieux prenait son crucifix, le pressait sur son cœur, le portait à ses lèvres, le baisait avec tendresse, avec ce sentiment indicible qu'on remarquait en lui quand il priait avec ferveur et instance. Comme le saint Curé d'Ars, il subit les assauts du démon, qui lui apparut tantôt sous une forme, tantôt sous une autre, mais toujours avec des airs menaçants. «Voyez-vous le gros chien à côté de mon lit, disait-il à son infirmier, le Fr. Raphaël. Il veut sauter sur moi. Si tu communies, me dit-il, je te ferai vomir et profaner les saintes espèces.» Le Père Frédéric, par crainte, s'abstint de communier, un matin. Mais le médecin, homme d'une grande piété, le rassura: «Je vais vous laisser un sérum. Le frère infirmier vous fera une injection quelque temps avant la communion. Je vous garantis que vous ne vomirez pas avant une demi-heure.» Se reposant sur cette assurance, le malade continua à recevoir son Dieu quotidiennement.

La tentation dura plusieurs jours, avec des hauts et des bas. Quand il n'en pouvait plus, le malade demandait secours à l'autorité.

> Un jour, raconte le Fr. Raphaël Quinn, pendant le repas du midi, le Père Frédéric étant gravement tenté, m'a dit d'appeler le Père Provincial, le Père Jean-Joseph Deguire, pour réciter les exorcismes. Le Père Provincial vint et récita quelques prières du *Rituel* et, quand il termina ses prières, le Père Frédéric, se tournant vers le Père Provincial, lui dit: «Vous n'avez pas lu les exorcismes.» Le Père Provincial répondit que oui. Mais le Père Frédéric insista davantage et le Père Provincial répondit en souriant qu'il n'avait pas le pouvoir qu'il [devait] le demander à l'évêque. Mais le Père Frédéric répliqua, disant qu'étant supérieur, il a[vait] ce pouvoir. Enfin, le Père Provincial partit et il me dit: «C'est curieux! Comment le Père Frédéric savait-il que je n'[avais] pas lu les exorcismes[6]?»

Dans le même but d'obtenir un secours spirituel contre les tentations de l'Adversaire, le Père Frédéric fit venir aussi le Père Anselme Fisher, gardien du monastère[7].

---

6. *Procès rogatoire du Vicariat apostolique d'Égypte,* p. 299, § 733.

7. Au procès sur l'héroïcité des vertus, le promoteur de la foi a présenté ces visions du démon que le malade prétendait avoir eues comme un signe possible de son manque d'équilibre psychologique. Ce faisant, «l'avocat du diable» accomplissait consciencieusement son mandat. Tout prêtre qui a une certaine expérience du ministère a rencontré dans sa vie des exaltés et des psychopathes qui prétendent avoir vu le Diable sous toutes sortes de formes plus ou moins extravagantes. «*Ne facile credat*», «Qu'il ne croie pas facilement à ces choses», lui recommande sagement le *Rituel* romain. Mais l'Église sait quand même que le démon existe et qu'il peut encore tenter les serviteurs de Dieu, comme il a tenté le Christ au désert. Dans son *Rituel,* elle donne des règles précises, inspirées de longs siècles d'expérience, pour discerner les vraies apparitions des fausses. Ces dernières sont de beaucoup les plus nombreuses. Mais les saints dont la conduite a vraiment forcé le démon à se débusquer sont d'ordinaire des géants spirituels, tels le Curé d'Ars et saint Jean Bosco: pour les chrétiens médiocres, l'Adversaire aime beaucoup mieux travailler dans l'ombre et l'incognito. Un saint qui, à l'instar du Père Frédéric, a connu de vives attaques du Prince des ténèbres sur son lit de mort, est saint André Avellin, dont la fête se célèbre le 11 novembre.

Le réconfort des sacrements

Au milieu de ces combats, Dieu ménageait des consolations à son serviteur. Consolations divines d'abord, par l'assistance à la messe, qui se célébrait chaque matin à l'oratoire de l'infirmerie, et par la communion quotidienne, que le malade y recevait, consolations divines encore par le sacrement de l'onction des malades. Si l'on en croit les attestations des témoins, le Père Frédéric aurait reçu cette onction deux fois.

La première fois, ce fut le 22 juin 1916, et celui qui l'administra était son provincial, le T.R.P. Jean-Joseph Deguire. Le malade suivit avec attention toutes les cérémonies du *Rituel,* répondant aux prières liturgiques. Son visage enflammé, marqué de plaques carminées, gardait sa sérénité. Quand le rite fut terminé, le Provincial le remercia des bons exemples qu'il avait donnés et l'invita à dire à son tour quelques mots. Il déclina l'invitation tant par faiblesse que par humilité. Il joignit les mains, baissa les yeux et s'enveloppa dans un profond recueillement, uniquement préoccupé des nouvelles grâces que Dieu venait de lui accorder. Il éprouvait un bonheur ineffable d'avoir été administré et réclama la solitude complète pour demeurer plus intimement uni à Notre-Seigneur et rester sur la croix avec lui.

La seconde onction lui fut administrée le 22 juillet 1916. Cette fois, c'était le Père Marie-Anselme Fisher, gardien du couvent Saint-Joseph qui officiait. Tous les religieux de la maison assistaient à la cérémonie. Malgré ses souffrances, le malade suivit encore avec attention les cérémonies du *Rituel,* répondant à toutes les prières liturgiques. Il avait lui-même demandé de recevoir les derniers sacrements pendant qu'il avait encore pleine connaissance. L'année précédente, à la même date, qui était le jour de la fête de sainte Marie-Madeleine, il avait célébré ses noces d'or de profession religieuse. Cette fois il renouvela sa profession religieuse entre les mains du Père Marie-Anselme Fisher et, pressentant que sa fin était proche, il fit sienne la requête symbolique que formulée jadis par son père saint François: il demanda au Père Gardien de lui donner, par charité, un habit pour sa sépulture. Il exprima le désir d'avoir à côté de lui son habit, la *Règle,* sa couronne et son crucifix de missionnaire. Il demanda ensuite à son supérieur de rencontrer trois personnes envers qui il se sentait plus en dette: le sénateur Montplaisir, bienfaiteur insigne des pèlerinages au Cap, M. Gédéon Désilets, syndic apostolique de Terre Sainte, et l'abbé L.-E. Duguay, l'ami fidèle et reconnaissant des premiers jours. Cette joie lui fut évidemment accordée.

Des visites particulièrement consolantes

Il reçut également la visite du Fr. André Bessette, de l'Oratoire Saint-Joseph, qu'il avait aussi souhaité revoir. Mgr Paul Bruchési, archevêque de Montréal, vint par deux fois visiter le vénéré malade: il causa un peu avec lui en évoquant des souvenirs, lui recommanda quelques intentions spéciales, et, après la récitation de prières, le bénit, lui fit baiser sa croix pectorale. Le Père Frédéric fut très consolé par cette double visite; à la seconde qui eut lieu le 2 août, il était si faible qu'il ne put que murmurer ces simples paroles: «Quelle bienveillance, Monseigneur! Je ne suis pas digne de tant de bonté!»

Et le cher soutien du vieil ami de cœur!

Mais la consolation la plus profonde que reçut le Père Frédéric fut la compagnie de son *alter ego,* le bon Père Augustin. Ce vieil ami arriva au chevet du malade le 12 juillet. «Soyez le bienvenu, cher Père Augustin; approchez que je vous embrasse. Que le bon Dieu vous récompense de la peine que vous vous êtes donnée pour venir consoler un vieillard expirant, qui désirait ardemment vous voir avant de fermer les yeux à la lumière.» Les deux saints vieillards se donnèrent l'accolade fraternelle, s'entretinrent longuement du royaume de Dieu, des bénédictions qui avaient accompagné le ministère en France, en Palestine et au Canada. C'était un *magnificat* que leur âme chantait à la gloire du Très-Haut.

Durant les derniers combats, le Père Augustin fut, jusqu'à la fin, l'ange consolateur de Gethsémani. Il n'épargna rien pour réconforter le cher patient: il lui faisait souvent des prières et de courtes lectures pieuses, surtout il célébrait la messe chaque matin dans l'oratoire de l'infirmerie. Le malade le suivait de sa cellule voisine et il communiait tous les jours, sauf une fois par crainte d'une irrévérence. Il ne voulait pas mourir dans le vague. Il supplia le Père Augustin de lui répéter à l'heure suprême les paroles du disciple bien-aimé: *Veni, Domine Jesu,* Venez, Seigneur Jésus (Ap 22, 20). «Vous crierez fort, avait-il insisté, pour que je comprenne.»

L'agonie et la fin

Le premier août, à quatre heures de l'après-midi, il reçut le saint viatique. Trois jours plus tard, le 4 août 1916, à quatre heures du matin, on crut que c'était la fin et l'on récita les prières des agonisants. C'était la fête de saint Dominique, premier apôtre du rosaire. Mais le malade surmonta la crise. Vers quatre heures de l'après-midi, il entra dans une paisible agonie. La cloche du cloître convoqua en toute hâte la communauté autour du lit du moribond. Dans la modeste cellule, semblait régner une atmosphère surnaturelle. On craignait de troubler les derniers détachements d'une âme qui s'en allait dans la demeure du Père Éternel. Le Provincial récitait des prières et des invocations auxquelles répondaient les religieux. Le Père Augustin aspergeait le lit d'eau bénite. Lorsqu'il vit arriver la fin, il s'approcha de son vénéré compagnon pour lui donner une dernière absolution, et, docile à son désir, il ne cessait de redire à ses oreilles: *Veni, Domine Jesu... Veni, Domine Jesu...* Le moribond s'unissait à lui de son mieux. C'était calme et beau.

Les impressions d'un Provincial

Le T.R.P. Jean-Joseph Deguire, qui, à titre de provincial, a présidé cette sorte de liturgie analogue au *transitus* de saint François a décrit, dans la déposition suivante, l'impression que la mort très douce de son sujet lui a laissée:

Le 4 août, dans l'après-midi, le bon Père Augustin s'approcha de lui et lui fit répéter le «Veni, Domine Jesu», comme oraison jaculatoire, plusieurs fois. Le Père Frédéric, assis dans son lit, semblait un peu attiré vers le crucifix appendu à la muraille et le priait avec ferveur, son visage paraissant illuminé et transfiguré. La communauté était en prière à côté de son lit, admirant sa patience, son recueillement et sa sérénité. Après avoir prononcé «Veni Domine Jesu!», il a rendu son âme avec beaucoup de calme et une expression de paix indéfinissable. Cette mort douce et sereine évoquait dans ma pensée le souvenir de la mort de Saint Joseph: cette impression ne fait qu'augmenter avec les années. C'est l'impression générale que le Père Frédéric a vécu et est mort comme un saint.

Je réalise de plus en plus que j'ai assisté à la mort d'un saint. Cette conclusion me vient surtout par la comparaison que je puis établir avec la mort d'autres personnes, dont j'ai été témoin. Je me demande si l'attitude du Père Frédéric regardant le Crucifix était plus qu'une oraison affective ou de simple regard ou même si ce n'était pas une oraison d'union extatique. J'inclinerais à croire que nous étions témoins d'une extase. Depuis plusieurs jours, il n'avait plus parlé des choses de la terre, au moins à ma connaissance: il était tout en Dieu, c'était une oraison continuelle[8].

Sans secousse, le Bon Père Frédéric était donc passé de la paix de sa cellule aux joies du paradis, *de cella ad cœlum* (de la cellule au ciel), selon la formule chère aux moines du moyen âge. C'était le vendredi 4 août 1916, à cinq heures moins quart de l'après-midi. Le cher défunt était dans la soixante-dix-huitième année de son âge, la cinquante-deuxième de sa vie religieuse, la vingt-huitième de sa charge de commissaire de Terre Sainte. Il avait passé près de vingt-neuf ans au Canada, c'est-à-dire la période de sa vie religieuse la plus longue et de beaucoup la plus fructueuse[9].

---

8. *Procès ordinaire de Trois-Rivières,* p. 165, § 425.

9. Le bon P. Augustin suivit de peu de mois dans la tombe son fidèle ami. Il mourut à Trois-Rivières, le 8 janvier 1917, à l'âge de 75 ans. Il repose dans le cimetière de la communauté, au fond de la crypte du Père Frédéric.

Les premiers hommages posthumes

Après avoir été embaumée, la dépouille mortelle fut exposée, avec la traditionnelle austérité franciscaine, dans le grand parloir du couvent Saint-Joseph de Montréal. Aussi longtemps que les portes restèrent ouvertes, les tertiaires et les amis de saint François vinrent prier auprès de celui qu'ils vénéraient comme un saint.

Le lendemain, à neuf heures, eut lieu un premier service solennel, dans l'église franciscaine de la rue Dorchester. Il fut chanté par le T.R.P. Jean-Joseph Deguire, ministre provincial, assisté du P. Hyacinthe Workman comme diacre et du P. Elphège-Joseph Morin comme sous-diacre. Mgr Gauthier, évêque auxiliaire de Montréal, entouré d'un nombreux clergé, honora la cérémonie de sa présence. Dans la nef, apparaissaient les représentants de la plupart des communautés religieuses de la ville de Montréal.

Puis, ce fut l'ultime voyage vers Trois-Rivières, la *patrie de son cœur,* comme il l'avait déclaré, en 1913, lors de ses noces d'argent de commissaire de Terre Sainte. Le Père Frédéric avait passé à Trois-Rivières la plus grande partie de sa vie en terre canadienne, il en avait fait sa ville de prédilection: il convenait qu'il y dormît son dernier sommeil.

Pour la possession de ce corps, il y avait eu quelque temps, entre les couvents franciscains de Montréal et de Trois-Rivières, une pieuse rivalité, digne du moyen âge. Cette fraternelle dispute témoigne de la vénération que l'on portait déjà envers le Bon Père Frédéric. Le T.R.P. Ange-Marie Hiral, gardien des Franciscains de Trois-Rivières, plaida avec fermeté les droits de son couvent. Dès qu'il connut la maladie grave et incurable du Père Frédéric, il fit les démarches nécessaires auprès de son provincial, de l'évêque de Trois-Rivières et d'un entrepreneur de maçonnerie. Il fit faire dans le soubassement de l'église conventuelle un caveau de ciment et de briques pour recevoir le corps de celui qui était mort en odeur de sainteté. À la fin, les droits de Trois-Rivières furent complètement reconnus.

Des obsèques triomphales à Trois-Rivières

La dépouille, accompagnée d'une délégation de Montréal et de Trois-Rivières, reçut dans la cité trifluvienne un véritable triomphe de foi et de confiance populaires. C'était le samedi après-midi, 5 août; c'était donc un après-midi de congé selon les usages de la semaine anglaise. Les ateliers et les bureaux étant fermés, tout le peuple accourut et fit cortège à l'humble moine, et il fut d'autant plus fier de l'accueillir que beaucoup avaient craint que le Père ne fût inhumé à Montréal. Le cercueil de bois brut, porté sur les épaules des religieux, s'avança au milieu d'une foule innombrable, qui formait de chaque côté de la rue une haie d'honneur depuis la gare jusqu'à la chapelle franciscaine. C'est là qu'il fut déposé. Durant la soirée et toute la journée du dimanche, des centaines et des milliers de personnes vinrent répandre aux pieds du regretté défunt leur cœur et leurs prières. Elles venaient pour l'invoquer bien plus que pour prier pour lui. Leur vénération était telle que la plupart des visiteurs faisaient toucher à son corps vénéré des objets de piété ou demandaient une parcelle de son habit, qu'ils emportaient comme une précieuse relique. Plusieurs personnes dignes de foi assurèrent avoir obtenu des faveurs particulières. D'autres firent le récit de guérisons attribuées à l'intercession du vénéré défunt.

Le lundi 7 août, dans l'église paroissiale de Notre-Dame des Sept Allégresses, contiguë au couvent franciscain, le T.R.P. Ange-Marie Hiral, à la fois gardien du monastère et curé de la paroisse, chanta la messe solennelle de sépulture. Le sanctuaire était rempli de prêtres, tandis que les vastes nefs, littéralement combles, étaient trop petites pour contenir la foule qui était accourue. Mgr F.-X. Cloutier, évêque de Trois-Rivières, assistait au trône. Il présida l'absoute et l'inhumation. Avant cette cérémonie, l'évêque, fidèle interprète de son clergé et des fidèles de son diocèse, retraça éloquemment les traits essentiels de cette carrière pleine de vertus et de bonnes œuvres.

Ce n'est pas, dit-il, selon l'usage des Franciscains de faire le panégyrique de leurs défunts. Mais je ne puis laisser passer cette circonstance sans exprimer ce que tous disent: le R.P. Frédéric est mort en odeur de sainteté. En 1901, j'étais à Jérusalem et il me fut donné de visiter les Saints Lieux, où le Révérend Père, pendant long-temps, avait été vicaire custodial. Partout où j'allai, on me parla du bon Père Frédéric et on m'en parla comme d'un saint religieux.

Mais s'il ne m'est pas permis de m'étendre sur ses vertus, je puis parler de ses œuvres et en particulier de deux d'entre elles que le Révérend Père a accomplies au milieu de nous. En 1888, le R.P. Frédéric, envoyé par ses supérieurs majeurs, fonda le com-missariat de Terre Sainte dans notre ville épiscopale. Le commis-sariat devait amener le couvent en 1903, et, un peu plus tard, se fondait la florissante paroisse de Notre-Dame des Sept Allégresses.

C'est le R.P. Frédéric aussi qui, en grande partie, a lancé l'œuvre de Notre-Dame du Rosaire au Cap-de-la-Madeleine.

Je me demande quelle est la paroisse de mon diocèse qui n'a admiré ses vertus et la puissance de sa parole apostolique.

Eh bien, mes frères, nous devons remercier le bon Dieu de toutes les grâces qu'il nous a faites par l'entremise de ce bon Père et, conformément au désir de la sainte Église, nous lui offrirons nos prières les plus ferventes.

Après l'absoute, la dépouille fut conduite à sa dernière demeure. Dans l'église conventuelle des Franciscains de Trois-Rivières, les restes sont indiqués par une simple pierre tombale en granit gris, à fleur de pavé, devant le maître-autel, près de la table de communion. Sous la croix potencée de l'écusson de Terre Sainte, on lit l'inscription suivante:

ICI
REPOSE
LE
R.P. FRÉDÉRIC JANSSOONE
O.F.M.
EX-VICAIRE CUSTODIAL
FONDATEUR DU COMMISSARIAT
COMMISSAIRE DE TERRE SAINTE
AU
CANADA
NÉ À GHYVELDE FRANCE
LE XIX NOVEMBRE
MDCCCXXXVIII
MORT EN ODEUR DE SAINTETÉ
À
MONTRÉAL
LE IV AOÛT MCMXVI
R.I.P.

331

En attendant le jour de la glorification, le tombeau dresse maintenant sa robuste maçonnerie au milieu de la magnifique crypte-musée, construite en 1938, au soubassement de l'église franciscaine de Trois-Rivières. Chaque année des milliers de visiteurs de toute classe, venant du Canada et des États-Unis, se rendent spontanément à la crypte. Ils ont entendu parler du serviteur de Dieu dans leur propre milieu ou à l'occasion d'un pèlerinage au Cap-de-la-Madeleine; ils viennent s'édifier au spectacle des objets qui lui ont appartenu, au récit de ses vertus; ils viennent, comme tant d'autres, demander une faveur ou accomplir une démarche de reconnaissance. Cette crypte est à la fois un mémorial et un témoignage. Elle témoigne que le bon Père Frédéric a conquis sa place dans la mémoire de la population canadienne. L'épreuve du temps a suffisamment montré la résistance de ses œuvres et la solidité de sa réputation de sainteté.

Des témoignages publics de vénération

Après sa mort, ce renom de sainteté éclata d'abord partout dans les journaux, les revues et les lettres particulières. Aux manifestations de sympathie qui venaient de tous les coins de la province de Québec, du Canada et même d'outre-mer, de France, de Rome et de Palestine, se joignaient toujours les plus hauts témoignages de vénération. Il est impossible de rapporter ici tous les éloges qui furent alors décernés. Contentons-nous d'en rappeler deux significatifs: le premier d'un laïc, l'autre d'un évêque.

Dans *Le Bien Public,* de Trois-Rivières (10 août 1916), le journaliste Joseph Barnard exposa à ses lecteurs les leçons qu'il croyait discerner dans la vie et l'œuvre du Père Frédéric. Son idée maîtresse était que, par sa pauvreté volontaire, le modeste disparu avait été un exemple de détachement chrétien et un instrument de rapprochement social.

Toute la vie de ce pauvre volontaire a été une prédication par l'exemple [...] Dans un temps où la lutte pour toutes les jouissances, où la recherche du confort et la fuite de toute contrariété se poursuivent fiévreusement du haut en bas de l'échelle sociale; que le socialisme enseigne au prolétaire à haïr la médiocrité et à désirer, jusque par la grève et la révolte, la vie large que le gagne-petit ne peut atteindre; ce saint religieux, à qui la naissance et la haute culture intellectuelle justifiai(ent) toutes les ambitions les meilleures, a passé sa vie à tendre la main, à s'humilier volontairement de toutes les rebuffades qui sont la part réservée à la pauvreté. Au socialisme pervertisseur et aux affamés de toutes les jouissances, le spectacle de ce pauvre est impressionnant.

Il démontre que la pauvreté en elle-même et chrétiennement acceptée n'a rien de rebutant et que, lorsqu'elle n'a pas pour cause le vice, le dérèglement ou la paresse crapuleuse, elle est très honorable et digne d'être honorée de ceux qui jouissent de l'abondance. Il enseigne la charité nécessaire entre les classes, l'affectueuse sympathie du riche pour le pauvre, et la sympathie reconnaissante du pauvre pour le riche; il unit les classes sociales au lieu de les désunir; à la doctrine de haine il oppose l'évangélique doctrine de l'amour.

Le saint vieillard repose aujourd'hui dans le sein de Dieu, après avoir fait toute sa vie l'œuvre du vrai prêtre du Christ. L'œuvre de cette vie si humble et si pleine est sans doute admirable au point de vue chrétien; elle est non moins admirable et salutaire au point de vue social et humanitaire [10].

Mgr Émard, évêque de Valleyfield, parlait du serviteur de Dieu comme d'un saint:

Véritable type du fils de saint François, le Père Frédéric a marché constamment sur les traces de son séraphique modèle, repro-

---

10. Le conservatisme simplificateur de ce vieux texte le rendra sans doute agaçant à plus d'un lecteur actuel: il n'est plus permis aujourd'hui de taxer de «socialisme pervertisseur» tout mouvement qui lutte pour la défense et la promotion des économiquement faibles et des «gagne-petit». Mais, cette remarque étant faite, est-il hérétique de penser que le Père Frédéric, tout en ayant été l'extraordinaire apôtre que l'on sait, ait aussi pu jouer dans notre milieu un rôle de pacificateur social? Après tout, n'est-ce pas d'abord à saint François lui-même, patron de la paix, qu'on a attribué pareil rôle? Et quiconque s'efforce de vivre l'esprit de l'Évangile et des Béatitudes ne devient-il pas bon gré mal gré «un instrument de paix», comme le demande la célèbre prière attribuée elle aussi à saint François? Même si, pour obéir à d'autres textes évangéliques tels que la parabole de Lazare et du Mauvais riche, il travaille activement à la libération des opprimés! Peut-il y avoir une action sociale chrétienne sans cette tension intérieure entre les impératifs de la justice et ceux de l'agapê?

duisant, avec l'exemple des sublimes vertus, jusqu'aux traits les plus marquants de la vie du bienheureux fondateur. Le Père Frédéric restera dans la mémoire de tous par l'édification que donnait partout sa charité ardente et sa proverbiale pauvreté. L'évêque de Valleyfield avec tout son clergé et tous ses fidèles lui garde une reconnaissance impérissable pour le concours si généreux accordé par lui à l'établissement de notre monastère des Clarisses.

Le service prophétique du 14 août 1916

Le nom du bon Père Frédéric était inséparable du sanctuaire du Cap-de-la-Madeleine. C'est pourquoi les Pères Oblats y célébrèrent, le 14 août 1916, un service solennel de reconnaissance pour «un des fondateurs du pèlerinage de Notre-Dame du Très Saint Rosaire». Le Père Ambroise Leblanc, O.F.M., officia: les Pères Perdereau, O.M.I., supérieur des Oblats, et Magnan, O.M.I., directeur des pèlerinages, furent diacre et sous diacre. Au chœur avaient pris place le T.R.P. Ange-Marie Hiral, plusieurs franciscains et oblats. Une assistance nombreuse remplissait l'église. Avant le chant du libera, le Père Arthur Joyal, O.M.I., avec une émotion partagée par tout l'auditoire, prononça un magnifique sermon à la fois bien informé et senti. Il avait pris pour texte: *In memoria æterna erit justus,* le juste que nous pleurons laissera après lui un souvenir ineffaçable (Ps 11, 7). Il signala que ce matin-là on acquittait «une dette de reconnaissance paroissiale», à cause du bienfaisant ministère exercé par le Père Frédéric dans le territoire du Cap-de-la-Madeleine, où il laissait «un souvenir ineffaçable». On acquittait surtout «une dette de reconnaissance nationale», parce que, comme le disait Mgr Cloutier, «le Père Frédéric, en grande partie, avait lancé l'œuvre nationale de Notre-Dame du Saint Rosaire». Après avoir brièvement relaté la mission mariale du bon Père Frédéric, le prédicateur terminait en une vibrante péroraison:

Il n'est plus, mais son souvenir restera ineffaçable. Oui, Père vénéré, [...] vous vivrez dans la paroisse du Cap-de-la-Madeleine à jamais imprégnée de l'arôme de vos mortifications et du parfum de vos vertus. Vous vivrez au vieux Sanctuaire, où vous avez peiné sans compter pendant tant d'années. Votre nom restera gravé en lettres d'or sur la liste de ses bienfaiteurs. Toujours on vous appellera le prophète de Notre-Dame du Cap, le héraut de ses pèlerinages, le propagandiste par excellence de ses *Annales*.

Vous vivrez dans le Canada tout entier, ce pays d'adoption, cette humble France d'Amérique, où vous avez fait refleurir, avec ses œuvres multiples, votre admirable famille franciscaine. Vous vivrez, oh! c'est là notre ferme espérance, vous vivrez éternellement dans la céleste Patrie.

Vous vivrez peut-être un jour dans l'Église catholique tout entière grâce aux prodiges que l'on vous a attribués déjà de votre vivant et à ceux que vous accomplirez, nous le souhaitons, après votre mort[11].

---

11. *Le Bien Public,* Trois-Rivières, 24 août 1916, et *Annales du Très Saint Rosaire* 25 (1916), 376-381.

1895	1896. W. Laurier, premier ministre 1897. Affaire Dreyfus — Au Québec, F.-G. Marchand, premier ministre 1899. Contingent canadien au Transvaal 1900. Voie ferrée de 3-Rivières au Cap 1901. Edouard VII, roi d'Angleterre		1895. Le P. Augustin Bouynot s'installe pour de bon à Trois-Rivières 1897. Bulle *Felicitate quadam* qui fusionne plusieurs branches d'Observants et en fait les Franciscains 1900. Couvent franciscain à Québec	1895. Début de la quête pour les Franciscaines Missionnaires de Marie. Le service au Cap continue 1900. *Revue eucharistique.* Le Cap proclamé sanctuaire diocésain
1900		1897. Mgr Bruchési, arch. de Montréal 1898. Mgr Bégin, arch. de Québec 1899. Mgr Cloutier, évêque de 3-Rivières 1902. Les Clarisses à Valleyfield 1903. Saint Pie X, pape	1-9-1902. À Québec, l'Alverne 1904. Couvent franciscain à 3-Rivières. 1905. C.-M. Dreyer, provincial de France	7-5-1902. Les Oblats de M.I. au Cap 5-2-1903. Maître-autel des F.M.M. consacré 12-10-1904: Couronnement de la [sacré] Vierge du Cap 1906. Début de quête pour les Clarisses 14-11-1907. L'église des Clarisses bénie 1908-1909. Quêtes pour les O.F.M. de Québec 1909-1911. Quête pour Précieux [3-R. Sang de Joliette
1905	1905. L'Alberta et la Saskatchewan deviennent des provinces du Canada	1907. Condamnation du modernisme		
1910	1910. Georges V, roi 1911. Recensement national: Canada: 7 204 838 Québec: 2 202 712 4-8-1914. Première Guerre mondiale	24-4-1909. Lettre *Recte vos* sur le T. O. 1910. Congrès eucharistique de Mtl	1909. Couvent franciscain à Edmonton 1911. A.-M. Hiral, vicaire provincial pour le Canada	Juin 1913. 25e ann. du Commissariat de Terre Sainte à Trois-Rivières 22-7-1915. Jubilé d'or de profession 4-8-1916. Mort du Bon Père Frédéric
1915		1914. Benoît XV, pape; Mgr Bégin, card.	1915. Jean-Joseph Deguire, provincial de France. Couvent franciscain à Montréal-Rosemont	
1920	1917. Le Canada entre en guerre 1918. L'Armistice 1919. Traité de Versailles. — Au Canada, mort de Sir Wilfrid Laurier	1917. Apparitions de Fatima	1919. Rémi Leprêtre, prov. de France 1920. Le Canada franciscain devient un commissariat indépendant	

QUATRIÈME PARTIE

L'HOMME
FRÉDÉRIC JANSSOONE

Chapitre vingtième

Un saint François d'Assise
qui ne faisait point de vagues

Toute biographie qui se respecte doit, si elle le peut, offrir à ses lecteurs un portrait aussi précis que possible de l'être dont elle rapporte les faits et gestes. Car l'esprit humain est ainsi bâti qu'il a un besoin inné de connaître l'apparence et les traits des héros qu'on veut lui faire admirer. Le Père Frédéric lui-même n'était pas étranger à ce sentiment. Il écrivait: «C'est chose fort intéressante que de connaître avec quelque détail le visage et les qualités naturelles des saints que nous aimons et que nous admirons... Connaître leur extérieur et leur fidèle ressemblance donne un intérêt singulier à la contemplation de leur sainte vie et à la méditation de leurs vertus.»

Dans son cas, comme dans celui de sainte Thérèse de l'Enfant-Jésus, nous sommes bien servis au point de vue iconographique. Car, même si le serviteur de Dieu n'aimait pas poser devant la caméra, il nous reste assez de photos de lui. Nous en avons à dessein reproduit quelques-unes dans cet ouvrage. Mais il y a profit à compléter ces vieilles images un peu compassées par les descriptions physiques et psychologiques que les contemporains nous ont laissées du petit moine. Le supplément de lumière que ces informations nous apporteront nous permettra de nous faire une idée plus adéquate de cet homme pas du tout banal, dont les chapitres précédents nous ont déjà laissé entrevoir les surprenants contrastes et la subtile complexité.

Nous pratiquerons ici une sorte d'approche en spirale. En gros, le procédé consistera à aller du plus connu au moins connu et du plus visible au moins visible. Nous présenterons d'abord une première image de l'homme considéré dans son double aspect physique et psychologique. Puis nous essayerons de définir ce que ses contemporains voyaient de saint en lui, en recensant les vertus théologales et morales qu'on lui a reconnues. Cela fini, un examen sérieux de la comparaison que beaucoup de gens ont faite entre lui et saint François nous permettra de donner à notre enquête sa dimension ultime. Car le coup d'œil critique qu'il nous obligera à jeter sur la psychologie profonde du serviteur de Dieu nous mettra à même d'ajouter à son portrait les dernières touches qui lui manquaient pour que ressorte sa pleine cohérence humaine et surnaturelle[1].

Un maigrichon austère mais fascinant

La plupart des témoins qui nous ont parlé du Père Frédéric ne l'ont connu que dans un âge plutôt avancé. Ils revoient avant tout de lui son portrait physique: un homme d'une taille moyenne, à la figure émaciée, fortement ridée. Ses pommettes sont rosa-

---

1. Pour la révision de ce chapitre, j'ai puisé largement dans un document qui n'existait pas encore au temps du P. Romain Légaré. Il s'agit d'un texte que la Congrégation des causes des saints a fait imprimer en 1978, à la Tipografia Guerra de Rome. C'est un fort volume de plus de 720 pages qui reproduit les plus importants des actes ayant servi à faire proclamer l'héroïcité des vertus du Père Frédéric. Il s'intitule: *Servi Dei Friderici Janssoone Positio super Virtutibus,* ce qu'on peut traduire en français: *Soutenance sur les vertus du serviteur de Dieu Frédéric Janssoone.* L'ouvrage est divisé en six fascicules ayant chacun leur pagination: 1) Plaidoyer du Postulateur. 2) Dossier des témoignages recueillis aux différents procès diocésains de Trois-Rivières, Lille et Alexandrie. 3) Dossier des écrits. 4) Objections du Promoteur de la Foi. 5) Réponses du Postulateur aux objections du Promoteur de la Foi. 6) Dossier supplémentaire accompagnant la réponse du Postulateur. — Pour alléger les références du présent chapitre, nous nous contenterons, lorsque nous citerons la *Positio,* de renvoyer à ses éléments composants, en indiquant à chaque fois la page et le paragraphe. Cela donnera quelque chose comme ceci: *Procès ordinaire de Trois-Rivières,* p. 189, § 482. Ou encore: *Objections du Promoteur de la Foi,* p. 16, § 24. (Constantin Baillargeon)

cées, presque rougeâtres, comme celles des *vieux* dont parle Alphonse Daudet. Une couronne de cheveux de neige et une barbe courte et blanche, qu'il conserve à titre de missionnaire de la Terre Sainte, encadrent des traits fins et mobiles. Par sa maigreur et ses rides, le visage donne une forte impression d'austérité, d'autant plus qu'en public il est habituellement modeste et réservé. Mais quand le Père cause avec un interlocuteur et qu'un beau sourire le détend, ce même visage rayonne la paix et la charité. Les yeux bleus, vifs et intelligents, reflètent une grande pureté d'âme et sont comme tout illuminés de la présence de Dieu. Ce mélange d'austérité, d'amabilité et de rayonnement du divin a beaucoup frappé les contemporains du Père Frédéric, qui affirmaient à l'envi retrouver en lui un second François d'Assise.

Qui chantait plutôt mal

Il avait une voix pénétrante. Le ton n'était pas désagréable; plutôt familier, il se teintait de bonhomie comme le ton que prend celui qui va raconter des histoires aux enfants. Mais il n'avait guère d'oreille pour le chant. Il avouait, un jour, n'avoir jamais appris qu'un seul *Ite, missa est* et s'être toujours tiré d'affaire avec ce ton unique. Il est vrai que, de par ses fonctions de vicaire custodial et de commissaire de Terre Sainte, il n'avait guère chanté que des messes solennelles, où c'est le diacre qui se charge du renvoi liturgique des fidèles. Pour compenser ses insuffisances de chanteur, il mettait tout son cœur à bien réciter l'office choral: il psalmodiait *con gusto* et sa voix forte et sonore martelait chaque syllabe.

Mais qui était curieux, sagace et d'une étonnante mémoire

Son intelligence, naturellement curieuse, s'ouvrait spontanément à toutes les branches du savoir, aux sciences physiques et historiques tout comme à l'art et aux questions religieuses. La tournure positive de son esprit se manifestait du reste dans l'amour qu'il avait pour le détail précis et la mesure exacte des choses.

Son esprit, constamment en éveil, était servi par un œil aussi observateur que drôlement perspicace. Malgré l'attitude modeste qu'il conservait habituellement en public, il voyait et comprenait infiniment plus de choses qu'on ne croyait. Il savait aussi jauger son homme sans trop le faire voir. L'abbé Joseph-A. Lemire, qui fut un temps aumônier à Woonsocket, raconte: «Visitant pour la première fois les curés de Woonsocket, il me les a peints, dans un mot, d'une manière fort exacte[2].» Cette perspicacité psychologique était complétée par un jugement sûr et un solide bon sens. C'est ce même témoin qui l'atteste trois lignes après son témoignage de ci-dessus: «Il était prudent: il avait le coup d'œil juste et saisissait vite le caractère des hommes et le cours des événements.» Et le P. Théophile Gin, un confrère français, de confirmer: «On ne lui a jamais prêté de maladresse. Il avait plutôt la réputation d'être un peu diplomate, finaud. Il savait triompher des difficultés[3].» Nous avons là l'un des secrets des réussites diplomatiques du Père Frédéric en Terre Sainte et de sa compétence à faire marcher les entreprises les plus difficiles.

Son exceptionnelle mémoire étonnait. Un confrère franciscain a dit:

> Ce missionnaire de la mansuétude du Christ, doué d'une mémoire d'ange gardien, n'oubliait plus, lui, ni le lieu ni la date de la rencontre, pas plus que la famille de l'enfant et son âge. À qui le rencontrait après cinq ans et plus, le bon Père Frédéric ne manquait pas de s'informer — en appelant de son nom l'enfant grandi — de sa petite sœur Marinette, atteinte de la rougeole lors de son passage, ou d'autres détails familiers, qui prouvaient son sympathique intérêt pour une famille chrétienne de chez nous[4].

Était-il joyeux ou grave?

Cet homme si doué était-il joyeux ou grave? Les témoignages sur ce point ne concordent pas. C'est qu'il y a ici comme deux

---

2. *Procès ordinaire de Trois-Rivières,* p. 191, § 487.

3. *Procès rogatoire de Lille,* p. 422, § 1135.

4. Fr. Noël Gosselin, O.F.M., *Le Bon Père Frédéric parle aux enfants,* causerie inédite, 1938.

Pères Frédéric, le naturel et l'officiel, le spontané et celui qu'une longue pratique d'un certain type d'ascèse avait fini par fabriquer.

Le premier était sans aucun doute un être foncièrement gai. «Le Père Frédéric, dit l'abbé Lemire ci-dessus cité, n'était pas triste, ni sombre, ni mélancolique: il avait une humeur joviale, riante; il excellait à créer l'enjouement autour de lui. Il donnait à ceux qui aimaient à faire des jeux de mots l'occasion de se produire[5].» De cette jovialité, le T.R.P. Colomban-M. Dreyer, O.F.M., qui avait été son provincial au Canada, nous apporte de son côté le témoignage suivant:

> Un jour de fête nous avions au repas un père capucin assis à côté de moi. Tout à coup, celui-ci me dit: «Où est donc le Père Frédéric?» Je le lui montrai assis tout près. Il me répondit: «Est-ce possible? Je me figurais un homme au visage austère, rude et sévère! Celui que vous me montrez est le plus enjoué de tous: il ne fait que causer et rire aimablement avec ses voisins. Tel était en effet le Père Frédéric, gai, enjoué, aimable, et cachant ainsi au repas sa presque complète abstinence[6].»

C'est ce Père Frédéric-là qui, au chapitre septième, a décrit avec un humour piquant ses mésaventures à Florence. La longue page que nous avons citée de lui à cet endroit illustre bien cette jovialité qu'il savait déployer en petit cercle. Il la tenait de la rondeur innée de sa race, si gaie et si sociable. Elle appartenait, croyons-nous, au vrai fonds de sa nature.

Mais il y avait aussi un autre Père Frédéric, celui que les pieuses foules canadiennes ont connu. Celui-là ne riait guère et ne plaisantait jamais, ne marchait jamais les bras ballants et gardait toujours les yeux baissés. Les témoignages, ici, foisonnent. Lisons seulement celui-ci, qui est de l'abbé Louis-Eugène Duguay. Cet homme à la personnalité ferme et posée a, pendant quatorze années, hébergé le Père Frédéric à son presbytère et a lancé avec lui le pèlerinage du Cap-de-la-Madeleine. Il devait bien le connaître un peu:

---

5. *Procès ordinaire de Trois-Rivières,* p. 191, § 487.
6. *Procès rogatoire du Vicariat apostolique d'Égypte,* p. 232, § 568.

Il était avec les hommes toujours digne, ne se permettant aucune parole légère, aucune plaisanterie. Il ne les regardait pas en face: les yeux modestement baissés, il les écoutait avec une patience qui ne se démentait jamais... Les hommes admiraient cette modestie, qui se manifestait dans toute sa tenue. La plaisanterie, c'était comme s'il ne l'admettait ni avec moi ni avec d'autres, à ma connaissance, en aucun temps: je voyais que son temps était à Dieu. Mais sa prudence et sa modestie en présence des femmes, des personnes du sexe, étaient plus marquées, plus apparentes encore. Ses yeux étaient comme naturellement baissés. Sa prudente réserve faisait qu'il se tenait toujours à distance d'elles lorsqu'elles s'adressaient à lui pour lui exposer leurs besoins et lui demander le secours de ses prières. Avec elles jamais une parole qui ne fut pas explicitement pour le bon Dieu ou sa sainte Mère. J'ai bien et bien observé sa conduite dans toute la durée de notre vie commune: elle a toujours été la même... Modestie des yeux, modestie dans le maintien, modestie dans la voix, modestie dans sa tonalité, qui n'admettait pas d'accentuation nerveuse ou anormale[7].

Ces données de l'abbé Duguay sont confirmées par le témoignage du P. Théophile Gin, confrère français déjà cité plus haut: «Je ne l'ai jamais entendu rire avec les gens[8].» Un autre témoignage, celui du P. Marie-Raymond Sifantus, montre que la réserve dont le Père Frédéric faisait preuve à l'égard des laïcs, il la gardait également avec ses frères. Les petits jeux dont le témoin usait à l'égard du serviteur de Dieu sont un peu rosses — il en inventera bien d'autres, plus tard, pour «éprouver» ses novices — mais ils prouvent d'autant mieux ce qui est attesté!

Le Père Frédéric pratiquait une grande modestie dans son regard. Quelquefois même, nous, ses confrères plus jeunes, tentions, avec une légère malice, de le mettre à l'épreuve sur ce point. En conversation, nous l'entourions et le fixions exprès du regard. Mais il déjouait à tout coup le stratagème, et son regard nous évitait, flottant au-dessus de nous vers un point imprécis[9].

---

7. *Procès ordinaire de Trois-Rivières,* p. 19, §§ 56-57.
8. *Procès apostolique de Lille,* p. 424, § 1146.
9. *Procès apostolique de Trois-Rivières,* p. 401, § 1055.

Tous les franciscains canadiens du troisième âge ont entendu des centaines de fois, lors du chapitre des coulpes, des confrères s'accuser d'avoir manqué à «la modestie des yeux» et à la «gravité religieuse». Aux yeux de certains maîtres de formation, ces deux points étaient des éléments très importants dans l'ensemble des vertus qui constituaient le «bon religieux». Chez beaucoup de leurs confrères, la garde des «convenances religieuses» était envisagée, sans plus, comme une protection pour la chasteté, «un rempart pour la sainte vertu», pour employer le pieux cliché d'usage. Mais un saint Pierre d'Alcantara, dont sainte Thérèse d'Avila nous rapporte qu'à une certaine période de sa vie il s'abstint, pendant des années, de regarder les visages non seulement des femmes mais aussi de ses confrères, agissait de la sorte pour une autre raison. Il ne voulait pas perdre son recueillement, son sens de la présence de Dieu: il combattait, en d'autres termes, ce que Pascal appelait le «divertissement», l'abandon aux séductions du créé.

Chez le Père Frédéric, le souci de la «gravité religieuse», sans être étranger à ces motivations, faisait en outre partie d'un autre souci plus viscéral. Il s'agit du désir d'*édifier,* sous-produit extrêmement actif de son zèle pour la gloire de Dieu et le salut des âmes. C'est ce très vif souci d'édifier, surtout, qui le poussait à restreindre au maximum les conversations badines et les plaisanteries, afin de pouvoir parler davantage du bon Dieu. Sur le bon Dieu, sa Mère et les saints, il était en effet intarissable. Il aurait été prêt à en parler à cœur de jour. Évidemment, cela ne prenait pas à tout coup avec les religieux de son âge, qui n'étaient pas toujours prêts à causer de choses saintes en récréation. Il se reprenait avec ses confrères plus jeunes, novices et scolastiques. Les pieux entretiens qu'il se plaisait à avoir avec eux, même en dehors des temps alloués, n'étaient pas à ses yeux manquements au silence. Il renversait alors l'adage qui dit que la parole est d'argent, mais que le silence est d'or. De ces échanges spirituels, le Père Mathieu Daunais nous a laissé une longue relation, que nous citerons plus loin dans ce chapitre. Elle témoigne de la grande vénération qu'ont gardée pour le Père Frédéric bien des franciscains qui l'avaient connu dans leur jeunesse séraphique.

D'apparence chétive mais robuste

Un autre point qui demande à être nuancé est celui de la robustesse corporelle du Père Frédéric. D'aucuns ont parlé de sa «faible complexion». C'est une expression ambiguë. Si l'on veut dire par là que notre homme n'était point une armoire à glace et qu'il était maigre, l'on a tout à fait raison: le Père Frédéric avait la carcasse menue et émaciée d'un saint François d'Assise. Mgr Colomban-M. Dreyer rapporte qu'un jour à Québec, on avait dû faire venir en hâte un médecin pour le soigner. «Celui-ci, dit-il, ausculta le malade et s'écria, tout épouvanté: Jamais je n'ai vu un homme aussi maigre[10]!» L'évêque ajoute malicieusement qu'une autre fois, le Père Frédéric ayant dû revêtir le clergyman pour aller aux États-Unis, on ne put trouver de costume assez étroit pour lui. «Il dut [donc] mettre plusieurs paires de caleçons pour avoir l'air d'être vêtu.»

Mais on ne saurait conclure de pareils faits que le Père Frédéric était malingre et chétif. Les petits hommes sont loin de toujours être des mauviettes. Jeune, Napoléon Bonaparte était d'un gabarit si médiocre que ses soldats l'avaient surnommé le Petit Caporal. Il n'en fournit pas moins pendant un quart de siècle des journées de travail de quinze heures et plus. C'est à peu près ce qu'a fait toute sa vie notre ascète de prétendue «faible complexion», qui au surcroît ne mangeait guère que de chiches pommes de terre et un peu de pain. Il travaillait parfois, au dire du P. Mathieu-M. Daunais, jusqu'à quatorze heures consécutives sans fatigue apparente. Est-ce là le fait d'une santé débile? Combien de soi-disant costauds pourraient en faire autant? Le Père Frédéric faisait le ministère le jour et consacrait souvent une grande partie de la nuit à écrire ses lettres, ses articles de revue et ses volumes. De nombreux témoins de ses performances ont avoué qu'ils ne comprenaient pas comment il pouvait résister à

---

10. *Procès rogatoire du Vicariat apostolique d'Égypte*, p. 248, § 605. Le T.R.P. Colomban-M. Dreyer, qui avait été provincial du Père Frédéric de 1905 à 1911, fut par la suite vicaire apostolique au Maroc (1923-1927), vicaire apostolique au Canal de Suez (1927-1928) et enfin délégué apostolique en Indochine de 1928 à 1936.

pareil régime. Force surhumaine ou miracle perpétuel? Le T.R.P. Colomban-M. Dreyer, si perspicace et si équilibré, nous paraît donner la note juste en laissant entendre qu'il y avait un peu des deux! « J'atteste, dit-il, qu'il était absolument extraordinaire de voir un homme suivant le régime du Père Frédéric fournir de jour et de nuit la somme de travail qu'il a fournie. Il devait nécessairement avoir *un tempérament des plus robustes,* une très forte volonté et, de plus, *une grâce spéciale*[11]. »

Hyperactif et tenace

Il y aurait une mise au point du même genre à faire au sujet de la prétendue timidité du Père Frédéric. Car lui-même se disait tel. Mais ce timide s'affirmait comme un exceptionnel homme d'action. Il avait une personnalité entreprenante, d'un dynamisme toujours en éveil. Il avait constamment en tête quelque projet d'ordre social ou apostolique. On pense ici à ces hyperactifs dont regorge le monde des affaires et qui ne peuvent demeurer en place. Même si son air dévot ne le laissait guère soupçonner, l'homme avait, comme eux, un esprit essentiellement pratique et réalisateur. Il savait tirer des plans et, en véritable fils de paysan flamand, il les poursuivait avec prudence et ténacité. Une volonté de fer se cachait sous ses airs de petit moine frêle.

Mais toujours courtois

Volonté et douceur ne vont pas nécessairement ensemble: les robustes et les forts sont trop souvent des dominateurs et des mauvais coucheurs. Or c'est là un autre des paradoxes du Père Frédéric: malgré sa formidable volonté, ses austérités et son infatigable dynamisme, il était doux et aimable. Voici, entre cent autres, le témoignage que portait sur lui l'abbé Pierre-A. Bellemare, un prêtre séculier qui a été curé de Batiscan, près de Trois-Rivières:

---

11. *Procès rogatoire du Vicariat apostolique d'Égypte,* pp. 248-249, § 606. C'est moi qui souligne (C. Baillargeon).

À la piété le Père Frédéric joignait quelque chose de plus doux, c'était l'aménité. Il était d'une amabilité et d'une délicatesse exquises. Ce n'était pas cette politesse ordinaire aux personnes du monde: c'était une bonté de cœur sans affectation et avec tout le naturel possible, qui lui faisait éviter tout ce qui peut faire de la peine, et le portait à dire et à faire ce qui peut faire plaisir. Ainsi le Père Frédéric n'avait pas d'ennemi. Ceux qui ne l'approuvaient pas toujours lui restaient tout de même sympathiques. Il savait consoler ceux qui sont dans la peine, et il semblait partager lui-même la peine des autres [12].

Les leçons de maîtrise de soi et de politesse que le Père Frédéric avait reçues de Marie-Isabelle Bollengier, sa mère, avaient donc porté d'abondants fruits: son fils était un fort, mais aussi un doux. L'heureux dosage de ces deux qualités produit souvent des êtres attachants qui savent engendrer la sympathie autour d'eux. Le Père Frédéric était l'un de ces êtres et a été effectivement beaucoup aimé comme homme par ceux qui l'ont côtoyé. On se souvient, par exemple, de l'exquise amitié que lui avait vouée le Père Augustin Bouynot, son confrère de scolasticat.

Considéré par tout le monde comme un saint

Mais, si fort qu'ait été son rayonnement naturel, c'est avant tout par ses vertus et sa réputation de sainteté qu'il s'est imposé aux foules canadiennes. On l'appelait communément «le Bon Père Frédéric» ou «le Saint Père». «De son vivant, dit le P. Ignace d'Alsace, il était entré dans la légende et semblait être un de ces grands saints du moyen âge descendus d'un vitrail de cathédrale. L'opinion publique lui attribuait sans hésitation les miracles les plus étonnants [13].»

Au procès ordinaire des Trois-Rivières, cette réputation de sainteté est mentionnée par à peu près tous les témoins. Voici,

---

12. *Procès ordinaire de Trois-Rivières,* pp. 86-87, § 227.

13. Ignace-Marie [Freudenreich], O.F.M., *Le R.P. Frédéric de Ghyvelde, O.F.M.,* dans *Revue franciscaine de Bordeaux* 70 (1940), 39.

parmi beaucoup d'autres, le témoignage qu'a porté sur ce point l'abbé Joseph-Euchariste Héroux. De 1895 à 1897, ce prêtre a été le collaborateur du Père Frédéric au sanctuaire du Cap.

Le Père Frédéric avait une grande réputation de sainteté durant sa vie. On l'appelait souvent le Saint Père. On le vénérait comme un saint. On le croyait capable de faire de grands miracles. On venait lui en demander avec instance. Plusieurs proclament en avoir obtenu. C'était le type parfait du Frère Mineur. Quand il passait dans nos paroisses, sa pauvreté, son détachement, sa charité, son esprit de prière et d'oraison rappelaient saint François parcourant les villes et les campagnes d'Italie en bénissant, instruisant et faisant le bien. Maintenant on se félicite de l'avoir reçu chez soi. On n'a pas peine à croire qu'il sera canonisé un jour. «Si ce n'est pas cela la sainteté, qu'est-ce donc?», se dit-on. On conserve son portrait avec respect et avec vénération, on le demande, et on réclame, comme reliques, des parcelles de ses vêtements. On le prie de plus en plus. C'est dans une lumière grandissante qu'on peut aujourd'hui contempler le Père Frédéric[14].

Le Père Frédéric aimait Dieu de tout son cœur

Quand elle est généralisée et durable, la réputation de sainteté constitue un argument important dans les causes de béatification. Mais encore faut-il la vérifier. Sur quoi l'Église se base-t-elle pour évaluer la sainteté des serviteurs de Dieu dont elle examine la vie?

Avant tout sur la qualité de leurs vertus théologales. Car la foi, l'espérance et la charité d'un chrétien mesurent avec précision sa dose d'immersion en l'Amour trinitaire et son degré de configuration au Christ, qui sont les effets essentiels de l'action de l'Esprit en lui. L'homme nouveau créé selon la justice et la vérité est foncièrement un être théologal, c'est-à-dire un être que la Grâce a décentré de lui-même et recentré sur Dieu, avec qui il vit en communion profonde. N'est-ce pas cet être nouveau recentré sur Dieu qui apparaît dans la description suivante, que l'abbé Louis-Eugène Duguay nous a donnée du Père Frédéric?

---

14. *Procès ordinaire de Trois-Rivières*, p. 118, § 308.

Le serviteur de Dieu allait droit à Dieu dans ses actions. L'esprit de foi semblait l'avoir pénétré jusqu'à la moëlle des os. Il ne portait aucune attention a ses intérêts personnels: la gloire de Dieu et le salut des âmes étaient les mobiles de ses actes. Sa simplicité le portait à faire des choses qu'une sagesse purement humaine n'aurait pas approuvées. Conduit par la lumière d'En Haut, il se rendait conforme à Jésus-Christ et à son séraphique Père Saint François, méprisant l'humiliation qui pouvait retomber sur lui en se distinguant des autres par sa manière de penser et d'agir. Il aimait la prière comme les mondains aiment le plaisir. Il y trouvait son bonheur: jamais il n'était plus heureux que quand il se trouvait au milieu d'une foule priante. Alors son âme semblait ne plus appartenir à la terre. Les heures s'écoulaient sans qu'il s'en aperçût. Souvent on était obligé de l'avertir que le temps était arrivé de finir[15].

La spiritualité d'un chrétien fervent est toujours à la fois trinitaire et christocentrique, les trois personnes divines jouant dans sa vie les rôles respectifs que leur assigne le *Credo*. Mais il y a d'un chrétien à l'autre des accentuations différentes qui dépendent des lumières et des grâces que chacun a reçues et qui définissent jusqu'à un certain point sa mission dans l'Église. Une Élisabeth de la Trinité, par exemple, n'a pas la même spiritualité qu'un Pierre-Julien Eymard ou qu'un Gabriel de l'Addolorata. C'est un travail passionnant d'essayer de mettre en lumière les éléments qui constituent la physionomie spirituelle propre d'un saint, autrement dit de tracer son portrait théologal. Tentons l'aventure en ce qui concerne le Père Frédéric.

Dieu le Père ou « le bon Dieu »

Dieu le Père est avant tout pour lui « le bon Dieu », c'est-à-dire l'Être infiniment bon qu'il aime tendrement, dont il accomplit avec soin les saintes volontés et dont il s'attriste de voir la miséricorde méconnue par le péché. Entre autres témoignages sur ce point, nous avons l'attestation du P. Paul-Eugène Trudel, O.F.M. Ce religieux avait connu le Père Frédéric dans une circonstance assez remarquable. Lorsqu'il avait sept ans, sa mère

---

15. *Procès ordinaire de Trois-Rivières,* p. 24, §§ 68-69.

et lui étaient allés retirer, à la balustrade de l'église paroissiale de Saint-Augustin, deux exemplaires du volume que le missionnaire vendait cette année-là. Le Père Frédéric avait distribué à l'un et à l'autre sa copie et s'était éloigné, quand il revint tout à coup sur ses pas et dit à Madame Trudel: «Prenez bien soin de cet enfant, car il sera prêtre un jour.» Voici ce que le Père Trudel nous dit des sentiments du Père Frédéric pour «le bon Dieu».

> Il avait l'esprit habituellement tourné vers Dieu... Le bon Dieu était le sujet habituel de sa conversation. Par son apostolat continuel, il travaillait à la gloire de Dieu. Il parlait souvent d'être éternellement uni à Dieu. Durant les fonctions sacrées, on sentait sa pénétration de la présence de Dieu... Sa vie entière prouve qu'il était uni à la volonté divine. Il avait une application très attentive et presque minutieuse à éviter ce qui est contraire à la volonté de Dieu. Il détestait grandement le péché chez lui et chez les autres. À ma connaissance, il n'est pas tombé dans une faute délibérée. Les péchés des autres l'abattaient beaucoup. Après ses séances de confession, il était abattu de la misère des autres; il les trouvait malheureux à cause de leurs péchés et s'affligeait lui-même de leur malheur. Tout son apostolat est contre le péché et pour la vertu. Répandre l'amour de Dieu, c'était le but même de sa vie[16].

Le Père Trudel aurait pu ajouter que le Père Frédéric aimait «à parler du bon Dieu». Il l'aurait fait à longueur de journée. C'était, en somme, sa marotte. La bouche ne parle-t-elle pas de l'abondance du cœur?

Dieu le Fils, Notre-Seigneur Jésus-Christ

Pour le chrétien, «le bon Dieu», ce devrait être aussi, même si l'usage ne va guère dans ce sens, Jésus-Christ, Fils de Dieu, «reflet parfait de la gloire du Père et effigie de sa puissance». De par la force des choses, le Verbe incarné, seconde personne de la Sainte-Trinité, ne peut pas ne pas jouer un rôle privilégié dans la vie théologale du chrétien. D'abord parce que, en se fai-

---

16. *Procès apostolique de Trois-Rivières,* p. 411, §§ 1089-1091, *passim.*

sant homme, il est devenu l'Emmanuel, le Dieu-parmi-nous, celui qui permet à chacun de contempler le visage humain de Dieu: «Philippe, celui qui me voit, voit aussi mon Père.» Mais surtout parce que, en acceptant de mourir sur la croix, il a réconcilié tout ce qui est sur la terre et ce qui est dans les cieux. La glorification qui a suivi sa mort a montré à tous qu'il était le Premier Voulu de l'univers, celui qui dans les vues de Dieu a toujours été le Centre, non seulement de l'Église, mais de toute la Création visible et invisible.

Les approches de cet immense mystère du Christ sont multiples. En un sens, on peut dire qu'il y a autant d'expériences et donc d'images du Christ qu'il y a de chrétiens. Parce qu'il connaissait par cœur les quatre Évangiles et qu'il les avait longuement médités sur les lieux mêmes où le Fils de Dieu avait vécu, le Père Frédéric avait de l'humanité de Jésus une image singulièrement étoffée. Quant à sa piété envers l'Homme-Dieu, les témoignages des contemporains nous laissent entendre qu'elle se polarisait plus fortement autour de deux dévotions majeures: la dévotion à la Passion et la dévotion à l'Eucharistie.

La dévotion à la Passion

L'existence, chez le Père Frédéric, d'un amour spécial pour la Passion du Christ n'a rien d'étonnant. Elle met en évidence le retentissement qu'a eu sur sa spiritualité le long séjour qu'il a fait en Terre Sainte. On ne passe pas des années dans une ville où Jésus a été crucifié et à proximité du lieu où son corps a été enseveli, on ne prêche pas non plus le Chemin de la croix dans les rues mêmes où l'Homme des Douleurs a porté son instrument de supplice, sans en rester spirituellement marqué. Ces expériences si intenses ont joué dans la vie spirituelle du Père Frédéric un rôle analogue à celui qu'avait eu dans la vie de saint François l'interpellation venant du crucifix de Saint-Damien. L'abbé Prosper Cloutier, curé de Champlain, a noté, sans en chercher la cause, la place exceptionnelle que le souvenir de la Passion tenait dans la pensée et la prédication du Père Frédéric.

La Passion de Notre-Seigneur était le sujet favori de ses méditations et de ses sermons. Des larmes abondantes coulaient alors de ses yeux et impressionnaient profondément ses auditeurs. Il devenait comme hors de lui-même et tombait dans une sorte d'extase. C'est là qu'il puisait son zèle des âmes et son amour pour le bon Dieu[17].

L'abbé Joseph-E. Héroux, plus explicite, a relevé le lien qu'il voyait entre le séjour du Père Frédéric en Terre Sainte et sa dévotion envers la Passion et le Chemin de la croix.

Vicaire custodial de Terre Sainte et Commissaire au Canada, le Père Frédéric avait acquis de ce fait une grande dévotion à la Passion de Notre-Seigneur. De là, sans doute, la pensée d'ériger au lieu des pèlerinages, au Cap-de-la-Madeleine, une Voie douloureuse qui devait devenir l'un des attraits de ce site... Dans les concours de pèlerins, on y fait de la prédication consistant en une courte méditation à chaque station. Le Père Frédéric, qui considérait cet exercice comme l'un des plus importants du pèlerinage, aimait à le prêcher lui-même. C'était beau, c'était vraiment touchant de le voir tout pénétré des mystères qu'il exposait et d'entendre son récit circonstancié de la Passion. Il savait faire cela mieux que tout autre. Souvent aux larmes du prédicateur venaient se mêler les larmes d'attendrissement de la foule. J'ai toujours considéré cet exercice comme l'un des plus fructueux du pèlerinage. Le P. Frédéric y tenait beaucoup[18].

On se souvient que le Père Frédéric a vu à faire élever deux autres chemins de croix en plein air, ceux de Saint-Élie de Caxton et de la Pointe-aux-Trembles. Leur existence confirme le témoignage de Monsieur Héroux sur la dévotion à la Passion du Père Frédéric.

La dévotion à l'Eucharistie

Un autre aspect important de l'amour du Père Frédéric pour le Christ était sa dévotion à l'Eucharistie. Sur ce point, il est en

---

17. *Procès ordinaire de Trois-Rivières,* p. 125, § 325.
18. *Procès ordinaire de Trois-Rivières,* pp. 109-110, §§ 286-288, *passim.*

filiation directe avec son père saint François d'Assise. Celui-ci, voulant expliquer à ses religieux pourquoi il avait un si grand respect pour les prêtres, écrivit un jour dans son *Testament*: «Si je fais cela, c'est parce que, du très haut Fils de Dieu, je ne vois rien de sensible en ce monde si ce n'est son Corps et son Sang très saints, que les prêtres reçoivent et dont ils sont les seuls ministres. Je veux que ce très saint sacrement soit par-dessus tout honoré, vénéré, et conservé en des endroits précieusement ornés.»

L'amour profond que le Père Frédéric portait au sacrement de l'Eucharistie lui faisait célébrer la messe avec «la ferveur d'un séraphin». Ce dernier témoignage, qui est de l'Abbé Prosper Cloutier, curé de Champlain, est corroboré par l'attestation que voici, qui est de l'Abbé Pierre-Antoine Bellemare, curé de Batiscan:

> Le Père Frédéric avait une grande dévotion envers le Saint Sacrement. De grand matin, il se rendait à l'église pour y faire oraison. Quand il montait à l'autel, on remarquait dans toute sa personne un profond recueillement. Il accomplissait toutes les cérémonies liturgiques avec une piété qui édifiait tous les fidèles. J'ai assisté plusieurs fois à la messe du Père Frédéric. Sa piété était toujours égale. Son action de grâces n'était jamais omise; il la faisait généralement dans un coin du sanctuaire. Quand il était libre, en dehors de la récréation du midi et du soir, il aimait à prier devant le Saint Sacrement, à genoux, appuyé sur le devant d'une stalle devant le sanctuaire[19].

L'habitude qu'avait le Père Frédéric d'aller prier longuement devant le Très Saint Sacrement est relevée par plusieurs témoins. Pour mieux garder son recueillement, il adoptait des attitudes caractéristiques, un peu surprenantes parfois, mais que ses intimes comprenaient bien. Voici, par exemple, un témoignage intéressant, celui de l'abbé Louis-Eugène Duguay, qui fut son commensal durant 14 ans:

> À la récréation, il ne laissait pas prise à la conversation légère; sans ostentation, il la dirigeait. Il était généralement court alors,

---

19. *Procès ordinaire de Trois-Rivières,* p. 82, § 215.

s'excusait avec aménité, puis je le trouvais en prière au Sanctuaire, prosterné au pied du Tabernacle, tantôt le visage contre terre, tantôt à genoux, la figure illuminée des grâces qui rayonnaient du Tabernacle, qu'il contemplait, mais le plus souvent la tête enveloppée dans son manteau pour ne pas se laisser distraire dans ses colloques avec Dieu. Quand je l'interrompais, il semblait sortir d'un rêve, d'une extase, son esprit était comme égaré et paraissait avoir des difficultés à se remettre aux choses de la terre. Alors, s'arrachant aux embrassements de Jésus, il reprenait le travail sans oublier un instant pour qui il travaillait[20].

Ce témoignage est particulièrement impressionnant. Avec Mgr Colomban-M. Dreyer, l'abbé Duguay est peut-être le prêtre qui a le mieux compris la spiritualité intime du Père Frédéric. Avec sa forte personnalité, s'il y avait eu de la feinte chez son hôte, il l'aurait un jour discernée. Or, mieux que personne, il laisse entendre que celui que le Père Frédéric recherchait dans sa prière continuelle, c'était l'Être que Thomas l'incrédule reconnut, après son doute, comme son Seigneur et son Dieu, Jésus ressuscité.

Le Saint-Esprit

Le Saint-Esprit n'occupe pas, dans les témoignages sur la spiritualité du Père Frédéric, autant de place que «le bon Dieu» ou Jésus. Ce n'est pas que le serviteur de Dieu l'ait ignoré. Nous avons même vu qu'il avait composé une brochure intitulée la *Neuvaine au Saint-Esprit,* dont une édition remaniée, préparée par le Père Nérée-M. Beaudet, a connu un très grand succès au Québec. Mais ses sermons habituels sur l'Esprit Saint étaient moins nombreux que ses entretiens sur le Christ et la Vierge. C'est surtout dans le soin qu'il mettait à chercher dans la prière les intentions divines que le Père Frédéric montrait son culte ardent envers la troisième Personne. Il n'adoptait aucun projet sans avoir longuement demandé la lumière de l'Esprit.

---

20. *Procès ordinaire de Trois-Rivières,* pp. 26-27, §§ 76-77.

Un amour exceptionnel pour la Sainte Vierge

Dans le chapitre sur les écrits du Père Frédéric, nous avons relevé que l'amour du serviteur de Dieu pour Jésus s'étendait, par une pente naturelle, à ceux que le Christ avait côtoyés sur la terre, Marie, Joseph, sainte Anne. Une place de prédilection revenait évidemment ici à la Mère de Dieu, que tant de saints ont vénérée et aimée au cours des siècles. «Quand vous voyez une femme qui est belle, disait-il un jour dans une retraite, pensez à la Sainte Vierge, qui est encore plus belle.» La Toute Belle, il avait appris à l'aimer chez lui, en Flandre française, sur les genoux de sa mère, qui était elle-même une femme accomplie. L'étude de l'Évangile et le séjour en Terre Sainte ont évidemment fortifié cette dévotion, comme ils ont confirmé l'amour que le Bon Père avait déjà pour le Christ. Mais les proches ont noté que la faveur toute spéciale qu'on a appelée le prodige des yeux a intensifié d'une façon impossible à mesurer, mais certaine, la tendresse que le Père Frédéric nourrissait déjà pour celle qu'il appelait habituellement «sa bonne Mère du ciel». Le Père Frédéric a passionnément aimé Marie. Entre cent autres témoins, l'abbé Joseph-E. Héroux nous rapporte comment l'humble moine parlait d'elle aux pèlerins du Cap. Comme il s'agit là d'un élément-clef de la physionomie spirituelle du Père Frédéric, nous citons au long ce témoignage, aussi coloré que détaillé.

> Un autre article du programme [des pèlerinages] était le sermon sur la Sainte Vierge, désignée sous le vocable de Notre-Dame du Cap. Le Père Frédéric y mettait toute sa foi, toute sa piété, toute son âme. Les pèlerins en étaient profondément impressionnés. Le Père Frédéric parlait à Marie et de Marie avec cette confiance enfantine qu'il communiquait à son auditoire, qui le regardait les yeux fixes et la bouche bée. Cette confiance qu'il inspirait et dont vivaient les pèlerins méritait souvent des faveurs, qu'on venait rapporter au Père comme s'il eût été l'auteur de ces bienfaits. Le Père renvoyait à Dieu et à la Reine du Rosaire toute gloire et toute reconnaissance en disant: «C'est la grâce de Dieu, obtenue par Notre-Dame du Saint Rosaire, qui vous a guéri.» C'est ainsi qu'il fut le héraut de Marie et l'instrument dont Dieu se servait dans l'œuvre de ces pèlerinages.

> L'acte de consécration des pèlerins à la Sainte Vierge était tou-

jours très impressionnant. Cette cérémonie se faisait généralement dans le sanctuaire, aux pieds de la Madone. Les paroles et les prières que le Père adressait à la Sainte Vierge étaient si bien senties qu'elles semblaient inspirées du ciel, tant il avait de la piété et de la confiance en Marie. Il priait tour à tour pour les malades, les infirmes, les affligés. Il demandait avec larmes la conversion des pauvres pécheurs, puis il sollicitait des bénédictions spéciales de Marie pour chaque classe de pèlerins, pour tous et chacun en particulier. À ces supplications instantes et multipliées venaient bientôt se joindre les larmes des pèlerins, et les sanglots montaient comme un long gémissement aux pieds et au cœur de notre bonne Mère, la douce et puissante Reine du Très Saint Rosaire. Tout le monde, hommes, femmes, enfants, pleurait avec le Père Frédéric; cela généralement. Cet acte de consécration, suivi du *Magnificat* chanté par la foule, laissait dans les cœurs un souvenir inoubliable. On quittait le Cap-de-la-Madeleine en disant: «Quel beau pèlerinage nous avons fait! Comme nous avons bien prié! Mais ce Père Frédéric, c'est un vrai saint!» Puis on retournait en racontant les choses admirables de la journée[21].

Parce qu'il était un homme d'action, le Père Frédéric avait tendance à incarner dans des réalités visibles et tangibles ses amours et ses dévotions. Dans les pages qui précèdent, nous avons signalé, par exemple, comment sa dévotion à la Passion l'avait incité à ériger trois chemins de croix en plein air. On pourrait en dire autant de sa dévotion à l'Eucharistie. C'est elle qui a inspiré l'activité incroyable qu'il a déployée en faveur du sanctuaire de l'Adoration perpétuelle des Franciscaines missionnaires de Marie à Québec et qui a soutenu jusqu'à sa mort sa collaboration à la *Revue eucharistique.* Et la liste pourrait être allongée encore.

Un homme qui aimait beaucoup son prochain

Un amour de Dieu, si fort soit-il, aurait des chances de ne pas être parfaitement authentique s'il ne se doublait d'un amour équivalent pour le prochain. Car, au dire même du Christ, les

---

21. *Procès ordinaire de Trois-Rivières,* pp. 112-113, §§ 293-294.

deux commandements de l'amour de Dieu et du prochain n'en font qu'un. Et saint Jean, le disciple bien-aimé, explicitant la pensée de son maître, n'a pas craint d'écrire dans sa première épître: «Celui qui dit qu'il aime Dieu et qui n'aime pas son frère, celui-là est un menteur (1 Jn 4, 20).» Or, quand on aime ses frères, on a souci de leur bien matériel et spirituel, on se donne de la peine pour eux.

On se sent à l'aise pour affirmer que, sur ce point, le Père Frédéric a été non seulement irréprochable, mais exemplaire. À l'instar de saint Paul il s'est dépensé et surdépensé pour ses frères. À coup de volonté et de renoncement, il a vécu les apostolats multiples de la prédication, de la plume, du confessionnal, des pèlerinages et de la quête pour les communautés et les œuvres. Ce sont tous les chapitres antérieurs qu'il faudrait reprendre ici.

Surtout son prochain souffrant

Mais les contemporains ont souligné encore autre chose. Ils ont été frappés par la délicatesse de l'homme envers les petits, par sa compassion pour les affligés, les malades, les malheureux de tout genre. Devant le chagrin de la veuve de Naïm, qui portait au cimetière le corps de son fils unique encore tout jeune, saint Luc nous dit que le Christ fut ému de compassion, «misericordia motus». Le Père lui aussi a connu plus d'une fois ces mouvements de compassion, qui étaient chez lui une forme plus intense de charité. Il en résultait parfois des choses merveilleuses comme cette guérison racontée par Monsieur Henri Trudel de Saint-Stanislas de Champlain.

À l'occasion d'une retraite prêchée par le Père Frédéric, à Saint-Stanislas de Champlain, vers l'année 1908, je l'appelai près de ma femme, dame Léa Rivard, malade d'une oppression extraordinaire, tellement forte que Monsieur le curé et nous croyions qu'elle devait en mourir. Les traitements du médecin ne lui procuraient aucun soulagement. Elle ne pouvait se coucher. À l'arrivée du Père Frédéric, elle fit un effort pour se lever de sa chaise et s'affaissa sur le plancher de sa chambre. On la releva, et le Père, visiblement touché de compassion, lui fit baiser son crucifix de mission, et s'entretint sept ou huit minutes avec elle. Puis il se retira en lui disant: «Vous allez vous coucher et vous allez dormir, et vous serez mieux.» Pour obéir à la parole du Père, on la transporta sur un canapé aussitôt qu'il fut sorti de la maison. Le Père Frédéric était à peine à cent cinquante pieds de la maison que je lui demandai si ma femme guérirait. Il me répondit: «Elle dort; laissez-la dormir jusqu'à demain matin.» Il était environ une heure de l'après-midi. À mon retour chez moi, je fus tout stupéfait de la voir dormir profondément, comme une personne en santé. Alors les dames de la maison me dirent: «Vous n'étiez pas rendu chez le voisin (cent cinquante pieds environ) qu'elle s'endormit comme vous la voyez là.» Exactement au moment que le Père m'avait dit: «Elle dort», elle s'était endormie et dormit jusqu'au lendemain matin. Alors, elle se leva gaie, joyeuse, en disant: «Le Père Frédéric m'a guérie!» Après que le Père Frédéric m'eut dit: «Elle dort: laissez-la dormir jusqu'à demain matin», il avait ajouté: «Elle va être guérie.» C'est pourquoi je me permis d'ajouter: «Pensez-vous que ça va la reprendre?» Et il me répondit: «Non.» Depuis ce temps-là jusqu'à sa mort, elle éprouva quelquefois une oppression légère, brève, et qui ne l'empêchait pas de vaquer à ses occupations: c'est encore comme le Père me l'avait dit précisément [22].

* * *

En des circonstances moins dramatiques, la sympathie de l'homme de Dieu savait prendre des formes charmantes pour répondre aux besoins de ceux qu'il aimait. À la fin de l'année scolaire 1915-1916, le Bon Père Frédéric décida d'accompagner les séraphiques de Trois-Rivières à leur pique-nique annuel. Quittant l'infirmerie où il demeurait depuis quelques jours, il leur dit: «Je vais avec vous autres.» Il savait que sa présence leur plaisait, tant l'affection était réciproque.

On se rendit dans une érablière de Sainte-Angèle. Pendant que les élèves s'amusent à la balle molle, le R.P. Archange Godbout, O.F.M., se met en train de préparer le dîner, avec quelques marmitons. Le menu doit se composer de crêpes. Mais le

---

22. *Procès ordinaire de Trois-Rivières,* pp. 119-120, §§ 311-312.

maître-queux s'aperçoit vite que la quantité de farine et de graisse qu'on a apportée ne suffira pas à la moitié des élèves, dont l'appétit est aiguisé par le jeu, le grand air et l'atmosphère d'un pique-nique. Il manifeste son embarras au bon Père Frédéric, qui le rassure en lui disant qu'il en aura assez. Les crêpes se font, s'entassent et rassasient tout le monde. C'est ce qu'on a appelé un «miracle» du Père Frédéric. L'homme de Dieu avait cette fois joué les Élie multipliant la farine et l'huile pour la veuve de Sarepta.

* * *

Mais c'est plus ordinairement envers les malades que sa compassion s'exerçait. Et les occasions ne lui manquaient pas. Car, à tout bout de champ, on venait le chercher pour faire une visite aux malades des paroisses environnantes. Il était toujours prêt à leur apporter les consolations de son ministère. Il n'hésitait ni à prendre le train ni à traverser le fleuve pour exercer cet acte de charité. Il fut héroïque en certaines circonstances.

Un moribond résistait aux pressantes exhortations de sa famille. Harcelé, il finit par dire: «Si je me confesse, ce ne sera qu'au Père Frédéric.» On rapporta ces paroles au curé. Animé d'un zèle aussi éclairé que désintéressé, le chanoine Édouard Laflèche, curé de Saint-Paulin, téléphona tout de suite à Trois-Rivières. La distance de la paroisse était de dix lieues; il fallait en parcourir quatre en voiture par une route glaiseuse, impraticable. La pluie tombait fine, froide, ininterrompue. Peu importe, il y avait du bien à faire, une brebis égarée à ramener de bien loin au divin bercail. Le Père Frédéric partit sans délai. Il trouva un moribond terrifié en face de l'éternité. Un long entretien s'ensuivit. Après la réception des sacrements de pénitence et d'extrême-onction, le malade recouvra le calme, l'espérance et l'amour de Dieu. Il offrit le sacrifice de sa vie en réparation du passé, autorisa le serviteur de Dieu à demander pardon à la paroisse pour les scandales qu'il avait donnés, et mourut dans la paix du Seigneur.

Le célèbre épisode de la «marche sur les eaux du fleuve»

Un autre acte de charité du même genre a été l'occasion d'un fait qu'on peut désigner comme le plus célèbre et le plus discuté des «miracles» attribués au Père Frédéric. Il s'agit de la traversée du fleuve Saint-Laurent sur les glaces fondantes et mouvantes du printemps. Le bruit s'est répandu qu'à cette occasion le serviteur de Dieu avait marché sur les eaux. Au procès sur l'héroïcité des vertus du «Saint Père», plusieurs personnes ont décrit ou mentionné le fait dans leurs dépositions. Le récit qui suit est basé sur les dires d'un témoin situé très près de l'événement. Il s'agit du frère même de la jeune fille pour qui le Père Frédéric s'était mis en peine ce jour-là. Zotique Rho, alors âgé de 17 ans, était aussi le conducteur de la voiture qui, en soirée, ramena le Père Frédéric, de Bécancour jusqu'au milieu du fleuve.

La sœur de Zotique, fille de M. Adolphe Rho, avait manifesté le désir de voir le Père Frédéric avant de mourir. Dans l'après-midi du 15 avril 1893, l'artiste-peintre alla chercher au presbytère du Cap-de-la-Madeleine le missionnaire pour l'amener au chevet de la malade, à Bécancour, situé en face du Cap, sur la rive sud du Saint-Laurent. Le voyage s'effectua par la *traverse d'hiver* qui reliait le quai du Cap à Sainte-Angèle, paroisse voisine de Bécancour. À cet endroit, le fleuve mesure environ un mille et demi (2,4 km) de large.

Vers les neuf heures du soir, le fils de M. Rho, Zotique, reconduisit le Père par le même chemin. Il faisait un beau clair de lune. Le cheval s'engage sur la glace du fleuve. Déjà il a franchi à bonne allure la distance de près d'un mille (1,6 km), quand soudain il s'arrête de lui-même et ne veut plus avancer. Intrigués, les deux voyageurs descendent de voiture. Le franciscain est chaussé de bas blancs dans des sandales.

— Voyez cette mare d'eau à une quinzaine de pieds (4,57 m), constate le jeune Rho. Je comprends maintenant l'arrêt subit du cheval. Le courant emporte, en plein chenal, des morceaux de glace.

— Comment se fait-il? reprend le moine, tout pensif. Nous avons pourtant traversé cet après-midi.

— Cette mare d'eau s'est donc formée dans la soirée. Je vais vous reconduire par la traverse des Trois-Rivières.

— Non! Retourne chez toi, ordonne le Père d'un ton décidé.

Obéissant à regret, le jeune homme remonte dans sa voiture; mais, inquiet, il se retourne de temps en temps. Il voit, au clair de lune, un petit homme marchant sur la glace. Il le perd de vue en prenant le chemin du rivage. En dix minutes, il rentre chez lui et raconte aux siens l'étrange incident.

Il apprit plus tard du curé Duguay que le Père Frédéric l'avait battu de vitesse: le missionnaire avait rejoint le Cap-de-la-Madeleine plus vite que lui-même sa maison de Bécancour.

En voyant arriver le Père Frédéric, le curé Duguay lui dit:

— Avertissez le cocher de mettre son cheval dans l'écurie. Il s'en ira demain.

— Il n'y a ni cheval ni cocher.

— Comment êtes-vous venu?

— J'ai traversé sur la glace.

— Mais il y a eu un commencement de débâcle!

— Eh oui! et je ne sais comment je suis rendu ici. Je me suis recommandé à la Sainte Vierge et me voilà!

Le Père Romain Légaré atteste que le récit qui précède est celui-là même que lui a fait de l'événement le jeune homme qui, bien malgré lui, avait laissé le Père Frédéric en plein milieu du fleuve. Le dit Monsieur Rho s'était d'abord exprimé sur le fait dans une lettre au P. Légaré datée du 26 août 1952. Puis il avait complété son témoignage dans une entrevue personnelle tenue chez lui, à Bécancour, le 23 novembre 1952, et dans une autre lettre datée du premier février 1953.

Le jeune homme avait bien vu le Père Frédéric marcher quelque temps sur les glaces, essayant sans doute de contourner l'espace d'eau libre en face duquel le cheval avait refusé d'avancer. Mais il ne pouvait savoir comment le Bon Père avait effectué le reste du trajet qui le séparait encore de la rive nord et du Cap. Cela devait lui paraître d'autant plus mystérieux qu'il avait bien vu, en plein chenal, le courant emporter les morceaux de glace en dérive. Le jugement populaire a vite trouvé son explication de l'énigme en disant que le Père Frédéric avait marché sur les eaux. C'était une conclusion qui n'était pas absurde vue du côté du jeune Rho, et elle eut d'autant plus de facilité à s'implanter que le principal intéressé ne l'a jamais démentie et est toujours resté très évasif sur l'événement. À ceux qui lui demandaient comment il avait fait pour se tirer d'affaire, il répondait par des généralités: «Le bon Dieu peut faire des choses beaucoup plus grandes que celle-là.» Le T.R.P. Colomban-M. Dreyer, qui avait été son provincial, affirmait avoir toujours regretté de ne pas avoir usé de son autorité de supérieur pour obliger son sujet à lui dire exactement ce qui s'était passé en cette occasion.

En fait, même s'il avait voulu éclaircir la question, le Père Frédéric, semble-t-il, n'aurait pas été capable d'en dire beaucoup plus que ce qu'il avait avoué à l'abbé Duguay en arrivant au presbytère du Cap. C'est ce qui ressort du témoignage très circonstancié que le dit abbé a porté sur l'événement lorsqu'il a répondu aux interrogations du tribunal canonique des Trois-Rivières. Ce témoignage est intéressant à un autre titre. Il nous permet en effet de comprendre comment le Père Frédéric ne pensait pas être téméraire en essayant de franchir à pied la portion de fleuve qui le séparait encore du Cap: ce qui aurait été impossible à réaliser pour un cheval attelé à une voiture, il lui a paru qu'un piéton suffisamment leste pouvait le faire en marchant d'un glaçon à l'autre. Nous savons effectivement que le Père Frédéric était vigoureux et, par conséquent, assez ingambe. La démarche, à première vue imprudente, qu'il a entreprise a très bien pu lui apparaître comme un acte de charité un peu ardu mais fort réalisable. Voyons donc le récit de l'abbé Duguay.

Au retour [de Bécancour], arrivé au point de la rive sud en face de l'église du Cap, [le Père Frédéric] dit au conducteur de la voiture: «Ce n'est pas la peine de faire tant de chemin pour passer le fleuve en haut de la ville des Trois-Rivières: c'est si court ici. Je n'ai qu'une demi-heure à faire à pied et je vous épargne une course de six lieues (28,8 km), aller et retour.» Le fleuve Saint-Laurent lui paraissait bien couvert de glace. Mais il faut bien connaître que les banquises de glace qui descendent au courant sont seulement juxtaposées et laissent çà et là une grande quantité de petites mares, qui, avec le froid et la neige, finissent par se couvrir et se solidifier.

Parti à pied sur des glaçons assez épais pour porter des piétons, tout alla bien tant qu'il fit clair, car il pouvait éviter assez facilement les mauvais passages. Arrivé à la dernière partie du trajet à parcourir, il était déjà pris par la nuit noire. Il voyait bien les lumières de la Côte (rive nord), mais il ne distinguait plus la glace ni l'eau. Il ne pouvait plus retourner en arrière, il constatait les dangers et ne pouvait plus les éviter: avancer ou reculer, c'était le même péril. Là, à ce moment, il comprit qu'il était seul et sans secours possible du côté de la terre.

Dans cette situation pénible, il eut recours au Ciel. Il demanda à la Vierge du Cap de lui venir en aide et de ne pas permettre l'impression mauvaise que causerait la disparition sous les flots d'un franciscain qui s'était exposé involontairement au danger par charité: «Je suis le seul franciscain dans ma mission, au Canada. Ô Marie, ma bonne Mère du Ciel (selon son expression ordinaire), c'est par charité pour le pauvre conducteur que j'ai entrepris cette traversée! Venez à mon secours!» Notre-Dame du Cap ne lui fit pas défaut en cette circonstance. Grandement ému des dangers qu'il avait courus, il me disait qu'il ne savait pas comment il avait atteint le rivage. Je compris, à son langage tout ému, que Notre-Dame du Cap était venue à son secours d'une manière providentielle[23].

En nous rapportant l'un le point de vue du jeune conducteur, Zotique Rho, l'autre les aveux tremblants du Père Frédéric à l'abbé Duguay, les deux récits se complètent et se confirment. Le jeune Rho est très inquiet à l'idée des dangers que court son passager sur les glaces flottantes du fleuve. De son côté, le Père Frédéric ne peut expliquer au juste comment il a traversé le périlleux bras du fleuve: tout ce qu'il sait, c'est que la Vierge l'a aidé de façon spéciale. Pourquoi douter de la parole du saint homme et lui demander des précisions qu'il n'a jamais pu fournir? Lorsque la Sainte Vierge accomplit un miracle, elle n'est pas obligée

---

23. *Procès ordinaire de Trois-Rivières,* pp. 42-43, §§ 122-123.

de satisfaire en même temps les curiosités de Pierre, Jean, Jacques[24]!

Le grand feu de Saint-Tite

On connaît bien la charité du Père Frédéric envers les sinistrés de Saint-Alban de Portneuf, victimes d'un immense éboulis de terrain survenu le 27 avril 1894, le long des berges de la rivière Sainte-Anne. Mais avant cette intervention il y en avait eu une autre, moins célèbre peut-être, mais plus spectaculaire à sa façon, parce qu'elle donna lieu à une grandiose manifestation de foi, récompensée par une protection éclatante de Notre-Dame du Rosaire. C'était en 1891.

Cette année-là, le Père Frédéric accompagnait comme prédicateur Mgr Laflèche dans sa tournée épiscopale. Le dimanche 7 juin 1891, ils étaient tous deux dans la belle paroisse de Saint-Tite. Or, après le souper, vers sept heures du soir, un paroissien

24. Dans *ses Lettres,* la bienheureuse Marie de l'Incarnation raconte un fait semblable survenu le 6 avril 1652. Un certain frère Bonnemer, jésuite, qui se rendait de Québec à Sainte-Pétronille en marchant sur les glaces fondantes du fleuve, fut sauvé de la noyade par l'intercession de la Mère Marie de Saint-Joseph, ursuline morte deux jours plus tôt. Voici comment la bienheureuse Marie de l'Incarnation raconte le fait. «Durant tout l'hiver les glaces avaient porté, mais elles s'étaient fondues et minées par le dessous aux approches du printemps, en sorte qu'il ne paraissait plus qu'une petite croûte luisante qui s'était formée la nuit. [Le frère] crut que sous cette petite glace la grosse était cachée et qu'elle subsistait encore. Il poursuivit donc son chemin sans crainte; mais, lorsqu'il fut avancé, notre chère défunte, qui l'accompagnait partout en la manière que j'ai dit, lui dit intérieurement ces paroles: 'Arrête-toi.' Alors il revint à lui et, ouvrant les yeux, il se vit tout entouré d'eaux. Il ficha son bâton sur cette petite croûte pour sonder s'il n'y en avait pas une plus forte au-dessous, mais il ne trouva que de l'eau. Il fut fort surpris de se voir dans un danger si inévitable. Pour l'éviter néanmoins, il s'adressa à celle qui l'avait si charitablement arrêté. Il se recommanda à elle et s'en retourna sur ses pas, mais avec tant de facilité et d'une manière si incroyable qu'il croyait marcher sur rien. Il m'a assuré qu'il chemina sur les eaux l'espace de plus de trois cents pas à la faveur de sa chère bienfaitrice, qui, comme il l'a dit, l'a tiré d'un lieu d'où il ne pouvait sortir sans miracle. » — Abbé Richaudeau, *Lettres de la Révérende Mère Marie de l'Incarnation,* Paris-Tournai, Casterman, 1876, tome I, lettre CVIII, pp. 530-531.

se présenta tout énervé au presbytère et demanda en hâte le Père Frédéric pour *aller au feu*. À cause de la grande sécheresse du printemps, le feu dévorait les forêts du nord. Une conflagration épouvantable venait d'éclater de nouveau dans un *rang*, distant de huit à dix milles du village, dans cette partie qui forme maintenant Hérouxville.

La voiture qui portait le missionnaire franciscain était brisée. Malgré le mauvais état de la voiture et les affreux cahots de la route, le cheval franchit à vive allure toute la distance dans l'espace d'une heure. Les secousses étaient tellement fortes que des âmes simples se figurèrent que le Père Frédéric, sans plus toucher au siège, «avait été ainsi transporté, comme en l'air, jusqu'au lieu du sinistre». Un feu terrible ravageait tout le rang. Il était huit heures du soir. Le vent s'était sensiblement calmé. À l'entrée du rang, les enfants avaient récité le chapelet, pendant que les hommes veillaient aux habitations. Tout fut sauvé comme par un vrai miracle! Le Père put traverser le rang d'un bout à l'autre malgré l'ardeur de l'incendie. Il fut témoin de scènes à fendre l'âme. Toutes ces pauvres gens étaient dans la stupeur, épuisées de lassitude, presque hors de sens. Une mère de huit petits enfants sanglotait dans le chemin, folle de douleur. Elle avait tout perdu. Le Père la bénit et lui donna l'espérance qu'à son retour, elle aurait recouvré la raison; et, de fait, au retour, elle était calme, résignée, se confiant pour l'avenir à la divine Providence. À un autre endroit, un homme se tenait seul, auprès d'une pauvre maison en bois rond; son visage rayonnait de vive satisfaction, il avait un air de triomphe. Le Père comprit tout de suite que l'émotion avait momentanément privé cet homme de la raison.

— Mon bon ami, lui dit-il, la Sainte Vierge a fait un miracle pour vous: vous êtes tout entouré de feu, et votre petite maison ne brûle pas.

— Oh! cher Père, comme de raison, j'ai travaillé: j'ai vidé deux puits! Il n'y reste plus une goutte d'eau, mais aussi le feu est éteint!

Le feu était encore partout; dans son saisissement, le pauvre homme ne s'en rendait pas compte.

Le Père Frédéric portait sur lui de l'eau bénite, dans laquelle il avait grande confiance. Il en jeta partout. À son retour de l'extrémité du rang, il était nuit. Le feu avait cessé ses ravages; en quelques endroits, il était complètement éteint.

À l'arrivée du missionnaire, trois maisons et deux granges étaient devenues la proie de l'incendie; à partir de ce moment, rien de plus ne brûla. Tout le rang avait été mis sous la garde de Notre-Dame du Rosaire.

Le lendemain, on commença, à l'église remplie de fidèles, un triduum de ferventes prières pour la cessation du fléau dans les bois environnants. Après trois jours, une douce et abondante pluie tomba, suivie d'autres pluies bienfaisantes: la copieuse récolte, que la sécheresse avait menacée, fut attribuée à la récitation du chapelet, à la dévotion à Notre-Dame du Rosaire.

Dans ce récit, rapporté au long par les *Annales du Très Saint Rosaire*[25], on se demande ce qu'il faut davantage admirer: l'ascendant et le dévouement du Père Frédéric, la confiance des gens ou la puissance de la prière.

Les vertus morales et religieuses du Père Frédéric

Les vertus de foi, d'espérance et de charité constituent les trois éléments qu'examine le plus soigneusement tout tribunal canonique appelé à se prononcer sur la sainteté des serviteurs de Dieu. Si un candidat aux honneurs des autels ne possède pas à un degré éminent ces trois fleurs de la vie théologale, il est sûr d'être blackboulé sans tarder. Mais les juges ecclésiastiques des causes de béatification prennent aussi en considération, dans leur évaluation, toute une série d'autres vertus. Ce sont d'abord celles qu'on appelle les vertus cardinales ou vertus de base, à savoir la prudence, la justice, la force et la tempérance. Lorsque le candidat est un religieux, on examine aussi avec soin comment il a vécu ses vœux de pauvreté, de chasteté et d'obéissance. Et enfin, lorsqu'on a bien fait le tour de son palmarès, on vérifie si, en

---

25. *Annales du Très Saint Rosaire* 1 (1892), pp. 117-120.

plus, il a bien pratiqué la vertu d'humilité. Car celle-ci est la pierre de touche de toutes les autres vertus, celle qui indique si un chrétien est centré sur l'Autre, c'est-à-dire, sur Dieu et le prochain, et non sur soi-même.

Il serait fastidieux d'examiner méthodiquement comment le Père Frédéric a pratiqué chacune de ces vertus. Les chapitres précédents nous ont d'ailleurs donné pas mal de lumières là-dessus. Pour ne pas rallonger indûment un chapitre déjà passablement développé, nous adopterons donc une méthode plus rapide. Nous commencerons par faire ressortir les vertus que, selon les contemporains, le Père Frédéric a pratiquées avec plus d'intensité. Puis, ceci fait, nous irons voir ce qu'il faut penser des critiques et plaisanteries que certains de ses comportements ont provoquées chez les quelques rares confrères religieux qui ne l'ont pas spécialement admiré et vénéré. La vérification des vertus morales et religieuses pratiquées par le Bon Père se trouvera ainsi faite de façon plus naturelle et plus existentielle.

Des vertus qui ont caractérisé de façon plus typique la vie religieuse du Père Frédéric, il n'est pas facile, en écoutant ses contemporains, de dégager une dominante. Les témoins immédiats de sa vie ont souligné en vrac chez lui le souci d'édifier, la régularité religieuse, la mortification, la simplicité, l'humilité, l'obéissance, la bonté et l'amabilité. Et combien de choses encore? Examinons un peu cela.

Le souci d'édifier

Le souci d'édifier le prochain dans sa personne ou dans ses volumes et la crainte de le malédifier poursuivaient constamment le Père Frédéric. Plusieurs de ses contemporains se sont demandé, comme nous, s'il s'agissait là d'une vertu ou d'une manie. Pour le Père Frédéric, c'était certainement une vertu. Selon Mgr Dreyer, sa mentalité là-dessus tirait son origine de la formation donnée au noviciat d'Amiens et de la spiritualité espagnole des restaurateurs de l'Ordre franciscain en France. La spiritualité religieuse du dernier siècle et du début du siècle présent donnait beaucoup d'importance au comportement extérieur, par exemple à l'attitude modeste et recueillie des yeux baissés et des mains dans les manches.

Il n'est pas si sûr que ce souci du bien paraître ait été strictement conforme à l'esprit de saint François tel que nous le révèlent les anciennes biographies. Pour qu'on en juge, voici deux citations empruntées à Thomas de Celano.

Une fois, durant l'hiver, le saint n'était vêtu que d'une seule tunique doublée vaille que vaille. Son gardien, qui était l'un de ses compagnons, se procura une peau de renard et la lui donna en disant: «Père, tu es malade de la rate et de l'estomac; je t'en supplie au nom du Seigneur, laisse coudre cette fourrure à l'intérieur de ta tunique, au moins sur l'estomac, si tu ne la veux pas tout entière.»

«Si tu veux que je porte cette fourrure sous ma tunique, répondit le bienheureux François, fais-en coudre une autre de même taille à l'extérieur, afin qu'elle soit le signe visible de celle que je porterai cachée.» Le frère n'approuve pas; il insiste, mais n'obtient rien de plus; finalement, il lui fallut passer par là: on fit coudre deux fourrures, une à l'endroit, l'autre à l'envers; ainsi l'aspect extérieur de François ne donnerait pas le change[26].

«Quelle belle unité de vie!», s'exclame ici un Celano lyrique. «Identique à toi-même dans tes paroles et dans tes actes, au dehors comme au dedans, comme sujet aussi bien que comme supérieur, tu ne recherchais pas la célébrité ni chez les étrangers ni parmi tes frères!» Ce n'était pas une louange de commande: la même attitude se retrouve chez François en une couple d'autres occasions, dont celle-ci.

À l'ermitage de Poggio Bustone, il convoqua un jour le peuple pour un sermon, vers la Noël, et commença par ces mots: «Vous me prenez pour un saint, et vous venez à moi avec dévotion. Eh bien, sachez que durant tout ce carême j'ai mangé des légumes accommodés au lard.» Il attribuait ainsi à la gourmandise les adoucissements qu'il se permettait pour cause de maladie[27].

---

26. *II Celano,* § 130.
27. *II Celano,* § 131.

Il est probable que le Père Frédéric et ses confrères du temps n'ont pas connu ces textes. Au XIXᵉ siècle, on n'avait pas en mains pour étudier saint François, les belles éditions de documents qui ont redonné au grand public les vieux écrits cachés sous le boisseau par le chapitre tenu à Paris en 1266. Les fils du Père Aréso pouvaient donc en toute tranquillité rattacher leurs considérations sur le devoir d'édifier au devoir du bon exemple, auquel est tenu tout fervent chrétien et donc tout bon religieux. Là ils étaient sur un terrain solide, car ils pouvaient se réclamer de plus d'un texte des Évangiles et de saint Paul. Du reste, ils auraient pu, s'ils avaient connu la *Légende des trois compagnons,* invoquer les paroles de saint François lui-même, qui, paraît-il, disait à ses frères: «Les frères devraient vivre au milieu des peuples de telle façon que, à les entendre ou à les voir, on se mît à glorifier le Père des cieux et à le louer dévotement [28]. »

Le souci d'édifier n'était pas élevé par le Père Frédéric au niveau d'un principe absolu de spiritualité. Nous avons souligné qu'il était, chez lui, un corollaire de son zèle pour la gloire de Dieu et le bien des âmes. Mais, ainsi enraciné, il était encore plus exigeant et subtil. Par exemple, raconte le T.R.P. Colomban, le Père Frédéric, «qui ne mangeait pour ainsi dire pas et qui travaillait sans cesse, lorsqu'il était au couvent, allait — le témoin affirme le savoir pour une fois — demander un peu de vin au frère cuisinier avec une sorte de préoccupation qu'on ne le voie pas [29] ».

Quelques religieux, qui n'étaient pas bien renseignés sur les motifs qui faisaient agir le bon Père, ont reçu une impression défavorable de pareils actes et y ont vu un manque de transparence. Mais ceux qui connaissaient bien l'homme n'y ont pas vu matière à critique et ont pris la chose plutôt en riant. Ce fut le cas entre autres d'un compagnon de voyage du Père Frédéric, le Frère Dominique Thompson, frère laïc franciscain. Un jour de pèlerinage, le Père Frédéric et quelques confrères, dont le Frère Dominique, avaient marché de Québec à Sainte-Anne-de-Beaupré, c'est-à-dire un bon vingt milles (32 km). Rendus à des-

---

28. *Légende des trois compagnons,* § 58.

tination, ils sentirent évidemment le besoin de se reposer. Au lieu d'amener ses compagnons à l'hospice des pèlerins, le Père Frédéric les conduisit dans une petite chapelle et leur dit: «Mettons-nous à genoux, nous nous appuierons la tête sur les bras et dans les mains et nous pourrons faire un petit somme sans malédifier.» Au retour du voyage, le frère Dominique rapportait le fait avec beaucoup d'amusement, riant de la simplicité du saint homme. Et le Père Colomban d'ajouter: «Il faisait des choses de ce genre sans l'ombre de prétention ou d'orgueil, mais avec une simplicité et une bonhomie charmantes[29].»

Nous reviendrons plus loin sur les motivations psychologiques profondes qui expliquaient ces comportements dénués de malice, mais tout de même un peu singuliers. En attendant, il nous faut noter que le souci d'édifier du Père Frédéric produisait, tout compte fait, d'excellents résultats.

Un souci qui portait des fruits

Tout le monde savait que le Père Frédéric aimait bien le bon Dieu. Mais que son ambition de le rayonner par l'exemple ait fait de lui un modèle de régularité et d'exactitude, cela avait son importance dans un ordre qui se voulait «de stricte observance», comme son ancien nom l'indiquait. Les religieux qui n'étaient pas aveugles ne pouvaient pas ne pas voir que son régime de vie, axé sur l'apostolat, comportait bien des éléments qui ne se retrouvaient pas dans la vie de la plupart d'entre eux. Durant les quatorze années qu'il fit la navette entre Trois-Rivières et le Cap et durant les longues itinérances qui le conduisirent prêcher et quêter à travers tout le Québec, il passa beaucoup de temps en dehors de son couvent, tandis que la masse de ses confrères restaient confinés à leurs cloîtres. En communauté, ces différences-là, même si elles sont légitimes, doivent se faire pardonner. Quand il quittait le commissariat de Trois-Rivières pour le couvent franciscain de Montréal, le serviteur de Dieu suivait vaillamment tous les exercices de la communauté, même l'office divin de minuit.

---

29. *Procès rogatoire du Vicariat apostolique d'Égypte*, p. 227, § 557.

Il avait avoué, un jour, dans une instruction de retraite donnée à ses frères en religion, comment le lever de nuit lui était pénible: «Je n'ai jamais pu m'y habituer.» Il édifiait tous les religieux par sa régularité et sa fidélité aux offices.

Ceux qui ont vécu avec lui, au couvent de Trois-Rivières, les dernières années de sa vie, se rappellent son extraordinaire ponctualité. Quand ils le voyaient passer, ils disaient: «L'office va sonner, le Père Frédéric va au chœur.» C'était une horloge vivante. Il arrivait le premier au chœur, même pour les matines de nuit, au point que certains croyaient qu'il n'était pas allé prendre son repos. Il conserva cette habitude jusqu'à sa dernière maladie. On ne pouvait pas ne pas l'admirer.

Quant aux fidèles qui le voyaient à genoux devant le Saint Sacrement ou encore, cheminant à travers les villes et les campagnes, ils étaient émus par son air recueilli. Ils étaient convaincus que «sa conversation était au ciel».

Il y en a qui essaient d'édifier et ne réussissent pas. Le Père Frédéric a réussi. Car l'édification ne se fait pas par un seul acte, même par quelques-uns, mais par toute la vie.

La mortification

La mortification fut-elle la vertu dominante du Bon Père Frédéric? C'est du moins celle qui a le plus frappé ses contemporains et qui rebute le plus la mentalité hédoniste moderne. Ce serviteur de Dieu se range parmi les grands pénitents de notre époque. On est forcé d'admirer en lui un spécimen exceptionnel d'énergie morale et chrétienne. Peu de saints ont poussé à des limites semblables aux siennes la mortification dans le manger et le coucher.

Sa mortification héroïque à table semblait passer inaperçue si les convives n'en avaient été prévenus. Elle se cachait sous l'humilité. Le Père Frédéric ne prenait qu'une pomme de terre et un peu de pain, mais il manœuvrait si bien ses morceaux qu'il était occupé tout le temps du repas et passait souvent pour avoir mangé autant que ses commensaux.

Cependant il ne prétendait pas imposer à d'autres son genre de vie. Il prêchait un jour une mission chez des religieuses franco-américaines avec un confrère de complexion frêle. Après chaque instruction, une religieuse apportait aux prédicateurs un fruit et une liqueur douce. Le Père Frédéric refusait poliment l'offrande que lui faisait la sœur.

— Le Père en prend, lui, insistait la religieuse en désignant le confrère.

— Le Père en a besoin, reprit le Père Frédéric. Moi, je n'en ai pas besoin. Je vous en remercie.

Si quelqu'un admirait ses grandes mortifications et s'étonnait du peu de nourriture qu'il prenait, il répondait: «Les saints en ont fait de bien plus grandes. Mon estomac est complaisant. Il se contente de peu.»

En réalité, son jeûne était continuel. Non content des abstinences et des jeûnes prescrits par l'Église et la règle franciscaine, il exerçait sur lui les rigueurs de la mortification chrétienne, qui procèdent moins de la peur du péché que du désir de mieux s'unir à Jésus-Christ. Sur terre, étant donné les convoitises de ce que saint Paul appelle «la chair», «le vieil homme», cette union ne se fait guère sans sacrifice. Le vrai renoncement chrétien n'est donc que l'envers de la charité. Le chrétien qui se mortifie le fait pour garder à Dieu la première place dans son cœur et sa vie.

Le Père Frédéric se mortifiait aussi pour obtenir de Dieu des grâces de conversion pour les pécheurs, des faveurs pour ceux qui se recommandaient à ses prières ou encore des bénédictions célestes pour ses entreprises apostoliques.

Fidèle aux conférences spirituelles de sa mère, le bambin de Ghyvelde était devenu un Père du Désert égaré en plein XXe siècle, en même temps qu'un émule du Pénitent d'Assise. Il vécut certainement des exemples et de la spiritualité des solitaires qui habitèrent les déserts de la Thébaïde, de Scété et de Nitrie: ses cahiers personnels contiennent sur ce sujet des pages et des pages copiées de la *Patrologie* latine. À qui lui reprocherait cette filiation spirituelle on peut redire les pertinentes paroles d'Henri Bremond dans son introduction à deux volumes sur *Les Pères du Désert* (troisième édition, Paris 1927, p. xxxv s.): «À toutes les époques on voit les grands spirituels sous l'influence des Pères du Désert. À ceux qui méprisent nos Pères ou simplement qui parlent d'eux sans amitié, soyez sûr qu'il manque quelque chose: aux premiers, l'instinct catholique, aux seconds, l'imagination ou l'esprit.»

Ces austérités dans le manger, le boire et le dormir s'accompagnaient, à l'occasion, d'autres performances pénitentielles plus époustouflantes qu'imitables. Nous avons déjà signalé les marathons de prédication de la fête de la Portioncule. Voici une prouesse d'un autre genre, réalisée celle-là sur la route. En 1909, le Père Frédéric entreprend de faire à pied à partir de Québec le pèlerinage au sanctuaire de Sainte-Anne-de-Beaupré: c'est un parcours de vingt milles (32 km). Arrivé à destination, il s'aperçoit que le train indiqué pour le retour par le supérieur du couvent de Québec est déjà en gare. Si grande est sa religieuse estime pour la vertu d'obéissance qu'il préfère retourner tout de suite, sans visiter le sanctuaire bien-aimé, plutôt que d'attendre un autre train. Il se propose cependant de reprendre, à la prochaine occasion, le pèlerinage promis. Le lendemain, il va prêcher à Montmorency, à quelque dix milles (16 km) de Québec. L'aller et le retour se font à pied. Le troisième jour, il refait son voyage à Sainte-Anne-de-Beaupré. Ainsi en trois jours, le saint vieillard de soixante-dix ans accomplit une marche de soixante milles (96 km). C'est deux fois et demie le marathon de Montréal!

Et la prudence là-dedans?

Au procès sur l'héroïcité des vertus, le Promoteur de la foi, celui qu'on appelle familièrement «l'avocat du diable», a froncé les sourcils sur ces pénitences corporelles: «Le Père Frédéric n'aurait-il pas manqué ici à la vertu cardinale de prudence?» Et l'avocat de citer à l'appui de son objection deux témoignages contemporains. Celui de l'abbé Prosper Cloutier, curé de Champlain, qui atteste: «La mortification [du Père Frédéric] semblait dépasser les limites de la prudence humaine. » Et celui du P. Eugène Deny, qui fut pendant 4 ans supérieur de l'homme de Dieu: « En fait de macérations corporelles, on était porté à croire qu'il allait un peu loin. » Plus probant encore est le fait suivant, rapporté par l'abbé Louis-E. Duguay, commensal du Père Frédéric pendant 14 ans: « Je crus, un jour, que [le Père Frédéric] devenait malade. Il faisait de la fièvre et ne pouvait plus manger. Je fis venir le docteur Émery Gervais. Celui-ci examina le malade et reconnut chez lui un estomac exténué, qui refusait le travail de la digestion. Le docteur lui dit devant moi qu'il ne prenait pas la nourriture pour le soutien normal de la vie[30]. »

Mettons que, par ci par là, le Père Frédéric ait abusé de son Frère Âne. Il ne l'a sûrement pas fait plus que son père saint François, que l'Église s'est pourtant empressée de canoniser dès que fut commencée la basilique qui devait recevoir son corps. En 1978, lorsque le tombeau du Petit Pauvre fut rouvert et que les médecins examinèrent ses restes, ils constatèrent que ses os portaient la trace d'une alimentation insuffisante. Saint François mourut effectivement à 45 ans. Le père Frédéric, lui, a atteint un respectable 78 ans, ce qui est considérable pour l'époque. Cela laisse entendre qu'après quelques accidents de parcours, il avait appris à connaître la dose de mortification que son organisme pouvait porter et avait adopté, si l'on peut dire, une sorte de vitesse de croisière. Le T.R.P. Colomban-M. Dreyer a d'ailleurs noté que, sur ses vieux jours, c'est-à-dire après soixante-dix ans, il mangeait un peu plus. Combien de frères Tuck, religieux ou laïcs, emportés prématurément par l'infarctus, auraient vécu plus longtemps s'ils avaient usé de la fourchette avec un peu de la tempérance du Père Frédéric !

L'activisme du Père Frédéric ?

D'autres, et en particulier des confrères religieux, ont trouvé que le Père Frédéric manquait à la prudence parce qu'il en faisait trop, parce qu'il s'éparpillait trop surtout. On ne compre-

---

30. *Procès ordinaire de Trois-Rivières,* p. 49, § 141.

nait pas toujours son zèle, sa vocation spécifique et surtout cette constante ébullition de projets apostoliques qui mijotaient en son cerveau. Certains collègues le reléguaient volontiers parmi les rêveurs, les esprits chimériques et brouillons. Témoin ce rapport envoyé au Ministre Général des Franciscains par un confrère, le très «saint» Père Arsène-Marie Béix de Servières, un autre as de l'ascèse.

> ... Je suis sévère peut-être, mais sûr de ne rien dire contre la vérité et au-delà de la vérité. Le Père Frédéric est bien un saint homme à sa façon, mais qui manque tout à fait de jugement et qui se laisse gouverner par son imagination. Il ne peut pas vivre tranquille quinze jours, sans faire des projets nouveaux. Qu'il demeure là où il est et comme il est. Je voudrais surtout qu'il fût sous la juridiction du Gardien [du couvent] de Montréal pour la direction du Tiers-Ordre et qu'il n'eût pas le droit de le visiter sans être envoyé par lui. Car il arrange les choses à sa façon, ici d'une manière, là d'une autre. Mais j'en ai dit assez sur ce sujet. Vous me pardonnerez si j'ai été long. C'est la situation[31].

Il est assez naturel, quand il y a des conflits de juridiction et d'intérêt, de s'échauffer et d'émettre des jugements comme celui-là. Mais comment le Père Frédéric aurait-il pu réaliser autant de projets remarquables s'il n'avait été qu'un bâtisseur de châteaux en Espagne et un activiste brouillon?

À la vérité, ce contemplatif, qui a toujours voulu demeurer tel, savait très bien mener sa barque dans les affaires temporelles et y a joué un rôle de premier plan. Ce mystique authentique avait le sens pratique des choses, la vision claire des besoins d'une œuvre et l'art des simplifications que possèdent les grands réalisateurs. Les nombreuses œuvres qu'il a menées à bonne fin le prouvent péremptoirement. Avec les faibles moyens mis à sa disposition il a obtenu des résultats qui nous étonnent encore. Seulement, pour réussir, il lui fallait bien faire marcher un peu son imagination! Nul n'a donné là-dessus une appréciation plus pertinente que le T.R.P. Colomban-M. Dreyer, son provincial, dont nous avons déjà plus d'une fois admiré l'excellent jugement.

---

31. Juillet 1895.

Il est certain que le Père Frédéric a réussi d'une manière extraordinaire dans les œuvres qu'il a entreprises et qui sont nombreuses. Toutefois il a encore fait beaucoup plus de projets. Il en manifestait constamment de nouveaux. Un jour que devant moi on le plaisantait sur cette fécondité de zèle ou d'imagination, il répondit: «Voyez-vous, plus on fait de projets, plus on est sûr d'en réaliser quelques-uns. Tous ne sont pas faits pour être exécutés.» De fait, je puis dire qu'il abandonnait aussitôt les projets qui ne rencontraient pas l'approbation des Supérieurs ou dont il voyait qu'ils n'entraient pas dans les desseins de Dieu. En ce dernier cas, il ne les présentait même pas aux Supérieurs[32].

L'obéissance religieuse n'a pas très bonne presse de nos jours, surtout dans certains milieux soi-disant affranchis. Mais si l'on savait à quel point les communautés se portent mieux quand elles comptent en leur sein des hommes qui, comme le Père Frédéric, savent être en même temps des créateurs et des obéissants! En dépit de la pénétration de leur pensée et du dynamisme de leur action, ils restent capables de renoncer à leurs vues lorsque le bien commun est en cause. Combien d'administrations publiques et civiles se porteraient mieux si leurs cadres pouvaient eux aussi compter sur plus de subordonnés capables de concilier dans leur travail l'imagination et la discipline, l'efficacité et le sens civique!

La critique de certains confrères: «Le Père Frédéric est un farceur qui fait pleurer quand il veut!»

Il nous reste à examiner un dernier grief que certains confrères religieux ont fait, de son vivant, au Père Frédéric. C'est le plus sérieux, car il met en question la transparence, voire la sincérité du serviteur de Dieu. Il s'agit de l'habitude qu'avait le Père Frédéric de pleurer souvent et abondamment en chaire. C'était chez lui une particularité incontestable, que des tas de témoins ont rapportée au procès sur l'héroïcité de ses vertus. Or, objecte le Promoteur de la foi, n'y avait-il pas là un peu de théâtre? C'est ce qu'il faudrait conclure, dit-il, si l'on s'en rapportait à quelques témoignages. Le plus compromettant qu'il cite est celui du

---

32. *Procès rogatoire du Vicariat apostolique d'Égypte,* pp. 243-244, § 594.

Frère Stanislas-M. Dangel, qui pendant sept ans avait vu le Père Frédéric à l'œuvre au Canada: «Quelques religieux, peut-être plaisantant, disaient: «*C'est un farceur, il rit et pleure comme il veut, c'est un vieux malin*[33].»

Le Promoteur de la foi ne l'a pas cité, mais il existe, dans le dossier du procès sur l'héroïcité, un autre témoignage plus compromettant que celui-là, qui n'est en somme qu'un ouï-dire. Il s'agit de celui du Père Valentin-M. Breton, franciscain, qui fut dans sa jeunesse le commensal et même le pénitent du Père Frédéric. C'était un homme absolument remarquable. Grand, élégant et beau (sa photo, en laïc, à 22 ans, nous fait voir une sorte de Gérard Philippe à barbe, avec immensément de classe), il était d'une intelligence supérieure et d'une très belle culture littéraire. Il a écrit une quinzaine de volumes de théologie, dont le plus connu s'intitule *Le Christ de l'âme franciscaine*. Mais une sensibilité d'écorché, qui n'arrivait pas à se dire, en faisait un morose, qui paraissait plus sec et plus altier qu'il n'était et donnait l'impression qu'il regardait tout de haut. Il tenait le Père Frédéric pour un fervent religieux, puisqu'il l'avait choisi comme confesseur. Mais le patricien en lui ne prisait ni sa mise ni certaines de ses habitudes. Il avouait d'ailleurs que, dès le principe, il avait eu une certaine prévention envers l'homme, ce dont on se doutait un peu.

J'ai vu le Père Frédéric pour la première fois à Québec, Gare Saint-Roch, au soir du 3 ou 4 mai 1903. Il nous attendait, nous religieux expulsés de France. Il était déjà auréolé. On nous avait dit que c'était un saint. À cause de quoi, peut-être, j'ai été porté à remarquer ses faiblesses humaines. Tel il m'est apparu alors, tel je l'ai vu à mesure que je l'ai connu. D'aspect chétif, modeste, doux et comme timide, ou plutôt intimidé, déconcerté, s'étonnant de tout: mais ce n'était qu'une attitude, qu'il gardait ordinairement en public.

Son habit étriqué, son manteau court (plus que la normale), les objets à son usage faisaient pauvre. Saint François devait être ainsi. Il portait la barbe courte, la couronne monacale, mais hirsute, sans

---

33. *Remarques du Promoteur de la foi,* p. 20.

soins. Il était sale, les mains l'une dans l'autre, la parole lente et, je répète, comme intimidé[34].

Le Père Valentin dit que le Père Frédéric *était sale.* C'est une exagération, qui s'explique par sa propre hantise de la correction vestimentaire[35]. Car d'autres témoins ont dit formellement le contraire devant le tribunal canonique. C'est le cas, par exemple, de l'abbé Lemire, qui avait connu le Père Frédéric comme écolier, séminariste et prêtre: «L'habit du Père Frédéric était simple, pauvre, rapiécé, *mais propre.* Son manteau trop court, était changé, et lui donnait une apparence misérable. Il était beaucoup plus pauvre que les pauvres ordinaires et que les bons religieux de sa communauté. Cette pauvreté rigoureuse *ne lui enlevait rien de cette dignité qui convient à un ministre de Dieu*[36].» Mais la où le Père Valentin mérite d'être écouté, c'est quand il reprend nos remarques antérieures sur la sorte de personnalité empruntée que le Père Frédéric prenait devant les laïcs et les prêtres étrangers à l'Ordre. Notre témoin va assez loin ici et voit de l'artifice non seulement dans les sermons du Père Frédéric, mais dans les entretiens qu'il avait avec les jeunes clercs. Voici ses remarques:

Ce qui m'a surpris, étonné, c'est que le Père faisait de l'édification, il le semblait du moins, un artifice oratoire adapté à son auditoire, au public canadien crédule, pieux, puéril, ignorant. mais cela ne dépassait pas le mauvais goût. Peut-être était-ce une affaire de race, de tempérament, d'éducation, de besoin local. On a dit: «Il était roublard, un commis voyageur en édification.» Je puis noter quelques faits.

En récréation avec les étudiants franciscains, à Québec, en 1905, nous l'entourions et l'écoutions parler de ses missions. À un certain moment, il s'arrêta et dit: «Maintenant, parlons du bon Dieu», d'un ton papelard qui rompit le charme. Il sentit que nous ne marchions pas, il se tut.

---

34. *Dossier adjoint à la réponse du Promoteur,* pp. 49-50.

35. «Le Père, dit sa biographe, est très soigné de sa personne; s'il tient à une rigoureuse pauvreté, c'est à une pauvreté propre.» Yvonne Bougé, *Frère Mineur, Père Majeur. Le Père Valentin-M. Breton,* Éd. Salvator, Mulhouse, 1958, p. 129.

36. *Procès ordinaire de Trois-Rivières,* p. 187, § 478.

À Sainte-Anne-de-Beaupré, il y eut un exercice du Chemin de Croix en plein air, durant un pèlerinage. Je prêchais, lui disait les prières. À la 4e Station, il commença le Notre Père en sanglotant. Cela ne prit pas. En dessous, il regarda à droite et à gauche et reprit son ton naturel[37].

«Public canadien crédule, puéril, ignorant», Père Frédéric «commis voyageur en édification», le langage n'a rien de tendre. Il n'étonnera guère ceux qui ont lu d'autres éreintements du même genre dans les écrits du P. Valentin-M. Breton. Ses confrères en théologie ne disaient-ils pas déjà plaisamment de ses articles qu'on y reconnaissait «une tête au-dessus du Vulgaire»? Il avait parfois la dent dure! Mais ce qu'il croyait avoir remarqué en écoutant prêcher le Père Frédéric, un autre que lui l'a aussi remarqué au moins une fois. Et il s'agit de rien moins que du T.R.P. Colomban-M. Dreyer, ce provincial si posé dont nous avons pu admirer plusieurs fois les judicieux propos. Nous donnons son témoignage au long, car il nous fournit une belle occasion de discuter une particularité psychologique du Père Frédéric qui a dérouté plusieurs de ses contemporains et qui constitue un élément très significatif de sa personnalité concrète.

J'atteste qu'il aimait à prêcher le chemin de la Croix et qu'il le faisait toujours avec beaucoup d'émotion. Ce chemin de croix prêché était un des exercices habituels des pèlerinages tant durant le trajet qu'arrivés au lieu du pèlerinage. Une fois tout particulièrement, je fus témoin d'un chemin de croix ainsi prêché à l'église du Cap-de-la-Madeleine. Le mauvais temps ayant empêché les pèlerins de faire cet exercice en plein air, [le Père Frédéric] les convoqua dans l'église paroissiale, plus grande, du pèlerinage. Cette église était comble. Je présidais moi-même l'exercice en allant d'une station à l'autre. À chaque station, le Père Frédéric devait faire un petit discours du haut de la chaire. En allant à l'église, tout ennuyé de ne pouvoir faire l'exercice en plein air, il me dit: «Quand même cette fois il faut qu'on pleure; oui, je veux les faire pleurer.» De fait, on n'était pas arrivé au milieu de l'exercice que la foule sanglotait, on allait jusqu'à pousser des cris. C'était quelque chose d'inimaginable. Moi-même je me sentais serré à la gorge et difficilement

---

37. *Dossier adjoint à la réponse du Promoteur,* pp. 49-50.

je pouvais réciter les prières habituelles à chaque station. Un père dominicain qui assistait à cet exercice me dit en sortant: «Quel orateur que ce Père Frédéric; jamais je n'ai rien vu de semblable.» J'ajoute, pour l'amour de la vérité, qu'il m'a semblé, dans cette circonstance, que le Père Frédéric se servit de ses moyens naturels, c'est-à-dire un certain serrement de gorge et trémolo dans la voix, qui était de nature, à mon avis, à exciter les nerfs et à produire de l'émotion. Ceci n'empêche que je crois que l'intention du Père était droite, ayant pour but des effets pieux et surnaturels; je ne me rappelle pas d'ailleurs avoir assisté une autre fois à une scène semblable[38].

Le T.R.P. Colomban affirme que, selon lui, le Père Frédéric ne jouait pas la comédie lorsqu'il recourait à ce ton larmoyant que maints auditeurs se rappellent avoir entendu. «Son intention, explique-t-il, était droite» et il visait «des effets pieux et surnaturels.» En fait, il y a des modes en prédication comme dans les arts, et le Père Frédéric, soucieux de toucher ses auditeurs, utilisait un procédé oratoire dont bien des prédicateurs de son temps ont usé et abusé. Ce style, qui ferait sourire aujourd'hui, lui réussissait d'autant mieux qu'il avait vraiment la larme facile quand il parlait de certains thèmes qui lui tenaient à cœur. On se souvient que, faisant la lecture au réfectoire, il lui arrivait souvent de devoir passer le livre à son voisin parce que, trop ému, il ne pouvait continuer. Ce n'était pas un sentiment feint, on peut en être sûr. Écoutons encore ici le T.R.P. Colomban, dont le témoignage circonstancié montre qu'il connaissait bien cette explication, mais la rejetait formellement:

Facilement le Père Frédéric était ému et versait des larmes quand il parlait de [certains sujets religieux]. Non seulement les religieux, mais des foules s'en apercevaient. Un prêtre vénérable, Monsieur l'abbé Louis-Honoré Paquet, aumônier des Sœurs Franciscaines Missionnaires de Marie à Québec me disait: «C'est étonnant comme le Père Frédéric est tendre dans sa piété. Il y a des évangiles de la messe qu'il ne peut lire sans pleurer, par exemple l'évangile de sainte Madeleine. Notons ici que, dans les cas signalés, le Père Frédéric

---

38. *Procès rogatoire du Vicariat apostolique d'Égypte,* pp. 238-239, §§ 582-583.

n'était pas devant des foules, mais dans l'intimité des messes privées. Ce n'était donc pas pour la galerie ni dans l'émotion d'un discours qu'il se livrait à ces pieuses émotions[39].

Avec une sensibilité pareille, ce qui, au début d'un sermon, pouvait n'être qu'un procédé oratoire — et rien n'interdisait au Père Frédéric d'utiliser les procédés oratoires qui lui semblaient efficaces — se changeait vite, en cours de route, en émotion authentique, et alors le Père Frédéric pleurait pour de vrai. Et copieusement. Les foules ne se trompaient pas sur ce qu'il ressentait vraiment. Et les prêtres non plus, tels ces abbés Duguay et Héroux, commensaux du Père Frédéric au Cap, qui attestent combien les chemins de croix du bon Père les empoignaient tout autant que la foule.

Les pieux échanges du Père Frédéric avec ses jeunes confrères

L'abbé Duguay nous a déjà dit qu'en récréation le Père Frédéric, «sans ostentation», dirigeait la conversation pour éviter qu'elle ne verse dans les propos légers. Vers quoi l'orientait-il? Vers les choses de Dieu évidemment, puisque c'était ce qui l'intéressait par-dessus tout. Le P. Valentin-M. Breton nous a fourni plus haut un échantillon de la façon dont se donnaient ces coups de barre qui se voulaient discrets. À un groupe d'étudiants en théologie, qui l'écoutaient décrire ses missions et ses travaux, le Père Frédéric dit tout à coup: «Maintenant, parlons du bon Dieu.» Les jeunes interpellés, cette fois, battirent froid à la proposition du bon Père, qui, selon le témoin, aurait été faite d'un ton «papelard».

Il ne faudrait pas conclure de ce fait isolé que les pieux entretiens du Père Frédéric constituaient toujours des pensums pour ses jeunes confrères. Car, si pour une fois, le Père Valentin et son groupe les ont boudés, d'autres témoins attestent les avoir profondément goûtés et en avoir tiré le plus grand profit spiri-

---

39. *Ibidem,* pp. 234-235, § 574.

tuel. Nous citons ici le long témoignage du P. Mathieu-M. Daunais. Ceux qui ont connu ce pittoresque personnage se rappellent son physique bas sur pattes, sa grosse tête un peu faunesque et sa voix de stentor: il n'avait rien, mais absolument rien d'un béni-oui-oui! Le biographe du P. Éphrem Longpré, O.F.M., a raconté la façon explosive dont il remit à sa place, un beau jour, certain maître de novices qui avait, selon lui, abusé de son autorité[40].

Son affectueux témoignage n'en est que plus éloquent. Rédigé avec une évidente tendresse et empreint d'une douce émotion, son texte nous donne une idée très positive de la façon dont le serviteur de Dieu pouvait être perçu par de jeunes confrères remplis d'idéal. La personnalité chaude et affectueuse du vieux missionnaire (il avait alors 60 ans), libérée des inhibitions qui la guindaient en public, rayonnait sans effort et comme spontanément le surnaturel le plus pur. Le provincial pouvait sans inquiétude laisser ses jeunes religieux se mettre à l'écoute de ce maître spirituel qui leur enseignait avec tant d'amabilité et de doigté la générosité la plus authentique et la modération la plus saine!

Au temps de notre noviciat, en 1898, à la demande du T.R.P. Colomban Dreyer, devenu par la suite archevêque titulaire d'Adulis et délégué apostolique en Indo-Chine, le Père Frédéric venait nous faire des conférences spirituelles. Nous aimions à nous instruire en sa compagnie. Nous nous sentions en présence d'un saint. Instinctivement nous le comparions au Curé d'Ars, dont nous lisions

---

40. Édouard Parent, O.F.M., *Éphrem Longpré, héraut de la Primauté du Christ et de l'Immaculée,* Montréal 1985, pp. 48-49. Le maître des novices en question était le P. Marie-Raymond Sifantus. C'était un homme dur pour lui-même. Devant subir un jour une grave intervention chirurgicale pour une pleurésie, il insista pour être opéré à froid. Il le fut et faillit en mourir. Il était passé maître dans l'art de brimer ses novices pour «les éprouver». «Il avait, dit le P. Longpré, un esprit sarcastique et narquois d'une rare acuité.» Le P. Sifantus lui-même nous a raconté, plus haut, comment lui et ses jeunes confrères s'amusaient, «avec une légère malice (*sic*), à fixer le Père Frédéric dans les yeux pour «mettre à l'épreuve sa modestie». Un confrère de la Province Saint-Pierre, à qui je disais voir dans cette manie d'éprouver les autres un comportement de sergent instructeur, m'approuvait, comiquement dédaigneux: «C'est du sous-off! Du sous-off!»

la vie au réfectoire. Nous connaissons donc sa méthode et nous savons pertinemment ce qu'il entendait par bon religieux: c'était tout simplement un saint. Quel don il avait reçu du ciel pour installer dans l'âme des jeunes aspirants l'esprit religieux, ecclésiastique et sacerdotal, dont son âme était pleine! Immobiles comme des statues, nous l'écoutions avec avidité. Ses longues histoires, où il remplissait souvent le rôle de narrateur et d'acteur, nous paraissaient courtes, tant elles étaient palpitantes d'intérêt. Elles laissaient dans nos esprits et nos cœurs un parfum délicieux de vertus. Il n'avait qu'à parler de lui, de ses œuvres, de ses projets pour nous montrer l'idéal franciscain. Il le faisait tout bonnement, sans prétention ni ostentation, renvoyant à Dieu tout le mérite du bien qu'opérait son ministère. Il aurait pu dire, comme saint Paul: *Imitatores mei estote, sicut et ego Christi,* soyez mes imitateurs, comme je le suis moi-même du Christ. Nous subissions sa douce influence. Sa vertu communiquait la vie. Sa parole donnait lumière, chaleur et onction. La force de son éloquence venait de sa pureté, de sa charité et de toutes ces sublimes vertus qui grandissent à l'ombre de la croix. Enfin, nous contemplions dans sa personne une sainteté resplendissante, tout unie, tout aimable. Comme la lumière du jour, la lumière des œuvres éclaire tout le monde et ne blesse personne.

Le Père Frédéric, en effet, parlait des choses invisibles comme s'il les voyait de ses propres yeux. Dans sa bouche, tout prenait un corps, une âme, un visage, des couleurs brillantes. Cet homme nous inspirait confiance. Avec lui, nulle contrainte, nul embarras, nul respect humain. Sans trop savoir comment, les rôles étaient souvent intervertis. Nous l'interrogions et lui répondait. Quelle lumière jaillissait de ces entretiens intimes où régnait le surnaturel! Et la pensée de notre famille naturelle se présentait spontanément à notre souvenir. Une autre famille la remplaçait. Sa grande bonté pourtant ne l'empêchait pas de nous prêcher la mortification dans un degré non médiocre. Il prônait la doctrine de saint Jean de la Croix. «N'ayez pas confiance en celui qui blâme les pénitences quand même il ferait des miracles. Sans la garde des sens et la mortification de la chair, personne n'acquerra le don de la chasteté. Sans doute la perfection chrétienne et religieuse dépend de la pratique des vertus intérieures; mais la mortification extérieure reste indispensable quand même. L'emploi de ces deux moyens, de ces deux remèdes est le premier numéro du programme de la sainteté: *devita malum,* évitez le mal. Reste ensuite le second, aussi important que le premier: *fac bonum,* faites le bien.»

Un jour, le Père Frédéric nous exhortait à la générosité dans le service de Dieu. Il nous expliquait l'excellence de la mortification et nous communiquait son esprit religieux. « Si vous ne faites pénitence, disait-il, vous périrez tous. » Mais avec quelle charité et quelle prudence n'interprétait-il pas cette sentence de nos saints Livres ! Sans négliger les pénitences corporelles, qu'il pratiquait d'une manière héroïque, il préférait de beaucoup les pénitences spirituelles, c'est-à-dire le renoncement de l'esprit, du cœur et de la volonté. « Prenez garde, mes petits novices, disait-il. Faites vos jeûnes, mais prenez toute votre portion à la collation du soir. Si vous faites des mortifications inconsidérées, le diable se rira de vous plus tard. » Et comme nous ne saisissions pas toute sa pensée, tout un dialogue s'ensuivit. Nous étions désireux de savoir comment nous pourrions devenir la risée du démon.

— Mais, mon Père, votre travail est bien plus considérable que le nôtre. Vous prêchez et vous passez des nuits à écrire des livres, et vous ne prenez qu'une patate et un peu de pain, au dîner.

— C'est vrai, répondait-il. Mais mon estomac est complaisant. Il s'est accoutumé graduellement à ce régime. Quant à vous, prenez vos deux onces de pain le matin et toute la portion qu'on vous sert le soir. Faites attention ! Le démon porte les novices et les jeunes pères à des jeûnes excessifs et à des veilles prolongées. Puis, quand le temps de travailler au salut des âmes arrive, il se rit de ceux qui ont épuisé leurs forces par des mortifications inconsidérées. J'en ai vu qui n'ont jamais pu rendre service à l'Ordre ni à l'Église à cause de leur manque de discrétion et d'obéissance.

Nous croyions, continue le P. Mathieu, entendre saint François lui-même recommandant à ses disciples groupés autour de lui la discrétion dans la pénitence: « Mes bien-aimés, chacun doit se mortifier d'après sa constitution. Certains sont assez forts pour vivre en mangeant moins que les autres. Je désire néanmoins que ceux qui ont besoin d'une plus grande quantité de nourriture ne soient pas astreints à suivre leurs exemples. Chacun doit accorder le nécessaire à son corps, afin que ce dernier puisse servir l'esprit. Tout excès dans le boire et le manger serait un mal pour le corps et pour l'âme, mais il faut aussi et même avec plus de soin éviter une abstinence trop sévère. Le Seigneur ne demande pas les sacrifices, mais la conversion[41]. »

---

41. P. Mathieu-M. Daunais, O.F.M., Texte manuscrit. Les paroles de saint

Le style du P. Mathieu Daunais a vieilli: c'est celui de l'*Auréole séraphique* et des deuxièmes nocturnes des bréviaires du temps. Mais l'image qu'il trace du Père Frédéric n'en est pas moins jeune et fraîche. C'est celle que les responsables de formation franciscaine qui avaient connu l'attachant vieillard ont continué à transmettre à leurs jeunes confrères très longtemps après sa mort. Elle semble bien exprimer le Père Frédéric dans ce qu'il avait de meilleur: sévère pour lui-même, mais modéré et affectueux avec les autres.

Le Père Frédéric était-il un autre saint François d'Assise?

À l'instar du P. Matthieu, bon nombre de franciscains et de prêtres séculiers qui ont témoigné au procès sur l'héroïcité des vertus ont souligné que le Père Frédéric leur faisait penser à saint François. Confirmant les dires du P. Ignace d'Alsace et de l'abbé Duguay, que nous avons cités antérieurement, l'abbé Pierre-A. Bellemare, le pieux curé de Saint-Élie de Caxton, témoigne au procès de Trois-Rivières: «Quand il passait au milieu de nos populations, on croyait voir un saint François lui-même parcourant les villes et les campagnes.»

Le rapprochement était quasi inévitable. Mais le saint François qu'imaginaient les contemporains du Père Frédéric, grands lecteurs d'Ozanam, n'était pas tout à fait celui que les études modernes ont révélé. C'est pourquoi, s'il faut admettre que le Père Frédéric et saint François avaient beaucoup de points communs, il faut aussi reconnaître qu'ils étaient différents à bien des titres. Faire ressortir ces éléments de ressemblance et de différence nous permettra de compléter le portrait du Père Frédéric en mettant en lumière certains traits de son tempérament que les témoins de sa vie n'ont guère soulignés, mais qui sont quand même des éléments-clefs de sa personnalité.

François citées par le Père Mathieu à la fin de son texte se trouvent dans *Le miroir de perfection,* ch. 27.

Des points communs entre saint François et le Père Frédéric

Saint François et le Père Frédéric étaient tous deux des petits hommes maigres et d'apparence frêle. Tous deux étaient habillés très pauvrement, étaient de grands jeûneurs et pratiquaient une austérité à faire frémir. Tous deux se montraient habituellement aimables et courtois et tous deux étaient d'extraordinaires orateurs populaires. Il faut ajouter que, grands amoureux du Christ crucifié et de sa Mère, tous deux ont aussi versé beaucoup de larmes lorsqu'ils prêchaient. Saint François pleurant à haute voix sur la Passion du Christ et emplissant la rue de ses gémissements[42], cela vaut bien le Père Frédéric ne pouvant retenir ses larmes lorsqu'il lisait certains évangiles durant sa messe ou lorsqu'il prêchait le chemin de la croix au Cap. Le parallèle entre les deux hommes pourrait s'enrichir de plusieurs autres éléments significatifs, qu'il sera facile au lecteur de découvrir par lui-même. Mais, nonobstant toutes ces notes convergentes, les deux hommes restent, à notre avis, fort différents. Leur pattern général de comportement n'est pas tout à fait le même, parce qu'ils ne sont pas issus des mêmes milieux et que, surtout, leur tempérament de base n'est pas identique.

Le Père Frédéric était moins primesautier,
moins fantaisiste que saint François

Le Père Frédéric est né dans une famille très rangée de la France du XIXe siècle. Saint François, lui, est un italien et un italien du moyen âge. L'Italie, terre d'élection de la *commedia dell'arte* et de l'opéra, est aussi le pays par excellence de la spontanéité vitale, de l'exubérance et de la fantaisie qui se moque des formes reçues. Celle du XIIe siècle ne faisait pas exception là-dessus, loin de là. Élevé par des parents riches et indulgents, qui fermaient les yeux sur ses excentricités, le jeune Francesco Bernardone s'en donna donc à cœur joie dans l'extravagance. Son premier biographe, Thomas de Celano nous dit qu'il éblouissait

---

42. *II Celano,* § 11.

ses camarades et «cherchait à se distinguer en démonstrations de vaine gloire: jeux, farces, bouffonneries, chansons, habits moelleux et flottants[43]». *Les trois compagnons,* moins sévères, précisent quand même que le jouvenceau «poussait la frivolité dans la recherche jusqu'à faire coudre parfois dans le même vêtement de l'étoffe très chère avec de l'étoffe à très bas prix[44]». En quoi il devançait de sept siècles les beatniks et les hippies, dont du reste certains, qui l'admirent, le regardent comme leur père spirituel!

Quand le Christ lui eut parlé à Saint-Damien, Francesco Bernardone cessa de faire des bouffonneries. Mais il resta l'homme du spectaculaire, du non-conformisme. Quoi de plus sensationnel que son dépouillement devant l'évêque d'Assise, ce geste qui a frappé non seulement les contemporains, mais aussi tous les historiens qui ont parlé du Poverello! Le jeune homme avait commencé, à ce moment-là, à réparer les églises délabrées des environs d'Assise. Ne pensant pas à mal, il avait pris à son père Pietro Bernardone une forte somme d'argent, qu'il voulait consacrer au soulagement des pauvres et à la réfection de Saint-Damien. Furieux, le paternel assigna son fils à l'évêché pour qu'il restituât l'argent qu'il lui avait pris et fît, entre les mains du prélat, une renonciation officielle à son héritage. Voici quelle fut, selon Celano, la réaction de François:

> Loin d'y opposer quelque résistance, François, tout joyeux, se prêta volontiers à ce qu'on exigeait de lui. Amené en face de l'évêque, il n'attend pas, il ne barguigne pas: sans prononcer un mot et avant qu'on lui enjoigne quoi que ce soit, il ôte tous ses vêtements et les lance dans les bras de son père; il ne garde même pas ses caleçons, mais demeure complètement nu devant toute l'assistance. L'évêque, touché de ce courage et saisi d'admiration au spectacle d'une telle ferveur et force d'âme, se leva aussitôt, attira le jeune homme dans ses bras et le couvrit de son manteau[45].

Le prélat, explique Celano, «avait clairement conscience d'être

---

43. *I Celano,* § 2.
44. *Les trois compagnons,* § 1.
45. *I Celano,* §§ 15-16.

là en présence d'une inspiration de Dieu et il était persuadé que la scène dont il venait d'être le témoin possédait une signification surnaturelle et cachée». Toutes les générations franciscaines ont compris à leur tour ce qu'avait compris l'évêque Guido. Celle du Père Frédéric comme les autres. Mais le Père Frédéric, s'il avait eu à rompre avec son père, ne l'aurait jamais fait à la manière de saint François! Pas plus que, pour imiter d'autres gestes de son fondateur, il ne serait entré à l'archevêché de Québec en traînant derrière lui un mouton[46] et, une fois rendu à table, n'aurait tiré de ses poches des quignons de pain quêtés pour les offrir aux invités du cardinal Taschereau[47]. Pas davantage aurait-il demandé à un confrère de le tirer la corde au cou sur la place publique et aurait-il fait venir à l'infirmerie de la rue Dorchester, où il allait mourir, une belle dame de ses amis, qui lui aurait apporté ses pâtisseries préférées[48]! Ces originalités de saint François, le Père Frédéric les a considérées avec respect, comme tous les Franciscains. Mais il était trop sage, trop posé, trop respectueux des bienséances pour les imiter. Des fantaisies comme celles-là n'étaient ni dans ses cordes ni dans celles de ses confrères français ou canadiens. Et pour cause. Car il n'est pas sûr que ce qui avait pu paraître charmant aux foules du XIIIe siècle aurait eu le même impact sur les catholiques québécois du XIXe siècle finissant. Ceux-ci, le Père Frédéric, qui les connaissait bien, avait, pour les attirer et les toucher, des méthodes autres que celles qu'on voit décrites dans les *Fioretti,* si pittoresques qu'elles aient été.

Le Père Frédéric n'avait pas non plus la combativité ni la poigne de saint François

Les Franciscains et les franciscanisants ont célébré à qui mieux mieux la douceur du Séraphique père. Et le P. Peter Lippert, jésuite, a consacré à la «miraculeuse capacité d'aimer» de saint

---

46. *I Celano,* § 78.
47. *II Celano,* § 73.
48. *Légende de Pérouse,* § 101.

François un admirable chapitre de son livre *Bonté*[49]. La tendresse est effectivement un aspect essentiel de la personnalité du Petit Pauvre, comme le démontrent abondamment de nombreux textes des XIIIe et XIVe siècles.

Mais saint François est aussi un réformateur spirituel et un fondateur d'ordre d'une exceptionnelle fermeté. À la sueur de son front, il avait redécouvert l'Évangile et ses exigences profondes. La forme de vie qu'il en tira pour lui et les siens était radicale malgré son apparente simplicité. La première réaction des autorités romaines auxquelles il la soumit fut d'estimer que «ce projet était au-dessus des forces humaines[50]». Mais l'ardent plaidoyer du nouveau converti gagna à sa cause le grand pape Innocent III, qui, sous bénéfice d'inventaire, lui donna une première approbation verbale de son genre de vie.

Quand le nombre de ses frères commença à se multiplier, le tonus spirituel du groupe eut tendance à s'abaisser. Le Petit Pauvre eut alors à défendre ses positions sur la pauvreté et l'humilité contre la foule de ceux qui, soit par faiblesse humaine soit par conscience plus aiguë des besoins concrets d'un grand ordre, voulaient les édulcorer ou les mitiger. Toutes les *Légendes,* c'est-à-dire les biographies primitives du saint, sont marquées d'une façon ou de l'autre par l'écho de ces luttes. Mais finalement saint François réussit à triompher de tous ses opposants et la *Règle des Frères Mineurs* que le pape Honorius III approuva en 1223 coula dans le béton du droit l'essentiel de son idéal. Cette forme de vie n'a jamais été modifiée depuis et reste la grande charte des trois branches des Frères Mineurs qui subsistent, les Franciscains, les Capucins et les Conventuels.

Un pareil résultat suppose, chez le fondateur du mouvement, une énergie et une fermeté peu communes. La Providence, qui sait équiper ses hommes pour les missions de salut qu'elle leur confie, avait bien pourvu François de ces qualités. Le Petit Pauvre, tout affectueux qu'il était, pouvait aussi se montrer très sévère avec ses frères quand il lui semblait que les intérêts spirituels de

---

49. Peter Lippert, S.J., *Bonté,* Paris, Aubier, 1946.

50. *II Celano,* § 16.

l'Ordre le requéraient. Là-dessus il a été le précurseur d'autres fondateurs énergiques comme Grignion de Montfort, Eugène de Mazenod et Charles de Foucauld, qui eux aussi ont exigé beaucoup de leurs sujets. Les admirateurs qui ne voient en lui que l'ami des agneaux et des oiseaux feraient bien de relire Celano et les autres *Légendes* du XIIIe siècle. Ils y trouveraient en foule des textes comme ceux que nous faisons suivre, qui montrent bien à quel point «le doux François» avait de la poigne. Le premier est relatif à l'usage de l'argent, pour lequel le saint, après sa conversion, garda toujours une horreur presque physique.

L'ami de Dieu témoignait un souverain mépris à toutes les vanités du monde, mais plus que tout il exécrait l'argent. Dès le début de sa conversion il le tint pour abject, et par la suite il recommanda toujours à ses disciples de l'éviter comme le diable. Sa formule était: ne pas accorder à l'argent plus de prix qu'au fumier.

Or un fidèle, venu prier dans l'église Sainte-Marie de la Portioncule, y laissa un jour en offrande une certaine somme, qu'il déposa au pied de la croix. Après son départ, un frère la ramassa en toute innocence et la jeta sur l'appui d'une fenêtre. Le saint l'apprit et le frère, se sentant coupable, accourut demander son pardon; il se prosterna à terre, prêt au châtiment. Le saint lui reprocha vivement d'avoir osé toucher à cet argent. Puis il lui ordonna d'aller prendre l'argent entre ses dents, sur l'appui de la fenêtre, et de le déposer, avec sa bouche encore, sur un crottin d'âne hors de l'enceinte du couvent. Le frère s'exécuta bien volontiers [51].

L'horreur de l'argent avait comme corollaire, chez le fondateur des Mineurs, une répulsion très forte pour l'esprit de propriété. Lui qui ne voulut pas habiter une cellule qu'on avait eu le malheur d'appeler «sa cellule» ne voulait pas que ses frères s'approprient quoi que ce soit en ce monde. Un jeune religieux, qui, après s'être fait refuser par le saint l'usage personnel d'un psautier, s'était avisé de revenir à la charge, l'apprit à ses dépens.

Comme le bienheureux François était assis près du feu et se chauffait, [le frère en question] vint le relancer avec son psautier. Le saint lui répondit: «Et quand tu auras un psautier, tu voudras

---

51. *II Celano*, § 65.

un bréviaire; et, quand tu auras un bréviaire, tu t'installeras dans une chaire comme un grand prélat et tu commanderas à ton frère: Apporte-moi mon bréviaire!» Ce disant, tout emporté par la passion, il prit de la cendre au foyer, la répandit sur sa tête, et il s'en frictionnait en répétant: «Le voilà, le bréviaire!» Le frère en resta tout ébahi et honteux[52].

Même réaction véhémente de saint François à l'égard de deux autres de ses frères, dont le comportement lui paraissait mettre en danger la vertu de chasteté dans l'Ordre. La scène se passe au moment où le monastère de sainte Claire à Assise et quelques autres monastères de Clarisses se trouvent sans confesseur régulier par suite de la mort de leur pénitencier habituel, un cistercien.

Frère Philippe le Long réussit à se faire confier la charge de ces monastères, et il obtint du Souverain Pontife le pouvoir de désigner, à son gré, des frères mineurs pour le service de ces mêmes monastères. À cette nouvelle, le bienheureux François fut profondément troublé, et il le maudit comme destructeur de son Ordre...

Le frère Étienne était allé, [lui], dans un monastère de Pauvres Dames sur ordre du frère Philippe. Par la suite, faisant route avec saint François pour aller de Bevagna à un autre endroit, il le lui avoua et lui demanda pardon. Le saint lui fit de très durs reproches et lui enjoignit, comme pénitence, de se jeter tout habillé dans le fleuve qu'ils étaient en train de longer. Or, cela se passait en décembre. C'est tout trempé et grelottant de froid que le frère accompagna François pendant deux bons milles jusqu'à la maison des frères[53].

Nous citons deux derniers textes, qui nous montrent que les scènes ci-dessus décrites n'étaient pas de simples accidents de parcours. Parce qu'il était profondément conscient de la valeur de salut du mouvement dont Dieu l'avait fait le père sans préméditation de sa part, saint François n'acceptait pas qu'on le sabote de quelque façon que ce soit. C'est pourquoi il fustigeait

52. *Légende de Pérouse,* § 73.

53. Cité dans Damien Vorreux, O.F.M., *Sainte Claire d'Assise — Documents,* Paris, Éditions franciscaines, 1983, p. 274.

avec de terribles accents les hypocrites qui, comme les deux malheureux ci-dessous, se faisaient les faussaires des vertus des vrais Frères Mineurs.

Il réservait une terrible malédiction à ceux dont la conduite dépravée ou les mauvais exemples portaient atteinte à la sainteté de l'Ordre. On lui rapporta un jour que l'évêque de Fondi avait apostrophé deux frères venus se présenter à lui et qui, pour avoir l'air de se mépriser beaucoup eux-mêmes, s'étaient laissé pousser une barbe d'une longueur démesurée: «Craignez de ternir la beauté de votre saint Ordre avec des innovations prétentieuses de ce genre!»

Le Père se dressa aussitôt, leva les bras au ciel et, le visage inondé de larmes, laissa échapper ces paroles de prière ou plutôt d'imprécation: «Seigneur Jésus-Christ, dont les Apôtres, choisis au nombre de douze, restèrent fidèles au saint Évangile malgré la défection de l'un d'entre eux, et témoignèrent, dans leur prédication, d'un seul et même Esprit, vous vous êtes souvenu en nos derniers temps de votre miséricorde et vous avez fondé l'Ordre des frères pour ranimer la foi et réaliser en eux les exigences de votre Évangile. Qui donc vous offrira pour eux satisfaction si, oublieux de leur mission, ils négligent de donner à tous les hommes des exemples de lumière et ne donnent en spectacle que des actions de ténèbres? De vous, très saint Seigneur, et de toute la cour céleste, et de moi votre petit pauvre, qu'ils soient maudits ceux qui par leur mauvais exemple renversent et détruisent ce que vous avez jadis édifié et ne cessez d'édifier par les saints frères de cet Ordre[54]!

Dans le second texte, Celano n'a pas cru opportun de nous rapporter les paroles mêmes de saint François. Les deux faits rapportés plus haut à propos des visites chez les Clarisses permettent de supposer qu'elles n'étaient pas des plus suaves!

Un frère avait dans un monastère deux de ses filles qui menaient là une vie exemplaire; il dit un jour qu'il irait volontiers à ce couvent porter un colis de provisions que lui destinait le saint. Celui-ci le rappela sévèrement à l'ordre *en termes qui ne sont pas à rappeler ici*. Il chargea de la commission un frère qui finit par accepter après s'être fait longtemps prier[55].

---

54. *II Celano,* § 156.
55. *II Celano,* § 206. C'est moi qui souligne (C. Baillargeon).

On ne trouve pas chez le Père Frédéric l'équivalent de ces emportements.

D'abord il avait le commandement en horreur. Nous avons vu qu'il craignait le supériorat comme la peste. Il le redoutait à un tel point qu'après l'avoir exercé pendant un an à Bordeaux il supplia ses supérieurs de l'en décharger, faute de quoi il demanderait à passer chez les Chartreux.

Avec de pareilles dispositions, il n'était évidemment pas plus doué pour la réprimande. Il avouait au P. Mathieu-M. Daunais que les rares fois où il s'était risqué à reprendre publiquement ses subordonnés il avait manqué son coup et aurait mieux fait de se taire!

Sa prédication porte la trace des mêmes répugnances psychologiques. Elle ne cherche pas à corriger et à réformer les fidèles: elle vise plutôt à les entraîner doucement vers l'amour du Dieu qui les a aimés sans mesure. Là-dessus écoutons, entre autres, le témoignage du T.R.P. Théodoric Paré, qui fut définiteur général de son Ordre et provincial de la Province Saint-Joseph du Canada.

> Je ne l'ai jamais entendu faire de remarques désagréables, peu charitables, sur la conduite du prochain, même dans le cas de pécheurs publics et connus. Dans ses sermons, je ne l'ai jamais entendu invectiver contre telle catégorie de pécheurs[56].

Ces particularités de comportement nous invitent à examiner une fois de plus le tempérament du Père Frédéric pour essayer d'y découvrir des éléments-clefs de sa personnalité que nous n'avions pas vus jusqu'ici et qui éclaireront le sens de ses gestes.

Le Père Frédéric, quelque force de caractère que lui aient donnée la nature et l'éducation, était un tendre à qui il répugnait de faire de la peine aux autres

Notre homme, nous l'avons vu, était physiquement robuste en dépit de sa petite taille et de ses maux d'estomac. La perfec-

---

56. *Procès ordinaire de Trois-Rivières,* p. 174, § 447.

tion de son organisme était telle que, même en mangeant comme un poulet, il pouvait fournir régulièrement des journées de travail d'une quinzaine d'heures. Le caractère spartiate de son éducation première et la rigoureuse ascèse pratiquée chez les Franciscains avaient perfectionné ces dispositions innées en y ajoutant la discipline, l'esprit méthodique et la persévérance dans l'effort. Il était en plus intelligent, fin et sagace. Avec un pareil faisceau de ressources il était bâti pour être un grand réalisateur. Il le fut, comme on peut en juger par le palmarès des travaux qu'il a menés à bien avec des moyens très modestes. Il aurait pu être aussi un dominateur comme le frère Élie de Cortone et tant d'autres despotes de l'histoire civile et religieuse. Il ne le fut pas. Pourquoi?

La première idée qui vient à l'esprit quand on essaie de répondre à cette question, c'est que, si notre homme n'a pas été un personnage autoritaire, c'est parce qu'il était trop sensible. Que vaut cette explication?

L'existence d'une très forte sensibilité chez le Père Frédéric est un fait indiscutable. L'homme pleure beaucoup lorsqu'il prêche, lorsqu'il parle de la Sainte Vierge et lorsqu'il lit certains textes évangéliques. Au réfectoire, quand il est lecteur et qu'il tombe sur un passage particulièrement touchant, il est tellement ému qu'il doit remettre le livre à un voisin. On retrouve les traces de cette vive sensibilité dans ses textes. Par exemple, la formule de consécration à Marie qu'il avait préparée pour les pèlerins du Cap déborde d'expression d'affectueuse tendresse. Il n'y a donc aucun doute, le Père Frédéric était un grand sensible et un grand tendre.

Mais sensible, saint François ne l'a-t-il pas été tout autant que lui? Il gémit très haut en regardant dans un champ une petite brebis qui marche toute seule au milieu d'un troupeau de boucs et de chèvres et tout de go l'emmène à l'évêché d'Osimo[57]. À partir du moment où le crucifix de Saint-Damien lui eut parlé, «il lui fut impossible de retenir ses larmes et il pleurait à haute voix sur la Passion du Christ, comme s'il en avait toujours sous les yeux le spectacle. Les rues retentissaient de ses gémisse-

---

57. *I Celano,* §§ 77-78.

ments[58]». Pourquoi donc le sensible saint François commandait-il avec tant de vigueur alors que le Père Frédéric n'osait réprimander ses sujets?

La réponse tourne autour d'une propriété que les psychologues appellent l'agressivité ou la pugnacité. L'agressivité est un instinct fondamental du vivant qui le porte à combattre pour trouver ou défendre sa place au soleil. Lorsqu'elle est forte et s'allie à une personnalité riche, dynamique, elle engendre normalement le leadership, qui est l'aptitude à commander les autres, à leur faire accepter non seulement ses convictions, mais aussi ses décisions.

L'agressivité et son corollaire fréquent, le leadership, sont-ils innés ou acquis? Aux psychologues de débattre la question. Mais ce qui est certain, c'est que l'une et l'autre apparaissent très tôt chez ceux qui les possèdent. Chez Napoléon, on les discernait dès la petite enfance, car le futur empereur s'y affirmait déjà un lutteur. «Il était, dit l'un de ses biographes, toujours prêt pour la bagarre. Il aimait y entraîner Joseph, son aîné de dix-neuf mois: ils se roulaient sur le sol du jardin, se mordaient, se tapaient le cou mutuellement et c'était bien souvent le plus jeune qui gagnait[59].» Francesco Bernardone lui aussi montre de la pugnacité et du leadership dès qu'il apparaît sur la scène de l'histoire. Il s'engage tout jeune pour combattre Pérouse, puis pour faire la guerre dans les Pouilles, et, bien qu'il ne soit pas noble, il s'affirme comme le chef incontesté de la jeunesse d'Assise, qu'il entraîne où bon lui semble.

L'agressivité du Père Frédéric était-elle forte ou faible? Dans une conférence qu'il a faite aux novices, il aurait avoué qu'«il avait un caractère violent dans sa jeunesse[60]». L'attestation est confirmée par un confrère de France, le P. Valbert-M. Leyval: «[Le Père Frédéric était] très doux avec tout le monde, malgré

---

58. *II Celano,* § 11.

59. Vincent Cronin, *Napoléon,* trad. Jacques Mordal, Paris, Éd. Albin Michel, 1979, p. 21.

60. Fr. Raphaël Quinn, O.F.M., *Procès rogatoire du Vicariat apostolique d'Égypte,* p. 295, § 718.

un fonds de tempérament plutôt vif[61].» L'existence d'un fonds de violence est plausible, car, comme nous l'avons constaté, l'homme avait en lui assez de ressources physiques et psychologiques pour être un fort et avoir la tête près du bonnet. Mais il y a violence et violence. Si cette caractéristique a existé chez lui comme elle se rencontre, temporairement, chez beaucoup de jeunes enfants, elle était sûrement assez tempérée, ainsi que le suggère le «plutôt» du Père Leyval. Car elle se couplait de timidité, et les vrais dominateurs ne sont pas des timides: Napoléon n'a jamais donné de signes de timidité!

Quoi qu'il en soit, lorsque notre homme arrive à l'âge adulte, sa pugnacité, si tant est qu'elle a déjà existé, a diminué à tel point qu'il n'est plus apte à être supérieur. Il s'impose à lui-même une discipline de fer; mais, lorsqu'il s'agit de conduire les autres, sa délicatesse et ses scrupules le paralysent et il n'arrive pas à leur imposer sa volonté même dans le cadre légitime du supériorat religieux. Pour parler le langage technique des psychologues, c'est un Vénus plutôt qu'un Mars. Il reste un homme d'œuvres exceptionnel. Car la polarité Vénus n'empêche pas qu'on soit un grand actif, si on a par ailleurs les ressources physiques voulues. Elle interdit seulement qu'on *bouscule les personnes* et qu'on se *batte* avec elles (elle abhorre au suprême degré *la chicane*). Le ressort de l'action du réalisateur Vénus, ce n'est pas l'assaut ni la contrainte, mais le charme et la persuasion. Cette polarité particulière a conditionné toute l'œuvre et, en fin de compte, toute la vie du Père Frédéric. C'est ce qu'il nous reste à voir plus en détail.

La faible agressivité du Père Frédéric explique plusieurs traits de son comportement, en particulier son continuel souci d'édifier

La sainteté est compatible avec toutes sortes de tempéraments, parce qu'elle n'est pas le produit de la nature. «Examinez bien le saint Évangile et saint Paul, disait le P. Libermann, lui-même épileptique, et vous n'y trouverez nulle part qu'on vante les beaux

---

61. Valbert-M. Leyval, O.F.M., *Procès rogatoire de Lille,* p. 328, § 816.

caractères comme faits pour être de grands saints [62].» C'est Dieu qui sauve et non l'excellence humaine. Mais la Grâce, lorsqu'elle accomplit son œuvre, s'accommode normalement du support humain qu'elle vient transfigurer. C'est pourquoi le greffon enté sur le Christ aura beau se démener tant qu'il voudra, il y aura des fruits qu'il ne pourra pas produire. C'est l'expérience de la limite, cette «épine dans la chair», qui tourmente tout homme. Au lieu de l'accepter avec foi comme saint Paul, beaucoup de prétendus forts préfèrent imiter Jacob à Penuel: ils passent leur vie à ignorer leur limite et à faire comme si elle n'existait pas. Mais lorsque, un beau matin, elle finit quand même par les terrasser — cela se passe d'ordinaire «au petit jour», c'est-à-dire au soir de leur carrière — leurs yeux se dessillent subitement et ils comprennent enfin, comme Jacob vaincu, que c'était à elle que l'Ange de Yahweh avait attaché sa bénédiction...

Nous avons vu qu'un des fruits que la nature du Père Frédéric ne pouvait pas produire, c'était le commandement. «Tel brille au second rang qui s'éclipse au premier», a-t-on dit. C'était bien le cas de notre homme. Il a toujours craint le supériorat comme la peste. Il le redoutait à un tel point qu'à un moment donné il s'est dit prêt à passer chez les Chartreux si on ne l'en déchargeait pas. Il n'a jamais excellé non plus dans la correction fraternelle, contrairement à son fondateur, qui, lui, n'y allait pas toujours de main morte quand il fallait reprendre.

Par contre, il a fait un excellent second. C'était un homme qui donnait le meilleur de son rendement quand il était bien encadré. Ce fut le cas en Terre Sainte, où il remplit *summa cum laude* la charge de vicaire custodial. Ce fut aussi le cas au Canada, où il eut la chance d'avoir pour provincial un véritable chef, le T.R.P. Colomban-M. Dreyer. Le Père Dreyer le dirigea d'une main à la fois experte et ferme: les œuvres multiples que le Père Frédéric a réalisées sous sa gouverne attestent la fécondité de cette coopération entre un grand leader et un grand commis.

---

62. Cité dans Alphonse Gilbert, *Le feu sur la terre. Un chemin de sainteté avec François Libermann* (Collection Chrétiens-Croire). Paris, Fayard, 1985, p. 65.

L'agressivité réduite du Père Frédéric ne faisait pas seulement de lui un excellent second: elle lui permettait aussi d'être un merveilleux conciliateur. C'est là l'explication des brillants succès diplomatiques qu'il a remportés en Terre Sainte, ce pays dont des groupes aux divergences multiples faisaient une poudrière. Il en fallait du tact et de la patience pour commencer à mener à bien les constructions que le Père Frédéric y a effectuées. Il en fallait encore plus pour recueillir et consigner méthodiquement les droits des Latins sur les sanctuaires de la Nativité et du Saint-Sépulcre. Un impétueux ou un impérieux aurait tout fait sauter dans le canton. La diplomatie sincère et courtoise de notre homme réussit le projet-gageure sans rien casser. Si le dicton «plus fait douceur que violence» a quelque vérité, il est bon que dans la gestion de la machine ronde des Vénus viennent ici ou là compléter l'action des Mars!

La même particularité caractérologique qui rendait harmonieux les contacts sociaux du Père Frédéric explique encore le caractère doux et apaisant de sa prédication. Celle-ci, nous l'avons vu, ne cherchait pas tant à corriger et à réformer qu'à entraîner: «Aimez donc le bon Dieu, qui nous a tant aimés!» Cette exclamation, qu'il lançait avec des larmes dans la voix, on pourrait en faire la récapitulation de son message apostolique.

Dernière considération enfin, mais qui n'est pas la moins importante, la faible agressivité du Père Frédéric va nous permettre de mieux comprendre son souci constant d'édifier et sa peur non moins continuelle de malédifier. Cette curieuse hantise, qui a tant intrigué ses confrères franciscains et qui a même fait froncer les sourcils au grave promoteur romain de la foi, elle cesse d'apparaître comme une anomalie quand on la considère à la lumière du combat incessant que se livraient, chez notre héros, le zèle dévorant des âmes et le pacifisme spontané de sa psychologie.

Voici un homme qui ne vit que pour la gloire de Dieu et le salut des âmes, comme l'ont attesté une foule de témoins. Ainsi que saint Paul le conseillait à Timothée, il «prêche à temps et à contretemps», ambitionnant de parler du bon Dieu jusqu'en récréation. Mais la faiblesse humaine et le péché n'en continuent pas moins, comme l'ivraie de la parabole, à fleurir autour de lui et dans sa communauté. Comment va-t-il les contrer? En faisant des scènes, des sorties à l'emporte-pièce comme son père saint François? Il a bien essayé, mais force lui est de constater que cela ne lui réussit pas: «Ne forçons point notre talent, disait l'autre, nous ne ferions rien avec grâce!» Va-t-il donc démissionner? Non, car il lui reste une solution de rechange, l'exemple. L'exemple, c'est une manière discrète d'exhorter, la façon de rappeler les valeurs morales et religieuses qui se concilie le mieux avec les tendances de fond d'un caractère doux. Le souci d'édifier du Père Frédéric et sa peur constante de malédifier, ce sont ses façons à lui d'affirmer ce en quoi il croit. Le souci en question a atteint dans son cas un degré presque obsessionnel, ce qui a produit chez lui une sorte de dédoublement de la personnalité, un hiatus entre l'homme privé et l'homme public, entre le religieux capable de rigoler avec ses frères et l'apôtre toujours sérieux comme un pape[63]. Mais l'innocente exagération de ses pratiques n'invalide pas leur légitimité foncière. Le Père Frédéric aurait pu, s'il y avait songé, se réclamer ici de saint François, qui, comme nous l'avons amplement souligné, ne récusait pas la manière forte mais qui, contraint par la maladie de renoncer au généralat, décla-

---

63. Cette espèce de dédoublement psychologique n'est pas un phénomène propre au Père Frédéric, mais un trait bien connu des psychologues. René Le Senne y voit le comportement typique des grands passionnés, chez qui le dévouement à la cause mobilise davantage les forces psychiques. Il explique ainsi son mécanisme: «L'union de l'activité et de la secondarité, comme cimentée par l'émotivité, finit par faire à un passionné impérieux une seconde nature qui s'oppose à la spontanéité organique. Elle sollicite à ce point l'intégration d'un homme dans un milieu social à forte structure qu'il peut se produire en lui comme un dédoublement entre l'homme social et l'homme privé. Cela entraîne la conséquence que l'homme se comporte de manières différentes et éventuellement opposées dans les conjonctures qui n'intéressent que l'homme privé et dans celles qui au contraire sont en continuité avec l'homme social. Ainsi le même homme peut être par lui-même vérace et menteur dans sa fonction. Ce qui est vrai de la véracité l'est également de toute l'activité de l'individu: un personnage social s'est substitué en lui à son individualité originelle. Il échange chaque fois l'un contre l'autre quand il entre en service ou qu'il en sort. Il ne se fait pas pour le passionné comme pour les autres caractères un compromis entre l'homme naturel et l'homme social, ils se juxtaposent ou permutent entre eux suivant les conditions du milieu social» (René Le Senne, *Traité de caractérologie,* Paris, Presses universitaires de France, 1949, p. 410).

rait à ses frères que dorénavant il ne répondrait plus d'eux que par la prière et par l'exemple.

J'ai résolu et juré d'observer la Règle; les frères s'y sont pareillement engagés. Depuis que j'ai résigné ma charge de supérieur à cause de mes maladies, pour le plus grand bien de mon âme et de mes frères, je ne suis plus tenu vis-à-vis d'eux qu'à *leur donner le bon exemple.* En effet, j'ai appris du Seigneur et je sais d'une façon certaine que, même si la maladie n'avait été une raison suffisante de me retirer, le plus grand service que je puisse rendre à l'Ordre, c'est de prier le Seigneur de le gouverner, conserver, protéger et défendre. Je me suis engagé devant Dieu et devant les frères et j'entends bien avoir à rendre compte au Seigneur de tout frère qui se perdrait par mon mauvais exemple[64].

Ce que le fondateur pouvait faire par défaut de santé, le fils ne pouvait-il pas le faire lui aussi par défaut d'agressivité naturelle? Bien sûr! Mais le Père Frédéric n'était pas homme à justifier sans cesse ses actions et ses gestes. Chacun les interprétait donc à sa façon, ce qui ne lui rendait pas toujours justice. Ses attitudes surveillées, par exemple, où il n'entrait pas un atome de malice, un Père Colomban, fin psychologue, a compris que c'étaient uniquement l'amour de Dieu et le salut des âmes qui les inspiraient. Mais un Père Valentin, plus raisonneur et plus critique, les a trouvées choquantes, tout en admettant la sainteté de l'homme. D'autres, enfin, dont les plaisanteries sont allées jusqu'à «l'avocat du diable», à Rome, faisaient presque des procès d'intentions: «Le Père Frédéric est un farceur: il rit et pleure quand il veut. C'est un vieux malin.» Ces religieux n'étaient pas nombreux: le témoignage du P. Paul-Eugène Trudel laisse entendre qu'on aurait quasiment pu les compter sur les doigts d'une seule main[65]. Mais leurs railleries purifiaient spirituellement notre homme, exactement de la même façon que les oppositions déclenchées par son intransigeance sur la pauvreté avaient purifié le fougueux fils de Pietro Bernardone[66]. Dans une commu-

---

64. *Légende de Pérouse,* § 87.

65. *Procès rogatoire du Vicariat apostolique d'Égypte,* p. 415, § 11.

66. Cf. Éloi Leclerc, O.F.M., *Sagesse d'un pauvre,* Paris, Éd. franciscaines, 1959.

nauté, toute originalité, quand elle est forte, s'expose à être combattue par les originaux de signe contraire. «Le fer s'aiguise par le fer, l'homme s'affine au contact de son prochain», constatait déjà avec humour le vieux livre des *Proverbes*[67].

C'est en tout cas de cette façon que le Seigneur parachevait son œuvre de sanctification dans le fils de Pierre-Antoine Janssoone et de Marie-Isabelle Bollengier. Un petit moine qui ressemblait par plusieurs côtés au fils de Pietro Bernardone et de Dame Pica, mais qui n'avait pas tout à fait les mêmes charismes ni les mêmes défauts.

Un saint François moins flamboyant, mais plus facile à vivre que celui du XIIIᵉ siècle

L'Église ne retrouvera pas de sitôt un François d'Assise pareil à celui de l'histoire! Il est tellement spontané, tellement libre d'allure, tellement aérien, qu'on le dirait de la race des alouettes, ces oiseaux de lumière qui survolèrent la Portioncule à l'heure de son bienheureux trépas. C'était un poète-né. Son *Cantique du soleil,* qui a fait de lui le chef de file de la littérature italienne, reste un des plus purs chefs d'œuvre qu'ait jamais produit la louange chrétienne. Or sa fraîcheur d'âme originelle, il l'a gardée indéfiniment, parce que, sa croissance spirituelle n'ayant jamais été alourdie par les pesanteurs des écoles, il a conservé la juvénilité de ceux que l'Esprit prépare lui-même à ses œuvres de salut. «Personne ne me montrait ce que je devais faire, écrit-il dans son *Testament.* Mais le Seigneur lui-même me montra que je devais vivre selon la forme du saint Évangile.»

Le Père Frédéric est évidemment beaucoup moins flamboyant que lui. C'est d'abord parce que, plus réaliste et plus homme d'action que lui, il a reçu en moins forte dose cette grâce de la poésie qui rend le Petit Pauvre si séduisant. Alors que saint François invente pour ses auditeurs de très poétiques allégories, lui, plus paterne, raconte aux siens les naïves histoires des *Apocryphes*

---

67. Proverbes 27, 17.

et de *La légende dorée*. Mais il y a aussi que, son éducation familiale et sa formation religieuse ayant été marquées toutes les deux
au coin de la discipline et de l'austérité, il est toujours resté en
lui une certaine inhibition qui gourmait jusqu'à un certain point
son comportement, ce qui n'était pas le cas de saint François.
«Comme tous les saints, disait de lui le Fr. Louis Soucy, il paraissait un peu singulier, en sorte que *personne n'allait à lui pour
la simple raison de badiner*[68].»

Pourtant, la forte maîtrise de soi que le Père Frédéric avait
acquise dans l'éducation volontariste de sa petite enfance et dans
les austérités de sa vie religieuse avait ses avantages. Rabotée sans
cesse par les mille et une expériences de la vie, assouplie et raffi-
née par la Grâce, elle avait fini par faire de lui le plus courtois
et le plus aimable des hommes. Les yeux de lynx de ses confrères
pouvaient, bien sûr, trouver que la surveillance rigoureuse qu'il
exerçait sur sa tenue et son langage tempéraient légèrement son
accueil et le rendaient moins chaleureusement détendant que celui
de son ami, le P. Augustin Bouynot. Il n'en restait pas moins
que ce que l'amabilité du Père Frédéric perdait en abandon et
en effusion elle le gagnait en égalité et en fiabilité. Ceux qui l'abor-
daient le faisaient avec une confiance totale, car ils étaient sûrs
de ne jamais être rabroués rudement comme l'ont été certains
interlocuteurs de saint François. Il était l'incarnation parfaite de
l'exhortation qui se lit au chapitre troisième de la *Règle des Frères Mineurs*: «Lorsque mes frères vont par le monde, je les avertis

---

68. *Dossier adjoint à la réponse du Postulateur*, p. 27. Ce comportement
très surveillé est loin du style détendu d'une Thérèse de l'Enfant-Jésus, que
Mère Marie de Gonzague, prieure du Carmel de Lisieux, décrivait d'une plume
aussi pittoresque qu'amusée: «Petite sainte n'y touche (*sic*), à laquelle on
donnerait le bon Dieu sans confession, mais dont le bonnet est plein de malice
à en faire à qui voudra. Mystique, comique, tout lui va... elle saura vous
faire pleurer de dévotion et tout aussi bien vous faire pâmer de rire en nos
récréations.» Ce naturel parfait de Thérèse Martin, c'est ce que les rogériens
appellent la *congruence*. Le Père Frédéric savait lui aussi, lorsqu'il le fallait,
faire preuve de congruence. C'était le cas, par exemple, quand il était à table
et qu'il voulait détourner l'attention de ses pénitences; c'était le cas aussi quand
il causait avec des enfants. C'est peut-être en chaire, en fin de compte, qu'il
était encore le plus naturel, le plus vraiment lui-même! Qui a dit que les saints
doivent être tous pareils?

et je leur recommande en Notre-Seigneur Jésus-Christ d'éviter les chicanes et les contestations, de ne point juger les autres; mais qu'ils soient aimables, apaisants, effacés, doux et humbles, déférents et courtois envers tous dans leurs conversations.»

Cette exhortation, c'était sûrement aussi une des préoccupations majeures de saint François d'Assise. Mais parce que le Père Frédéric n'avait point comme lui charge d'ordre et parce que, il faut le dire, son éducation première l'avait davantage habitué à contrôler ses émotions et à réagir avec maîtrise quoi qu'il arrive, il la vivait d'une façon plus égale, plus constamment amène que son père séraphique. Copie vivante du Petit Pauvre dans sa chair et dans son accoutrement, il gardait toujours, dans ses relations avec les autres, une retenue exquise, héritée de ses père et mère, qui faisait aussi de lui un émule de saint François de Sales, cet évêque aussi aimable que racé[69]. L'alliance en sa personne des charismes de ces deux grands saints conférait au petit moine de Flandre un charme irrésistible. Un confrère, le frère Benoît Salvail, qui l'avait bien connu, essayait, un an après sa mort, de décrire ce charme singulier, qui était le fruit combiné et bien mûri d'une belle éducation, d'une longue ascèse et d'une remarquable action de la Grâce:

La bonté, une bonté inépuisable, faite d'humilité et de simplicité, toujours affable et souriante, telle fut la caractéristique de cette âme religieuse et franciscaine.

L'universelle sympathie qu'il suscita partout, l'invincible attirance qu'il exerça sur les cœurs, les affections profondes et fidèles que lui vouèrent tant d'âmes, ne s'expliquent pas autrement: le Père Frédéric fut bon [...] Il possédait à un haut degré cette universelle charité qui attire les âmes, ouvre et dilate les cœurs. Elle éclatait dans toute sa personne: ses yeux bleus, vifs, profonds et très parlants, sa voix douce, fraîche et un peu chantante, comme son cœur toujours jeune, ses manières simples et prévenantes, cette politesse

---

69. Le rapprochement entre le Père Frédéric et saint François de Sales a été fait par le Fr. Louis Soucy dans le témoignage qu'il a apporté au tribunal ecclésiastique: «Quand je l'ai connu, il avait la douceur que l'on dit de saint François de Sales: ni colère ni trop doux, il avait la place de la vertu, le milieu partout» (*Dossier adjoint à la réponse du Postulateur,* p. 27).

exquise du regard, du geste et de l'attitude, dont il ne se départit jamais, répandaient sur tout son extérieur une expression de douceur bienveillante, aimable et accueillante, qui inspirait confiance, mettait à l'aise, créait la sympathie, invitait à l'abandon, appelait les confidences et provoquait jusqu'aux plus pénibles aveux[70].

S'agit-il là d'un éloge exagéré, d'une sorte de pieux dithyrambe dicté par les convenances? Nous ne le croyons pas. Car ce que le Frère Salvail nous dit ici, nous l'avons rencontré déjà dans les témoignages de l'abbé Bellemare, ainsi que dans ceux des Pères Paré et Daunais. Nous touchons là, croyons-nous, à l'un des charismes les plus significatifs du Père Frédéric, et le Frère Salvail a raison, pensons-nous, d'y voir une des clefs de son immense rayonnement apostolique. Cette mansuétude indéfectible qui le caractérisait faisait de lui une image vivante de la miséricorde et de la tendresse de Dieu. Et qui peut résister à cela? Tout homme a tellement besoin d'être aimé, respecté et pardonné! Dans l'Évangile, les histoires de Zachée et de la Samaritaine sont des démonstrations classiques de l'efficacité de la charité qui «ne brise pas le roseau froissé et n'éteint pas la mèche qui fume encore[71]».

On comprend pourquoi tant de ceux qui ont côtoyé de près le Père Frédéric lui ont voué une affection durable, quand ce n'est pas un véritable culte. Il y a lieu de souligner ici un changement intéressant survenu dans la façon dont la voix populaire a désigné notre homme. De son vivant, quand on parlait de lui, on disait plus souvent «le Saint Père» que «le Bon Père Frédéric». La seconde épithète a de nos jours complètement supplanté l'autre. Cette substitution est éminemment significative. Elle met en lumière, croyons-nous, ce qui constitue le cachet propre de la sainteté du Père Frédéric. Il s'agit de l'inaltérable aménité et de la douceur jamais démentie que les contemporains ont soulignées à l'envi chez lui. C'est l'empreinte attachante qu'ont laissée sur sa personnalité Marie-Isabelle Bollengier, sa mère, et Pierre-Antoine Janssoone, son père. Nos contemporains, que la solitude affective détruit et que l'âpreté des conflits sociaux aliène

---

70. Fr. Benoît Salvail, O.F.M., «Le Très Révérend Père Frédéric», dans *Almanach de saint François 1917,* Montréal.

71. Mt 12, 20.

et tue, ont plus que jamais besoin de savoir qu'ils ont au ciel des intercesseurs de ce genre.

De leur côté, les Franciscains de la Province Saint-Joseph du Canada et leurs cousins de France seront amenés, par la figure du Père Frédéric, à mieux comprendre la tradition religieuse qui les a portés. Cette tradition, c'est celle de l'Observance espagnole, elle-même fortement influencée par la réforme des Déchaussés. Les Déchaussés, qui comptent dans leurs rangs de très grands saints, comme saint Pierre d'Alcantara, directeur spirituel très écouté de sainte Thérèse d'Avila, et saint Pascal Baylon, patron des congrès eucharistiques, constituent l'une des branches les plus austères qui aient jamais poussé sur le vigoureux tronc franciscain. L'implantation en France et au Canada d'un mouvement né dans un contexte aussi sévère demandait des adaptations que n'ont pas toujours comprises certains supérieurs plus zélés que prudents. Les interventions cassantes de l'un ou l'autre de ces hommes ont laissé des souvenirs pénibles à quelques religieux traumatisés par leur style de «sous-offs». L'aimable personnalité du Père Frédéric aidera à dissiper ces mauvais souvenirs en rappelant qu'austérité ne rime pas nécessairement avec dureté, mais peut aussi aller de pair avec indulgence et bonté. On peut très bien être un émule de saint Pierre d'Alcantara — ce que le Père Frédéric a été — et manifester dans sa vie les belles choses que saint Paul nous dit de la charité:

> La charité est longanime, la charité est serviable; elle n'est pas envieuse; la charité ne fanfaronne pas, ne se rengorge pas; elle ne fait rien d'inconvenant, ne cherche pas son intérêt, ne s'irrite pas, ne tient pas compte du mal; elle ne se réjouit pas de l'injustice, mais elle met sa joie dans la vérité. Elle excuse tout, croit tout, espère tout, supporte tout[72].

Les développements qui précèdent nous permettent d'envisager cette célèbre description de saint Paul sous un jour nouveau: elle constitue une récapitulation saisissante de ce qu'a été, pour les témoins de sa vie, l'homme Frédéric Janssoone!

---

72. 1 Co 12, 4-7.

ÉPILOGUE

«LE CIEL, SÉJOUR DES ÉLUS»

Chapitre vingt et unième

La mission spirituelle du Père Frédéric

Les paroles chaleureuses que le P. Arthur Joyal, O.M.I., avait prononcées, le 14 août 1916, au pied de la Vierge du Cap témoignaient de la place que le Père Frédéric avait su prendre dans le cœur non seulement des pèlerins du Cap, mais de tous les Canadiens français. Cette place il ne l'a pas perdue. Il continue à vivre parmi nous par ses œuvres, par sa réputation de sainteté et par les multiples faveurs qu'on attribue à son intercession. Cette confiance durable que les fidèles d'ici lui ont montrée a certainement beaucoup aidé à faire réussir les démarches qui ont été entreprises pour obtenir sa glorification éventuelle. En le déclarant vénérable, Rome a montré qu'elle écoutait d'une oreille favorable les espoirs dont le Père Joyal, O.M.I., se faisait l'écho il y a plus de soixante-dix ans. Le moment est venu de nous demander quel rôle nouveau il pourra jouer auprès de notre peuple, lorsque Rome l'aura béatifié.

Bien malin est celui qui pourrait prédire à l'avance ce que sera le rayonnement surnaturel d'un saint. Lorsque Thérèse Martin mourut en 1899, aucune des religieuses de Lisieux et, en particulier, aucune de ses sœurs, ne se doutait de «l'ouragan de gloire» qui suivrait sa béatification et de l'ampleur que prendrait sa mission providentielle auprès des «petites âmes». Un mystère analogue recouvre la vocation future du Père Frédéric. Il y a là un secret de Dieu que seul l'avenir éclaircira pleinement.

Un exemple de renoncement et d'engagement

Mais à défaut de percer à fond les arcanes des desseins de Dieu, on peut essayer de lire les indices de ce dessein qui se trouvent dans la vie même du serviteur de Dieu. Car la vie du Père Frédéric contient déjà des messages par elle-même. À notre monde mollasson et jouisseur, elle apporte, par exemple, des leçons d'énergie et de pénitence. À son appétit de consommation et de puissance, elle oppose un exemple de pauvreté sereine et de sollicitude constante pour le prochain. À l'hédonisme effréné qui déflore prématurément le cœur des jeunes et brise impitoyablement ménages et foyers, elle rappelle qu'avec le secours de la grâce un être humain peut maîtriser ses sens et rester respectueux de la personne des autres dans l'exercice de son affectivité. Aux adeptes de la spontanéité et de l'instinct, qui voltigent à tout vent de doctrine et d'intérêt, elle peut apprendre que la réussite de tout grand projet spirituel, qu'il s'agisse du mariage ou de la vie religieuse, requiert des âmes maturées et renoncées, des volontés capables de s'engager sans retour dans une voie librement choisie.

Ces messages, toutefois, il n'est pas sûr que notre population ait envie de les lire. Les médias l'ont trop saturée d'invitations au confort, à la facilité, à la jouissance. Les idées de devoir, de renoncement, de sacrifice sont tellement discréditées que les prédicateurs n'osent presque plus les aborder. Il y a ici un blocage collectif, que seule une intervention spéciale du ciel peut rompre. On songe à la prière de Verlaine dans *Sagesse*:

> Tendez-moi votre main que je puisse lever
> Cette chair accroupie et cet esprit malade!

On a vu des interventions de ce genre à Lourdes et à Fatima, où les apparitions de la Vierge ont provoqué une libération de la capacité chrétienne de prier, de faire pénitence, de jeûner, de se confesser et d'aller à la messe sur semaine.

Une vie seconde étroitement liée à l'action de Marie

Il y a lieu de se demander si le rayonnement futur du Père Frédéric ne sera pas lié d'une façon mystérieuse à un déploiement analogue de la puissance de Marie. La Femme aux douze étoiles de l'*Apocalypse* est le grand signe qui apparaît dans le ciel du monde moderne. Lourdes et Fatima ont montré sa puissance et sa sollicitude. Et de très grands saints de notre temps, tel le Père Maximilien Kolbe, fils de saint François comme le Père Frédéric, apparaissent de plus en plus comme ses hérauts privilégiés et ses champions.

Il nous semble qu'il y a dans la vie du Père Frédéric tous les éléments voulus pour que son avenir spirituel ressemble à celui du Père Kolbe. Ce n'est pas pour rien qu'il est devenu, au temps marqué, la cheville ouvrière du pèlerinage du Cap. La Vierge avait de loin préparé son homme à ce rôle. N'avait-il pas appris à l'aimer sur les genoux de sa mère, en ce foyer flamand si croyant où Marie s'appelait *Onze Lieve Vrouw van Vlandren,* Notre-Dame des Flandres? À Marseille, en face de l'océan qui l'attend, il consacre sa vocation missionnaire à celle qui s'appelle ici «la Bonne Mère» et Notre-Dame-de-la-Garde. En Terre Sainte, il approfondit très concrètement l'histoire de Notre-Dame en parcourant à pied les sites où la Vierge a vécu en compagnie de son Fils les mystères du Rosaire qui se sont déroulés ici-bas. Au Cap, comme pour entériner l'annonce qu'il vient de faire de la grandeur future du pèlerinage, Marie ouvre les yeux pendant plusieurs minutes, contemplant en quelque sorte à l'avance les pèlerins innombrables qui viendront la prier au petit sanctuaire. Et, un jour que son homme lige se trouve cerné par la mort au milieu des glaces du fleuve, elle répond à son cri de détresse en le secourant d'une façon si rapide que le processus même de son sauvetage lui échappe. C'est enfin elle qu'il invoque durant les dernières heures d'agonie qu'il vit à l'infirmerie de la rue Dorchester. Le vieil Adversaire, qu'il a tant de fois vaincu grâce à elle, croyant son Heure enfin venue, se montre alors à lui pour le pousser au désespoir. Mais lui se cramponne à celle qui l'a sauvé jadis au milieu des glaces flottantes du fleuve. Selon un propos rapporté par le Fr. Léo Bayle au procès d'Alexandrie, «le Père

Frédéric disait [à son infirmier, le Fr. Raphaël Quinn], que le diable se trouvait au coin de sa chambre et qu'il le voyait lui-même. Il tenait entre ses mains la petite statue de la Sainte Vierge avec laquelle il éloignait le diable[1]».

On se souvient de ce fameux texte de l'*Épître aux Éphésiens*, où saint Paul dit à ses correspondants: «Ce n'est pas contre des adversaires de chair et de sang que nous avons à lutter, mais contre les Principautés, contre les Puissances, contre les Régisseurs de ce monde de ténèbres, contre les Esprits du mal qui habitent les espaces célestes[2].» Si le détail rapporté par le Frère Bayle survenait dans la vie d'un chrétien à gros grain, il fortifierait la réserve prudente que le Promoteur de la foi a montrée envers les autres faits du même genre déjà rapportés par Mgr Hiral et par le T.R.P. Jean-Joseph Deguire. Mais, nous l'avons vu, le Père Frédéric, en plus d'avoir été un phénomène d'ascèse et de pénitence, a été un géant de foi, d'espérance et d'amour, un émule des Pères du désert et du saint Curé d'Ars. La donnée a son importance. Car ce sont des athlètes de ce genre qui, en forçant l'Adversaire à les combattre à découvert, nous font réaliser ce que saint Paul et les évangélistes nous disent sur la véritable nature du combat spirituel que les chrétiens doivent livrer à la suite de leur Maître: il s'agit d'une lutte entre la Lumière et les Ténèbres, d'un duel à finir entre la Vie et la Mort! *Mors et Vita duello conflixere mirando!*

Le moment est venu de nous souvenir d'un détail que nous avons rapporté dans un chapitre antérieur de ce livre. En tête de ses cahiers de notes du scolasticat, le Frère Frédéric avait mis, disions-nous, une image naïve mais significative. Une âme menacée des attaques du démon se réfugie aux pieds de la Croix et de la Sainte Vierge. En Reine toute-puissante, Marie écrase la tête du Serpent et la perce d'une lance aiguë. Puis, en Mère toute bonne, elle protège cette âme effrayée et l'abrite avec bienveillance sous son manteau. Il y a là, disions-nous, comme un raccourci d'événements importants de la vie ultérieure de l'homme de Dieu. Les événements en question, ce sont les immenses tra-

---

1. *Procès rogatoire d'Alexandrie*, p. 272, *ad* 18.
2. Ép 6, 12.

vaux qu'il a accomplis pour la cause du Christ et du Royaume. Mais ce sont surtout, ainsi qu'il en a été du Christ, les combats ultimes qu'il a eu à livrer durant sa Passion et son Agonie. En cette heure où la guerre des Ténèbres contre la Lumière s'est faite la plus exténuante, c'est là que la Vierge lui a manifesté le plus clairement sa présence et sa protection. Il a triomphé, comme il avait vécu, avec Marie.

La même image symbolique vaudra aussi pour l'avenir. Le bon combat qu'il avait mené avec Marie sur la terre, le Père Frédéric le continuera en étroite association avec elle maintenant qu'il est dans la gloire. C'est dans sa mouvance qu'il rayonnera, c'est dans sa mouvance qu'il entraînera les âmes à Dieu. Et si, comme Thérèse de Lisieux, il doit « passer son ciel à faire du bien sur la terre », c'est avec elle et par elle qu'il le fera. À tout jamais il restera, dans son action, le féal chevalier de sa « Bonne Mère du Ciel », Notre-Dame du Cap, Reine du Très Saint Rosaire et Reine du monde.

Table des matières

Imprimerie des Éditions Paulines
250, boul. St-François Nord
Sherbrooke, QC, J1E 2B9

Imprimé au Canada — Printed in Canada